Eine »Bilanz der deutschen Literaturentwicklung« könnte man das vorliegende Buch nennen, das zu den überzeugendsten Versuchen gehört, allen denjenigen übersichtlich geordnete Informationen anzubieten, die sie im Beruf, beim Studium oder aus Interesse an literarischen Fragen suchen. In den ›Daten deutscher Dichtung‹ steht das oft vernachlässigte Einzelwerk bewußt im Mittelpunkt. Das erste Erscheinen, als selbständiges Buch oder in Zeitschriften, bei Schauspielen auch die Uraufführung, dazu Angaben über Inhalt, Form und Wirkung rekonstruieren im Zusammenhang mit den Einleitungen und Biographien die einzelnen literarischen Epochen. Mit philologischer Akribie schufen die Verfasser »ein vortreffliches Nachschlagewerk, das im Aufbau dem Wachstum der Literatur in der Zeitfolge nachgeht«. »Das Buch ist originell in der Anlage«, urteilt die Züricher ›Tat‹, »und wohlbewandert im Text. Es hat keinen Konkurrenten, schon gar nicht einen ebenbürtigen.« Bei der Neubearbeitung und durch ständige Ergänzungen wurde das Buch wesentlich erweitert. Die vorliegende Auflage berücksichtigt wieder neueste Forschungsergebnisse (auch in diesem Band I) sowie Neuerscheinungen auf dem Gebiet deutscher Dichtung und Literatur.

Herbert A. und Elisabeth Frenzel:
Daten deutscher Dichtung

Chronologischer Abriß
der deutschen Literaturgeschichte

Band I
Von den Anfängen bis zur Romantik

Deutscher
Taschenbuch
Verlag

1. Auflage Februar 1962
5., völlig neu bearbeitete Auflage Mai 1969
13., überarbeitete Auflage Juni 1977: 321. bis 345. Tausend
Deutscher Taschenbuch Verlag GmbH & Co. KG,
München
© 1953 Verlag Kiepenheuer & Witsch, Köln
Umschlagentwurf: Celestino Piatti
Gesamtherstellung: C. H. Beck'sche Buchdruckerei,
Nördlingen
Printed in Germany · ISBN 3-423-03101-8

Vorwort

Daten sind die Voraussetzung aller geschichtlichen Erkenntnis. Auch in der Literaturgeschichte standen sie ein paar Jahrzehnte lang nicht hoch im Kurs, als die Überzeugung von ihrem gewiß begrenzten Aussagewert und die Bevorzugung anderer als chronologischer Methoden sie immer mehr in den Hintergrund drängten. So ließen sich vielfach selbst aus sogenannten historischen Darstellungen nur noch ungenaue und widerspruchsvolle Auskünfte über das Wann der Ereignisse holen.

Die »Daten deutscher Dichtung« wollen demgegenüber in allen Fragen der Chronologie vor allem der Einzelwerke ein handlicher Helfer sein, ob sie nun gelegentlich oder als unterstützendes Lehr- und Lernmittel regelmäßiger zu Rate gezogen werden. Als maßgebliches Datum im Ablauf des literarischen Geschehens gilt das der ersten Veröffentlichung, das des ersten Druckes. Nur in Frühzeit und Mittelalter und in einigen Ausnahmefällen der neueren Zeit wurde statt dessen auf das der Entstehung zurückgegriffen, das im übrigen auch sonst meist hinzugefügt worden ist. Bei dramatischen Werken steht das Datum der ersten Aufführung gleichberechtigt neben der gedruckten Herausgabe; wo es nachweislich früher liegt, erhielt es den Vorrang.

Mit solchen und anderen äußeren Angaben aber sollte der Begriff »Daten« nicht erschöpft sein. Vielmehr wurden bei jedem einzelnen Werk nach Möglichkeit weitere »Gegebenheiten« verzeichnet, die für eine eingehendere Beschäftigung mit ihm unerläßlich sind. Dabei erhielt zunächst der reine Inhalt sein Recht. Dann aber ist versucht worden, durch knapp formulierte Tatsachen das Werk zu charakterisieren und einzuordnen, seine Verbindung zu vorangegangenen und seine Wirkung auf nachfolgende bewußt zu machen.

Um der größeren Zusammenhänge willen und um das dem Benutzer vertraute Bild des literarischen Gesamtablaufs nicht zu zerstören, sondern eher zu stützen, wurde der Stoff nach der zur Zeit gebräuchlichsten Epocheneinteilung aufgegliedert und so das Nacheinander in ein Auf und Ab sich anbahnender, einem Höhepunkt zulaufender und verklingender Bewegungen verwandelt. Auf diese Weise belebt sich die reine Folge der Zahlen in einem vertrauten, wenn auch sicherlich gelegentlich anfechtbaren Rhythmus. Zugleich aber ließ sich das vielen einzelnen Daten Gemeinsame jeweils an einer Stelle sagen und in gedrängten Einleitungen der allgemeine geschichtliche, soziologische, philosophisch-religiöse Hintergrund, die Kunst- und Dichtungstheorie sowie das Geflecht der literarischen Kreise und ihrer Zeitschriften aufzeigen. Die daran angeschlossenen Lebensabrisse für die Hauptgestalten der deutschen Literaturgeschichte erfüllen schließlich berechtigte Ansprüche an das Biographische. Bei allen anderen

Autoren ist jeweils in Klammern das Geburts- und Sterbedatum und eine Reihe der für ihr Leben bezeichnendsten Aufenthaltsorte angegeben, die mit den oft zufälligen Stätten der Geburt und des Todes nicht immer zusammenfallen.

Daß dem durch das annalistische Prinzip erzielten Gewinn an chronologischer Einprägsamkeit und an Eigengewicht der epochalen Einzelwerke möglicherweise ein Verlust an dem abrundenden Gerank beiläufiger und meist nur im Rahmen der schöpferischen Individualität bedeutsamer Nebenwerke gegenübersteht, ist den Verfassern bewußt. Aber es schien einer wirklichen Belehrung dienlicher, auf die bloße Nennung nur verwirrender weiterer Titel zu verzichten. Der Leser wird sich diese Entscheidung besonders für die neueren Jahrzehnte vor Augen halten müssen, in denen sich die »Literatur« mit der Summe alles Gedruckten zu decken scheint.

Geschichte entsteht, wenn das noch wenig erhabene Relief der Gegenwart im Laufe von Jahrzehnten größere Plastik erhält. Literaturgeschichte ist für Literarhistoriker stets nur bis zu einem bestimmten Zeitpunkt faßbar. Was nach diesem kommt, bleibt ein nur in Einzelheiten erkennbares, unerforschtes Gelände, das sich jedem Blick anders darstellt und selbst dem gleichen Blick unversehens überraschende neue Bilder bietet. Wenn nun überdies die historische Darstellung in einem besonderen Maße nur möglichst gesicherte »Daten« zu bieten trachtet, wird sie um so notwendiger das jüngste Geschehen im Zustand der Skizze belassen müssen, die jeder Benutzer seiner eigenen Erfahrung und dem persönlichen Urteil gemäß ergänzen kann und ergänzen möge.

Es ist selbstverständlich, daß ein Buch wie das vorliegende zahlreichen anderen verpflichtet ist. Dies sei hier grundsätzlich und dankbar festgestellt. Die gelegentlichen Hinführungen auf Forschung und Forscher möchten auch dem Leser eine Ahnung von dem nie endenden Bemühen der Wissenschaft geben, der ihrem eigentlichen Betrieb etwas ferner steht.

Nachschlagewerke machen im allgemeinen ihre Hersteller schon im Stadium des Entstehens immer unzufriedener. Der fremde Beurteiler, der sich zunächst an das ihm besonders gut Bekannte hält, meint leicht, daß gerade hier zu wenig oder Unzulängliches geboten werde. Dennoch kann die Erprobung in der Praxis und die Abstellung der sich in ihr ergebenden Mängel einem solchen Buch nur nützen.

Die Zustimmung, die den bisher erschienenen älteren Auflagen zuteil wurde, hat die Verfasser ermutigt, allen Anregungen nachzugehen und der neuen Ausgabe wieder ihre Kraft zu widmen.

Dr. H. A. Frenzel   Dr. E. Frenzel

Inhaltsverzeichnis

Denkmäler germanischer Zeit

750–1170 Frühes Mittelalter

1170–1270 Hohes Mittelalter

1270–1500 Spätes Mittelalter

1470–1600 Renaissance

1600–1720 Barock

1720–1785 Aufklärung

1740–1780 Empfindsamkeit

Ein ausführliches Register befindet sich am Ende des zweiten Bandes.

Verzeichnis der Abkürzungen

a (in Zusammensetzungen)...alt		Jg.	Jahrgang
Abt.	Abteilung	Jh.	Jahrhundert
ags.	angelsächsisch	kelt.	keltisch
ahd.	althochdeutsch	Kom.	Komödie
alem.	alemannisch	lat.	lateinisch
amerikan.	amerikanisch	Lit.	Literatur
as.	altsächsisch	lit.	literarisch
Auff.	Uraufführung	Lsp.	Lustspiel
Aufl.	Auflage	m (in Zusammensetzungen)...mittel	
Ausg.	Ausgabe	MA.	Mittelalter
Auslfg.	Auslieferung	ma.	mittelalterlich
bayr.	bayrisch	mdl.	mündlich
bearb.	bearbeitet	mdt.	mitteldeutsch
Bearbg.	Bearbeitung	m. G.	mit Gesang
Bd.	Band	mhd.	mittelhochdeutsch
Dg.	Dichtung	mlat.	mittellateinisch
Dld.	Deutschland	Ms.	Manuskript
Dr.	Drama	nd (in Zusammensetzungen) ...	
dram.	dramatisch		= nieder
dt.	deutsch	ndld.	niederländisch
engl.	englisch	nhd.	neuhochdeutsch
entst.	entstanden	Nov.	Novelle
ersch.	erschienen	P.	Posse
Erz.	Erzählung	R.	Roman
Forts.	Fortsetzung	Red.	Redakteur
fr.	fränkisch	red.	redigiert
frz.	französisch	russ.	russisch
Fsp.	Fastnachtspiel	Schsp.	Schauspiel
germ.	germanisch	Singsp.	Singspiel
Gesch.	Geschichte	Slg.	Sammlung
got.	gotisch	Sp.	Spiel
griech.	griechisch	span.	spanisch
hdt.	hochdeutsch	Tr.	Tragödie, Trauerspiel
hgg.	herausgegeben von	Übs.	Übersetzung
hist.	historisch	Verf.	Verfasser
Hörsp.	Hörspiel	Verfn.	Verfasserin
Hs.	Handschrift	Vst.	Volksstück
hs.	handschriftlich	Wb.	Wörterbuch
ind.	indisch	Zs.	Zeitschrift
ital.	italienisch	Ztg.	Zeitung

Eine Ziffer hinter Dr., Tr. usw. bedeudet die Anzahl der Akte, Verdoppelung des letzten Buchstabens = Mehrzahl. Zwei durch einen Schrägstrich getrennte Erscheinungsdaten bedeuten für das Mittelalter die sog. termini post quem und ante quem.

Denkmäler germanischer Zeit

Aus der Zeit, die der Umgestaltung der germ. Kultur durch antik-christliche Bildungseinflüsse vorhergeht, ist keine lit. Überlieferung vorhanden. Erschlossen werden kann das, was vor dem 8. Jh. durch germ. Stämme hervorgebracht wurde, nur aus wenigen römischen Berichten und durch Erspürung der älteren, noch germ. Schichten späterer Dgg.

Dg.-Gattungen einfacherer Art, die z. T. mit alten Kultbräuchen zusammenhängen:

liod = Lied (carmen), vor allem in der Bedeutung wini-liod = Liebeslied,

leich = Lied (zu ags. lacan, got. laikan = springen, tanzen), Bewegungslied.

Bei Notker dem Deutschen stehen bereits liod und leich als Gattungen des gesungenen Liedes nebeneinander.

Sprichwörter, Rätsel, Zaubersprüche; aus sehr alten Schichten. Sprichwörter und Rätsel haben sich ihre Form unabhängig von der jeweiligen lit. Mode erhalten. Die Formelhaftigkeit, das geheime Weitergeben und Bewahren von magischer Weisheit haben auch die Zaubersprüche widerstandsfähig gemacht; sie waren unabhängig von der jeweiligen Religion ihrer Benutzer, gehörten dem allgemeinen Dämonen- und Zauberglauben an und sind nicht typisch germ. Der Zaubernde wollte Macht über Dämonen oder Götter gewinnen und sie zu bestimmten Handlungen zwingen. Die von ihm benutzte magische Beschwörung hatte Kraft nicht nur durch ihren Gehalt, sondern auch durch ihre Aufbauform. Auch die Zaubersprüche wurden ursprünglich gesungen, ihr Name wird durch lat. incantatio wiedergegeben.

Die eigentlich repräsentative und künstlerische Lit.-Gattung war das kurze balladeske Heldenlied. Es erwuchs aus der Lebensform der adligen Gefolgsgemeinschaft an den Fürstenhöfen der Völkerwanderungszeit. Schon Tacitus berichtet (*Annalen*, Schluß des 2. Buches), daß Arminius noch lange nach seinem Tode in Liedern gefeiert wurde. Zur Zeit der Völkerwanderung schrieb der byzantinische Gesandte Priscus, daß germ. Sänger am Hofe Attilas Lieder zu seinem Ruhm sangen und bei seiner Totenfeier Preislieder auf ihn vortrugen. Diese Preislieder sind eine Vorstufe zum Heldenlied, das vergangene Helden und ihre Taten besingt.

Die umfangreichste Slg. germ. Heldendg., von der die dt. einen Teil bildet, ist die *ältere oder Lieder-Edda (Edda des Sämund)*. Die Hs. ist um 1260 entstanden und trägt ihren Namen in Anlehnung an die sog. *jüngere oder Prosa-Edda (Edda des Snorri Sturluson)*, ein Lehrbuch der isländischen Dichtkunst. Sie enthält Götter- und Heldenlieder, z. T. in verschiedenen Fassungen, durch Prosa-Zwischenglieder verbunden. Die Sagenstoffe der *Edda* sind zum größten Teil südgerm. Herkunft und während der Völkerwanderungszeit entstanden. Die vier ältesten Stücke: *das Wielandlied* (burgundisch), *das alte Sigurdlied* (burgundisch), *das alte Atlilied* (burgundisch), *das Lied von Ermanarich* (got.) setzen eine dt. Zwischenstufe voraus. Sie sind den Weg über Nddld. gegangen, wo *das Hildebrandslied* haltgemacht hat. Auch der ags. *Beowulf* (um 700), ein Heldenepos aus der Blütezeit aengl. Klosterkultur, bewahrt eine südgerm. Sage.

Die um 1250 in Bergen entstandene *Thidrekssaga*, eine Nacherzählung der gesamten dt. Heldensage, dient gleichfalls der Erschließung germ. Heldenlieder, jedoch ist hier vieles schon durch die mhd. höfische Entwicklungsstufe gegangen.

Die geschichtlichen Ereignisse, die Grundlagen für die Sagenstoffe (z. B. die Kämpfe Theoderichs des Großen für die ursprünglich ostgot. Dietrich-Sagen, der Untergang des Burgundenreiches für den burgundisch-fränkischen Nibelungenstoff), ergeben das 4.–8. Jh. als Blütezeit der Heldenlieder.

Die metrische Form des agerm. Verses war der Stabreim. Die rhythmisch hervorgehobenen Silben der Langzeile wurden durch Gleichklang des Anlautes (Alliteration) miteinander verbunden.

Schöpfer und Träger dieser und wohl auch anderer Gattungen von Dichtkunst war ein Berufsdichter und Sänger, der an den Höfen von germ. Fürsten seine Lieder vortrug und nach dem Zeugnis des *Beowulf* scop und der ahd. Glossen scof oder scopf genannt wurde. Der Begriff dürfte eine in bezug auf lit. Niveau und soziale Zugehörigkeit weite Skala, vom adligen Hofsänger bis zum niederen Spaßmacher, umfaßt haben.

Die Kunst des scof hörte im 8. Jh. auf. Die außerdt. germ. Stämme waren allmählich untergegangen, und das entstehende fränkische Großreich verschlang die kleineren Fürstenhöfe. Zugleich mit der Veränderung des soziologischen Aufbaus wandelte sich auch das alte Ethos unter dem Einfluß der christlichen Kirche und der Geistlichen. Die germ. Völker und Sprachen wuchsen auseinander, wodurch das Wandern der Heldendg. innerhalb der germ. Welt erschwert wurde.

Dennoch sind die alten heldischen Stoffe während der gesamten Entwicklung der dt. Lit. erhalten geblieben und haben in jeder Zeit den ihr gemäßen Niederschlag gefunden. Die Stoffe übernahm zunächst der »Spielmann« zu mdl. Bewahrung. Dann bemächtigten sich der Themen das Heldenepos des hohen MA., die Volksballaden des ausgehenden MA. und die Volksbücher des 16. Jh. Seit Johann Jakob Bodmer (1698–1783) und den Romantikern kam es zu einer wissenschaftlichen Beschäftigung mit ihnen, die wiederum neue dichterische (meist dram.) Verarbeitungen förderte.

vor 750   Merseburger Zaubersprüche

Die Sprüche wurden im 10. Jh. auf das Vorsatzblatt einer geistlichen Hs. aufgezeichnet, die, wahrscheinlich aus Fulda stammend, sich später in Merseburg befand. Dort wurde sie 1841 von Waitz gefunden; erstmalig hgg. Jakob Grimm 1842.

Einzige dt. Denkmäler rein heidnischen Gepräges. Zwei Sprüche verschiedenen Inhalts. Jeder mit epischem Eingang und anschließender Zauberformel: die Wirkung, die sich in dem erzählten Fall erwiesen hatte, soll erneut beschworen werden. Der erste Spruch soll der Lösung eines Gefangenen dienen. Die Einleitung überliefert das Motiv vom Eingreifen der Schlachtjungfrauen in die Schlacht. Der zweite Spruch erstrebt Heilung der Beinverrenkung eines Pferdes. In der Einleitung Namen verschiedener germ. Götter überliefert.

Eindringliche Sprache und Form: die Vorbildhandlung verläuft in drei gleich angelegten, den Vorgang wiederholenden Gliedern, von denen das dritte sprachlich hervorgehoben ist. Stabreim dient der Intensivierung.

Der zweite Spruch ist heidnische Variante eines Typus, in dem sonst Gestalten der christlichen Mythologie als Reiter und Heilende fungieren (vgl. *Trierer Spruch*, 9. Jh.). Möglichkeit eines Zusammenhangs dieser zweistöckigen Form des Zauberspruchs mit einer spätantiken Tradition.

Die Verschmelzung mit christlichem Gedankengut ist bei den ältesten der etwa zwei Dutzend erhaltenen ahd. Sprüche noch kaum vollzogen. Dem eingliedrigen *Wurmsegen* (9. Jh.), der unmittelbar mit der Beschwörung einsetzt, ist in der ahd. Version die Vorschrift angehängt, noch drei Vaterunser zu sprechen; in der nddt. Fassung heißt es statt dessen, der Herr möge das Erbetene gewähren. Bei den späteren Zaubersprüchen sind Form und Inhalt zersetzt. Der Spruch wirkte nicht mehr aus seiner formgebundenen Kraft heraus, sondern durch die Macht Gottes und der Heiligen, in deren Namen der Spruch gesagt wurde (*Lorscher Bienensegen*, 10. Jh.; *Trierer Blutsegen*, 10. Jh.; *Bamberger Blutsegen*, 12. Jh.).

810/20   Älteres Hildebrandslied

Ursprünglich langobardische Dg. aus dem 7. Jh., der Dietrich-Sage zugehörig. Gelangte nach Bayern und wurde dort 770/790 umgedichtet. Zu Beginn des 9. Jh. in Fulda für das nddt. Missionsgebiet unter mechanischer Umschreibung des Lautstandes nddt. eingefärbt. Dieses Lied wurde um 850 von zwei Mönchen des Klosters Fulda abwechselnd auf die inneren Deckblätter eines Gebetbuches abgeschrieben. Fragment. 68 stabende Langzeilen.

Dem heimkehrenden alten Hildebrand tritt der Sohn Hadubrand, das Land verteidigend, entgegen. Der Vater erkennt ihn und gibt sich zu erkennen. Der Sohn glaubt dem Vater nicht und zwingt ihn durch den Vorwurf der Feigheit zum Kampf. Mitten in diesem Kampf bricht die Hs. ab. Aus anderen Quellen ist erschließbar, daß

der Vater den Sohn erschlägt. Tragische Verwicklung: Tapferkeit und Ehre, die der Sohn an seinem unbekannten Vater rühmt, zwingen diesen, auch dem Sohn gegenüber diese Vorzüge zu bewähren, den Sohn im Kampf zu töten, sein Geschlecht auszurotten.
Germ. heroischer Schicksalsglaube, wie er sich auch in den Liedern der *Edda* zeigt. Es werden jedoch nicht germ. Götter, sondern der »waltant got« angerufen; das Christentum ist erst oberflächlich erfaßt, hat den alten Glauben noch nicht umzuformen vermocht.

Erstmalig abgedruckt 1729 durch Georg v. Eckhart in *Commentarii de rebus Franciae orientalis et episcopatus Wirceburgensis* mit lat. Übs.; als Stück eines nddt. Prosaromans angesehen. 1812 hgg. Brüder Grimm. Von der 1945 abhanden gekommenen Hs. gelangte ein Blatt aus Amerika nach Kassel zurück.

Weiterleben des Stoffes: *Jüngeres Hildebrandslied*. Zwei Fassungen des 16. Jh., ins 13. Jh. zurückgehend. Im Hildebrandston, einer Abart der Nibelungenstrophe. Endet mit fröhlichem Wiedererkennen im Familienkreis. Beispiel für den unheroischen Geist des späten MA. und für die Schrumpfung des Heldenepos zur Volksballade.

750–1170 Frühes Mittelalter

Unter der Regierung Karls des Großen (768–814) wurde die Kirche zur Umerzieherin der germ. Stämme, der gesamte Kulturbereich ging an sie über; Sprache, Dg.-Formen und -Stoffe wurden von ihr bestimmt. Erst mit der Eingliederung in die römische Kirche und der Übernahme spätantiker Bildung und der lat. Schrift wurden die dt. Stämme »literarisch« produktiv. Die Verbindung zur vordt. germ. Dg. riß ab.
Das frühe MA. läßt sich in folgende drei Perioden gliedern: bis 900 Wirkung der karolingischen Renaissance (ahd. Lit.), bis 1025 ottonische Renaissance (Vorherrschen der mlat. Lit.), bis 1150 Wirkung der kluniazensischen Reform (frühmhd. Lit.).
Schon vor Karl, zur Zeit Pippins (751–768), begann man in Dld. im Kreise des Bischofs Arn von Salzburg und Arbeos von Freising mit lit. und wissenschaftlichen Arbeiten.
Karl der Große versuchte die von ihm unterworfenen Völker auf der Basis antik-christlicher Bildung umzuformen, ohne die Verbindung zur heimischen Kultur ganz aufzugeben (Slg. der germ. Heldenlieder, die durch seinen Sohn, Ludwig den Frommen, vernichtet wurde).
Den Bildungsabsichten Karls ging die Vermittlung gelehrter Bildung durch die ags.-irische Mission (Bonifatius 719–754) vorher. Zentrum der Bemühungen war der Hof: Gründung einer Hof-Akademie, Pflege lat. Hofpoesie, Anlage von Bibliotheken, Lektüre antiker Schriftsteller, Vervielfältigung von Hss., Abfassung von Kommentaren. Karl zog die geistige Elite der germ. Stämme zu sich, die damit dem Herkunftsland verlorengeng: Alkuin (Angelsachse), Einhard (Franke), Petrus von Pisa (Langobarde), Paulus Diakonus (Lan-

gobarde), Angilbert (Franke), Theodulf (Gote). Stärkste Impulse
übte Alkuin (735–804) aus, Vorsteher der Klosterschule in Tours,
einer Pflanzstätte karolingischer Wissenschaft. Alkuins *Liber de ca-
tholica fide* ist das erste dogmatische System des MA. Sein Schüler
Hrabanus Maurus (um 784–856) war später Leiter der Klosterschule
Fulda, 848 Erzbischof von Mainz. Dessen Schüler Walahfrid Strabo
wirkte in Reichenau und Hartmut in St. Gallen. Diese Konzentration der Wissenschaft wurde nicht nur durch den imperialistischen
Charakter des Reiches Karls ermöglicht, sondern durch die über-
nationale Kraft der lat. Bildung. Es gab keine Kulturmacht, die
Kräfte aus dem Wirkungskreis dieser Bildung hätte abziehen kön-
nen. Die damals entstehende Lit. hatte Missions- und Bildungsziele.
Die Weiterentwicklung der Bestrebungen Karls wurde durch den
Verfall der karolingischen Dynastie unterbrochen.
Erst Otto der Große (936–973) und seine Nachfolger, vor allem sein
Enkel Otto III. (983–1002), erneuerten diese Bindung der dt. Kultur
an die Antike. Die politische und kirchliche Sonderentwicklung der
abendländischen Staaten verhinderte jedoch, daß die Konzentration
wissenschaftlicher Kräfte am Hofe Karls sich wiederholte. Eifrigster
Förderer der klassischen Studien war Ottos Bruder Bruno, Erzbischof von Köln, außerdem seit 953 Herzog von Lothringen. Einfluß auf die Wissenschaftspflege lothringischer Klöster. Heranziehung eines Stabes wissenschaftlich geschulter Geistlicher für die kö-
nigliche Kanzlei, Ausbreitung lat. Bildung über die lothringischen
Klöster hinaus. Führend blieb Kloster Fulda: Notker Balbulus (gest.
912), Schöpfer der Sequenzen, Tutilo (gest. 915), Schöpfer der Tropen. Auch Otto zog ausländische Gelehrte an den Hof; seine Familie nahm Anteil an der Bildungsarbeit: Ottos Gemahlin Adelheid,
seine Nichte Gerberg, die als Äbtissin von Gandersheim Anregerin
für die schriftstellerische Tätigkeit der Hrotsvit wurde, seine Nichte
Hadwig, Herzogin von Schwaben, die von dem Mönch Ekkehard II.
von St. Gallen Lat.-Unterricht erhielt. Zur Zeit der römischen Interessen der Ottonen war nur das Lat. lit.-fähig. Rückschlüsse aus
Annalen und späterer Dg. ergeben das Vorhandensein einer dt.-
sprachigen Epik und Lyrik, die aber nur in mdl. Überlieferung gepflegt wurde. Aus der ottonischen Epoche ist kein dt. Gedicht erhalten.
Mit Heinrich II. (1002–1024) begann der Einfluß der von dem frz.
Kloster Cluny (gegr. 910) ausgehenden, auf Erneuerung und Vertiefung des religiösen Lebens abzielenden asketischen Richtung. Die
Kirche reinigte sich von allem Weltlichen als von einer niederen
Sphäre und erhob sich zugleich über den weltlichen Bereich. Die Lebensform des Geistlichen und des Mönchs wurde immer mehr zur
reinsten Ausprägung des christlichen Menschen erklärt. Auch das
Laientum wurde in den Strom der Weltverneinung hineingerissen.

Auf der anderen Seite bediente sich die Kirche des Kaisers als des weltlichen Arms – Gregor VII. bot der religiösen Bewegung des Laientums in den Kreuzzügen das Ziel – und erzog sich dadurch im Kaisertum und in seinem Machtträger, dem Adel, den immer selbständiger werdenden Gegner.

Mit den Ideen von Cluny begann zum erstenmal der Einfluß Frankreichs und steigerte sich in der Scholastik durch Persönlichkeiten wie Abälard (1079–1142) und Bernhard von Clairvaux (1091–1153) entscheidend. Beginnendes Übergewicht frz. Hochschulen über die dt. Die Scholastik verwertete die philosophischen Begriffe der Antike, um die Glaubenswahrheiten der Religion zugleich als notwendige Vernunftwahrheiten zu beweisen. Sowohl die rationalistische Richtung Abälards (Zweifel, Forschung, Wissenschaft führen zur Erkenntnis der Wahrheit und damit zu Gott) wie die konservative, von Cluny beeinflußte Mystik Bernhards von Clairvaux (nicht das Wissen, sondern mystische Kontemplation, die ein Geschenk Gottes ist, führt zur Wahrheit und zur Selbstaufgabe in Gott) beeinflußten das dt. Geistesleben.

Die asketische und selbstbesinnliche Lit. der Zeit zwischen 1070 und 1170 bewirkte eine Umgestaltung des gesamten Lebensgefühls, Auflockerung und Durchpflügung des Seelischen, das den Boden für eine künftige verfeinerte Kultur bilden konnte. Die Veredelung der ritterlichen Erotik ist u. a. das Verdienst der z. T. aus antiken Quellen gespeisten kirchlichen geistigen Durchbildung. Die starke Verweltlichung weiter Kreise ließ den Gegensatz von weltlichem und geistlichem Bereich immer deutlicher werden.

Der Anteil der dt. Stämme an der Lit. verschob sich in diesem langen Zeitraum wiederholt. Für das 8. Jh. ist auf bayr. Boden erste glossarische Tätigkeit festzustellen. Sie geschah unter Fühlungnahme mit Wissenschaft und Kultur der Langobarden, die in Italien das antike Erbe direkt übernahmen.

Zur Zeit Karls des Großen traten hervor: Rhein- und Ostfranken, Alemannen, Bayern (Klöster Reichenau, St. Gallen, Fulda). Im Zusammenhang mit dem ags. Kulturraum Niedersachsen und Westfalen (nur geringe schriftliche Überlieferung).

Im 11. Jh. war der alem. Raum (Kloster Hirsau, seit 1079) Einfallstor für kluniazensische Ideen. In Südostdld. erfolgte die Bearbeitung biblischer Stoffe (*Wiener Genesis* um 1070, *Wiener Exodus* um 1120, *Vorauer Slg.* Ende des 12. Jh.). Der Rhein wurde Pflegestätte der Legendendg. und des frühen Osterspiels sowie Aufnahmegebiet des von Frankreich kommenden vorhöfischen Epos. Von dort Verbreitung der epischen Stoffe nach Osten. Am Ausgang des frühen MA. wurde Bayern unter den Welfen Heinrich dem Stolzen (gest. 1139) und Heinrich dem Löwen (Herzog 1154–1180) führend für das vorhöfische Epos.

Wo die geistliche Absicht überwog (in der Karolingerzeit und in der Salierzeit), war die Lit. populär, dt.-sprachig, sie vernachlässigte die Form. Im 8. und 9. Jh. war lit. Tätigkeit zunächst grammatische Tätigkeit: Glossen, Glossare, Interlinearversionen, Übss. Daran schloß sich geistliche Gebrauchslit.: katechetische Stücke, Gebete. Schaffung einer dt. Prosa ist Verdienst Karls. Schließlich gelangte man zu Dgg. über biblische Themen und Heiligenleben. Übernahme des lat. Endreims in die dt. Dg.

Die dt. Dgg. der ahd. Epoche waren ohne Nachwirkungen. Zwischen ihnen und dem Sichtbarwerden einer neuen dt.-sprachigen (mhd.) Lit. im 11. und 12. Jh. liegt eine Lücke, deren geistiger Gehalt durch Heranziehung lat. Dgg. erschlossen zu werden pflegt, während doch diese Werke der kontinuierlich neben der dt. Lit. bestehenden übernationalen mlat. Lit. angehören. Die endgültige Vorherrschaft des Klerus unter den Sachsenkaisern ließ das Lat. zur ausschließlichen Lit.-Sprache werden. Es hatte nun auch den neuen kirchlichen und Bereiche des dt. Wortschatzes in sich aufgenommen. In der lat. Dg., in der Epik wie in der Vagantenlyrik, machte sich die Diesseitsbewegung in der Geistlichkeit bemerkbar. Vaganten sind nicht »Spielleute« oder »Fahrende«, sondern von Universität zu Universität ziehende junge Geistliche und Gelehrte verschiedener Nationalität. Die Vagantenlyrik entstand aus der lat. Schulpoesie, die an Hand antiker Vorbilder auf den Hohen Schulen gelehrt wurde. Gelegentlich wurden Formen und Stoffe aus der volkstümlichen Lyrik der jeweiligen Muttersprache mit eingeflochten. Mlat. Lyrik ist gesammelt in der *Cambridger Liederhs.* (Ende 10./Anfang 11. Jh.; Sequenzen und Lieder, herkömmlicherweise geistlichen, mitunter auch weltlichen Inhalts); Hauptbestand der eigentlichen Vagantenlyrik sind die *Carmina Burana* (Benediktbeuren, entst. 13. Jh. in Oberdld., über 300 Lieder).

In das 10. Jh. fallen auch die Anfänge des – zunächst lat. – geistlichen Dr. des MA. Es entwickelte sich aus dem in die Osterliturgie eingebauten Tropus, einer liturgischen Dg. aus Prosasätzen, die zum Gesang bestimmt waren. Die drei Frauen, die den begrabenen Christus besuchen wollen, und der wachthaltende Engel am Grabe des Auferstandenen sangen abwechselnd: »Quem quaeritis in sepulchro, o Christicolae? / Jesum Nazarenum crucifixum, o caelicolae...« Der in früher Zeit an verschiedenen Stellen des Ostergottesdienstes, vor allem im Introitus, verwendete Tropus gelangte zu dramatischer Ausgestaltung, nachdem er aus dem Zusammenhang der streng gebundenen Meßfeier gelöst und an eine andere Stelle des Officiums, vor das Te Deum, gesetzt worden war. Der Tropus der »Visitatio«, d. h. des Besuches der Frauen am Grabe, entstand zu Anfang des 10. Jh. und trat gleich in mehreren Varianten in Europa auf. Eine erste Angabe über die Stellung und Gestaltung der Visitatio innerhalb des Ostergottesdienstes findet sich in der *Concordia regularis* des Bischofs Äthelwold von Winchester (um 970). Neben der einszenigen Osterfeier bildete sich am Ende des 11. Jh. in Dld. ein zweiszeniger Typ mit dem Wettlauf der Jünger und gleichzeitig im normannischen Raum ein anderer zweiszeniger Typ heraus, welcher der ein-

fachen Visitatio die Erscheinung Christi vor Maria Magdalena hinzufügte. Um 1130 entstand dann in Dld. noch ein dreiszeniger Typ
durch Einschaltung der Maria-Magdalena-Szene vor den Jünger-
wettlauf. Verschiedentlich wurde in den Ostertropus auch die Oster-
sequenz *Victimae paschali* des Hofkaplans Wipo (gest. 1050) aufgenommen. Schließlich führte die in Frankreich geschaffene Mercator-
szene aus der Liturgie hinaus und zum vierszenigen, im rheinischen
Raum entstehenden lat. Osterspiel; aus ihm ging ein entsprechendes
dt. Osterspiel hervor.

Die Tropen waren schmückender Teil der Liturgie, zunächst in den
Klöstern geschaffen und gepflegt. Sie wurden von zwei Halbchören,
dann auch von Einzelstimmen gesungen und andeutend dargestellt.
Die schon mit dem zweiten Typ des Ostertropus geforderte stärkere
Charakterisierung und die mit dem dritten Typ durch neugeschaffene
strophische Partien zunehmende Verselbständigung des Textes führten zu immer stärkerer Ausbildung des dramatisch-theatralischen
Elements der Tropen, so daß eine Lösung nicht nur aus der Liturgie,
sondern auch aus dem kirchlichen Raum nötig wurde. In Nachbildung des Ostertropus entstand ein Weihnachtstropus und aus diesem ein Weihnachtsspiel, das im 11. Jh. durch die Verkündigung des
Engels an die Hirten, die weisen drei Könige (Magier-Officium) und
den bethlehemitischen Kindermord erweitert wurde.

Die Hauptgattungen der dt. Dg. im frühmhd. Abschnitt seit der
2. Hälfte des 11. Jh.: Lehrgedicht, Predigt, Satire, Nacherzählung
biblischer und legendärer Stoffe, religiöse Empfindungslyrik, Marienleben, Marienlyrik. Predigtton prägte diese Dg.; Mariendg. und
Legende am Ausgang der Epoche bildeten mit ihren spannenden
Stoffen den Übergang zu weltlichen Themen. Formale Verwilderung: Verse von sehr unterschiedlicher Länge, beliebige Füllung der
Senkungen, Reimpaare zu ungleichen Abschnitten geordnet nach
Art der lat. Sequenzen, auch regelmäßige Strophe. Denkmäler meist
in Sammelhss. überliefert: *Wiener*, *Vorauer*, *Milstätter Hs.*

Die Dg. gewann erst Größe, als die geistliche Herrschaft auf dem
Rückzuge war und mit dem weltlichen Element paktieren mußte.
Das vorhöfische Epos entstand im Konkurrenzkampf der Geistlichen
mit den Spielleuten. Der Begriff »Spielmannsdg.« ist Sammelbegriff
für nichthöfische und nichtgeistliche, nicht schriftlich fixierte Lit.
Die Spielmannsepik nimmt eine Zwischenstellung zwischen Heldenepik und höfischer Epik ein. Ihren Trägern, die nicht genau faßbar
sind und keinen Stand und keine geschlossene soziale Gruppe bildeten, wird die durch anpassende Umdichtung oder nur durch Vortrag
erreichte Tradierung älterer volkstümlicher Dg., heroischer und
hist. Balladen, Kurzepen und Spruchdg., zugeschrieben.

»Spielmännisch« gilt als Stilkennzeichen für eine Gruppe von Epen
des ausgehenden frühen MA., deren Stoffe, Motive und z. T. Erzähl-

technik der unliterarischen Spielmannsdg. entstammten. Die Verff.
dieser Epen waren Geistliche, die dem alten Erzählgut durch Verschmelzung mit Legendenmotiven eine neue Bedeutung gaben. Sie
bedienten sich des in der geistlichen Buchepik gebräuchlichen, nach
dem Muster der frz. höfischen Rr. verfeinerten paarig reimenden
Kurzverses.

vor 750   Malbergische Glossen

Andfr., eingesprengte volkssprachliche Rechtsausdrücke zur lat. *Lex
Salica* aus der merowingischen Zeit. Die Zusätze »mall.«, »malb.«
weisen auf Zusammenhang mit Malloberg = Gerichtshügel.

Erhalten in einer Hs. des 9. Jh.; Wörter durch Abschreiber leider völlig verderbt.

764/72   Abrogans

Dt. Bearbeitung einer lat. Synonymenslg., benannt nach dem ersten
lat. Stichwort. Ältestes bekanntes Schriftwerk in dt. Sprache. Entstanden auf Veranlassung des Bischofs Arbeo in Freising unter Einfluß langobardischer wissenschaftlicher Schule.

Bayr. Urfassung verloren, erhalten drei alem. Umarbeitungen aus dem Bezirk
Reichenau-Murbach aus karlischer Zeit, darunter das sog. *Keronische Glossar* (um 790).

um 775   Vocabularius Sti. Galli

Lat.-dt. Abwandlung eines lat.-griech. Sachwörterbuchs der Spätantike. Nach lat.-ags. Vorlage in Fulda entstanden.

Erhalten in einer Fassung aus karlischer Zeit um 790.

770/90   Wessobrunner Gebet

Bayr., Abfassungsort der nicht erhaltenen, rheinfr. Urfassung wahrscheinlich Fulda.
Erhalten in einer Hs. des bayr. Klosters Wessobrunn aus dem Anfang des 9. Jh.

Zusammenfügung zweier nicht zueinander gehöriger Teile. Für den
ersten, epischen, fragmentarischen Teil wird eine ags. Vorlage angenommen. Er besteht aus neun stabreimenden Langzeilen, schildert
die Erde vor Erschaffung der Welt und die Existenz Gottes. Der
zweite Teil, Prosa, bringt das eigentliche Gebet, die Bitte um den
rechten Glauben.

790/800   Isidors De fide catholica contra Judaeos, Übs.

Dialekt nicht feststellbar. Aus dem Kreis um Alkuin hervorgegangen, wahrscheinlich
in Dt.-Lothringen entstanden. Zwei Hss., eine Pariser, die andere in den *Monsee-
Wiener Fragmenten*, einer Sammelhs. aus dem 9. Jh.

Beste dt. Übs.-Prosa der Zeit. Bischof Isidor von Sevilla (gest. 636)
verteidigte in der Schrift den christlichen Glauben, die Trinität, gegen die Einwürfe der Juden.

Anfang des 9. Jh.   Muspilli

Bayr., Urfassung, wahrscheinlich nach ags. Vorlage, vielleicht in Fulda. Hs. Ende des 9. Jh. Titel durch den ersten Herausgeber Schmeller: nicht geklärtes Textwort heidnischen Ursprungs, das auch in der Weltuntergangsschilderung der *Edda* auftaucht. Stabreime mit später eingestreuten Reimversen. Anfang und Schluß fehlen.

Schilderung des Menschenschicksals nach dem Tode, des Weltuntergangs, Mahnung im Sinne eines Memento mori. Die Darstellung des Endkampfes zwischen Elias und dem Antichrist in gehobenem Stil möglicherweise älterer germ. Schilderung des Weltunterganges angelehnt (Georg Baesecke).

um 830   Tatians Evangelienharmonie, Übs.

Ostfr., nur eine Fuldaer Hs. vorhanden.

Das griech. *Diatessaron* des Syrers Tatian (2. Jh.) ist eine Verschmelzung der vier Evangelien zu einem fortlaufenden Werk. Eine lat. Übs. dieser Evangelien-»Harmonie« war die Vorlage für die ahd. auf Anregung von Hrabanus Maurus durch mehrere Mönche des Klosters Fulda gefertigte Übs. und weitere Evangelien-Bearbeitungen des MA.
Erste, ziemlich wörtliche, unkünstlerische Verdeutschung einer umfassenden Darstellung des Lebens Christi; Anregung für den *Heliand*-Dichter und Otfried.

um 830   Heliand

Titel durch den ersten Herausgeber Schmeller 1830. As. Zwei vollständige Hss. und zwei Bruchstücke. Etwa 6000 Langzeilen im Stabreim.

Poetische Erzählung des Lebens Jesu. Leseepos. Vorangestellt: 1. lat. »Praefatio«, eine Art Empfehlungsschreiben, das dem fertigen Werk mitgegeben wurde und Ludwig den Frommen als Auftraggeber der Dg. nennt; Verf. vielleicht Hrabanus Maurus. 2. »Versus de poeta« in lat. Hexametern, eine etwas später geschriebene sagenhafte (ags. Caedmon-Sage) Erzählung über die Entstehung des Werkes: Berufung eines Landmannes durch Gott.
Das Werk hat Missionscharakter. Herausarbeitung heldischer Züge, die den unterworfenen Sachsen den Stoff schmackhaft machen sollten. Christus als hebancuning (Himmelskönig) und Gefolgsherr, die Jünger als gesidos (Gefolgsleute, Gesinde). Nicht »Germanisierung«, sondern Veranschaulichung mit zeitgemäßen Stilmitteln. Der Stil knüpft an die Tradition der ags. Stabreimepik an. Entsprechend der Missionsaufgabe von volkstümlichem, untheologischem Charakter. Keine Berufung auf schriftliche Quellen.
Entgegen älterer, auf die »Versus de poeta« gestützter Ansicht, der Verf. sei ein ungelehrter Volkssänger gewesen, heute Annahme ei-

nes Geistlichen, der über gelehrte Bildung und wissenschaftliche Hilfsmittel verfügte und wahrscheinlich aus der Fuldaer Schule kam. Tatian und lat. Kommentare des Alkuin, Beda und Hrabanus Maurus nachweisbar benutzt.

um 830   Altsächsische Genesis

Bruchstücke der Schöpfungs- und Patriarchengesch. in einer Vatikanischen Hs. (V) des *Heliand*.
Obwohl die »Praefatio« des *Heliand* berichtet, daß sein Verf. auch das *Alte Testament* behandelt habe, sprechen sprachliche und stilistische Unterschiede dagegen, daß *Genesis* und *Heliand* von gleicher Hand stammen. Sie dürften allerdings nach gemeinsamem Plan aus dem gleichen Kreis hervorgegangen sein.

Schon vor Entdeckung der Hs. hatte Eduard Sievers etwa 600, nunmehr zum Teil tatsächlich vorliegende Zeilen als Übs.-Grundlage für die ags. *Genesis* aus dieser erschlossen.

863/71   Otfried von Weißenburg: Evangelienharmonie

Südrheinfr., in mehreren Hss., darunter einer von Otfried selbst durchkorrigierten Reinschrift, erhalten.
Otfried war Mönch in Weißenburg, Schüler von Hrabanus Maurus. Vier Widmungen: an Ludwig den Deutschen, an den Erzbischof Liutbert von Mainz in lat. Prosa als Rechtfertigung gegenüber dem geistlichen Oberherrn, an den Bischof von Konstanz und an zwei befreundete Mönche in St. Gallen.

Poetische Darstellung des Lebens Jesu. Selbständige Auswahl aus den Evangelien unter Hinzuziehung von Kommentaren, Schriften der Kirchenväter, Predigtsammlungen. Betont wissenschaftliche Arbeit, die sich an geistliches Publikum und an den gebildeten Adel wendet. Bezugnahme auf »Bücher«, Quellen. Zu jedem Handlungsabschnitt Exegesen »mystice«, »spiritualiter«, »moraliter«.
Einführung des Endreims und – wenn auch nicht streng durchgeführt – des Alternierens von Hebung und Senkung. Vorbild die lat. ambrosianische Hymnenstrophe. In der Vorrede Rechtfertigung, warum das Werk in dt. Versen geschrieben sei: O. will den gelehrten Dgg. in den klassischen Sprachen etwas Ebenbürtiges an die Seite stellen. Geschult an lat. Schriftstellern, will er den Beweis führen, daß auch die dt. Sprache geeignet sei, die Verskunst der Lateiner nachzuahmen.

881   Ludwigslied

Rheinfr.
Erstes dt. historisches Lied. Tradition des germ. Preisliedes. Feiert den Sieg des Westfranken Ludwig III. über die Normannen bei

Saucourt (881). Die Franken als Gottes auserwähltes Volk, der Kö-
nig Beauftragter Gottes. Die Schlacht wird mit einem geistlichen
Lied begonnen. Verf. Geistlicher.
In der von Otfried geschaffenen Langzeile, zu ungleichen Abschnit-
ten zusammengefaßt.
Übs. Herder in *Volkslieder* (1778).

um 885   Petruslied

Bayr.
Anlehnung an die 3. Strophe der Hymne *Aurea luce et decore roseo* von Elpis, der Frau
des Boethius.

Erstes erhaltenes geistliches Lied. Kurzer Bittgesang um die Gnade
Gottes mit Refrain: Kyrie eleison, Christe eleison (daher »Leis« als
Bezeichnung für kirchlichen Bittgesang); Prozessions- oder Wall-
fahrtslied. Bittende Hinwendung an Petrus als den Hüter der Him-
melspforte.
Otfried-Zeile.

896   Georgslied

Alem., im Zusammenhang mit der Gründung der Georgskirche auf der Reichenau
entstanden. Heidelberger Otfried-Hs. des 10. Jh.; Orthographie bisher ungeklärt.
Fragment.

Älteste dt. Legendendg., Heiligenleben. Georg noch nicht der ritterliche Drachentöter des MA., sondern »Märtyrer vom unzerstörbaren
Leben«, der mehrfach vom Tode aufersteht.
Otfried-Zeilen, durch refrainhafte Zeilen in Abschnitte von unterschiedlicher Länge gegliedert. Liturgisch-hymnischer Gemeinschafts-
gesang.

Ende des 9. Jh.   Waltharius

Heldenepos in lat. ungereimten Hexametern, denen leoninisch gereimte untermischt sind.
Vorbilder für Form und Motive: Vergil, Prudentius, Ovid, Statius' *Thebais*.

Flucht Walthers von Aquitanien und seiner Verlobten Hildegund
vom Hof Attilas, wohin sie als Geiseln gekommen waren. Gegen
den Rat von Walthers Jugendfreund Hagen tritt ihnen König Gunther, dessen Land sie durchziehen, mit Waffengewalt entgegen. Am
Wasichenstein findet der Kampf Walthers gegen elf Helden statt, der
mit schwerer Verwundung der drei Haupthelden und dem Tod der
übrigen endet. Versöhnung und Scherzreden bilden den Schluß.
Verf. und Datierung umstritten. These einer Verfasserschaft Ekke-
hards I., der nach den *Casus Sancti Galli* eine *Vita Waltharii manu
fortis* schrieb, aufgegeben; neue Hypothesen: Gerald von Tours um
801/09 (Arthur Haug).

Da der Gehalt dem germ. heroischen Lied nicht voll entspricht, hat man in dem lat. Epos eine Originalschöpfung sehen wollen (Friedrich Panzer, Arthur Haug), von der spätere Bearbgg. des Stoffes (*Waldere*, aengl., 10. Jh.; *Thidrekssaga*, norw., 13. Jh.; geringe Reste eines mhd. *Waltherepos*, 13. Jh.) abhängig seien. Jedoch deuten sowohl sprachliche Indizien als auch die Abweichungen des *Waldere* und der Anspielungen im *Nibelungenlied* auf die Existenz einer weiteren Fassung. Wahrscheinlich daher als Vorlage des *Waltharius* ein germ. Heldenlied, das im westgotischen Raum unter spätantikchristlichem Einfluß entstanden sein könnte (de Boor) oder das mit tragischem Pflichtenkonflikt Hagens und Tod Walthers als Ausgang anzusetzen wäre (Hans Kuhn).

um 900   Christus und die Samariterin

Alem., abgefaßt im Kloster Reichenau, Fragment.

Kurzes episches Lied, Quelle *Vulgata*, in der Otfried-Zeile.

912   Notker Balbulus von St. Gallen gestorben

Notker, geb. um 840, war Schöpfer der lat. *Sequenzen*, d. i.: versus sequentes neumata. Der Modulation des Halleluja wurden lat. Prosa-Texte unterlegt, die ebenso viele Silben zählten wie die Melodie Töne. Formbestimmendes Element die Responsion, d. h. Verteilung auf zwei Halbchöre mit gleicher Melodie und Silbenzahl. Etwa 40 Melodien und Texte erhalten.

Seit dem 12. Jh. auch dt., Verschmelzung mit dem Leich.

vor 959–972   Hrotsvit von Gandersheim
(um 935–nach 973, wahrscheinlich adliger Herkunft, Kanonisse im Stift Gandersheim):
Werke

Von der Verfn. chronologisch geordnet und nach Kriterien des Inhalts und der Gattung in drei Büchern zusammengestellt. Einzige erhaltene Hs. in Gandersheim geschrieben und wahrscheinlich nach St. Emmeram geschickt.

Liber Primus (entst. von vor 959–962) enthält: Vorwort, Widmung an die Äbtissin Gerberg, acht lat. Legenden, davon sieben in leoninischen Hexametern, eine in Distichen. Am Anfang eine Marienlegende, durch die H.s Zentralthema, die Jungfräulichkeit, angeschlagen wird.
Liber Secundus (begonnen nach 962) enthält: Brief an gelehrte Gönner, sechs Legendendrr. in rhythmischer und gereimter Prosa. In Stoff, Motiven und geistiger Zielsetzung den Legenden-Erzz. gleich. Die Keuschheit und Leidensfähigkeit der Heiligen wird der Unzucht der Frauen in den Komm. des Terenz entgegengesetzt, dessen

Drr. H. aus dem Klosterunterricht verbannen wollte. In der Darstellung der Vorgänge jedoch nicht weniger deutlich als Terenz. Frauenrollen dominieren; Mischung von Tragischem und Groteskem.

Gallicanus behandelt die Bekehrung eines Feldherrn, der ein eheloses Leben wählt, *Dulcitius* die Leiden heiliger Jungfrauen durch den Statthalter Dulcitius. *Callimachus* zeigt, wie der in sündhafte Liebe verstrickte Held zu neuem Leben in Christus erweckt wird, und *Abraham* den Irrweg eines frommen Mädchens, das zur Dirne herabsinkt, aber durch den Einsiedler Abraham, der sie als vorgeblicher Liebhaber im Bordell aufsucht, bekehrt wird. *Pafnutius* stellt die Bekehrung der Hetäre Thais dar, *Sapientia* das Märtyrertum heiliger Jungfrauen.

Die Werke des Terenz und die eigenen als Lesedrr. aufgefaßt. Keine Einteilung in Akte und Szenen, keine theaterpraktische Hinweise; gesprochene Dekoration. Dennoch erkennbarer Sinn für dram. Stoffe und szenische Wirkung.

Liber Tertius (entst. Ende der 960er Jahre bis etwa 972) enthält: *Gesta Oddonis I. imperatoris* (mit Praefatio und zwei Widmungen) in leoninischen Hexametern; *Primordia coenobii Gandeshemensis* (vor 973 abgeschlossen) in leoninischen Hexametern, behandelt die Gründung Gandersheims durch das sächsische Herzogspaar Ludolf und Oda.

H. wurde zu ihren Schriften durch ihre Äbtissin Gerberg, eine Nichte Ottos I., angeregt. Bestreben, ihr Talent zum Lobe Gottes einzusetzen. Poesie als Wissenschaft aufgefaßt, Moral der Ästhetik übergeordnet.

Im Ganzen ohne Einfluß und Nachfolge; nur *Gallicanus* mehrfach abgeschrieben und in das *Magnum Legendarium Austriacum* aufgenommen. Die St. Emmeramer Hs. zur Zeit des Humanismus entdeckt, hgg. Celtes 1501. Würdigung H.s und Charakterisierung der Drr. durch Gottsched in *Nöthiger Vorrath* . . . I (1757).

um 1000   De Heinrico

Gedicht auf die Begegnung Heinrichs des Zänkers von Bayern mit seinem Neffen Otto III.; nach früherer Deutung: auf Heinrich, Bruder Ottos I.

Strophen mit vierhebigen, abwechselnd lat. und dt. Versen. Überliefert in der *Cambridger Liederhs.*, Sammelhs. mlat. Gedichte. Dt. Verse durch Verbindung mit lat. Versen lit.-fähig gemacht. Aus dt. Formgefühl entstanden. Der geistliche Verf. übernahm die dt. Gattung des Preisliedes.

1022   Notker Labeo von St. Gallen gestorben
    (geb. um 950)

Übersetzte als Vorsteher der Klosterschule für den Unterricht: Boethius' *Von der Tröstung durch die Philosophie*, Aristoteles' *Kategorien* und

Hermeneutik, Marcianus Capellas *Von der Heirat der Philologie,* den *Psalter* und einige kleinere Schriften. Außerdem gab er in einem Brief an den Bischof Hugo von Sitten (vor 1017) Übss. weiterer Werke an, die nicht erhalten sind: Vergils *Bucolica,* Terenz' *Andria, Disticha Catonis,* Gregors *Hiobkommentar, Prinzipien der Arithmetik* (Boethius?).

Unter den lat. Dichtenden der Zeit der einzige Übersetzer; versuchte, durch Übertragungen und dt. Erklärungen antike Texte den Schülern nahezubringen. Keine fortlaufende Übs., sondern lat.-dt. Mischtext, hinzugefügte Erläuterungen. Lautliche Differenzierung der dt. Wörter, Wiedergabe in eigener Orthographie (Notkersches Anlautgesetz).

N.s sprachwissenschaftliche und humanistische Studien ohne Einfluß und Nachfolge; nur Willirams *Paraphrase des Hohen Liedes* (um 1069) durch seine Übs.-Technik beeinflußt.

1043/46   Ecbasis Captivi
     (Ecbasis cuiusdam captivi per tropologiam = Die Flucht eines
     Gefangenen, allegorisch dargestellt)

Lat., leoninische (gereimte) Hexameter.

Erste episch-satirische Tierdg. in Dld. Verf. ein Mönch aus dem Kloster St. Aper (St. Evre) in Toul. Motive aus Äsops *Fabeln* und dem *Physiologus* (lat. Übs. einer fabulösen Tierkunde der Spätantike). Zahlreiche Zitate aus lat. Schriftstellern.

Schildert allegorisch die Bekehrung eines schlechten Klosterschülers zur Einsicht in die Gefahren der Welt: ein Kalb entläuft, gerät in die Gefangenschaft des Wolfes, wird von anderen Tieren wieder befreit und kehrt zur Mutter zurück. Satirisch gegen die Verweltlichung des Mönchtums. In diesem Rahmen als Binnenerz. die Äsopische Fabel von Krankheit und Heilung des Löwen; zeitgeschichtliche Anspielungen, Adelssatire.

Mitte 11. Jh.   Ruodlieb

Lat., leoninische Hexameter. Hs. in 18 Bruchstücken erhalten, vom Verf. selbst geschrieben und redigiert; außerdem Bruchstück einer zweiten Hs.

Später Höhepunkt der lat. Lit. der Ottonenzeit. Verf. Tegernseer Mönch. Einfluß von Motiven und Struktur des Märchens und des spätantiken R.

Erster, frei erfundener, lehrhafter R. in Dld. Ausfahrt, Abenteuer und Erfahrungen eines jungen Ritters. Ruodlieb bewährt sich in Befolgung von Weisheitslehren, die ihm als königliches Abschiedsgeschenk für treue Dienste zuteil werden; auf der Gegenseite Modellfälle bösen und törichten Verhaltens. Eine Art erster Ritterspiegel, Betonung des höfischen Verhaltens. Weibliche Gestalten für die Handlung wichtig, aber noch nicht im Sinne des Minneideals. Ruodlieb ein Held in der Art der Legende: Miles christianus, Wahrer von Frieden und Gerechtigkeit.

Starkes Interesse am bäuerlichen Leben, der Bauernstand wird in dieser Frühzeit noch zur Herrenschicht gerechnet. Realistik, Kleinmalerei, Kulturbild.

um 1060   Wiener Genesis

Versifizierung des *1. Buches Mose* in über 3000 Reimpaaren. Verf. österreichischer Geistlicher.

Lebendige Darstellung der Urgesch. und Patriarchenzeit, auch der weltlichen Tätigkeiten und Geschäfte des Menschen. Zugefügt religiös-moralische Auslegungen. Als Heilsgesch. aufgefaßt, allegorisch-typologischer Rahmen. Noch nicht durch Reformbewegung berührt. Geringes formales Bestreben. Beispielhaft für die wenig strenge Struktur des frühmhd. Verses. Neben der sehr frei behandelten klanglichen Bindung auch die Rhythmik der Kadenz als reimbildendes Mittel benutzt.

Formale Bearbg. in der *Milstätter Genesis* (1120/30).

1063   Ezzos Lied

Ostfr. Ältestes Denkmal aus frühmhd. Sprachperiode. Eine erweiterte Vorauer Fassung um 1120. Reimpaare (binnengereimte Langzeilen?) in ungleichen Abschnitten.

Verf. ein Bamberger Domherr namens Ezzo: »Ezzo begunde scrîben, Wille vant die wîse...« Geschrieben anläßlich der Einweihung des Stiftes St. Gangolph in Bamberg, nicht für die Pilgerfahrt Gunthers von Bamberg nach dem Heiligen Land (1065), wahrscheinlich aber bei dieser Gelegenheit als Kreuzlied gesungen.

Schildert in einer Art kurzgefaßter christlicher Weltchronik die Geschichte von der Erschaffung des Menschen bis zum Heilstode Christi; Hymnus auf Gottes Weltheilsplan. Religiöse Haltung der Kirchenreform, noch nicht asketisch.

um 1070   Noker

(d. i. Notker, Mönch in Einsiedeln und Hirsau, seit 1090 Abt von Zwiefalten):
Memento mori

Bußaufruf zu Weltabkehr und Entsagung im Sinne der kluniazensischen Reform. Drohende Wirklichkeit des letzten Gerichts.

Lockere Reimpaarstrophen (binnengereimte Langzeilen?) in der Art Ezzos.

um 1080   Münchener Dreikönigsspiel,
auch: **Freisinger Magierspiel**

Lat. Verse. Spielort Freising. Hs. in München.

Frühester erhaltener Spieltext in Dld. Behandelt die Ereignisse von
Christi Geburt bis zur Flucht nach Ägypten in etwa 100 Versen.
Ohne szenische Ausgestaltung, Auff. noch innerhalb der Kirche.

1077/1105   Annolied

Frühmhd., Abfassungsort Siegburg. Ungleiche Abschnitte von sechs bis zwölf Reimpaaren (binnengereimte Langzeilen?). Quelle wahrscheinlich eine Vita, die zugleich
auch der *Vita Annonis* von 1105 als Quelle gedient hat.

Erstes zeitgeschichtliches und zeitbiographisches Werk in dt. Sprache, über Erzbischof Anno von Köln, Erzieher Heinrichs IV. Ein-
leitend Schöpfungs- und Weltgeschichte in augustinischer Geschichtsauffassung. Anno wird als Heiliger aufgefaßt, weniger als
Staatsmann. Seine Taten werden den zerstörerischen Taten weltlicher Helden entgegengestellt, sein Wirken in den christlichen Heilsplan eingebaut. Am Ende die nach Annos Tode (1075) geschehenen
Wunder, die ihn als Heiligen auswiesen (Heiligsprechung 1183).
Weltverneinende Haltung der kluniazensischen Reform, weltlicher
Herrschaftsanspruch der Kirche.

Hgg. Opitz 1639 und nur dadurch erhalten.

um 1125   Klausnerin Ava:
Das Leben Jesu

Südostdt., in der *Vorauer Sammelhs.* enthalten, jüngere Bearbeitung in Görlitzer Hs.;
die Verfn., die ihren Namen selbst nennt, identisch mit der durch mehrere Zeugnisse
belegten Klausnerin Ava, gest. 1127.

Nacherzählung der Evangelien unter Hinzuziehung apokrypher Legenden. Avas »buoch« enthält außerdem Gedichte von Johannes
dem Täufer, von den sieben Gaben des Heiligen Geistes, vom Antichrist und vom Jüngsten Gericht. Alle diese Werke als Einheit, als
Heilsgeschichte aufgefaßt. Teile der Ostergesch. nach dem Grund-
riß der dreiszenigen Ostertropen aufgebaut.
Erste Dichterin in dt. Sprache: »Dizze buoch dihtôte zweier chinde
muoter«. Avas beide Söhne, Geistliche, unterrichteten sie in der
Auslegung der Texte. Ungelehrt und ungestaltet, von persönlich
empfundenem religiösen Gefühl getragen, breite Erzählung. Klunia-
zensischer Geist.

1135/55   Kaiserchronik

17 000 Reimpaar-Verse. Verf. Geistlicher aus dem Kreis des Bayern-
herzogs Heinrichs des Stolzen, vielleicht Arbeitsgemeinschaft Re-

gensburger Geistlicher; Verfasserschaft des Pfaffen Konrad bestritten. Quellen: Sagen, Anekdoten, Geschichtswerke, Legenden, in der Einleitung das *Annolied* verarbeitet. Kompilatorischer Charakter.
Geschichte des römisch-dt. Reiches von der Gründung Roms bis zum Jahre 1147. Einzelne Geschichten als Zeugnisse für das Walten Gottes. Ausgerichtet auf Vollendung des irdischen Gottesstaates im Sinne Augustins. Versuch einer Verbindung des Geistlichen mit dem Ritterlichen: Triumph des Christentums über das Heidentum.
Erste dt.-sprachige Dg. mit weltlichem Stoff nach dem *Hildebrandslied.* – Kritik der lügnerischen Unzuverlässigkeit der Spielmannsdg. am Beispiel der Geschichte Dietrichs von Bern. Ritterlich, aber noch nicht höfisch.

1140/50   Pfaffe Lamprecht:
Alexanderlied

Rheinisch. Urfassung verloren. Drei voneinander abweichende Fassungen: die Vorauer Hs. von etwa 1160 (schließt wie die Urfassung mit dem Tode des Darius im Kampf gegen Alexander), die frühhöfische Straßburger Fassung von etwa 1170 (um die weiteren Ereignisse, Zug nach Indien, Paradiesfahrt und Tod Alexanders ergänzt), die Basler Hs. des 15. Jh. (auf einer der Vorauer nahen Fassung beruhend, im Umfang jedoch der Straßburger entsprechend). Quelle: frz. Gedicht des Alberich von Besançon nach dem Lat. des Julius Valerius (300 n. Chr.) und nach Leos *Historia de preliis* (um 950), die auf den spätantiken Roman des Pseudo-Kallisthenes zurückgehen.

Epos in Reimpaaren. Umstritten, ob der Schluß – Zweikampf Alexanders mit Darius und dessen Tod – als solcher geplant war oder ob das Werk als unvollendet anzusehen ist.
Beginn des frz. Einflusses auf das mhd. Epos. Erstes weltliches Epos in dt. Sprache nach einer fremden Quelle. Wegbereitend für die beiden Einflußsphären: heidnische Antike und Frankreich. Die Abweichungen von der Quelle bezeugen den geistlichen Stand des Verf. Alexander dargestellt als siegreicher Held und als Herrscher des vierten vorchristlichen Weltreiches, der mit seinen Siegeszügen ein Instrument Gottes ist. Der Vanitas-Gedanke des Prologs will auf die Vergänglichkeit irdischer Größe, auf die Gottferne weltlichen Glanzes hinweisen. Die Forts. (Vorauer und Basler Fassung) hat diesen Gedanken in der Paradiesfahrt des Schlußteils wieder aufgenommen. Kluniazensische Haltung des Verf. und antik-heroische Vorstellungen der Quelle im Gegensatz. Orient im Stil des ethnographischen griech. Romans, Niederschlag des Orient-Interesses der Kreuzzugszeit. Ritterlich, aber nicht höfisch.

1141/47   Hildegard von Bingen
             (1098–1179):
             Liber Scivias (Wisse die Wege)

Aufzeichnung mystischer Gesichte. Mystische Auslegung des kirchlichen Dogmas. Erhaben, prophetisch. Schau ohne Ekstase. H., adlig, war Äbtissin des Benediktinerklosters Rupertsberg bei Bingen. Verfaßte mehrere mystische Schriften, natur- und arzneikundliche Bücher, 70 lat. geistliche Lieder. Ausgedehnter Briefwechsel mit führenden Geistern ihrer Zeit, u. a. Bernhard von Clairvaux, Friedrich Barbarossa. Beginn des dt. mystischen Schrifttums.

um 1150   König Rother

Vorhöfisches Epos. Quelle: langobardische Heldensage von König Authari. Übertragung auf die Brautwerbung Rogers von Sizilien um eine byzantinische Prinzessin (1143–1144).
Brautwerbung und -entführung, Treueverhältnis von Lehnsherr und Vasall. Die Werber werden vom Vater des Mädchens gefangengenommen, der König befreit seine Vasallen und entführt das Mädchen.
Spielmännischer Stoff, vom Rhein stammend, jedoch ist der Verf. der vorliegenden Fassung ein rheinischer Geistlicher, der sich an hohe adlige Kreise in Bayern wendete. Spiegelt ritterliche Gesellschaft um die Mitte des 12. Jh., Begriffe der Ehre und Zucht, auch Ansätze der höfischen Minne. Geistliche Tendenz: Rother wird zum Ahnherrn Karls des Großen und damit zum Glied in der Geschichte des göttlichen Heilsplanes; er und seine Frau gehen zum Schluß ins Kloster.

um 1150   St. Trudperter Hoheslied

Oberdt. Bearbg. und Auslegung des *Hohenliedes* auf Grund der um 1060 entstandenen Paraphrase des Abtes Williram von Ebersberg. Lebenslehre des weiblichen geistlichen Standes. Der Bräutigam wird gedeutet als der Heilige Geist, die Braut als Maria und als Anima des Menschen. Vereinigung durch Zurückfließen der Seele in die Gottheit. Grundgedanken in einem hymnischen Prolog zusammengefaßt. Gotteserlebnis der frühen spekulativen Mystik. Überwindung des Kluniazensertums, neue persönliche Frömmigkeit.
Gewandte, stellenweise dichterisch gehobene mhd. Prosa.

im 12. Jh.   Benediktbeurer Weihnachtsspiel (Ludus
               scenicus de nativitate Domini) und
               Osterspiel (Ludus paschalis)

In der Hs. der *Carmina burana* (13. Jh.), das Osterspiel Fragment. Geistliche Singspiele oder Oratorien, aus alten Prosa-Antiphonen und rhythmischen Strophen verschiedener Form zusammengesetzt.

Das Weihnachtsspiel umfaßt die Handlung von der Verkündigung bis zur Flucht nach Ägypten und wird durch ein Prophetenspiel eingeleitet.

Das Osterspiel umfaßt die Handlung von Christi Einzug in Jerusalem bis zur Grablegung.

um 1160   Heinrich von Melk:
Erinnerung an den Tod

Österreichisch. Melk als Heimatkloster des sich »Heinrich« nennenden Autors nicht eindeutig erwiesen, da fraglich, ob der als Auftraggeber bezeichnete Erkenfried mit dem Abt Erkenfried von Melk (1122–1163) identisch ist (möglich auch: Erchenfridus von Altenburg/NdÖsterreich, gest. 1196). Verf. Laienbruder ritterlicher Abkunft.

Das Memento mori mit Satire gegen Rittertum und Geistlichkeit verbunden. Es beweist der adligen Frau an der Bahre des Mannes, dem Sohn am Grabe des Vaters die Nichtigkeit des Lebens. Superbia als Quelle aller Sünden. Machtvoll und farbig. Früheste Erwähnung ritterlicher Minnedg., in der eine Gefahr gesehen wird. Höhepunkt und zugleich Ausklang des asketischen Schrifttums.

Heinrich von Melk zugeschrieben wird das in der Hs. enthaltene anonyme *Priester-leben*, das mit den gleichen Mitteln der Satire das verweltlichte Leben der Geistlichen darstellt.

1160   Ludus de Antichristo

Lat., Verf. Geistlicher in Tegernsee. Quelle: Adso von Toul *Liber de Antichristo*.

Eschatologisches Dr. von dem Ende des römisch-dt. Kaisertums und dem Sieg der Kirche über den Antichrist. National gefärbt (Zeitalter Barbarossas!): der dt. Kaiser unterwirft sich die Erde und gibt nach Erfüllung dieser Mission seine Macht an Gott zurück, legt Krone und Zepter auf dem Ölberg nieder.

Der Spieltext wurde gesungen.

1159/65   Archipoeta:
Gedichte

Zehn Gedichte, acht davon in einer Göttinger Hs. (um 1200) mit Überschrift *Archipoeta* (vielleicht ein vom Kanzler Reinald von Dassel verliehener Ehrenname oder Titel) überliefert. Der A., wahrscheinlich ein dt. Geistlicher ritterlicher Herkunft, gilt als hervorragendster Zeuge der Vagantendg. Schuf in der Umgebung Barbarossas und Reinald von Dassels, zu dem alle Gedichte in Beziehung stehen. Bezeichnender Vertreter der Diesseitsstimmung in der zeitgenössischen Klerikerdg. Meist Preis der Gönner, verbunden mit Bitte um eine Gabe. Der Anspruch auf die Gabe beruht auf der poetischen Leistung, auf die A. mit Selbstbewußtsein hinweist.

Sein *Meum est propositum* faßte die Themen der gesamten Vagantenlyrik zusammen; gegen Gegner bei Hofe gerichtet. A.s Verhältnis
zu seinem Gönner spiegelt sich in *Vision* und *Jonas-Beichte*. Wichtig
die Ablehnung eines Auftrages für ein Epos über die Siege Friedrichs I. in Italien; statt dessen entstand der *Kaiserhymnus*.
Sicherheit und Klarheit der Sprache. Vier Gedichte, darunter der
Kaiserhymnus, in der Vagantenstrophe, die schon vor A. belegt ist,
aber durch ihn berühmt wurde; Vagantenzeile dem vierhebigen
Vers der mhd. Reimpaare verwandt. Zwei Gedichte in gereimten
Hexametern, der *Preis Reinalds* in der Stabatmater-Strophe.

um 1160   Salman und Morolf

Spielmännisches Legendenepos.

Erstmalig Verwendung von Strophen (Morolf-Strophe) im Epos, wie sie für das
ältere kurze Lied kennzeichnend ist. Zwei Hss., Anfang 15. Jh. und 1479, Druck
1499. Von der Forschung aus thematischen und stilistischen Gründen, jedoch ohne
völlig sichere Indizien, ins späte 12. Jh. zurückdatiert. Quelle: Jüdische Legende in
byzantinischer Überlieferung.

Zweimalige Entführung von Salomos ungetreuer Frau Salme und
Rückgewinnung durch seinen Bruder Morolf. Im Mittelpunkt die
sehr »spielmännische« Figur des listenreichen Morolf, der seine
Wesenszüge von einem lat. Dialog *Salomon et Marcolfus* (dt. Bearbeitung im 14. Jh.) herleitet, in dem die Bauernschläue Markolfs über
die Weisheit Salomos siegt.

Weiterleben des Stoffes im Volksbuch 1487, in dram. Bearbeitungen des Hans Folz
(Ende 15. Jh.), des Hans Sachs (1550), einem Luzerner Fastnachtspiel (1564) und
einer Schulkom. von Christian Weise (1685).

um 1170   Pfaffe Konrad:
Rolandslied

9094 Reimpaar-Verse. Auf Veranlassung Heinrichs des Löwen in Regensburg geschrieben. Quelle: afrz. Heldenepos *Chanson de Roland* (bald nach 1100), dessen historische Grundlage die Vernichtung der Nachhut des karolingischen Heeres nach Abschluß der Kämpfe Karls in Spanien (778) ist.

Der frz. Nationalheld Roland, der in erster Linie für »la douce
France« kämpft, wird unter den Händen des geistlichen Verf. zum
Streiter Gottes gegen die Heiden im Geist der Kreuzzüge. Die Mär-
tyrerkrone ist der Preis für den Tod der Ritter. Weltlicher Stoff, geist-
liche Tendenz. Der Stoff in das augustinische Weltbild eingeordnet.
Im Gegensatz zu der *Kaiserchronik* (1135/1155) betont heldisch, aber
Ablehnung des Höfischen in Form und Gehalt. Rittertum und
Ritterliches noch nicht Eigenwert.

Um 1220 erweiternde Bearbeitung durch den Stricker.

um 1170   Sanct Oswald

Spielmännisches Legendenepos. In Reimpaaren.

Zwei getrennte Überlieferungsgruppen, der *Münchener* und der *Wiener Oswald*, beide
in mehreren Hss. des 15. Jh. erhalten und auf gemeinsame Vorstufe zurückgehend.
Von der Forschung aus thematischen und stilistischen Gründen, jedoch ohne völlig
sichere Indizien, ins späte 12. Jh. zurückdatiert. Oswald-Verehrung hauptsächlich in
Bayern; möglicher Ursprung des der Urform wahrscheinlich näheren *Münchener Oswald* der bayerische Welfenhof. Der *Wiener Oswald* im Zusammenhang mit der Oswald-
Kirche in Crummendorf/Schlesien. Stoff: Legende von St. Oswald, einem frühchristlichen König von Northumbrien (7. Jh.).

Oswald wirbt um die Tochter eines heidnischen Königs. Bote und
Werber ist ein sprechender Rabe, dessen Abenteuer im Mittelpunkt
der Handlung, auch des sich anschließenden Kriegszuges Oswalds
gegen den heidnischen König, stehen. Oswald schlägt die Heiden
und bekehrt sie. Seine Heiligkeit besteht vor allem in seiner Keuschheit: er will eine sündelose Ehe schließen. Nach Oswalds Hochzeit
erscheint Christus in Bettlergestalt, um Oswalds Gehorsam zu prüfen; Frau und Land, die ihm Oswald willig abtritt, gibt er Oswald zurück, verlangt aber Keuschheit. »Spielmännische« Brautwerbungs-
Erz. und Erzähltechnik mit Tendenzen der Legende verbunden.

Druck 1471.

**1172   Priester Wernher:
        Driu liet von der maget**

Entstehungsort Augsburg aus Anlaß der Einsetzung des Festes der Verkündigung
Mariae im Kloster St. Ulrich und Afra. In strophenähnliche Abschnitte gegliedert.
Quelle: Apokryphes Evangelium des Pseudo-Matthäus und *Neues Testament*.

Erstes erhaltenes dt.-sprachiges Marienleben. Dt. Mariendg. entstand
im Zusammenhang mit der seit Mitte des 12. Jh. aufkommenden
Feier der Unbefleckten Empfängnis.
Lebensgesch. Marias in drei Teilen: Darstellung der dreijährigen
Maria im Tempel – Heimsuchung – Heimkehr aus Ägypten, ferner
Ausblick auf Tod, Auferstehung, Jüngstes Gericht. Dogmatisch bedeutsame Szenen, wie sie in der Liturgie des Kirchenjahres fest-
gelegt sind. Im Mittelpunkt der Gedanke der Jungfräulichkeit Marias, die die Schuld Evas wiedergutmacht. Ihr Leben in den göttlichen Heilsplan eingeordnet. Persönlicher, lyrischer Grundzug.
Nähe der frühhöfischen Dg. deutlich.

um 1180   Herzog Ernst

Vorhöfisches Epos. Die vorliegende älteste erhaltene, fragmentarische Fassung des
spielmännischen Stoffes stammt von einem rheinischen Geistlichen, der für bayrische
adlige Kreise schrieb (vgl. *König Rother*).
Quellen: für den ersten Teil ein dt. historisches Lied von Herzog Ernst, für den zwei-

ten Teil lat. ethnographischer Reiseroman und orientalische Märchen von Sindbad dem Seefahrer. Historische Grundlage für das Lied von Herzog Ernst sind der Aufstand Liudolfs von Schwaben gegen seinen Vater Otto I. und der Aufstand Ernsts von Schwaben gegen seinen Stiefvater Konrad II.

Ernst nimmt mit seinem Freunde Werner das Kreuz, um dem Zorn seines Vaters zu entgehen; seine Mutter vermittelt später die Versöhnung. Das Werk spiegelt den zeitgenössischen Konflikt zwischen Barbarossa und Heinrich dem Löwen und die Hoffnung auf einen Ausgleich. Abenteuerliche Erlebnisse Ernsts im Morgenland tragen den Orientvorstellungen der Kreuzzugszeit Rechnung.

Zahlreiche spätere Bearbeitungen des Stoffes:

1206 Odo von Magdeburg: *Ernestus*, lat., Hexameter, Hs. E.

1210/20 *Herzog Ernst*, Hs. B, höfisch.

2. Hälfte 13. Jh. *Herzog Ernst* C, lat. Prosa, gelehrt.

um 1280 Ulrich von Etzenbach: *Herzog Ernst* D, höfisch.

Anfang 15. Jh. *Herzog Ernst* F, dt. Prosa nach C, daraus *Volksbuch von Herzog Ernst* entwickelt.

1472 zwei strophische Liedfassungen im *Dresdener Heldenbuch*.

1817 Ludwig Uhland: *Herzog Ernst von Schwaben*, Tr.

1955 Peter Hacks: *Das Volksbuch von Herzog Ernst oder der Held und sein Gefolge*, Dr.

um 1180   **Heinrich,** mit später beigefügtem Zunamen
        der Glîchesaere:
        Reinhart Fuchs

Bruchstücke; das Ganze in einer Bearbeitung des 13. Jh. überliefert. Quelle: Vorform des frz. *Roman de Renart*, die schon in »branches«, Kapitel, eingeteilt war. Verf. ein rheinischer Geistlicher.

Tierepos. Herausarbeitung der Feindschaft Wolf – Fuchs; im Mittelpunkt die Geschichte von der Krankheit und Heilung des Löwen. Volkstümlich, satirisch, lehrhaft.

1180/1200   Orendel

Spielmännisches Legendenepos. In Reimpaaren.

Hs. 15. Jh.; in Abschrift des 19. Jh. erhalten. Quelle: Legende vom Heiligen Rock und der spätantike *Apolloniusroman*. Entst. möglicherweise im Anschluß an die Translation des Hl. Rockes von Trier vom St. Nikolausaltar an den Hauptaltar (1196).

Orendel, der auf Brautwerbungsfahrt im Heiligen Land ist, gewinnt den Heiligen Rock aus dem Bauch eines Walfisches und bringt ihn und die Braut unter vielen Gefahren in seine Heimat Trier. In den Hauptgestalten Rest einer sehr alten, heroischen Dg. spürbar, die aber wegen der legendären und romanhaften späteren Schichten nicht mehr wiederzugewinnen ist.

Formelhafte und eklektische Erzählweise.

Zwei Drucke aus dem Jahr 1512, dem Jahr der ersten Ausstellung des Heiligen Rockes in Trier.

1170–1270 Hohes Mittelalter

Zur Zeit der Regierung Friedrich Barbarossas (1152–1190) befreite sich der ritterliche dt. Mensch von der Vorherrschaft durch die Kirche und schuf sich eine eigene weltliche Kultur. Die davor liegenden Bemühungen der Geistlichkeit, durch Aneignung der weltlichen Stoffe ihren lit. Einfluß zu behaupten, wurden aufgegeben, in der Spielmannsdg. wurde der rein fabulierende Charakter überwunden, sie gab sich dort, wo sie ernsthaft konkurrieren wollte, höfisches Gepräge. Die neue ritterliche Kultur war eine Formkultur, sie pflegte im Gegensatz zur Formlosigkeit der vorangegangenen Epoche Stil, Komposition und Metrik. Die Zeit empfand selbst den Einschnitt im Kulturablauf, die Werke der vorangegangenen Epoche gerieten in Vergessenheit. Inhaltliche wie formale Reform der Lit. ist gemeint, wenn Gottfried von Straßburg über Veldeke sagt: »er inphete daz êrste rîs in tiutescher zungen.«

Kultur und Lit. wurden von den Zeitgenossen als »hovelîch« oder »hövisch« bezeichnet. Die Lit.-Gesch. nennt sie auch ritterliche, höfische, staufische Epoche oder Blütezeit der ma. Dg.

Die Machtentfaltung des staufischen Kaisertums bildete die Grundlage für eine selbständige dt. Kultur. Die Kreuzzüge öffneten den Blick über die nationalen Grenzen hinaus und hoben zugleich das Bewußtsein für Wert und Würde abendländischer Kultur. Der Ritterstand war international, erlebte sich als große Gemeinschaft in den Kreuzzügen. Diese, aus dem Geist der Askese entstanden, weiteten den Gesichtskreis der Teilnehmer und brachten – statt der von der Kirche erstrebten Unterordnung des Adels – einen Geist selbständiger Weltfreude. Tragende politische Idee war der Kaisergedanke. Die Schicht der kleinen, meist unfreien Lehensträger, die seit dem 11. Jh. aufgestiegen war, kam während der ersten Kreuzzüge durch kriegerische Tüchtigkeit dem Hochadel und den freien Herren nahe; ihr Stand der Ministerialen machte die Ideale des ritterlichen Daseins erst bewußt: die Mehrzahl der höfischen Dichter gehörte diesem Stande an.

Die höfische Epoche war die Loslösung einer zwar frommen, aber doch diesseitigen Weltanschauung von der Vorherrschaft der Kirche. Das höfische Ethos, das sich das Rittertum schuf, enthält eine Fülle von Lebensidealen und Tugendvorstellungen. Der älteren These, daß es sich um ein auf antiker Moralphilosophie fußendes »Tugendsystem« handele (Gustav Ehrismann), ist neuerdings die These von einer Verschmelzung germanischer, kirchlicher, antiker und spanisch-arabischer Elemente entgegengestellt worden (Ernst Robert Curtius). Die gesamte ma. Kultur lebte aus der Spannung von Diesseits – Jenseits, weltlich – geistlich, Schönheit – Sünde. Die höfische Epoche machte den Versuch einer Überbrückung durch die höfischen

Ideale, die in ihrer reinsten Ausprägung einen sehr vergeistigten, manchmal asketischen Zug (Minnesang) trugen. Trotz größten seelischen und künstlerischen Ringens klaffte der Dualismus immer wieder auf (Hartmann, Walther), einzig in Wolframs Werk ist ein W ε g gefunden, Gott und der Welt zu gefallen.

Die einzelnen Tugenden wurden durch verschiedene miteinander verwandte Begriffe umschrieben. Zentraltugend der höfischen Ethik war die »mâze«, die Tugend des Maßhaltenkönnens, wie sie ähnlich die antike Philosophie des Cicero, Seneca, Boethius geprägt hatte. »aller werdekeit ein füegerinne / daz sît ir zewâre, frouwe mâze« (Walther). Diese durch »zuht«, Erziehung ebenso wie Selbstzucht, erreichte harmonische Lebenshaltung war jedoch noch nicht alles; aus dem aristokratischen Grundzug dieser Ethik erwuchs noch die Forderung nach dem »hohen muot«, nicht Hochmut oder Tapferkeit, sondern seelisches Hochgestimmtsein. Noch deutlicher im Begriff »froide«, einer sich selbst und den Widerständen des Lebens abgewonnenen heiteren Lebenshaltung, Morungens »mit zühten gemeit«. Auf dem Gebiet des ritterlichen Kampfes wird »êre«, dem Waffengefährten gegenüber »triuwe« oder »staete«, dem Untergebenen gegenüber »milte« gefordert.

Die Begriffe »zuht«, »mâze« und »staete« auf das Verhältnis zwischen dem dichtenden Ministerialen und der höfischen hochadligen Dame, die evtl. die Frau seines Gönners war, übertragen, führen zur entsagenden, immerwährenden Anbetung, das Hochgestimmtsein des »hohen muotes« zur ständigen seelischen Bewegtheit durch ein unerfüllbares »senen«. Minne wird zur gesellschaftlichen Form der Frauenverehrung. »Liebe erfüllt sich in der dauernden Vereinung, Minne lebt in der polaren Spannung« (Günther Müller). Der Minne wird veredelnde Kraft zugeschrieben: »swer guotes wîbes minne hât, / der schamt sich aller missetât« (Walther).

Die geachtete Stellung, die die Frau in der höfischen Gesellschaft einnahm, bewirkte Rücksichtnahme auf weiblichen Geschmack und eine Verfeinerung, die wiederum die Frauenbildung der Zeit förderte und ein kritisches und kunstempfängliches Publikum erzog. Die Frau wurde zum Korrektiv des Ritterstandes.

Aus materialistischer Perspektive, in der Lit. als Sozialgeste und »Erkenntnisinstrument der Gesch.« erscheint, wurde die »Unwahrheit des ›höfischen Weltbildes‹« und die Funktion der höfischen Dg. als Ironisierung und Entlarvung dieser Fiktion nachzuweisen gesucht (Karl Bertau). Dem wurde entgegnet, daß Wirklichkeit und Wirksamkeit eines Ideals nicht auch seine reine Verwirklichung bedeuten und daß Dichter und adlige Auftraggeber sich wohl kaum ein halbes Jh. lang für ein glanzvolles Bild der höfischen Gesellschaft eingesetzt hätten, um diese zu ironisieren und zu brüskieren (de Boor).

Der schon am Ausgang des frühen MA. einsetzende Einfluß Frankreichs nahm zu. Die Ideale der neuen Formkultur wurden in Frankreich aufgestellt und gelangten über Oberlothringen (Hausen) und Niederlothringen (Veldeke) nach Dld.

Auch der Hof, der darin die Klöster und Bischofssitze ablöste, war als Zentrum der höfischen Kultur in Frankreich vorgebildet. Der fürstliche Herr wurde Gönner und Auftraggeber des schriftstellernden Ritters.

Leopold VI., Friedrich I. und Leopold VII. von Babenberg in Wien für Reinmar und Walther;

Hermann von Thüringen für Veldeke, Herbort von Fritzlar, Albrecht von Halberstadt, Wolfram, Walther;

Wolfger, Bischof von Passau und später Aquileja, für Walther, den Dichter des *Nibelungenliedes*, Thomasin von Zerclaere;

Dietrich von Meißen für Walther, Morungen;

König Heinrich VII. für Burkart von Hohenfels, Gottfried von Neifen, Ulrich von Winterstetten.

Walther dichtete außerdem im Auftrage der Staufen Philipp von Schwaben und Friedrich II. und des Welfen Otto IV. von Braunschweig.

Beteiligt an der Dg. waren in erster Linie die oberdt. Stämme, da Oberdld. in der Stauferzeit der kulturtragende Raum war und auch die kulturelle Bewegung von Frankreich her die dem Rhein zunächst liegenden Gebiete als erste ergriff und von dort nach Österreich vorstieß. Alle nddt. und mdt. Dichter paßten sich an die oberdt. Lit.-Sprache an. Albrecht von Halberstadt (um 1190) entschuldigte sich, daß er »weder Swâp noch Beier / weder Dürinc noch Franke«, sondern nur ein Sachse sei.

Hauptkennzeichen der höfischen Dg.: idealisch wirklichkeitsfremd – exklusiv aristokratisch – streng formal durchgebildet. Erstrebt wurden Klarheit und kunstvolle Simplizität, die manchmal an Zierlichkeit streift. Die Zeitgenossen empfanden Hartmann von Aue als das große Vorbild; Gottfried rühmte »sîne kristallînen wortelîn«.

Hauptgattungen waren Epos und Lyrik, das Drama spielte keine wesentliche Rolle.

Die metrische Form des höfischen Epos waren vierhebige Reimpaare. Seine Stoffe waren frz., meist nach Sagen keltischen Ursprungs (Artus, Gral, Tristan), vereinzelt antik. Die Verff. der Zeit betonten die Quelle, das »buoch«. Das Publikum verlangte aus Gründen der »Wahrheit« Belegbarkeit, Geschichtlichkeit, und fast alle Epiker (Veldeke, Hartmann, Gottfried, Rudolf von Ems) fühlten sich zu Belesenheit, zu Bildung verpflichtet, hierin Erben ihrer geistlichen Vorgänger. Nur Wolfram lehnte Belesenheit ab und berief sich auf sein Schöpfertum.

Neben dem höfischen Epos steht das Helden- oder Volksepos. Seine Form war meist strophisch. Stoffe: die heimischen der Heldenlieder der Völkerwanderungszeit, die durch die Dg. der Spielleute bewahrt worden waren. Ihre Episierung setzte in der zweiten Hälfte des 12. Jh. ein. Im 13. Jh., angeregt vom *Nibelungenlied*, Blüte der Episierung und Höfisierung. Merkmale der Heldenepik waren jedoch ein vorhöfischer Wortschatz und Stil sowie die Anonymität der Autoren.

Sammelhss.: *Heldenbuch des Kaspar von der Rhön* (1472), *Straßburger Heldenbuch* (vor 1477), *Ambraser Heldenbuch* (1517).

Gattungen der Lyrik:

Lied; mehrere dreigeteilte Strophen: je zwei Stollen und Abgesang. Inhalt: Minnedg. Arten des Liedes: Liebesmonolog – Liebesbotschaft – Wechsel (Dialog zwischen Mann und Frau) – Tagelied (Trennung der Liebenden nach gemeinsam verbrachter Nacht).
Spruch; Einzelstrophen. Inhalt: didaktisch, polemisch. Ursprünglich nicht höfische Gattung.
Leich; ungleiche Versgruppen, formale Verwandtschaft mit der Sequenz. Inhalt: religiöse oder Minnedg. hymnischen Charakters.
Der Minnesang ist Gesellschaftskunst, höfische Verpflichtung, nicht Erlebnisdg. Herkunftstheorien: arabische These (Konrad Burdach, Lawrence Ecker), antike These, mlat. These (Hennig Brinkmann). Fest steht, daß eine vorhöfische dt. Liebeslyrik später vom Einfluß provenzalischer Themen und Formen überdeckt wurde. Theodor Frings hat eine Verwandtschaft der Motive der frühen Liebeslyrik von Portugal bis China nachgewiesen und reduzierte die bisherigen Abstammungstheorien auf Einflußtheorien. Der Minnesang sei aufgestiegen aus »volkstümlicher Kleinkunst« – in Dld. in den 25 bis 30 ältesten Frauenstrophen belegt –, die entsprechend den gesellschaftlichen Verhältnissen zuerst in der Provence zur höfischen Minnedg. entwickelt wurde. Musikhist. Forschung hat einen Teil der Melodien des stets gesungen vorgetragenen Minnesangs zugänglich gemacht.
Bei Walther und Hartmann tauchen zuerst Lieder der »niederen Minne«, »Mädchenlieder« auf, deren Motive dann von der sog. höfischen Dorfpoesie aufgenommen und weiterentwickelt werden. Einflüsse der vorhöfischen einheimischen Lyrik und der Vagantenlyrik sind anzunehmen. Auch diese »Liebes«-Lyrik ist keine Erlebnislyrik im modernen Sinne, sondern mehr eine lit. Gegenströmung.

Sammelhss.: Kleine Heidelberger Liederhs. (13. Jh.), Weingartner Liederhs. (14. Jh.), Große Heidelberger oder Manessische Hs. (14. Jh.), Jenaer Liederhs. (Ende 14. Jh., enthält vor allem Spruchdg.).

Die ersten Gegner erwuchsen der ritterlichen Dg. aus ihren eigenen Reihen, als das nachstaufische Rittertum in seiner Geschmackskultur absank. Diese Entwicklung setzte früh ein (Neidhart von Reuental). Mit dem Verfall des Rittertums begann der Aufstieg von Bürgerlichen in die lit. Kreise, die zwar keine Kritik übten, sondern sich eher bewundernd bemühten, den vom Rittertum gesteckten Rahmen auszufüllen. Außerstande dazu, trugen sie dazu bei, daß die alten Ideale und Kunstformen von innen her zersetzt wurden.

Wichtigste Dichter des hohen MA.:

Gottfried von Straßburg, kein Adliger, wahrscheinlich im städtischen oder bischöflichen Dienst in Straßburg, vielleicht auch Geistlicher. Weiteres über sein Leben nicht bekannt.

Hartmann von Aue, geb. um 1168, Schwabe, wahrscheinlich Ministeriale der nicht eindeutig fixierbaren Herren von Aue. Besuch einer Klosterschule, vermutlich Reichenau. Einflußreicher Gönner wahrscheinlich der Zähringer Berthold V. von Burgund. 1195 starb H.s Dienstherr. Eine Bestimmung des Kreuzzuges, an dem H. teilnahm (1189 oder 1197, vgl. drei *Kreuzlieder*), ebenso umstritten wie die Datierung der drei ersten Epen; vieles spricht für das frühere Datum. H. starb um 1210.

Heinrich von Veldeke, Mitte 12. Jh. bis Anf. 13. Jh., Ministeriale. Gelehrte Bildung. Um 1170 im Dienst der Herren von Loen in der Gegend von Maastricht. Um 1174 wurde ihm auf der Hochzeit der Gräfin von Cleve die halbfertige Hs. der *Eneid* gestohlen, die ihm 1183 Hermann von Thüringen wiedergab, in dessen Auftrag er sie um 1190 vollendete.

Konrad von Würzburg, geb. um 1220/1230 in Würzburg, Bürgerlicher. Gründliche gelehrte Bildung. Dichterische Anfänge in Mainfranken. Beziehungen zu den Herren von Rieneck *(Schwanritter)*. Dann wahrscheinlich »Fahrender« im nordwestdt. Raum. Seit dem Ende der 60er oder Anfang der 70er Jahre in Basel seßhaft. Seine Auftraggeber meist Patrizier und geistliche Würdenträger. Gest. 31. August 1287 in Basel.

Mechthild von Magdeburg, geb. um 1207 in Niedersachsen. Gute Bildung, mit weltlicher Dg. vertraut. Um 1230 freiwillig in ein Beginenhaus in Magdeburg. 1250–1265 schrieb M. ihre Visionen auf losen Blättern nieder und übergab sie ihrem geistlichen Berater Heinrich von Halle, Lektor der Dominikaner zu Ruppin. Um 1271 Eintritt in das Zisterzienserkloster Helfta im Mansfeldischen. Fügte dort nach dem Tode Heinrichs von Halle (um 1281) den sechs Teilen ihres Buches noch einen siebenten hinzu. Gest. um 1282 in Helfta.

Neidhart von Reuental, geb. um 1180, Ministeriale; der Zuname Riuwental (Trauertal) ist nicht unbedingt als Selbstverspottung aufzufassen. Am Hofe Ottos II. von Bayern. Wahrscheinlich Teilnahme an der Kreuzfahrt Leopolds VII. von Österreich 1217–1219. Später wurde Friedrich der Streitbare von Österreich N.s Gönner und verlieh ihm ein Lehen in Melk; schließlich war N. in Lengenbach südlich von Tulln ansässig. N. dichtete seit etwa 1210. Gest. um 1250.

Reinmar der Alte (R. von Hagenau), geb. um 1160/1170, Ministeriale, wahrscheinlich im Dienst des Geschlechtes von Hagenau im Elsaß. Begann vor 1190 zu dichten. Spätestens 1195 in Wien (*Witwenklage* auf den Tod Leopolds von Österreich). Gest. um 1210 in Wien.

Rudolf von Ems, geb. in Hohenems in Vorarlberg, wahrscheinlich aus dem Geschlecht der späteren Grafen von Hohenems, Ministeriale im Dienst der Herren von Montfort. Gelehrte Bildung. Dichtete zwischen 1215 und 1254. Starb auf einem Italienzug um 1254.

Walther von der Vogelweide, geb. um 1168 in Österreich, Ministeriale. Anfänge seiner Lyrik um 1188 in Wien. 1198, nach dem Tode Friedrichs I. von Österreich, verließ W. Wien und ging an den Hof Philipps von Schwaben. Um 1200 lernte er am Rhein die Dg. der Vaganten kennen. Von 1203 datiert die einzige erhaltene Urkunde über W.s Leben: eine Pelzschenkung durch Wolfger von Passau. 1203–1205 löste W. sich von Philipp (gest. 1207). Etwa zwischen 1205 und 1211 war W. längere Zeit am Hofe Hermanns von Thüringen; Zusammentreffen mit Wolfram. 1210 starb Reinmar, den er in einem dichterischen Nachruf ehrte. 1212 war W. gleichzeitig mit Morungen am Hofe Dietrichs von Meißen. 1212–1213 stand W. im Dienste Ottos IV., schloß sich aber später Friedrich II. an, von dem er 1220 ein Lehen erhielt. 1225–1227 trat W. im Dienste Friedrichs II. gegen die dt. Politik von dessen Sohn Heinrich auf, er betrauerte 1225 in einem Spruch den ermordeten Reichsverweser Engelbert von Köln. Nach 1228 fehlen Zeugnisse über W.s Leben, 1228 wird als sein Todesjahr angesehen.

Wolfram von Eschenbach, geb. um 1170 im Fränkischen nahe Ansbach, Ritter. Beziehungen zu den Grafen Wertheim in Unterfranken. Nach eigener Angabe wurde das 5. Buch des *Parzival* in einem Orte Wildenberg verfaßt. Seit etwa 1203 am Hofe Hermanns von Thüringen; Zusammentreffen mit Walther. Später war W. wieder in seiner Heimat. Gest. um 1220.

1150/70 Der von Kürenberg
           (niederösterreichischer Ritter):
           Lieder

Noch nicht vom westlichen Minnesang beeinflußte, oberdt. ritterliche Lyrik. Lieder von ein bis zwei Nibelungenstrophen; diese wahrscheinlich der frühen Lyrik ursprünglich zugehörig und altertümlicher als im *Nibelungenlied*; Assonanz.

Arten des Liedes wie im späteren Minnesang: Liebesmonolog, Liebesbotschaft, Wechsel (Dialog zwischen den Liebenden). Kennzeichnend: epische Einkleidung, die die Situation kurz angibt und es dem Hörer überläßt, den angedeuteten Konflikt zu Ende zu denken. Unreflektiert.

Minne noch nicht höfisch. Lieder wenden sich an ein »megetîn«, nicht an eine verheiratete »frouwe«; das Werben dringt auf Erfüllung; auch Strophen, in denen die Frau um den Mann wirbt: »er muoz mir rûmen diu lant, ald ich geniete mich sîn.«

um 1170   Dietmar von Aist
(oberösterreichischer Ritter):
Lieder

Die unter D.s Namen laufenden Lieder sehr wahrscheinlich von verschiedenen Verff.
Kürenberg-Strophe neben der aus dem Westen kommenden Liedstrophe. Auch bei D. noch keine reinen Reime, sondern Assonanz. Sorgfalt im Rhythmischen, Musikalität.
Volkstümlich vorhöfischer Gehalt wie beim Kürenberger. Erstmalig der »Natureingang« des Minnesangs: höfisch stilisierte Natur als Spiegelung des Gefühlserlebnisses. Erstes dt. Tagelied: »Slâfst du, friedel ziere . . .«, Naturszenerie, noch ohne die Figur des »Wächters«.

um 1170   Flore und Blancheflur (Trierer Floyris)

Frühhöfisches Epos. Ndrheinisch. Fragment. Frz. Quelle, auf spätantiken R. zurückgehend.
Liebesgesch. zweier Kinder, die getrennt werden und deren Treue durch Wiedervereinigung belohnt wird. Floris folgt der entführten Blancheflur und befreit sie im Orient aus dem Turm eines Emirs. Minne als Lebensmacht, höfisch. »Kinderliebe«, ein spätantik-orientalisches Motiv, das in der ma. Dg. sehr beliebt wurde (vgl. Sigune und Schionatulander in Wolframs *Titurel*).

Weiterbildung des Stoffes: Konrad Fleck: *Floire und Blancheflur* (um 1220); *Volksbuch* (1499); Hans Sachs: *Florio, des Königs Sohn aus Hispania . . .* Kom. (1545).

um 1170   Eilhart von Oberge:
(aus braunschweigischem Ministerialengeschlecht):
Tristrant und Isalde

Frühhöfisches Epos.

Quelle: frz. »*Estoire*« (um 1150), verloren, steht der erhaltenen Fassung des Bérol (um 1180) nahe. Keltischer Sagenstoff, anknüpfend an König Marc von Cornwall (6. Jh.). – Nddt., an mdt. und hdt. angelehnt. Bruchstücke, als Ganzes nur in einer Überarbeitung des 13. Jh. erhalten.

Erste dt. Bearbeitung des Tristan-Stoffes. Spielmännisch, volkstümlich, Motiv der tragischen Leidenschaft, das in der Quelle gestaltet war, nicht erfaßt. Der Minnetrank eine von außen wirkende Magie. Das »Waldleben« im Gegensatz zu der späteren Auffassung Gottfrieds von Straßburg ein Leben der Entbehrungen, aus dem die Liebenden gern in die höfische Gesellschaft zurückkehren.
Formal noch Altertümliches neben modernen Stilmitteln. Zeitliches Verhältnis zu Heinrich von Veldeke umstritten.

um 1170   **Herger** oder **Kerling**
(Namensfrage ungeklärt; bürgerlicher, vielleicht auch
dem Ministerialenstande angehörender Fahrender, der
an Höfen tätig war):
Sprüche

28 Sprüche erhalten, früheste überlieferte mhd. Spruchdg. Autobiographische Sprüche, Sprüche an adlige Herren, Tierfabeln, religiöse Sprüche. Diese Arten auch für das »Repertoire« der späteren
Spruchdichter kennzeichnend.
H. auch »Anonymus Spervogel«, da seine Sprüche in den Hss. unter
dem Namen des Spruchdichters Spervogel (1. Hälfte 13. Jh.) stehen.
Dieser hat sich jedoch in einer gesellschaftlich höheren Schicht bewegt. Seine Sprüche weniger subjektiv, geistiger, von moralisch-
didaktischem Charakter.

1170/1185   Graf Rudolf

Frühhöfisches Epos.

Erhalten in 14 Fragmenten (etwa 1300 Verse) einer Hs. des späten 12. Jh., frz. Quelle
verloren. Zuweisung umstritten: Hessen/Thüringen? Niederrhein?

Kreuzzugs-Erz. Graf Rudolf Teilnehmer der Kämpfe um Askalon,
dann im Dienste des Sultans Halap, dessen Tochter er liebt und später
aus Konstantinopel entführt. Verlauf und Ende der Handlung un-
gewiß.
Orientmotivik und Brautwerbungsthema gemeinsam mit spielmännischer und frühhöfischer Epik. Jedoch realistisches Orientbild,
Kreuzzugserfahrung. Kritik am christlichen König von Jerusalem,
unvoreingenommene Darstellung der Heiden. Höfische Lebensform
auf beiden Seiten; eingefügt ritterliche Erziehungslehre.

1170–1190   Heinrich von Veldeke
(Biogr. S. 28):
Minnelieder

Nddt., limburgischer Dialekt. Die hs. Überlieferung hatte die Texte dem oberdt.
Lautstand angeglichen, ursprünglicher Dialekt durch Theodor Frings wiederher-
gestellt.

Einfluß frz. Troubadourdg. auf Niederlothringen. Dreiteilung der
Strophe: zwei Stollen, Abgesang. Thema der hohen Minne. Natur-
nah, unreflektiert. Die Mehrzahl im Limburgischen, ein Teil in Thüringen entstanden.

um 1170 bis   **Heinrich von Veldeke**
vor 1190   (Biogr. S. 28):
            Eneid

Höfisches Epos.

Schon in dem Frühwerk, der Verslegende *Servatius* (vor 1170), formale Neuerung spürbar; jedoch Verbreitung des Werks durch limburgischen Dialekt auf ndrheinisches Gebiet beschränkt. *Eneid* der hdt. Lit.-Entwicklung zuzurechnen, da Verbreitung des Werkes entweder auf einer noch zu Lebzeiten Veldekes entstandenen thüringischen Umschrift beruht oder dieser seinen Urtext schon weitgehend zumindest dem ndlothringischen Sprachgebrauch angepaßt hatte, so daß sich eine allmähliche Annäherung an die lit. Normalsprache durch mdt. und oberdt. Abschreiber vollziehen konnte.

13528 Verse. Quelle: *Le Roman d'Enéas* (1160), frz. Versepos nach Vergils *Äneis*; außerdem Kenntnis Vergils. Zeitliches Verhältnis zum *Straßburger Alexander* und zu Eilhart von Oberge umstritten.

Erste dt. Bearbeitung eines antiken Stoffes im ma. Sinne: völlige Übertragung der Handlung in ma. und dt. Zustände. Höfischer Geist: Selbstmord der Dido wird als Verstoß gegen die »mâze« getadelt; Dialog der naiven, männerscheuen Lavinia und der erfahrenen Mutter, die die Schwäche des Herzens gegenüber der Gewalt der Minne kennt. Personifikation der Minne; Minnelehre unter Einfluß Ovids. Handlung weitgehend entmythologisiert. Äneas' nationalrömische Aufgabe in eine heilsgeschichtliche umgeändert.

Erste dt. Dg. in der neuen regelmäßigeren Form. Reiner Reim und alternierendes Prinzip. Das Ms. wurde dem Dichter 1174 entwendet und ihm neun Jahre später durch Hermann von Thüringen wiedergegeben, in dessen Auftrag er es vollendete. Nach Theodor Frings haben spätere Überarbeiter den Schluß der Dg. geändert und die sog. Stauferpartien eingefügt.

Beginn und Vorbild der höfischen Epik. Gottfried von Straßburg: »er inphete daz êrste rîs in tiutescher zungen.«

Rücktransponierung ins Limburgische durch Theodor Frings und Gabriele Schieb 1964.

1170–1190   **Friedrich von Hausen**
            (geb. um 1150, aus elsässischem Hochadel,
            1190 in Kleinasien gefallen):
            Minnelieder

Erster großer Vertreter des klassischen Minnesangs. Einfluß des provenzalischen Minnesangs auf Südwestdld. Formal gepflegt, Beherrschung der romanischen Formen. Aristokratisch, maßvoll, reflektiert. Gedankenspiele. Idee der sittlichen Vervollkommnung durch die Minne. Erstes dt. Kreuzlied, Zwiespalt zwischen Minnedienst und Kreuzfahrerpflicht: »Mîn herze und mîn lîp diu wellent scheiden . . .«

seit etwa 1175   **Albrecht von Johannsdorf**
(Ritter aus Jahrsdorf/NdBayern, 1172 erstmals
bezeugt, zwischen 1180 und 1209 im Dienste des
Bistums Passau):
Minnelieder

Verschmelzung des provenzalischen Minnesangs mit der im Donau-
raum heimischen Tradition. Betonung des Dienstes und der sittlichen Erhöhung durch den Dienst. Die Frau jedoch nicht in ho-
heitsvoller Ferne, sondern seelisch beteiligt. A. bevorzugt Dialog
(»Wechsel«); herzlich, gefühlsreich. Höhepunkt in den Kreuzliedern.
Ohne den Konflikt Hausens und Hartmanns: kein Gegensatz zwischen Kreuzfahrt und Minne, Gott auf der Seite der Liebenden. Der
Kreuzfahrer kann bei aller Schmerzlichkeit des Abschiedes an freudige Rückkehr denken, wenn er dann nur die Frau »an ir êren«
findet.
Weiterentwicklung der heimischen Langzeile innerhalb des neuen
Strophenbaus mit Stollen und Abgesang.

seit 1180   **Heinrich von Morungen**
(gest. 1222, Ritter aus der Gegend von Sangerhausen,
später am Hofe Dietrichs von Meißen):
Minnelieder

Themenkreis sehr eng: Frauenpreis. Leidenschaftlich, sinnenstark,
sehr optisch (Lichtmetaphorik). Subjektiver Gefühlsgehalt, der die
Grenzen des entsagenden Minnesangs zu sprengen droht. Minne als
magische, betörende, dem Tode verwandte Macht. Hochgestimmter,
hymnischer Grundton; Übernahme von Formulierungen des Marien-
kultes. Enge Beziehung zur Minneauffassung der thüringischen frühhöfischen Epik.
Bedeutendster Minnesänger neben Reinmar und Walther. Bewußtsein von Notwendigkeit und Wert seines Dichtens: »wan ich durch
sanc bin zer werlde geborn«.
Starker Einfluß der Troubadour-Dg., besonders Bernards von
Ventadorn. Vielgestaltige Vers- und Strophenformen; Verwendung
von Daktylen und Reimdurchflechtung nach westlichem Vorbild.
Formaler Höhepunkt des Minnesangs.

seit etwa 1180   **Hartmann von Aue**
bis 1189   (Biogr. S. 28):
Minnelieder

16 Lieder in 14 Tönen erhalten.
Entwicklung ablesbar. Zunächst Übernahme der im rheinischen
Raum durch Friedrich von Hausen eingeführten provenzalischen

Lyrik. Ausübung des gleichzeitig in H.s *Büchlein* (besser: *Die Klage*; Streitgespräch zwischen dem Leib und dem Herzen) beschriebenen Minnedienstes. Die Vergeblichkeit des Werbens führt dann zur Kritik am Minnedienst. Darauf vollzieht sich unter Absage an die hohe Minne *(Unmutslied)* die Wendung zur »ebenen Minne«, die H. bei »armen wîben« findet. Schließlich wird die Ungnade der Frau bedeutungslos gegenüber dem Schmerz um den Tod des Lehnsherrn. Dieser Tod veranlaßt H., das Kreuz zu nehmen. In seinen drei Kreuzliedern sagt er der Welt und der Minne ab; statt der irdischen hat er die himmlische Liebe gewählt.

Sachlich-vernünftig, schlicht und von großem Lebensernst.

1180/85   Hartmann von Aue
             (Biogr. S. 28):
             Erec

Höfisches Epos. Erster dt. Artus-R.

Quelle: Chrétiens von Troyes höfischer R. *Erec* (um 1160). Artussage keltischen Ursprungs auf dem historischen Hintergrund der Kämpfe zwischen Kelten und sächsischen Eroberern. Die Ritter der Tafelrunde des Königs Artus (historisch ein keltischer König aus dem Anfang des 6. Jh.) ziehen auf Abenteuerfahrten um den Preis der Ehre und Minne. Artus wird oberste Instanz für die Anerkennung ritterlicher Tugend.

Problem des Ritters, der über dem ehelichen Glück die ritterliche Ehre vergißt, der »sich verliget« und durch die Liebe und Treue seiner Frau Enite wieder zum Ausgleich, zur »mâze« zurückgeführt wird. Der Ritter gerät, als er nur seinem individuellen Lebensgefühl folgt, in Konflikt mit der Gesellschaft, deren Billigung der Maßstab für den Wert eines Menschen ist.

Zwei Reihen von Abenteuern des zur Rehabilitierung ausgezogenen Erec. Nach der ersten Reihe kurzer Aufenthalt am Artushof: Erec ist wieder hoffähig geworden. Aber seine Ehe hat ihren Sinn noch nicht gefunden; erst auf die zweite Abenteuerreihe folgt der Sieg in Joie de la curt über den in selbstsüchtiger Minne befangenen Mabonagrin: in ihm erlöst Erec wissend sich selbst.

Chrétiens Text um ein Drittel Verse vermehrt: detaillierte Beschreibungen, Belehrung, Kommentierung.

seit 1185   Reinmar der Alte
             (Biogr. S. 28):
             Minnelieder

31 Lieder, die möglicherweise zum Teil in einem zyklusartigen Zusammenhang stehen (Carl v. Kraus). Überwiegend Klagelieder. Die Stimmungen des Herzens mit allen Mitteln der Dialektik zergliedert. Variationen und Reflektionen über senen, trûren und klagen, R. »daz wunder sô maneger wandelunge« (Gottfried). Elegiker, hinter

der modischen Geste des Trûrens stand echte Schwermut. »Scholastiker der unglücklichen Liebe« (Uhland). Die Dame bleibt ohne individuelle Züge. Naturgefühl ist R. fremd. Die höfische Gesellschaft im Mittelpunkt. Wenig Episches, Reflektion selbst in Situationsliedern wie Boten- und Frauenstrophen.
Kompliziert stollig gegliederte Strophenformen. Die einzelnen Strophen bilden in sich ein Ganzes, nur durch Stimmungszusammenhang miteinander verbunden. Kein pointierter Anfang oder Schluß.
Meister des klassischen Minnesangs. Lehrer und bald Gegner Walthers von der Vogelweide, der ihm Übersteigerung des Minndienstes vorwarf.

1187/89   Hartmann von Aue
(Biogr. S. 28):
Gregorius

Höfische Legende.

Quelle: sagenhafte *Vie du Pape Grégoire* (um 1190; Papst Gregor nicht historisch). 4006 Verse; 9 Hss. erhalten.

Gregor büßt die Schuld seiner Eltern, eines Geschwisterpaares, und seine eigene – er heiratet unwissentlich seine Mutter (Ödipus-Motiv) – durch freiwillige Verbannung auf einen Felsen am See. Gott selbst beruft ihn auf den Papststuhl: nicht Buße und Askese, sondern tätiges Leben im Dienste Gottes ist die Aufgabe des Mannes. Versöhnlich: die Mutter wird für den Rest ihres Lebens mit ihm vereint. Schlichtheit in Sprache und Stil. Realistisches Detail.
H.s in der Vorrede ausgesprochene Abkehr von weltlichen Stoffen ist Folge einer religiösen Besinnung, die der Tod von H.s Dienstherrn auslöste; sie ist jedoch zugleich als gattungsgebundene, auf das Thema hinleitende Einführung zu werten. Die Erz. verwirft Minne sowie Aventiure und scheint an die weltfeindlichen Ideale vorhöfischer Zeit anzuknüpfen. H. kehrt in seinem letzten Werk, dem *Iwein*, zum rein höfischen Thema zurück.

Weiterleben des Stoffes: lat. Übss. im 13. und 14. Jh.; erster Druck der Prosa-Auflösung 1471 in *Der Heiligen Leben*; Thomas Mann: *Der Erwählte*, R. (1951).

um 1190   Herbort von Fritzlar
(aus Hessen):
Das Lied von Troja

Höfisches Epos.

Im Auftrage Hermanns von Thüringen. Quelle: Benoit de Sainte-Maure: *Roman de Troie* (1175–1180) nach der spätantiken Überlieferung des Dictys und Dares.

Erste Bearbeitung homerischer Dg. in dt. Sprache. Verf. zeigt gelehrte Bildung, distanziert sich als »gelarter schulere« von höfischem

Wesen, ist ritterlichem Denken fern. Realistisch, derb, trocken. Die
frz. Vorlage auf die Hälfte gekürzt, Änderungen in Komposition,
Darstellungsform und Konzeption. Entgegen der Quelle und der an
Dares anschließenden ma. Tradition stellt H. die Größe Achills über
die Hektors.

1190   Albrecht von Halberstadt
(Geistlicher im Kloster Jechaburg):
Ovids Metamorphosen

Übs., zwei Bruchstücke erhalten. Die Bearbg. Jörg Wickrams (1544), der das lat. Original wegen mangelnder Sprachkenntnis nicht benutzen konnte, läßt A.s Werk erschließen, das direkt auf Ovid zurückging. Im Auftrage Hermanns von Thüringen.

Einordnung der Geschehnisse in die Zeit zwischen Adam und Abra-
ham. Stofflich getreue Wiedergabe. Naive Eindeutung der Nym-
phen, Satyrn usw. als Waldfrauen, Zwerge.
In der Vorrede betont A. das Bemühen um Vermeidung des nddt.
Dialekts. Dadurch bedingte Einfachheit des Stils und der Sprache;
Einfluß von Veldekes Versreform.

um 1195   Hartmann von Aue
(Biogr. S. 28):
Der arme Heinrich

Höfische Legende.

Quelle: lat. Gedicht, wahrscheinlich aus dem Besitz der Herren von Aue.

Geschichte des weltfreudigen Ritters, den der Aussatz befällt und
den nur der freiwillige Opfertod eines unschuldigen Mädchens hei-
len kann. Das Töchterchen des Bauern, bei dem er wohnt, will ihm
das Opfer bringen. Im letzten Augenblick erkennt er, daß er damit
nichts gewinnen und viel verlieren würde und daß es ihm beschieden
ist, sein Kreuz auf sich zu nehmen. Diese gegenseitige Opferbereit-
schaft erfährt Gottes Gnade: Heinrich wird gesund und das Bauern-
töchterchen seine Frau.
Die Weltfreude Heinrichs und die Todessehnsucht der Jungfrau
sind beispielhaft für den augustinischen Dualismus zwischen civis
dei und civis diaboli. H. sieht in Selbstzucht, Demut und Treue die
höchsten menschlichen Werte. Das Werk wirkt durch Kürze, Gerad-
linigkeit und Schlichtheit. Nicht abenteuerlich, wenig Personen.

Weiterleben des Stoffes: Gerhart Hauptmann: *Der arme Heinrich*, Dr. (1902).

1195/1200   **Ulrich von Zatzikhoven**
(aus Zätzikon/Schweiz):
Lanzelet

Höfisches Epos, alem.

Quelle: verlorenes frz. Epos, auf keltische Totenreichfabel zurückgehend.

Zur Artus-Dg. gehörig. Gesch. eines fern vom Hofe in einem Feen-
reich erzogenen Ritters, der erst auf seinen Ritterfahrten Namen und
Herkunft erfährt (Ähnlichkeit mit Jugend-Gesch. Parzivals). Lanzelet ist der strahlende, »wîpsaelege« Held, der aber schließlich zu seiner Gattin Iblis zurückfindet und bis an sein seliges Ende sein Reich
regiert. Das für die späteren frz. und dt. Lanzelot-Epen zentrale Motiv, Lanzelets ehebrecherische Liebe zu Artus' Frau Ginover, fehlt.
Kenntnis von Hartmanns *Erec*. Stoffbefangen, künstlerisch unbeholfen.

Ein auf einer mndld. Vorlage beruhender, Ende 13. Jh. entst. *Prosa-Lancelot*, erhalten
in einem nddt. und einem oberdt. Fragment aus dieser Zeit und einer Hs. des 15. Jh.,
ist der älteste dt. Prosa-R. Auf ihm beruhen die Prosa- und die Versbearbg. des
Ulrich Füetrer (15. Jh.).

seit 1197   **Walther von der Vogelweide**
(Biogr. S. 29):
Lieder gegen Reinmar den Alten

W. wandte sich unter dem Einfluß der Lyrik Morungens vom Wiener Minnesang ab und persiflierte Lieder seines Lehrers Reinmar.
Seit seinem erneuten Aufenthalt in Wien überwand er dann (1203 bis
1206) das Reinmarsche Minneverhältnis in einem eigenen Zyklus
und stellte schließlich durch seine *Mädchenlieder* ein neues Ideal auf.
Er wendete sich von den »überhêren« Damen der Gesellschaft und
der hohen Minne ab und setzte an ihre Stelle die gegenseitige Minne.
Einfluß der Vagantendg. und vorhöfischer Liebeslyrik. Die Lieder
der »niederen Minne« von entscheidendem Einfluß auf die weitere
Entwicklung der Lyrik.

1198–1227   **Walther von der Vogelweide**
(Biogr. S. 29):
Politische Spruchdichtung

W. diente und dichtete unter drei Kronträgern bzw. Kronprätenden-
ten für das Reich gegen den Papst: seit 1198 für Philipp von Schwaben, 1212/13 für Otto IV., seit etwa 1215 für Friedrich II.
Spruchdg., ursprünglich Domäne der Spielleute, durch die Weite des
politischen Blickes W.s wie durch seine formale Leistung »höfisiert«.
Größte Wirkung auf die Zeitgenossen bestätigt durch Thomasin von
Zerclaere *Der welsche Gast* (1215): »er·hât tûsent man betoeret, daz sie
habent überhoeret gotes und des bâbstes gebot.«

um 1200   Hartmann von Aue
           (Biogr. S. 28):
           Iwein

Höfisches Epos. Zweiter Artus-Roman Hartmanns.

Quelle: Chrétien von Troyes: *Yvain*.

Inhaltlich Gegenstück zum *Erec*. Iwein »verrîtet« sich, d. h. er vergißt seine Frau Laudine über seinen Abenteuern. Als deren Zofe
Lunete ihn vor Artus' Tafelrunde verflucht, verfällt er in Wahnsinn
und lebt, der Gesellschaft und sich selber entfremdet, in der Wildnis.
Die Taten und Abenteuer, durch die er zu sühnen und Treue zu beweisen sucht, sind Akte der Nächstenhilfe, durch die er unter anderem die Kameradschaft eines Löwen gewinnt: Hinweis auf die Ge-
sellschaftsferne und zugleich auf die beschämende Erfahrung, daß
selbst das Tier treu zu sein vermag. Wie Erec gewinnt Iwein zunächst die Anerkennung des Artushofes, erst später das Vertrauen
Laudines, die mehr Minneherrin als Ehefrau ist, zurück.
Im Gegensatz zu dem Realisten Chrétien starke symbolistische Züge.
Im Mittelpunkt steht Iweins Verstoß gegen die Minnedoktrin, die
erst durch schwere Buße gesühnt werden kann. H. arbeitete besonders die Erziehung Iweins heraus. Große Verfeinerung der Technik
des Erzählens und des Versbaus.

um 1200   Nibelungenlied

Heldenepos.

Erhalten 10 vollständige, 22 unvollständige Hss. in den Gruppen A (Hohenems-
Münchener Hs.), B (St. Galler Hs.), C (Hohenems-Laßbergische Hs.). B der Urfassung am nächsten stehend.
Historische Grundlagen: für die Siegfried-Handlung vermutlich Einheirat eines Me-
rowingers in das burgundische Königshaus und sein Tod; für den Burgundenunter-
gang: die Eroberung von Worms durch die Burgunden (407), der Sieg der Hunnen
über die Burgunden (436), der Tod Attilas in der Hochzeitsnacht mit einem germani-
schen Mädchen namens Hildiko (453), die Vernichtung des Burgundenreiches durch
die Franken (538).

Im 5./6. Jh. entstanden burgundisch-fränkische *Heldenlieder* über die
Gewinnung Brünhilds durch Siegfried und Gunther und über den
Untergang der Burgunden und die Rache ihrer Schwester an dem
Mörder Attila. Diesen Urfassungen des Nibelungenstoffes stehen am
nächsten die nordischen in der *Älteren Edda* überlieferten Fassungen
des 9. Jh.: das *alte Sigurdlied* und das *alte Atlilied*. Im 8.–11. Jh. wan-
derten die burgundisch-fränkischen Lieder aus dem rheinischen in
den bayrisch-österreichischen Raum und wurden zu größeren Liedern ausgeweitet. Der Charakter Etzels nahm die aus der dort heimischen *Dietrich-Sage* vertrauten sympathischen Züge an. Statt seiner
übernahm Kriemhild als Rächerin ihres ersten Gatten den Mord an

den Burgunden. Dieses neue Motiv der Gattenrache brachte die ursprünglich selbständigen Lieder der Siegfried-Handlung und des Burgundenunterganges in eine sie verbindende Beziehung. In der 2. Hälfte des 12. Jh. entstand in Österreich ein – nicht erhaltenes – nur den Untergang der Burgunden behandelndes Epos in der sog. Nibelungenstrophe: die *Ältere Not*. Diese *Ältere Not* und die für die gleiche Zeit zu erschließenden Lieder der Siegfried-Handlung spiegeln sich – nach Andreas Heusler und Hermann Schneider – bis zu einem gewissen Grade in der Wiedergabe des gesamten Nibelungenstoffes durch die nordische *Thidrekssaga* (um 1250 in Bergen), die allerdings – von Friedrich Panzer – auch für eine durch nordische Bestandteile veränderte Nacherzählung des späteren *Nibelungenliedes* gehalten worden ist.

Die Episierung der Siegfried-Handlung, die innere und äußere Angleichung dieses ersten Teiles des Nibelungenstoffes an den zweiten und die innere Verknüpfung beider Teile durch das Grundmotiv der Gattenliebe und -rache ist die Leistung des unbekannten Dichters, der unter dem Mäzenat Wolfgers von Passau das mhd. Gesamtepos von den Nibelungen schuf. Kriemhild und Hagen wurden zu Hauptpersonen, Siegfried und Brünhild traten zurück. Der heldische Stoff wurde den Ansprüchen des höfischen Epos angeglichen.

Nibelungenstrophe: vier achttaktige Langzeilen mit klingender Zäsur, paarweise gereimt. In den ersten drei Zeilen fällt der letzte Takt in die Pause.

Dem eigentlichen Lied angehängt findet sich die *Klage*, eine Totenklage der Überlebenden um die gefallenen Helden; Reimpaare.

1757 Erstausg. von *Kriemhilds Rache* durch Johann Jacob Bodmer, 1782–1785 erste Gesamtausg. durch Christian Heinrich Müller, 1826 kritische Ausg. des *Nibelungenliedes* nach Hs. A durch Karl Lachmann; 1827 nhd. Übs. durch Karl Simrock; 1866 kritische Ausg. nach Hs. B durch Karl Bartsch.

Weiterleben des Stoffes:

16. Jh. volkstümliches kürzeres *Lied vom hürnen Seyfried*. Siegfried als Drachentöter.

1557 Hans Sachs: *Tragedi des hürnen Sewfried*.

um 1700 *Volksbuch vom gehörnten Sigfrid*. Auf das Seyfriedslied zurückgehend.

1808–1810 Friedrich de la Motte Fouqué: *Der Held des Nordens*. Dram. Trilogie.

1834 Ernst Raupach: *Der Nibelungen Hort*. Tr., in enger Anlehnung an das *Nibelungenlied*.

1846 Emanuel Geibel: *König Sigurds Brautfahrt*. Epos in Nibelungenstrophen.

1862 Friedrich Hebbel: *Die Nibelungen*. Dram. Trilogie.

1863 Richard Wagner: *Der Ring des Nibelungen*. Musikdr. in 4 Teilen: *Rheingold, Die Walküre, Siegfried, Götterdämmerung*. Vorwiegend auf der *Edda* fußend. Götter und Halbgötter in die Tr. vom Fluch des Goldes einbezogen. Einfluß des Schopenhauerschen Pessimismus.

1869 Wilhelm Jordan: *Nibelunge*. Epos in alliterierenden Langzeilen.

1909 Paul Ernst: *Brunhild*. Tr.

1918 Paul Ernst: *Kriemhild*. Tr.

1943 Max Mell: *Die Nibelungen*. Dr., nach dem *Nibelungenlied*. Im Vordergrund Brünhild, die Nachfahrin der Riesen. Nicht ihr, sondern der menschlicheren Kriemhild gehört die Neigung des Göttersohnes Siegfried. *Der Nibelunge Not*. Tr. (1951).

1200/05   Wolfram von Eschenbach
(Biogr. S. 29):
Minnelieder

Sieben Gedichte, davon fünf Tagelieder.
Nach dem Vorbild der provenzalischen Alba geschaffene Tagelieder,
meist mit den drei herkömmlichen Personen Frau, Mann und Wäch-
ter. Einzige Gattung des Minnesangs mit epischen Elementen; zugleich einzige Gattung, die Erfüllung der Liebe zeigen durfte. Daher in Struktur und Thematik Wolfram gemäß. Realistisch, bildhaft,
sinnenfreudig. Die Rolle des Wächters tritt vor der Gewalt des Erlebnisses zurück und wird schließlich aufgegeben *(Ez ist nu tac...)*.
Schließlich wird die Gattung selbst und mit ihr die Konstellation der
hohen Minne überwunden, wenn die Partnerin der Liebesnacht die
Ehefrau ist.

1200/10   Wolfram von Eschenbach
(Biogr. S. 29):
Parzival

Höfisches Epos.

16 Bücher, 24840 Verse. Arbeit nach dem 6. (?), 8. und 14. Buch unterbrochen.
Hauptquelle: Chrétien von Troyes: *Li Contes del Graal* (vor 1190, unvollendet), bei
W. Inhalt der Bücher 3 bis Ende 13. Ob der von W. als Quelle angegebene Trouba-
dour Kyot eine Fiktion ist, ist umstritten. W. wollte damit vielleicht vor dem »Wahrheit« verlangenden Publikum seine eigene schöpferische Leistung verbergen. Eine
Anzahl von Namen lassen jedenfalls auf eine andere Quelle als Chrétien schließen.
Der Gral, verknüpft mit der Legende von Joseph von Arimathia, ist der Tradition
nach ein christlich-eucharistisches Kultgefäß, bei W. ein lebenspendender, himmel-
verbundener Stein. Die Jugendgeschichte Parzivals ist ein keltisches Dümmlings-
märchen.

Entfaltung eines Menschen zu seiner vorbestimmten Form. In drei
Stufen wächst Parzival, der Sohn Gahmurets und Herzeloydes, zum
Vorbild des christlichen Ritters und zum Gralskönig empor. Im Zustand der »tumbheit«, die auch durch die höfischen Lehren des Ritters
Gurnemanz nur äußerlich behoben wird, richtet er durch wörtliches,
aber gedankenloses Befolgen der ihm von seiner Mutter und Gurnemanz gegebenen Lehren Unheil an: er stürzt durch einen Kuß Je-
schute ins Unglück, er erschlägt seinen Verwandten Ither, er fragt
nicht nach den Ursachen der geheimnisvollen traurigen Dinge, die
er auf der Gralsburg Munsalvaesche zu sehen bekommt, und ver-
sündigt sich so gegen das Caritas-Gebot. Von der Höhe äußeren

Glanzes an Artus' Tafelrunde stürzt ihn der Fluch der Gralsbotin in
den Zustand der »zwifel«. Er grollt mit Gott, der ihm seine Dienste
so schlecht lohnt: »ich diende einem, der heizet got« (Auffassung der
Beziehung zu Gott als Vasallenverhältnis). Er zieht aus, den Gral aus
eigener Kraft zu gewinnen. Die Haupthandlung dieses Abschnittes
wird durch die Nebenhandlung der rein weltlichen Abenteuer seines
Verwandten Gawan verdeckt. Parzivals Oheim Trevrizent weist
Parzival auf den Weg der Reue und Gnade, und nachdem sich der
Unbesiegbare vor der Kraft und Ritterlichkeit seines heidnischen
Halbbruders Feirefiz hat beugen müssen, ist er reif, sich den Gral
und seine geliebte Frau Condwiramurs und in ihnen beiden die
»saelde« zu gewinnen. Parzivals Lebensweg ist analog zur Heilsgeschichte geführt: paradiesische Unschuld, Sündenfall, Erlösung.
Parzival ist nicht Individuum im Sinne des modernen Entwicklungs-
romans, sondern ist jeweils Repräsentant einer Entwicklungsstufe
der Menschheit, wird nach theologischem Plan bewegt. Die Vorbild-
lichkeit der Artusritter (Gawan) ist durch das Gralsrittertum überwunden. Dies überhöhte, geistliche Rittertum ist nicht mönchisch,
weltverneinend, sondern heilig und weltlich zugleich: die treue Gattenliebe der Condwiramurs ist in die »saelde« des Grals mit einbe-
griffen.
Das Werk ist ein Familienroman, die Hauptpersonen erscheinen am
Ende als untereinander verwandt, sie bilden die Gralsdynastie, deren Geschichte W. im *Titurel* gestalten wollte. Gliederung des Stoffes
durch Einschaltung des Erzähler-Ichs am Anfang oder Ende einer
Handlungsphase; die Wendungen an das Publikum lenken den Hörer und verwischen die Grenze zwischen ihm und dem Erzählten.
Neigung zu gesuchten Wortverbindungen (Vorbild für den »geblümten« Stil), auch Verwendung von Wörtern aus dem Sprach-
schatz der Heldenepik.

Starke Nachwirkung. Die meisten Hss. stammen aus dem 14. und 15. Jh.; erster
Druck 1477; 1336 durch Claus Wisse und Philipp Colin bearbeitet und erweitert;
Weiterleben des Stoffes: Richard Wagner: *Parsifal*, Musikdr. (1877); Albrecht
Schaeffer: *Parzival*, Epos (1922).

1202/05   Wirnt von Grafenberg
            (ostfr. Ritter):
            Wigalois

Höfisches Epos, etwa 12 000 Verse.

Quelle: frz., verloren.

Gawan verläßt aus Furcht vor dem »verligen« seine Frau und findet
nicht mehr zu ihr zurück. An Artus' Hof trifft er auf einen Unbekannten, den er zum Ritter erzieht. In diesem Ritter mit dem Rade,

wie er nach dem Glücksrad im Wappen heißt, erkennt er später seinen Sohn Wigalois.

Zeigt deutlich im ersten Teil den Einfluß Hartmanns, im zweiten Teil den Einfluß der Bücher 1–6 von Wolframs *Parzival*. – 1483 Prosa-Auflösung.

seit etwa 1210   Walther von der Vogelweide
　　　　　　　　　(Biogr. S. 29):
　　　　　　　　　Lieder der »ebenen« Minne

Reife Liebeslyrik des Dichters. Der Erlebnisgehalt der »niederen« Minne in die hohe Gesellschaft zurückgetragen. Gegenseitige Beglückung: »er saelic man, sie saelic wîp, / der herze ein ander sint mit triuwen bî.«

um 1210   Gottfried von Straßburg
　　　　　　　(Biogr. S. 28):
　　　　　　　Tristan und Isolt

Höfisches Epos.

Alemannisch. Nicht vollendet. 11 Hss. und 12 Bruchstücke erhalten. Quelle: Thomas von Britanje (vor 1200); ursprünglich keltische Sage (vgl. Eilhart von Oberge).

G. wendete sich nicht an ein betont ritterliches, heldisch empfindendes Publikum, sondern an das »edele herze«, die empfindsame, schöne Seele, die, wie der Dichter selbst, bereit ist, um der Gewalt ihrer Liebe willen Tristan und Isolde alle Ränke zu verzeihen, die sie an Isoldes Gatten, dem König Marke, begehen. Diese Liebe wird nicht modern psychologisch vorbereitet, sondern bricht wie eine Naturgewalt herein, symbolisiert im Zaubertrank. Die Liebenden sind schuldig-unschuldig der Gewalt der Leidenschaft anheimgegeben, und selbst Gott ist so »hövesch«, daß er in einem betrügerischen Gottesurteil sich auf ihre Seite stellt (Ironisierung des Glaubens an Gottesurteile). Der Begriff der Ehre ist zu einem rein äußerlichen Begriff des guten Rufes geworden, an ihm findet die Macht der Leidenschaft ihre Grenze, denn auch in diesem realistischen und tragischen Werk wagen die Menschen nicht aus dem Rahmen der Gesellschaft zu treten. Mit der Gefühlsverwirrung Tristans gegenüber einer zweiten Isolde, Isolde Weißhand, der später der in die Fremde Verstoßene begegnet, bricht das Epos ab.

Einziges höfisches Epos mit tragischem Ausgang (gemäß der Quelle). Ganz diesseitig, unreligiös. Minneleidenschaft als Mittelpunkt des menschlichen Lebens, ihre Konflikte mit den Pflichten der Ehre und Treue. Unerlöstheit der in Leidenschaft Verstrickten. Minne ist nicht einseitiges Werben, sondern gegenseitige Hingabe.

Einfluß frz. und lat. Dgg.; Stil: graziös, musikalisch, maßvoll; Spiel mit Wortwiederholungen und Begriffspaaren: Tristan – Isôt, froide –

leide, triuwe – riuwe. Formal Höhepunkt des ma. Epos. G.s Bilder stammen oft aus der handwerklichen Sphäre (Gegensatz zu Wolfram); daran wird deutlich, daß er städtischen Lebensbezirken angehörte. Das Werk enthält, anläßlich der Schwertleite Tristans, eine kritische Übersicht über G.s dichtende Zeitgenossen: Lob Hartmanns, Ablehnung Wolframs.

Die Fortsetzer G.s gehen auf Eilhart von Oberge zurück: Ulrich von Türheim (1240), Heinrich von Freiberg (1285).

Weiterleben des Stoffes: Karl Immermann: *Tristan und Isolde*, Epos (1841, unvollendet); Richard Wagner: *Tristan und Isolde*, Musikdr. (1859).

seit 1210   Neidhart von Reuental
              (Biogr. S. 28):
              Lieder

Gesunde Kritik an der höfischen Verfeinerung und Haß gegen die Anmaßung des Bauerntums führen zu einer genialen Parodie des Minnesangs, den N. in bäurisches Milieu übertrug: »wol ir, daz si saelic sî, / swer si minnet, der belîbet sorgen frî / si ist unwandelbaere, / wîten garten tuot si rüeben laere.«
Schöpfer der »höfischen Dorfpoesie«; Anregung durch provenzalische Pastourellen und Vagantenlyrik. Von Walther angegriffen. Meist Tanzlieder, dem Natureingang entsprechend eingeteilt in Sommer- und Winterlieder. Nicht mehr vervollkommnende Macht der Minne, sondern erotische Erfüllung .

Nachleben in den *unechten Neidharten*, Nachahmungen der Lieder Neidharts, Schwanksig. *Neidhart Fuchs* (um 1490); *Neidhart-Spiele*; Heinrich Wittenweiler: *Der Ring* (um 1400), Philipp Frankfurter: *Der Pfaffe vom Kalenberg* (1473), Hans Sachs: *Neidhart mit dem Feihel*, Fsp. (1557).

1215   Thomasin von Zerclaere
          (ital. Geistlicher adliger Herkunft, Vasall Wolfgers von
          Aquileja):
          Der welsche Gast

Lehrbuch der höfischen Tugenden; zehn Bücher mit rund 15 000 Versen.
Über die geeignete Lektüre der höfischen Jugend. Dg. als Erziehungsinstrument. »staete« und »unstaete« als Grundlage aller guten und schlechten Eigenschaften. Über »reht« und »milte«. Wahrung der ständischen Schranken. Ermahnung zum Frieden zwischen Kaiser und Papst, Kritik an Walthers politischer Stellungnahme.
Maßvolle, kultivierte, etwas nüchterne Haltung. Ablehnung von weltlichem Ruhm und Minnedienst.

Das dt. geschriebene Werk eines Italieners kennzeichnet den Rang der dt. Dg. zu diesem Zeitpunkt.

um 1215   Wolfram von Eschenbach
(Biogr. S. 29):
Willehalm

Höfisches Epos.

Fragment; Julius Schwietering u. a. empfanden dagegen die humane Behandlung der
gefallenen Heiden als sinngemäßen Abschluß der Dg.
Quelle: frz. *Chanson de geste Bataille d' Aliscans*, anknüpfend an den Sarazenen-
besieger Wilhelm von Toulouse. Anregung durch Hermann von Thüringen.

Behandelt die Kämpfe frz. Ritter gegen die Sarazenen. Im Mittelpunkt der Handlung die Frau des Ritters Willehalm, eine getaufte
Sarazenin, die die Burg für ihren Mann verteidigt. Preis der Gattenliebe und Gattentreue. Bezeichnend für W., daß er sich von seiner
Vorlage vor allem in der Behandlung der Heiden unterscheidet: die
ritterlichen Tugenden der Heiden werden hervorgehoben und die
Besiegten menschlich behandelt. Idee der Humanität (vgl. auch Feirefiz im *Parzival*).

Vorgeschichte ergänzt von Ulrich von dem Türlin (1261–1269), eine Fortsetzung
schrieb Ulrich von Türheim (1247/50).

nach 1215   Wolfram von Eschenbach
(Biogr. S. 29):
Titurel

Höfisches Epos. Von W. nicht vollendet. Zwei Bruchstücke erhalten. Stoff frei erfunden. Titel nach der Rede des Gralskönigs Titurel,
die im Anfang des einen der beiden Bruchstücke steht.
Familiengeschichte Parzivals, nach rückwärts erweitert: Geschichte
des Gralskönigtums, geknüpft an die Liebesgeschichte Sigunes und
Schionatulanders, die am Hofe von Parzivals Eltern Gahmuret und
Herzeloyde aufwachsen. Der tragische Ausgang von Sigunes Schicksal im *Parzival* enthalten. Kritik am Minnedienst: Sigunes kindisches
Verlangen, das Brackenseil zurückzuerhalten, führt zum Tode des
dienstfertigen Geliebten.
Einziges höfisches Epos in Strophen: Titurelstrophe; der Nibelun-
genstrophe verwandt, vier Langzeilen. Kunstvoller, feierlicher Stil.

Forts. *Der jüngere Titurel* (um 1270).

1215/20   Heinrich von dem Türlin
(aus Kärnten):
Der âventiure krône

Höfisches Epos.

Österreichisch. Über 30000 Verse. Quellen: frz. und dt. höfische Epen.

Sammlung von Abenteurergeschichten mit Gawan im Mittelpunkt.
Einfluß von Wolfram und Gottfried. Häufung des Abenteuerlichen

und Kunstlosigkeit des Stils zeigen bereits die spätere Entwicklung der ma. Epik an.

1215/25   Rudolf von Ems
            (Biogr. S. 29):
            Der gute Gerhard

Höfisches Epos.

Unbekannte lat. Quelle, vielleicht Kölner Herkunft. Im Auftrag des bischöflich-Konstanzer Ministerialen Rudolf von Steinach.

Rahmenerz.: Kaiser Otto, der mit seiner Frömmigkeit prahlt, wird von einer himmlischen Stimme auf die Demut eines Kölner Kaufmanns verwiesen, der der gute Gerhard genannt wird. Hauptinhalt ist dann die Lebensgeschichte des guten Gerhard, die der Kaufmann selbst dem Kaiser erzählt: Er befreite durch Hingabe seines Besitzes die Braut des engl. Königs Wilhelm und nahm sie in sein Haus auf. Nach vergeblichem Warten auf eine Nachricht von Wilhelm verlobte er sie seinem Sohn, gab sie aber am Hochzeitstag an den plötzlich erscheinenden König zurück, dem er bei der Wiedereroberung seines Reiches half. Jeden Dank und Lohn wies er ab; sein Sohn jedoch wurde Ministeriale des Kölner Bischofs.

Gegenüberstellung von Demut des Bürgers und Hochmut des Kaisers. Weniger Selbstbewußtsein des Bürgers als Angleichung an ritterliche Lebensform.

Formal Einfluß Gottfrieds von Straßburg; Stilvirtuosität.

seit etwa 1218   Walther von der Vogelweide
                   (Biogr. S. 29):
                   Kulturkritische Gedichte

Auseinandersetzung des alternden Dichters mit dem Verfall der höfischen Kultur und des Minnesangs (Neidhart von Reuental). »Die tuont sam die frösche in eime sê, / den ir schrîen alsô wol behaget, / daz diu nahtegal dâ von verzaget, / sô si gerne sunge mê.«

um 1220   Konrad Fleck
            (aus der Gegend von Basel):
            Floire und Blancheflur

Höfisches Epos.

Quelle: frz. Gedicht des Ruprecht von Orléans.

Thema der Kinderliebe. Morgenländischer Stoff, in Dld. erstmalig im *Trierer Floyris* um 1170 bearbeitet. Erhielt durch Konrad Fleck seine höfische Form. Zart, anmutig, Einfluß Hartmanns.

um 1225   Rudolf von Ems
               (Biogr. S. 29):
               Barlaam und Josaphat

Legende.

Bei der Abfassung Beratung durch den Abt Wide des Zisterzienserklosters Kappel bei
Zürich, der den Stoff in einer lat. Fassung nach dem Griech. des Johannes von Da-
maskus aus dem Ausland mitbrachte. Stoff: ursprünglich indische Buddha-Legende,
die im 7. Jh. christlich umgeprägt wurde.

Der christenfeindliche König Avenier hat seinen Sohn in der Einsamkeit erziehen lassen und erfährt, daß Josaphat durch den Einfluß
des Einsiedlers Barlaam Christ wurde. Vater und Sohn versuchen
einander zu bekehren. Josaphat erreicht das erst, nachdem er sich als
Herrscher in einem Teil des Reichs, den ihm sein Vater überläßt, bewährt hat. Er verzichtet nun auf die Königswürde, lebt in Armut
und Demut bei Barlaam in der Wüste und wird mit der himmlischen
Herrlichkeit belohnt.
Weltliche und geistliche Bewährung. Tugenden der Treue, Beharr-
lichkeit und Geduld. In der Thematik auf vorhöfische Geistlichen-
Dg. zurückweisend. Vorrede ähnliche Absage an die Jugend-Dg.
wie in Hartmanns *Gregorius*. Dem Entsagungsthema entspricht Einfachheit des Stils.

Im »Dichterkatalog« seines *Alexander* nennt R. v. E. als weiteres Werk legendären
Charakters *Eustachius*.

1227/28   Walther von der Vogelweide
               (Biogr. S. 29):
               Kreuzlieder und Elegie

W. warb für den Kreuzzug Friedrichs II., der dann im Frühjahr 1228
durchgeführt wurde. Vier Sprüche und zwei Lieder, mehr dogmatisch als persönlich gehalten. Die Elegie »owê war sint verswunden
alliu mîniu jâr...«, zugleich eine Klage über den kulturellen Verfall
der Zeit, mündet in einen Aufruf an die österreichische Ritterschaft
zum Kreuzzug; in der einheimischen Langzeile (vgl. Kürenberger
und *Nibelungenlied*) unter Benutzung von Termini der Heldenepik.

um 1230   Freidanks Bescheidenheit
               (Verf. bürgerlicher, gebildeter Fahrender aus
               Schwaben)

Slg. religiöser und moralischer Erkenntnisse in Sprüchen. Bescheidenheit = Urteilsfindung, Entscheidung zwischen gut und schlecht.

Meinst gereimte Zweizeiler, rund 4700 Verse.
Quelle: *Bibel*, Äsop, lat. und dt. Spruchslgg.

Trotz aller Anpassung an das Höfische im Grunde popularisierte
geistliche Moral. Schlicht, einprägsam. Daher starke Wirkung auf
spätes MA. Einfluß auf Hugo von Trimberg, Ulrich Boner, Oswald
von Wolkenstein.

Später verschiedene Slgg. von Freidank-Sprüchen. Bearbeitung von Sebastian Brant
1513 in Straßburg gedruckt. Lat.-dt. Slg. des 14. Jh. 1500 in Leipzig gedruckt.

1230/40   Kudrun

Heldenepos.

Nordisch-wikingisches Lied, dessen erste dt. Fassung im Gebiet der Scheldemündung
entstand und in Österreich zum Epos erweitert wurde. Vor liegt eine Fassung aus dem
bayrisch-österreichischen Raum. Hs. im *Ambraser Heldenbuch*. 32 Aventiuren, 1705
Strophen, leicht abgewandelte Nibelungenstrophe. Zeugnisse der Hildesage schon
beim Pfaffen Lamprecht, bei Saxo Grammaticus, in der *Prosa-Edda*. Ein Lied von der
Werbung Horants um Hilde in einer jiddischen Umschrift von 1382 erhalten (*Dukus
Hôrant*, hgg. Leo Fuks 1957; hgg. Peter F. Ganz 1964).

Drei Teile. Vorgeschichte: Hagen, Hildes Vater, wird als Knabe von
einem Greifen geraubt (orientalische Greifensage). Zweiter Teil:
Hilde-Dg., dritter Teil: *Kudrun*-Dg.; das Motiv der Mädchenentfüh-
rung durch zwei Generationen wiederholt, jedesmal mit versöhn-
lichem Ausgang. Die Kudrun-Dg. entfaltete sich auf Kosten der ursprünglich tragischen Hilde-Dg. Thema der *Kudrun* ist die Frauen-
treue. Kudrun hält ihrem Verlobten die Treue und muß 13 Jahre
Magddienste leisten, ehe sie befreit wird.
Spielmännisch. Ragt zwar über den Durchschnitt der spielmännischen Heldenepik hinaus, erreicht aber das *Nibelungenlied* künstlerisch
nicht. Kulturgeschichtliche Quelle für Wikingerzeit; Meeresszenerie
und Seefahreratmosphäre.

1230/50   Ortnit und Wolfdietrich

Heldenepos.

Zwei ursprünglich selbständige Epen, vom (bayrischen oder ostfränkischen) Verf.
vereinigt; fragmentarische Fassung im *Ambraser Heldenbuch*. *Ortnit* Stoff aus der russ.
Epik, durch ndt. Dg. vermittelt. *Wolfdietrich* Stoff aus der Gesch. der Merowinger.
Inhalt aus späteren Fassungen zu ergänzen.

Ortnit gewinnt mit Hilfe seines Vaters, des Zwerges Alberich, im
Orient eine Frau, kommt jedoch durch eine List ihres Vaters um;
Wolfdietrich, von dem ungetreuen Sabene aus seinem Reich vertrie-
ben, rächt Ortnit an dem Drachen und gewinnt Ortnits Witwe und
Reich.
Spielmännische Motive, Aventiure als Selbstzweck, ohne ideelle
Zielsetzung. Verwilderung der Komposition, Erzählung jedoch ein-
prägsam, realistisch. Auf spätma. Abenteuer-Rr. vorausweisend.

Der *Große Wolfdietrich* (Anf. 14. Jh.), um zahlreiche Abenteuer Wolfdietrichs erweiterte Fassung des späten MA.

1230/50   Reinmar von Zweter
(um 1200 bis um 1250, rheinländischer ritterlicher
Fahrender in Österreich und Böhmen):
Sprüche

Rund 230 Sprüche, die meisten im Frau-Ehren-Ton, und ein geistlicher Leich überliefert. Politische Sprüche erst für, dann gegen
Friedrich II.; später didaktische und religiöse Sprüche.
Unlyrisch, lehrhaft; volkstümlich, den bürgerlichen Fahrenden nahe-
stehend.

1230/50   Gottfried von Neifen
(Schwabe, Parteigänger Heinrichs VII., bis 1255 nach-
weisbar):
Minnelieder

Stereotype Thematik: Minnewerben und Minneklage. Kombina-
tion traditioneller Motive. Helle Sinnenfreude bei der Darstellung
weiblicher Schönheit. Spätstaufische Haltung. Echtheit von Liedern
niederer Minne umstritten.
Große Virtuosität der Form. Leichtigkeit, Beschwingtheit. Raffi-
nierte Klang- und Reimspiele; darin vorbildlich, z. B. für Ulrich von
Winterstetten und Konrad von Würzburg.

1230/1300   Dietrich-Epik

Vorwiegend bayrisch-österreichische, formal sehr unterschiedliche
kürzere und längere Erzz. um die Gestalt Dietrichs von Bern. Vorstufe: *Dietrich-Lieder*, anknüpfend an die Persönlichkeit Theoderichs des Großen. Spezifischer Wesenszug Dietrichs, der ihn vom
Typ des höfischen Helden unterscheidet: sein Zaudern vor dem
Kampf, das fast wie Feigheit aussieht, bis es schließlich in zorn-
wütige Heldenkraft umschlägt.
Der Stoffkomplex teilt sich in drei Kreise:
Die hist.-heroischen Epen, aus der Keimzelle der *Rabenschlacht* entwickelt, der Schlacht des aus dem Exil bei Etzel heimkehrenden Dietrich gegen seinen Oheim Ermanarich, den Usurpator seines Throns;
mit ihr kausal verbunden die Erklärung von Dietrichs Flucht aus
seinem Reich. *Dietrichs Flucht* oder *Buch von Bern* (Reimpaare) und
Rabenschlacht (Strophen) wurden Ende 13. Jh. von Heinrich dem
Vogler zu einem Doppelepos vereinigt; die Gestalten typisiert, durch
den Gegensatz von Treue und Untreue geprägt. Dazu sind zu stellen
die sehr späten Fassungen des *Jüngeren Hildebrandsliedes* und des ndt.
Liedes von *Koninc Ermenrikes Dot* sowie das balladeske ritterliche
Lied von *Alpharts Tod* (um 1250).
Die Aventiuren-Erzz. um Jung-Dietrich, wahrscheinlich aus einem
spätheroischen Gedicht um Dietrichs Riesenkämpfe, seine Gefangen-

schaft bei den Riesen und seine Befreiung durch seine Getreuen entwickelt. Meist dem österreichischen Alpenraum inhaltlich verbunden. Haltung und Erzähltechnik spielmännisch; vorwiegend in höfi-
sierten Fassungen des 13. Jh. und noch späteren Ausweitungen
überliefert. Am ältesten wahrscheinlich der *Goldemar* des Albrecht
von Kemnaten (1230/40). Im Thema des Riesenkampfes mit ihm
verwandt und in der Strophenform (sog. Bernerton) von ihm abhängig das *Eckenlied* (ursprünglich österreichisch, rheinische Über-
arbg. 2. Hälfte des 13. Jh.) und als Vorgeschichte dazu *Sigenot* (um
1250, Bernerton). Häufung der Riesen- und Zwergenkämpfe in der
Virginal (nach 1260, Bernerton); Angleichung an den höfischen
Abenteurer-R. Gleichfalls am höfischen Epos orientiert ist *Laurin*
(um 1250, Reimpaare), die Gesch. von Dietrichs Eindringen in den
Rosengarten des Zwergenkönigs.

Späte Neuschöpfung sind zwei Epen, die eine Gegenüberstellung
mit dem burgundischen Sagenkreis beabsichtigten. Der *Rosengarten*
(Mitte 13. Jh., Hildebrandston; Neufassung 1270/80) läßt die Helden der Dietrichsage sich im Kampf mit denen der Nibelungensage
messen; Ort ist Kriemhilds Rosengarten in Worms. Spielmännische
Haltung. *Biterolf und Dietleib* (1260/70, Reimpaare) erzählt von Biterolf und seinem jungen Sohn Dietleib, die, einander unbekannt, an
Etzels Hof dienen; ein Zweikampf wird glücklich beendet (Hilde-
brand-Motiv). Dietleib führt um einer persönlichen Rache willen die
Helden Dietrichs gegen die Helden von Worms. Dem Stil des höfischen Epos angepaßt.

nach 1235   Rudolf von Ems
         (Biogr. S. 29):
         Wilhelm von Orlens

Höfisches Epos.

Frz. Quelle, die ein Johann von Ravensburg zum Zwecke einer dt. Bearbg. nach Dld.
schickte; Vermittlung des Auftrages durch Konrad von Winterstetten.

Pseudo-zeitgeschichtlicher Minne-R.
Wilhelm, Adoptivsohn Jofrits von Bouillon, ist Minneritter der jungen Amelie von England und wird nach einem mißglückten Versuch, sie zu entführen, außer Landes verwiesen. Er muß geloben,
kein Wort zu sprechen, bis Amelie sein Gelübde löst. Das Paar bewahrt sich Treue – Wilhelm im Dienst des norwegischen Königs –
und wird schließlich vereint.
Exemplarische Haltung im Geist staufischen Rittertums. Funktion
eines Fürstenspiegels, wahrscheinlich als Lektüre für Heinrich VII.
gedacht. Wichtig der nach dem Vorbild Gottfrieds von Straßburg
eingeschobene »Literaturkatalog«.

nach 1240   Der Stricker
(südrheinfr. Fahrender in Österreich, gest. um 1250):
Die Schwänke des Pfaffen Amîs

Erste dt. Schwankslg.; enthält zwölf Verserzz. in gepflegtem, schlichtem Stil. Amîs, ein engl. Geistlicher, den böse Erfahrungen zum Lügner und Betrüger machen, prellt die Toren in aller Welt, kehrt zurück und wird schließlich Mönch und Abt.

Einzelne Schwänke lebten bis zum *Eulenspiegel* (um 1500) fort.

Der Stricker versuchte sich zunächst – ohne ausreichende stilistische Kraft und ohne wirklich höfische Haltung – auf dem Gebiet des höfischen Epos (*Daniel vom blühenden Tal*, um 1215), womit er auf die Kritik konservativer Dichter stieß (vgl. die Gegendichtung des Pleier: *Garel vom blühenden Tal*, um 1260). Zu seinem eigentlichen Talent fand der St., dem 164 Gedichte zugeschrieben werden, erst in der lehrhaften Kurzerz.; Stoffe seiner Novellen häufig aus der Tierwelt, Fabeln; haben oft die Form des »bîspels«, einer aus einer Morallehre entwickelten Erz.

Nüchtern, praktisch, höfischem Idealdenken fern.

um 1245   Rudolf von Ems
(Biogr. S. 29):
Alexander

Höfisches Epos, Fragment.

Entst. wahrscheinlich vor und nach der Arbeit an *Wilhelm von Orlens*. Möglicherweise den Königen Heinrich (VII.) und Konrad IV. zugedacht. Quelle: dt. Bearbgg. des Alexanderstoffes, Leos *Historia de preliis* und, wie die erweiterte Quellenangabe im Prolog des 4. Buches angibt, Quintus Curtius Rufus. Aus Anagramm Plan von zehn Büchern ersichtlich, im 6. Buch abgebrochen.

Alexander als ritterlicher Feldherr und Eroberer, Maßstab höfischer Gesellschafts- und Ritterlehre. Seine überlieferten Fehler abgeschwächt; heilsgeschichtliche Perspektive tritt zurück. Jedoch ist Rudolfs Auffassung des Superbia- und Weltvergänglichkeits-Motivs nicht erkennbar, da der Indienzug und Alexanders Tod fehlen.

Als Gesch., nicht als R. aufgefaßt; Gesch. als Anschauungsunterricht. Fürstenspiegel.

Eingeschobener Literaturkatalog, der das eigene Werk einordnet.

1247/67   Der Marner
(gelehrter bürgerlicher Fahrender, früher wohl Kleriker, aus Schwaben):
Sprüche und Lieder

M. begann um 1230 als lat. Dichter im Dienst eines geistlichen Herrn; auch lat. Gedichte erhalten.

Hauptleistung Spruchdg. Weite Themenskala: Lebensweisheit, religiös-theologische Betrachtung, Moral, Politik, Ständekritik, Preis und Tadel von Personen, Minne, Rätsel. Lit. Fehden, unter anderem gegen Reinmar von Zweter. Klage über den allgemeinen Verfall während des Interregnums; Parteigänger der Staufer, letzter datierbarer Spruch an Konradin vor dessen Italienzug 1267.
Acht Lieder nur Nebenwerk, repertoirebedingt. Formales Vorbild: Neifen und Winterstetten.

um 1250   Osterspiel von Muri

Hochalem. Fragmente, erhalten in Teilen einer Soufflierrolle.

Ältestes dt.-sprachiges Spiel. Szenar umfaßt, entsprechend den lat. Osterspielen, die Osterhandlung bis zur Auferstehung. In Verskunst und Vorstellungswelt von höfischer Epik beeinflußt, jedoch schon realistische Züge.

1250/54   Rudolf von Ems
       (Biogr. S. 29):
       Weltchronik

R. wurde durch den Tod an der Vollendung des Werkes, das im 5. Buch mit dem Tode Salomons abbricht, gehindert. Im Auftrage König Konrads.

Entst. nach 1250, jedenfalls ist der Preis König Konrads (Konrad als König von Jerusalem) nach 1250 geschrieben. Quellen: *Bibel*, *Historia scholastica* des Petrus Comestor (gest. 1178) u. a.

Historisches Interesse kennzeichnete schon in zunehmendem Maß R.s Epen. Menschheitsgesch. seit der Schöpfung, eingeteilt in sechs Weltalter. Gesch. des AT und der vier vorchristlichen Weltreiche als Vorgesch. angesehen; erst das 6. Buch sollte das Erscheinen Christi bringen, daran anschließend die Gesch. der christlichen Herrscher bis zu den Staufern. Reihe von Biographien großer Herrscher als Beispiele der Bewährung.
Gelehrsamkeit; Sachlichkeit des Berichtstiles im Gegensatz zur Stilvirtuosität des *Guten Gerhard*, des *Wilhelm von Orlens* und des 1. Buches des *Alexander*; dessen späteren Teilen nahe.

Eines der meistgelesenen Bücher des MA., für Laien Ersatz für die nicht zugängliche *Bibel*. Zahlreiche Bearbeitungen, Verschmelzung mit der *Christ-Herre-Chronik*.

1250/60   Der Sängerkrieg auf der Wartburg

Spruchdichtung in epischer Einkleidung.

Entst. in Thüringen. Zwei thematisch verwandte Gedichte verschiedener Autoren, sekundär verbunden und um fünf weitere Gedichte vermehrt.

Verherrlichung der kulturellen Glanzzeit Thüringens. Die am Hof Landgraf Hermanns versammelten Dichter, Walther, Wolfram, Reinmar von Zweter, Biterolf, der Schreiber, werden von dem (sagenhaften) Heinrich von Ofterdingen durch das Lob des Herzogs von Österreich als des besten Fürsten herausgefordert. Ofterdingen unterliegt Walther und hat seinen Kopf verwirkt, darf aber auf Fürbitte der Landgräfin Klingsor von Ungarland zur Hilfe holen.
Der zweite Teil zeigt Klingsor im Rätselstreit mit Wolfram, der alle Rätsel löst und den von Klingsor zur Hilfe gerufenen Teufel Nasion durch das Zeichen des Kreuzes besiegt.
Nach Gehalt und Form der Kunst berufsmäßiger »Meister« zuzurechnen; die höfischen Dichter als »Meister« bezeichnet. In der Nachfolge Wolframs. Kunstvolle Spruchstrophen, manirierter Stil. Gelehrsamkeit.

1250/80   Wernher der Gärtner
(wahrscheinlich Ritter aus dem Innviertel):
Meier Helmbrecht

Verserz. von einem Bauernburschen, der das 4. Gebot verachtet, sich über seinen Stand erhebt, ein Strauchritter wird und, vom Vater verstoßen, umkommt. Der wissenschaftlich umstrittene Ort der Handlung ist wahrscheinlich das Innviertel.
Gesellschaftskritisches Zeitbild: Verfall des Rittertums, Anmaßung des Bauerntums (Einfluß Neidharts); Problem der superbia: »dîn ordenunge ist der pfluoc«, sagt der alte Bauer zu dem jungen. Auflösung der Ständeordnung.

1250/82   Mechthild von Magdeburg
(Biogr. S. 28):
Das fließende Licht der Gottheit

Mystische visionäre Schrift in sieben Büchern.

Urfassung verloren. Überliefert in einer redigierten alem. Umschrift (Einsiedler Hs., 1343/45), deren Vorlage auf Heinrich von Nördlingen zurückgeht, und einer bald nach M.s Tode im Dominikanerkloster in Halle entstandenen lat. Übs. der Bücher I–VI, die die Visionen völlig umgruppierte und dämpfend in den Text, besonders die leidenschaftliche Minnesprache, eingriff.

M. schickte ihr auf lose Blätter geschriebenes Ms. an ihren Seelsorger Heinrich von Halle, der ihm wohl ohne Eingriff in den Wortlaut die Form eines sechsteiligen Buches gab, zu dem M. nach Heinrichs Tode (um 1281) noch ein siebentes hinzufügte (entst. 1281/82). Eine erste Fassung von nur fünf Büchern ist anzunehmen; M. hat 1257/58 das Corpus der ersten fünf Bücher ergänzend durchgesehen, das fünfte enthält Auseinandersetzung mit Heinrich von Halle. Der noch zu M.s Lebzeiten entstandene lat. Vorbericht über M. bezieht sich nur auf die ersten fünf Bücher.

Mystisches Tagebuch einer Gott suchenden und Gott minnenden Seele. Visionen und Prophezeiungen. Verlangen nach der mystischen Vereinigung mit Christus. Auch Kritik an kirchlichen und welt- lichen Mißständen.

Prosa, die sich zu freien Rhythmen steigert. Einfluß der höfischen Minnedg., Bändigung von Gefühl und Wort durch die »mâze«. M., die gerade vor dem höfischen Leben ins Kloster geflohen war, blieb dem Ritterlichen wesensmäßig verhaftet. Stärkste dichterische Lei- stung der dt. Frauenmystik.

1255   Ulrich von Lichtenstein
(um 1200–1275, steiermärkischer Ministeriale im Dienste Friedrichs des Streitbaren):
Frauendienst

Geschichte von U.s Minnedienst. Erzählung in Strophen von acht gleichen Zeilen, dazwischen Lieder eingestreut. Übersteigerung der Idee der hohen Minne bis zur – ungewollten – Karikatur. U. zeich- nete sich selbst als eine Don-Quijote-Gestalt – ein merkwürdiger Gegensatz zu seiner Tätigkeit als hoher Beamter. Doch sind die von ihm berichteten Minneerlebnisse nicht vorbehaltlos als biographische Tatsachen zu werten. U.s *Frauendienst* und sein didaktisches *Frauen- buch*, ein Zwiegespräch zwischen Ritter und Dame, stehen am Ende des ritterlichen Minnesanges. Nacheiferer Reinmars, formal gewandt.

Übs. Ludwig Tieck 1812; Weiterleben des Stoffes: Gerhart Hauptmann: *Ulrich von Lichtenstein*, Kom. (1939).

1255/60   Konrad von Würzburg
(Biogr. S. 28):
Herzmaere und **Der Welt Lohn**

Frühe höfische Verserzz. K.s, der für diese Gattung maßgeblich wurde und in ihr künstlerisch Gültigeres leistete als im Epos. Vorbild Gottfried von Straßburg. Die Erzz. münden in einer Lehre.

Das *Herzmaere*, Bearbg. des im MA. auf mehrere Dichterpersönlich- keiten fixierten Stoffes vom gegessenen Herzen, gehört mit der Vor- rangstellung der Minne vor der Ehe und der Vereinigung der Lie- benden im Tode in die Nachbarschaft des *Tristan*.

Der Welt Lohn behandelt die Bekehrung des Dichters Wirnt von Grafenberg zu Buße und Kreuzzug durch die Erscheinung der Frau

Welt, deren von Gewürm zerfressener Rücken ihr wahres Wesen offenbart.

Weitere Werke gleicher Gattung: *Schwanritter* (1256/57), eine in die Zeit Karls des Großen verlegte Fassung der Schwanritter- oder Lohengrinsage, und *Heinrich von Kempten* (1265/70), schwankhafte Erz. um einen Ritter Ottos I. Auch für die Erz. mit geistlichem Stoff wurde K. durch seine drei in Basel entstandenen Verslegenden *Silvester, Alexius, Pantaleon* vorbildlich.

vor 1270   **Konrad von Würzburg**
(Biogr. S. 28):
Engelhard

6500 Verse. Stoff: Freundschaftsgesch. von Amis und Amiles, nach lat. Quelle bearbeitet.

Akzent auf dem Minne-R. zwischen Engelhard und Engeltrud, hinter dem der zweite, legendäre Teil, Engelhards Opferung der eigenen Kinder für die Heilung des aussätzigen Freundes Dietrich, blaß bleibt. Eines der letzten Epen, in denen höfischer Gehalt und höfische Form aufrechterhalten wurde.

Frühestes episches Werk des Dichters, das von dem Feen-R. *Partonopier und Meliur* (um 1275) lediglich an Glanz und Umfang übertroffen wird, während der durch K.s Tod abgebrochene *Trojanerkrieg* (1277/81, 40000 Verse; Quelle: Benoît de Sainte-Maure) in seiner redseligen Breite ein Nachlassen der Kraft zeigt.

Das *Turnier von Nantheiz* (1257/58) ist kein isolierter Bestandteil eines höfischen R., sondern ein aus Anlaß der Königswahl von 1257 entstandener Fürstenpreis, dessen Turnierschilderung K. selbst in späteren Werken *(Schwanritter, Trojanerkrieg)* benutzte und ausbaute und mit dem er Vorbild der Heroldsdg. des 14. und 15. Jh. wurde.

um 1270   **Der jüngere Titurel**

Höfisches Epos.

6207 Titurelstrophen mit Zäsurreim. Identität des Verf. Albrecht mit dem von Ulrich Füetrer gepriesenen Albrecht von Scharfenberg (2. Hälfte 13. Jh.) steht nicht fest.

Verf. ahmte Wolframs Stil und seine Titurel-Strophe nach, gab das Epos für dessen Werk aus. Behandelte unter Verwendung von Wolframs Fragment die Geschichte des Gralskönigtums. In welthistorische Zusammenhänge eingebautes Bild des Rittertums und seiner Ethik, um die tragische Minne Schionatulanders und Sigunes komponiert. Tugendlehre. Das Epos galt bei den Wiederentdeckern des 18. Jh. als Werk Wolframs.

Erster Druck 1477.

um 1275   Konrad von Würzburg
(Biogr. S. 28):
Die goldene Schmiede

Religiöser Leich.

2000 Verse. Auftraggeber wahrscheinlich der Straßburger Bischof Konrad von Lichtenberg, auf den K. einen Preisspruch dichtete.

Marienpreis aus scholastisch-spekulativem Geist. Keine erzählerischen Elemente. Das Herz des Dichtenden mit einer Goldschmiedewerkstatt verglichen.
Höhepunkt der bilderreichen Lyrik K.s, an Gottfried von Neifen geschult. Virtuose Klang- und Reimspiele.

1270–1500   **Spätes Mittelalter**

Mit dem politischen, wirtschaftlichen und kulturellen Verfall des Rittertums nach dem Ende der Staufer ging die Führung auf diesen drei Gebieten an das aufstrebende Bürgertum über. Das absinkende höfische Kulturerbe verschmolz mit dem aus den neuen Schichten aufsteigenden Gut. Während zweier Jhh. fließen in ein großes Sammelbecken mannigfaltige, meist nicht entschlackte Formen und Gattungen, denen ein einheitliches Kennzeichen fehlt.
Je nach der Sehweise betont man an dieser Epoche mehr das ausgehende MA., den »Herbst des MA.« (Johan Huizinga) oder die Geburtswehen einer neuen Zeit; so hat man die humanistischen Anfänge am Prager Hof Karls IV. (1347–1378) als »Vorspiel« des dt. Humanismus bezeichnet (Konrad Burdach).
Das späte, schon stark bürgerliche MA. war rückwärtsgewandt, sah das höfische MA. als Vorbild, Auctoritas. Verlust des Höfischen, nicht Abkehr von ihm. Die Lit. des späten MA. hatte kein Programm und keine Kunsttheorie. Erst gegen Ende wuchs ein Selbstbewußtsein der neuen Schicht und der neuen Kunstübung.
Das Wesen des 14. und 15. Jh. ist Umschichtung. Die Macht des Kaisertums ging seit dem Interregnum zurück, die der Territorialfürsten wuchs. Dem Rittertum fehlte der ideelle Wert des Kaisergedankens, es geriet vielfach in Abhängigkeit von den Fürsten. Zersplitterung in kleinen Fehden, Aufkommen von Fußvolk und Feuerwaffen. Das Gleichgewicht von oberster geistlicher und oberster weltlicher Macht änderte sich zugunsten der letzteren; bezeichnend dafür ist die Abhängigkeit des von 1309 bis 1377 in Avignon amtierenden Papstes vom frz. König und die Spaltung (Schisma) der Kirche, während der zwei, nach dem Konzil zu Pisa (1409) sogar drei Päpste gleichzeitig regierten.
Die Städte erstarkten politisch und wirtschaftlich. Sie waren jetzt Bildungszentren neben den Höfen. Im 14. Jh. kam es zum Kampf zwi-

schen dem Patriziat und den Zünften; Eindringen der Zünfte in den Rat der Städte, stärkere Demokratisierung. Demokratisierung erfuhr auch die Lit. Waren in der höfischen Zeit der Verbreitung der Bildung schon innerhalb des Adels durch mangelnde Lesefähigkeit enge Grenzen gesetzt, so kam jetzt das Bürgertum als bildungstragend, zunächst mehr als Konsument und Mäzen, hinzu. Das Papier, das billiger war als Pergament, später die Erfindung der Buchdruckerkunst (um 1440) ermöglichten auch vom Technischen her Vermehrung des Lit.-Gutes. Der Aufschwemmung der Epen, der ungeheuren Anreicherung des Stofflichen kamen die neuen Vervielfältigungsmittel entgegen.

Das Bürgertum als Kulturträger war in sich gestaffelt; entscheidend für das Zustandekommen und die heutige Beurteilung der Lit.-Denkmäler ist das Verhältnis der Anteile einzelner Schichten an ihnen. An die Stelle der Fahrenden des 13. Jh. traten die bürgerlichen Fahrenden des 14. Jh., wandernde Literaten nichtadliger Herkunft, die jedoch auch nicht das Bürgertum repräsentierten, sondern die soziale Ordnung verlassen hatten; sie betrieben die Kunst noch als Erwerb, während die handwerkenden Meistersinger des 15. Jh. die Kunst nebenberuflich und unentgeltlich ausübten. – Breite bürgerliche Laienschichten trugen auch die Mystik. Die ersten Mystiker jedoch waren Adlige. Die Mystik zeigte die lit. Mündigkeit der Frau. Ritterliche, aber nicht höfische Kultur erlebte eine Spätblüte in dem vom Deutschen Orden kolonisierten Preußen (1230–1283 unterworfen, 1309 Hochmeistersitz von Venedig nach Marienburg verlegt). Ausgesprochener Kolonialstil, von Erobererschicht getragen. Ordenslit. ohne Minne und Frauenkultur; biblische und geistliche Themen, Missionsauftrag, ritterlicher Charakter, Interesse für das Historische kennzeichnend.

Im späten MA. schwand der Geist hochgemuter Weltfreude, der dem höfischen MA. eignete. Untergangsstimmung und Schwermut beherrschten die Gemüter, Hungersnöte, Städtebrände, Pest wurden als Strafen Gottes angesehen, das Weltende wurde erwartet. Eine vertiefte Frömmigkeit wie in vorhöfischer Zeit brach sich Bahn. Statt contemptus mundi nun aber Einfügung in die Welt; ein Teil der religiösen Lehre handelt vom Verhalten in der Welt.

Die »Summe« des theologischen Systems der Scholastik zog Thomas von Aquino (1225–1274). Während die Kirche in bisher unbekannten, zur Übertragung vorbereiteten Schriften des Aristoteles eine Gefahr sah, verwertete er aristotelische Begriffe zur Stützung des Dogmas und konstatierte im Gegensatz zu Augustin die Eigenständigkeit der Erfahrung, auch der Sinne, sowie der Welt als Welt.

Unbefriedigt von der wissenschaftlichen Scholastik, der kirchlichen Schulphilosophie, in der die Religion »Gegenstand einer begrifflichen und erkenntnistheoretischen Bestimmung und Zerfaserung« (Josef

Quint) geworden war, wandten sich weite Kreise einer Bewegung der Laienfrömmigkeit zu, die ihren höchsten Ausdruck in der Mystik fand (griech. myein = die Augen schließen). Die Mystik gab dem Menschen die Gewißheit von der Immanenz des Göttlichen, von der Existenz eines göttlichen Funkens im eigenen Innern. Ziel mystischer Frömmigkeit war die unio mystica, nach Pseudo-Dionysius Areopagita (um 500 n. Chr.), dem Vater der europäischen Mystik, das Resultat des Abscheidens des Menschen von allem Irdischen. Das Hindernis der erstrebten Vereinigung mit Gott ist der Leib, der durch Askese abgetötet werden muß: imitatio Christi im Leiden. Die Gedanken des Areopagiten wirkten über Hugo von St. Victor (gest. 1141), der seine Schriften kommentierte, auf Bernhard von Clairvaux. Ein weiterer Anstoß mystischer Religiosität erfolgte im 13. Jh. durch Franz von Assisi (gest. 1226) und den Franziskaner Bonaventura (1221–1274).

Nach der – noch vereinzelten – Frauenmystik im 12. und 13. Jh. setzte zu Beginn des späten MA. die Breitenwirkung der Mystik mit derjenigen der Meister, der spekulativen Mystik der Dominikaner Eckhart, Tauler, Seuse ein. Zur geistigen Macht wurde sie in der zweiten Hälfte des 14. Jh. durch die Konventikel, deren individuelle Frömmigkeit aus der Kirche hinausstrebte; besonders stark in Holland durch die 1381 in Deventer gegründete Gesellschaft der »Brüder vom gemeinsamen Leben« (devotio moderna). Aus den Kreisen dieser Gesellschaft stammte Nikolaus von Kues (1401–1464). Religiös Vertreter der mystischen Frömmigkeit (docta ignorantia), baute der geschulte Humanist sie zum System aus und kämpfte als Kirchenpolitiker für die Erneuerung des geistlichen Lebens und gegen das drohende Schisma.

Neben der spekulativen, philosophischen Mystik steht die Gefühlsmystik, eine zugleich sehr praktische Mystik, Frömmigkeitsbewegung der breiten Masse, vor allem der Frauen. Diese Art erfuhr im späten MA. eine förmlich epidemische Ausbreitung, die die Kirche einzudämmen suchte. Religiöse Dg. wurde unter mystischem Einfluß gefühlsbetont (Mariendg.) und persönlich.

Frz. Einfluß herrschte auch im bürgerlichen MA., jedoch nicht so stark wie zur höfischen Zeit. Im 14. und 15. Jh. traten in Frankreich die Chansons de geste in den Vordergrund: nationalfrz. Sagenstoffe, spielmännischer Charakter. Verglichen mit den Artusepen grob, roh, ungepflegt. Zunächst Verse, im 15. Jh. Prosa-Auflösungen. Diese frz. Unterhaltungsprosa wurde nach Dld. durch Übss. (Elisabeth von Nassau-Saarbrücken u. a.) eingeführt.

Im späten MA. traten die Stämme und Landschaften hervor (im Gegensatz zum Zusammenfassungsdrang der Ritterzeit), die Dialekte fanden wieder Eingang in die Lit., die mhd. Lit.-Sprache zerfiel.

Die nddt. Lit. blühte auf; enge Beziehungen zur ndld. Lit. zeigen *Karlmeinet, Reinke de Vos,* der Epiker Johann von Soest. Köln, Nürnberg und Prag wurden im 14. Jh. die kulturell führenden Städte. »Im 14. und 15. Jh. springt die Kultur an die Peripherie des Reiches« (Konrad Burdach). Neben dem Oberrhein, wo sich besonders die Moralsatire entwickelte, war Böhmen das Gebiet des Frühhumanismus, von der dortigen Kanzlei ging die Sprachreform aus; Ausstrahlungen nach Meißen, Thüringen und Schlesien. Die Mischkultur auf dem Kolonialboden des Ordens wurde vorwiegend von nddt. Stämmen getragen, ihre Sprache war jedoch mdt. infolge des Einflusses der oberdt. und mdt. (vor allem thüringischen) Ordensmitglieder. In Oberdld. wurde hauptsächlich das Drama gepflegt.

Das 14. und 15. Jh. waren eine Zeit der Stilmischungen. Kennzeichen: Zug zum Realen, Nützlichen, Rationalen (die von der Mystik berührte Dg. ausgenommen). Er begünstigte Lehrdg., Zeit- und Gelegenheitsdg., politische Dg. (im engeren Sinne als bei Walther), Geschichts- und Reisebeschreibung, den Schwank und die Fspp.

Verfall des Formgefühls. In den Kreisen der neuen Bildung war zunächst wenig Kultur: Quantität an Stelle von Qualität. Die Stellung der Frau sank. »Die Zucht durch die Zote ersetzt« (Arthur Hübner). Kennzeichnend »der Verlust der mâze« (de Boor) in Gehalt und Form. Die Entwicklung des mhd. Reimverses führte zu Erstarrung oder Auflösung der Form; entweder starrer Silbenzähler (Meistersinger) oder beweglicher und ausdrucksvoller Vers im Volkslied bis hin zum Vers der Fspp., der kaum noch als solcher zu bezeichnen ist.

Die Dichter erstrebten keine Originalität. Die neue Lit. assimilierte sich die Lit. der Blütezeit, trug realistische Züge in sie hinein, ohne daß sie dadurch im Ganzen realistisch wurde. Ansätze zu Realismus finden sich nur in den neuen Gattungen. Die Gesch. der Lit. des späten MA. hat es weniger mit dichterischen Individualitäten als mit Gattungen und Typen zu tun.

Die Lyrik verfiel. Während das hohe MA. seine höfische Dg. nicht sammelte, setzte nun eine rege Herstellung von Sammelhss. ein: der ritterliche Minnesang wurde in den Städten als Vorbild rezipiert. Das Publikum der bürgerlich werdenden Lyrik blieb zunächst noch der Adel (Hadlaub), die Dg. drang aber langsam in andere Schichten vor. Die Lyrik des späten MA. ist inhaltlich an höfische Vorbilder gebunden, ihr Akzent liegt auf dem Formalen. Seit Ende des 13. Jh. »geblümter Stil«.

Der Minnesang löste sich einerseits im Volkslied auf, andererseits wurde er im Meistersang weiter entwickelt. Was die Romantik später als Schöpfung der »dichtenden Volksseele« ansah, beruhte auf Entlehnung und Assimilierung. Die mündliche Weitergabe hat die Lieder allmählich verändert, sie wurden »zersungen«.

Berichte über die in den einzelnen Jahren umlaufenden Volkslieder mit Angabe von Zitaten enthält die Zeit von 1336 bis 1398 umfassende *Limburger Chronik* des Tilemann Elhen von Wolfhagen. Neben echten Volksliedern enthalten vor allem städtische

Gesellschaftslieder und Gedichte bekannter Verff. die Slgg. des 15. Jh.: *Lochheimer Liederbuch* (1452–1460), *Augsburger Liederbuch* (1454), *Liederbuch der Klara Hätzlerin* (1471), *Rostocker Liederbuch* (Ende 15. Jh.).

Das geistliche Volkslied ist im späten MA. hauptsächlich durch Kontrafaktur, Unterlegung geistlicher Texte unter eine bekannte weltliche Melodie, entstanden. Eine unlit. Gattung des geistlichen Volksliedes sind die Leise: Pilger-, Kreuz- und Geißlerlieder. Geißlerfahrten gab es in Dld. seit dem Pestjahr 1349; die Geißlung war eine Art Liturgie, die Leise deren musikalischer Teil (Arthur Hübner).

Im Meistersang floß der ritterliche Minnesang mit der Spruchdg. der Fahrenden zusammen. Beide Gattungen trafen sich bereits im Werk Walthers von der Vogelweide, und diese Mischung ging über Reinmar von Zweter an die Meister über. Dem mangelnden Verständnis für den Formcharakter der lit. Gattungen entsprach die Zersetzung des einzelnen Gedichts in ein Nebeneinander von Stoff, syntaktischem, metrischem und musikalischem Aufbau; das Formschema wurde durch mechanische Silbenzählung gefüllt. »Meister« nannten sich bürgerliche Fahrende, um ihr formales Können und ihre Gelehrsamkeit zu betonen. Sie verdienten ihr Geld mit Singen, veranstalteten auch Wettsingen vor einem zahlenden Publikum. Als die Fahrenden mit ihrer Kunst nicht mehr genug verdienen konnten, trieben sie außerdem ein Handwerk, und allmählich wurde das Singen zum Nebenberuf, zur Liebhaberei, für die sie sich selbst nach dem Muster der Zünfte Institutionen und Regeln gaben. Der Meistersang ist hauptsächlich in der *Colmarer Liederhs.* (1546) gesammelt.

Älteste städtische Singschule in Augsburg bald nach 1450, älteste Tabulatur – Vorschriften über Sprachbehandlung, Reimgebrauch und religiöse Haltung – in Straßburg 1493. Der Schüler erhielt fest geregelten, unentgeltlichen Unterricht, für den Aufstieg zum Schulfreund war die Beherrschung der Tabulatur erforderlich, der Sänger mußte fremde Meistertöne vortragen, der Dichter einen Text zu einer vorhandenen Melodie herstellen können, für die Erlangung der Meisterwürde war die Schaffung einer neuen Strophe (Bar) und der dazugehörigen Melodie (Weise) notwendig. Die öffentliche feierliche Kunstübung der Meister war das Hauptsingen, kontrolliert von den Merkern. Die Lieder waren Eigentum der Singschule.

Während die Dg. im 14. Jh. zersetzt wurde, gewann das didaktische Schrifttum (Spruch und Lehrgedicht) im Zuge der Rationalisierung an Bedeutung. Mangel an Gestaltungskraft und Rationalisierung führten zu allegorischer Einkleidung. Allegorie, eine Denkform, entsprach einem Zug des MA. zu plastischem Denken. Sie wurde gestützt durch die Auffassung des Kosmos als eines beziehungsreichen, auf die Erlösung gerichteten Ganzen, in dem die Dinge nur Symbole für Begriffe sind. Es gibt Dgg., in denen jeder abstrakte Begriff allegorisiert worden ist.

Beliebte Gattungen allegorischer Dg. knüpfen an das Schachspiel, an Wappen, Steine und die Tierwelt (Höhepunkt der Fabel im 14. Jh.) an. Die sog. Minne-Allegorien waren eine Flucht in eine idealisierte Vergangenheit; die Fiktion der Minne wurde im bürgerlichen MA. von einem Teil der Schriftsteller aufrechterhalten, der auch anspruchsvolle Formen beibehielt (geblümter Stil).

Allegorisch-didaktisches Schrifttum ging oft in Satire über.

Das didaktische Schrifttum wurde vor allem von den Reimrednern getragen, berufsmäßigen Dichtern in Städten und an Höfen. Die Dg. der Reimredner überschneidet sich oft mit jener der Meistersinger (Folz, Rosenplüt, Sachs waren beides). Sie ähnelte inhaltlich der Spruchdg. der älteren Meister, ihr Spezialthema war Herolds- und Wappendg. Sie war jedoch volkstümlicher, die gelehrte Note der Meister fehlte. Ihre Form waren Reimpaare, nicht wie bei der Spruchdg. Strophen. Sie wurde rezitiert, nicht gesungen.

Die didaktische Lit. ist trotz der auch für sie damals üblichen metrischen Form oft nicht zur Dg. zu rechnen. Auch belehrende Lit., Geschichtsschreibung, Bibelübs. verwandte bis ins 15. Jh. hinein neben der allmählich aufkommenden Prosa den Vers, der bis zur Mitte des 14. Jh. für die lit. Darbietung gültig gewesen war (Ausnahmen: Rechtsprosa; *Die sächsische Weltchronik* – etwa 1230 –; das Weltkunde-Lehrbuch *Lucidarius* – etwa 1190 –, das auch in Verse umgearbeitet wurde, die dt. Bearbgg. des naturkundlichen *Physiologus* des 11. und 12. Jh., neben denen auch eine gereimte Fassung steht). Die Geschichtsschreibung war im Grunde noch Geschichtsdg. Möglichkeit einer Beeinflussung der inneren Form durch die äußere metrische. Dt. Reimchroniken gab es seit dem 12. Jh.; auf der Höhe des MA. brachten sie Vergangenheitsgeschichte, im späten MA. Gegenwartsgeschichte. Auch die historischen Volkslieder sind oft nur kurze Chroniken jüngster Begebenheiten mit persönlicher politischer Stellungnahme des Dichters; auf der anderen Seite nehmen die Chroniken im 15. Jh. oft strophische Form an und nähern sich damit dem Volkslied (Michael Beheim). Statt der Weltchronik der höfischen Zeit trat jetzt die Territorial- und Lokalchronik in den Vordergrund (Nikolaus von Jeroschin, *Kronike von Pruzinlant* 1330/40).

Aus dem Beginn wissenschaftlicher Lit. erwuchs am Ende der Epoche eine dt. Prosa. Seit Mitte des 13. Jh. dt. Privaturkunden, Ende des 14. Jh. Übertragung des lat. Kanzleiwesens auf ein dt. in Prag. Mit dem 14. Jh. Beginn der Geschichtsschreibung in Prosa. Statt der gereimten Historienbibeln des MA. jetzt Bibelübss. Für die Entstehung einer dichterischen Prosa war die Mystik (dt. Predigten) von Bedeutung. In Brief und Selbstbiographie (Seuse) entstanden neue prosaische Gattungen. Sprachlich drängte die Mystik zu Neubildungen, sie prägte rein gefühlsmäßige, abstrakte Ausdrücke; sie verdichtete bis zu rhythmischer Prosa.

Der dritte Faktor für die Entstehung einer lit. Prosa waren die Prosa-Auflösungen der alten Versepen nach frz. Muster.

In der Epik traten zu den Artus-Rr. pseudozeitgeschichtliche Ritter-

und Minne-Rr. nach Art von Rudolfs von Ems *Wilhelm von Orlens*, die sich thematisch mit dem frühhöfischen R. berührten. Der Verlust des Höfischen führte zu einer Weiterbildung bis zum Preziösen (geblümter Stil) sowie naturalistisch Unwirklichen auf der einen, und zu gänzlicher Verrohung auf der anderen Seite. Stoffliche Aufschwemmung in jedem Fall. Nach dem Aufschwemmung erfolgte die Prosa-Auflösung der höfischen Epen, als sich der Geschmack an Prosa durch die Übss. der frz. Romane eingebürgert hatte. Die neuen Prosa-Romane aus Frankreich und die Prosa-Auflösungen der alten Epen waren für das Publikum der früheren höfischen Epen bestimmt: für den Adel. Die für weite bürgerliche Schichten bestimmten Volksbücher entstanden erst im 16. Jh.

Neben der Auflösung des Alten stand das rückschauende Sammeln des Alten: das 14. und 15. Jh. brachte die meisten *Parzival*-Hss. zustande.

Entstehung von Zyklen in allen epischen Gattungen.

Auch die Heldenepen wurden zu reinen Aventiure-Rr. umgewandelt und so dem Nachfahren der höfischen Epik angenähert. Bei ihrer Weiterbildung zeigt sich jedoch im Gegensatz zur höfischen Epik häufig Tendenz zur Kompression: Rückbildung zu Liedern; Bänkelsang, z. T. in einfachster Schicht angesiedelt (vgl. *Herzog Ernst, Lied vom hürnen Seyfried, Jüngeres Hildebrandslied*). Die Heldenepik wurde in den sog. »*Heldenbüchern*« gesammelt. In den Fassungen des späten MA. sind die späthöfischen Erstfassungen verborgen, die nicht erhalten blieben und erschlossen werden müssen.

Novelle und Schwank, vom Stricker und von Konrad von Würzburg lit.-fähig gemacht, fanden weiteste Verbreitung. Die Autoren sind Fahrende. Die Novv. zeigen größeren Realismus als das Epos. Thema nicht Minne, sondern Erotik. Im 15. Jh. zyklische Zusammenfassung der Stoffe: *Diokletians Leben, Neidhart Fuchs, Pfaffe vom Kalenberg*.

Die Legende war eine der Leitformen der religiösen Lit. (de Boor). Sie kam dem Stoffhunger und der Neigung zum Fabulösen und Wunderbaren entgegen. Bis ins 13. Jh. bezog sich der Begriff Legende nur auf die Viten von Bekennern, nicht von Märtyrern, dann verwischte sich der Unterschied, und Legende wurde zur Bezeichnung für die dichterische Wiedergabe des irdischen Lebens heiliger Personen (Hellmut Rosenfeld). Bei den Fahrenden hat sie erbaulichen Charakter, bei den Meistersingern und in der Dg. des Dt. Ordens als historische Legende oft politische Tendenz. Slgg. in Zyklen: *Passional, Väterbuch, Märterbuch, Der Heiligen Leben*. Im 15. Jh. Prosa-Passionale.

Das geistliche Dr. wurde im 14. und 15. Jh. zu großen Volksfesten ausgeweitet. Die Verwendung von dt. Texten ist im 14. Jh. allgemein üblich. Das Spiel war aus der Kirche auf den Kirchplatz und später auf den Marktplatz verlegt worden. Die Darsteller waren Fahrende, später Bürger; Geistliche nahmen nur noch als Hauptdarsteller und als Regisseure teil.

Haupttyp des geistlichen Spiels wurde im 14. Jh. das Passions- oder Mysterienspiel, das sich aus dem Osterspiel und dem Weihnachtsspiel durch Szenenerweiterung gebildet hatte und schließlich die gesamte biblische Gesch. von der Weltschöpfung bis zum Jüngsten Gericht umfaßte.

Die Passionsspiele lassen sich in landschaftliche Gruppen zusammenfassen. Im Mittelpunkt der bayrisch-österreichischen Gruppe stehen 12 auf eine gemeinsame Vorlage zurückgehende Tiroler Spiele; für ihre Entwicklung war die organisatorische Tätigkeit des Sterzinger Malers Vigil Raber (gest. 1552) entscheidend. Für die hessische Gruppe war das *Alte Frankfurter Spiel* von bedeutendem Einfluß, das bekannteste der alemannischen Gruppe ist das *Luzerner Spiel*.

Durch Szenenumgruppierungen der Passionsspiele entstanden zur Feier des 1264 geschaffenen Fronleichnamsfestes seit dem 14. Jh. Fronleichnamsspiele, von denen Texte aus Innsbruck, Eger, Freiburg, Künzelsau und Bozen erhalten sind.

Eine weitere Sonderform sind die Marienklagen, die als selbständige Karfreitagsspiele aufgeführt wurden.

Die Auff. der sog. Legendenspiele war nicht an bestimmte kirchliche Feiertage gebunden.

Das weltliche Fastnachtspiel wird im 15. Jh. lit. greifbar. Es ist entstanden durch Verschmelzung schauspielerischer Elemente mit solchen aus Tänzen und Festbräuchen, seine Funktion ist die »komisch-artistische Interpretation der Triebsphäre« (Eckehard Catholy). Ausgangszentren: der österreichisch-bayr. Alpenraum, vor allem Tirol, der alem. Raum, Nürnberg, Lübeck. Andere Spiele (Jahreszeitenspiele) sind im Fsp. aufgegangen, nur die Neidhartspiele erhielten sich z. T. in ursprünglicher Form.

Stoffe: internationales Erzählgut, besonders Schwankhaftes; häufige Gattung Gerichtsspiel. Die Form ist kurz, die Personenzahl viel geringer als im geistlichen Spiel, der szenische Apparat primitiv; nur die alem. Spiele sind aufwendiger. Die Aufführung fand meist in Privat- und Wirtshäusern, seltener auf freien Plätzen statt. Verff.: meist unbekannte Fahrende, auch bürgerliche Meistersinger.

Das Nürnberger Fastnachtspiel hatte die größte Bedeutung und beeinflußte die Sterzinger sowie die Lübecker Spiele. Es führt eine Vielfalt närrischer Figuren vor, ist derb und zotig. Die Struktur des Fsp. entwickelte sich aus seiner Funktion der Unterhaltung einer Fastnachtgesellschaft. Ihr diente am ehesten die wohl ältere, bei Rosenplüt vorherrschende Form des Reihenspiels, doch auch der von Folz bevorzugte Typ mit geschlossener Handlung verschränkte am Beginn und Schluß die Spielsphäre mit der realen Sphäre der Fastnachtgesellschaft. Folz führte dem Fsp. lit. Stoffe zu, bei Sachs verselbständigte sich die Spielsphäre vollständig.

Wichtigste Autoren des späten MA.:

Meister Eckhart, geb. um 1260 in Hochheim bei Gotha. Ritterlicher Abkunft. Dominikaner in Erfurt. Ende des 13. Jh. Prior in Erfurt und Vikar in Thüringen. 1300 an das Studium generale St. Jacques, Universität Paris; 1302 Magister in Paris. 1303 Provinzial der Provinz Sachsen. 1307 außerdem Generalvikar der böhmischen Provinz. 1314 Ordenslehrer in Straßburg, später am Studium generale in Köln. 1326 Inquisitionsverfahren durch den Erzbischof von Köln, das 1329, nach E.s Tode (1327/29), mit der Verurteilung von 28 seiner Sätze endete; Bulle »In agro dominico«.

Heinrich Seuse, geb. um 1295 am Bodensee in der Nähe von Konstanz. Aus dem Geschlecht von Berg. Mit 13 Jahren Eintritt in das Dominikanerkloster zu Konstanz. Um 1326 Schüler Eckharts am Studium generale in Köln. Dann Leiter des Unterrichtswesens im Kloster Konstanz; wurde Prior. 1348 nach Ulm. Gest. 1366.

Johannes Tauler, geb. um 1300 in Straßburg. Sohn eines wohlhabenden Bürgers. 1315 Eintritt in den Dominikanerorden in Straßburg. Etwa 1326 Schüler Eckharts am Studium generale in Köln. 1339 Prediger in Basel. 1347 wieder in Straßburg. Gest. 1361 in Straßburg.

Oswald von Wolkenstein, geb. um 1377 in Tirol. Aus altem Adel. Mit 10 Jahren von Haus entlaufen und 14 Jahre lang die Welt bereist, z. T. in dienender Stellung. 1400 Rückkehr, 1407 Erbteilung, durch die er in Streit mit dem Ritter Martin Jäger geriet. Seit 1415 im Dienst Kaiser Sigismunds, in dessen Auftrag auf dem Konstanzer Konzil und an europäischen Höfen. 1421–23 in Gefangenschaft Jägers, 1427 Beilegung des Streits. Gest. 1445 in Meran.

Heinrich von Meißen gen. Frauenlob, geb. um 1250 in Meißen. 1278 am Hof Rudolfs von Habsburg, anwesend bei der Schlacht auf dem Marchfeld (1278). An mehreren Fürstenhöfen, bei Wenzel II. von Böhmen, bei Waldemar von Brandenburg u. a.; seit 1312 in Mainz. Gest. 1318 durch Gift in Mainz.

Heinrich von Mügeln (Mügeln bei Oschatz), geb. um 1325. Vicarius des Meißner Kapitels. Schrieb 1358/59 zwei Ungarnchroniken im Auftrag Rudolfs IV. von Österreich, war um 1360 am Hof Karls IV. in Prag, später wohl auch in Wien. Gest. nach 1393.

Michael Beheim, geb. 1416 in Sulzbach/Württ. Von Beruf Weber. Hielt sich an verschiedenen Höfen, darunter an dem Kaiser Sigismunds, des Königs Ladislaus von Böhmen, aber auch in Kopenhagen und Drontheim auf. Zwischen 1459 und 1466 lebte er am Hofe Kaiser Friedrichs von Habsburg und kam 1467 an den Hof des Kurfürsten Friedrich von der Pfalz. Gest. nach 1474.

Hans Schnepperer gen. Rosenplüt, geb. Anfang 15. Jh. in Nürnberg. Von Beruf Rotschmied (Gelbgießer), nahm in seiner Eigenschaft als Büchsengießer wahrscheinlich zweimal an den Hussiten-kriegen teil. 1444 städtischer Büchsenmeister von Nürnberg. 1449 Teilnahme an der Verteidigung der Stadt gegen Albrecht Achilles von Ansbach. R. gab vielleicht auf Grund seiner dichterischen Er-folge das Handwerk auf und war Wappendichter an Höfen. Letztes datierbares Gedicht: *Preis Ludwigs von Bayern*, um 1460.

Hans Folz, geb. 1435/40 in Worms, erwarb 1459 das Bürgerrecht in Nürnberg. Von Beruf Barbier (Wundarzt); besaß eine Druckerei, in der er 1479–1488 die eigenen Werke druckte. Gest. 1513.

1280/90   Lohengrin

Höfisches Epos in 767 zehnzeiligen Strophen.

Bayr. Dichter, der sein Werk als das Wolframs erscheinen läßt, aus dessen *Parzival* er den Stoff entnahm. Einfluß des *Jüngeren Titurel*, ungeklärte Beziehung zum *Sänger-krieg auf der Wartburg* und zum stoffgleichen *Lorengel* (15. Jh.).

Schwanrittersage: Ein unbekannter Ritter erweist im Gottes-gericht das Recht einer verleumdeten Frau, heiratet sie, verläßt sie aber, als sie das Verbot der Namensfrage übertritt.

1847 Richard Wagner: *Lohengrin*, Musikdr.

1275/95   Steinmar

(Identität mit Berthold Steinmar von Klingnau unsicher):
Minnelieder und Lieder niederer Minne

14 Lieder.

Minnelieder in der Art Neifens, der traditionelle Stil jedoch von kraftvollen, intensiven Bildern durchbrochen. Minne in reale Situa-tionen (z. B. Kriegszug) gestellt.

St.s Ruhm beruht auf seinen den Minnesang kritisierenden und per-siflierenden Liedern (Tagelied mit Knecht und Magd als Figuren) und den derben Liedern niederer Minne. Neue Gattung: das Herbst-lied, ein Schlemmerlied, in dem St. den »armen minnerlîn« absagt.

nach 1276   Jans Jansen Enikel

(= Jans, Enkel der Jansen; Wiener Bürger):
Weltchronik

Quellen: Honorius Augustodinensis: *Imago mundi* und Petrus Comestor: *Historia scho-lastica* sowie umlaufendes Legenden-, Novellen- und Schwankgut.

Umfaßt die Zeit von der Schöpfung bis zu Friedrich II., der schon sagenhafte Züge trägt. Ohne hist. oder theologische Konzeption, an eigentlich politischer Gesch. uninteressiert. Erzähler von Anekdoten und Geschichten. Hist. Gestalten und Situationen im Stile der Ritter-Rr. eingefärbt.

Stil und Form unbeholfen, Vers prosanah.

1283/1300   **Seifried Helblinc**
(fälschlich von einer Figur der Dg. auf den Verf.
bezogener Name. Unbekannter niederösterreichischer
Ritter, um 1240 bis bald nach 1300):
Gedichte

Erhalten in einer Hs. des 16. Jh.

Zyklus von 15 zeitkritischen Gedichten, von denen ein Teil sich zum
Kleinen Lucidarius, einem Lehrgespräch zwischen kritisch fragendem
Knappen und abweisend antwortendem Ritter, zusammenschließt.
Nach Trennung von dem Knappen monologische Betrachtungen
über Tod und Vergänglichkeit.
Kritik an politischen und sozialen Zuständen in Österreich unter den
»fremden« Habsburgern; die Babenberger-Epoche als gute, alte Zeit.
Verfallsklage. Realistische Genrebilder.
Politische Dg. in der Nachfolge Walthers und Freidanks, jedoch ele-
gisch, nicht aggressiv. Zeittypische Verwendung der Allegorese.

um 1290   **Ulrich von Etzenbach**
(wahrscheinlich bürgerlicher Dichter aus Mitteldld.,
vielleicht Nordböhmen):
Wilhelm von Wenden

Höfisches Epos.

Quelle: unbekannte, wahrscheinlich frz. Vorlage. Für Wenzel II., als dessen Vorfahr
der Held des R. zu gelten hat, und dessen Frau Guta.

Ein heidnisches Fürstenpaar geht auf Pilgerfahrt, um das Geheimnis
des Christentums zu erfahren. Als die Frau Zwillinge gebiert, zieht
Wilhelm allein ins Heilige Land, wo er sich taufen läßt. Bei der Rück-
kehr findet er seine Frau als Herzogin wieder und gewinnt auch seine
zwei Söhne, die Räuber geworden sind, zurück.
Ritterlich-höfische Grundhaltung, mit erbaulichen Zügen eingefärbt.
Stofflich vorhöfischer Epik verwandt.
Stilistisch und metrisch gewandt und maßvoll.

1295/1327   **Meister Eckhart**
(Biogr. S. 63):
Mystische Schriften

E.s Wirkungskreisen entsprechen zwei Gruppen von Werken. Zu
dem scholastischen Gelehrten E. gehören die lat. Werke, deren wichtigste das der Spätzeit angehörende, fragmentarische *Opus tripartitum*
und seine *Rechtfertigungsschrift* gegen die Anklage wegen Häresie
sind. Zu dem mystischen Laienprediger E. gehören die dt. Schriften,
vor allem die *Reden der Unterweisung* (Ende 13. Jh.), Tischlesungen
für die Angehörigen seines Klosters in Erfurt, das *Büchlein der gött-*

lichen Tröstung, für die Königin Agnes von Ungarn (nach der Ermordung von deren Vater 1308) geschrieben, *Predigten*, die zum Teil nur sehr unzuverlässig in Nachschriften von E.s Hörern überliefert sind. E.s Ruhm beruht auf dem dt. Werk, von dem über 200 Hss. erhalten sind.

E. war das Haupt der spekulativen Mystik. Einfluß von Albertus Magnus (1193–1280). Scholastischer Denkapparat diente E. zur Ordnung seiner mystischen Ideen. Schöpfung ist ewig sich wiederholende Neugeburt Gottes; Geschöpfe sind Gott und werden immer wieder neu Gott. In der Seele des Menschen ist das Fünklein Gottes; in der Seele wird das Wort geboren, und in dieser Geburt vollzieht sich die unio mystica. Rücklauf in Gott ist das Ziel der mystischen Sehnsucht. Wesensverwandtschaft von göttlichem und menschlichem Sein. Sittliche Aufgabe des Menschen ist »Abgeschiedenheit« von Selbstsucht und Kreatürlichem, Manifestation seines göttlichen Wesenskerns in Leben und Werk »sunder warumbe«, ohne Frage nach Erfolg und Lohn. – Die These von der Göttlichkeit des Menschen wurde von der Kirche als Häresie verdammt. E.s Predigten tragen subjektiven Charakter. Vergeistigung ohne Verzückung und Ekstase. E. ist Schöpfer einer dt. philosophischen Terminologie.

um 1300   Das Passional

Legendenslg., über 100000 Verse.

Verf. Angehöriger des Dt. Ordens. Quelle: *Legenda aurea* (um 1270) des Jacobus de Voragine.

Drei Abschnitte: Leben Christi und Mariä, Leben der Apostel und Evangelisten, Leben von weiteren 75 Heiligen in der Reihenfolge des Kalenderjahres.

Poetische, selbständige Wiedergabe der Quelle, an höfischer Dg. geschult. Starke Wirkung auf das Legendenschrifttum, vor allem auf die Ordenslit.

Vom wahrscheinlich gleichen Verf. stammt das in derselben Zeit entstandene *Väterbuch*. Nach den frühchristlichen *Vitae patrum* (des Hieronymus?) wird in dieser Slg. das Leben der Altväter, der ersten Einsiedler und Mönche, erzählt. 120 Legenden, 41540 Verse.

um 1300   Johannes Hadlaub
        (Bürger in Zürich, gest. vor 1340):
        Minnelieder

H.s Minnelieder haben biographischen Charakter: Gesch. seines Minnedienstes. Im 8. Lied Beschreibung der Manessischen Hs.

H. spielt das Spiel des Minnesangs als sozial Außenstehender vor einem vornehmen Publikum. Hat nicht mehr die innere Form; »mâze« bei ihm ängstliches Festhalten am Wohlanständigen. Da-

neben grobe Realistik: niedere Minne sowie Herbst- und Ernte-
lieder, abhängig von Walther, Neidhart, Steinmar; das Genre jedoch
vermischt mit Motiven der hohen Minne.
Alle überlieferten Gattungen vertreten. Eigene Schöpfung: das Er-
zähllied. Formal schwerfällig, trocken.

um 1300   **Heinrich von Neustadt**
              (Arzt, 1312 in Wiener Neustadt urkundlich belegt):
              Apollonius von Tyrland

Epos der höfischen Tradition.

20640 Verse. Einfluß Hartmanns und Wolframs. Quelle: lat. Abenteurer-R. *Historia
Apollonii regis Tyri*, auf hellenistische Vorlage zurückgehend.

Der Hauptreiz des R. sind die Abenteuer, die der Held während der
14jährigen Trennung von Frau und Tochter erlebt, worüber der
antike R. kurz hinweggeht. Die Quellen für diesen Teil nicht endgültig geklärt: vieles aus der Artusepik und dem Alexanderroman
eingeflossen. Realistische Technik wie im vorhöfischen R.
Bürgerliche Sehweise, ohne innere Beziehung zu Rittertum und
Minne. Sinn für Realität: Milieuschilderung, geographische, naturwissenschaftliche Treue. H. verfaßte auch religiöse Dgg.

1300   **Hugo von Trimberg**
           (Schulrektor in Bamberg, um 1230 bis nach 1313):
           Der Renner

Entst. 1290–1300. Titel stammt aus einer etwas späteren Hs. des Michael de Leone.
Über 24600 Verse. Verf. war Bürgerlicher, schrieb dt. und lat. Bücher, so das *Regi-
strum multorum auctorum*, eine aus eigener Kenntnis der Werke zusammengestellte Lit.-
Gesch. in Vagantenstrophen.

Lehrgedicht gegen die Sündhaftigkeit; Hauptsünde: Besitztrieb.
Ständesatire. Illustrierende Verwendung von Predigtmärlein. Durch
Einstreuungen aus allen Wissensgebieten eine Art Enzyklopädie.
Einfluß Freidanks. Gegen ritterliche Kultur und Lit., Verf. einer der
ersten Vertreter der rationalistischen bürgerlichen Geisteshaltung.
Glaube an Erziehbarkeit des Menschen durch Lehre.

Der Renner eins der meistgelesenen Bücher des späten MA. 60 Hss. überliefert. Erster
Druck 1549. Die Aufklärungszeit (Gottsched, Gellert, Lessing) schätzte das Werk.

um 1310   **Heinrich von Hesler**
              (thüring. Ritter aus der Nähe von Naumburg,
              um 1270 bis um 1340):
              Apokalypse und **Evangelium Nicodemi**

Nacherzählungen in Versen. Verf. ältester Ordensdichter im Ordens-
land; *Apokalypse* war noch für Laien in Thüringen bestimmt. Zeit-

typisches Interesse an apokryphen Evangelien und der Vorstellung
vom Antichrist. Sündenfall und Erlösung unter dem Gesichtspunkt
von Willensfreiheit oder Vorbestimmtheit.
Formales Vorbild: Gottfried von Straßburg.

In der *Apokalypse* entwickelte H. seine metrischen Grundsätze: Wechsel von Hebung
und Senkung, Silbenzählung, reine Reime.

bis 1318   **Heinrich von Meißen gen. Frauenlob**
              (Biogr. S. 63):
              Sprüche und Lieder

448 Sprüche weltlicher und geistlicher Themen. Erstmals mehrstrophige Sprüche. Vermischung von Lied und Spruch zum Meistersang hinführend. 3 Leiche, 13 Lieder. Verswettkampf mit dem Fahrenden Bartel Regenboge um die Bezeichnung vrouwe – wîp, daher
der Beiname. Extrem des Stilmanierismus in der Spruchdg.
Höhepunkt von Frauenlobs Kunst prunkvolle Leiche: *Marienleich*,
Kreuzleich, *Minneleich*. Strophisch, durchkomponiert.
H. war Hofdichter, der Kunstauffassung des Meistersanges fern.
Glaubte, höfisches Erbe zu verwalten. Vorbild Wolfram. Gelehrt-
sinnbeladene Sprachkunst. Den Meistersingern galt er als Vorbild
und als Gründer der ersten Meistersingerschule in Mainz (nicht
belegt).

um 1320   **Ottokar von Steiermark**
              (d. i. Ottokar aus der Geul, um 1260 bis um 1320):
              Österreichische Reimchronik

Entst. 1301–1319, Forts. einer verlorenen Kaiserchronik O.s. Fast 100000 Verse.

Setzt mit der Zeit Konrads IV. und Karls von Anjou ein. Wissenschaftliche Ansätze: Quellen, Exzerpte, geographisches Ordnungs-
prinzip. Darstellungs- und Stilmittel der klassischen mhd. Epik:
Auftreten von Teufeln und allegorischen Figuren, Verwendung von
Reden und Dialogen mit charakterisierender Funktion. Berufung
auf Wolfram und Frauenlob. Nicht mehr höfisch, aber ritterlich; der
Reichsgedanke und die Vorstellung einer waltenden Gerechtigkeit
bestimmen das Geschichtsbild.

um 1320   **Karlmeinet**

Slg. von sechs Sagen um Karl den Großen aus der Gegend von
Aachen. 35 000 Verse. *Karlmeinet* (aus Carolus magnitus = der kleine
Charle magne), *Morant und Galie*, *Karls Kriege*, *Karl und Elegast*, *Die
Roncevalschlacht*, *Karls Tod*. Nach frz. und ndld. Vorlagen, mit Zu-
fügungen des Kompilators. Unhöfischer Stil der Chansons de geste.
Beziehungen zum ndld. Epos.

1320/40   Altes Frankfurter Passionsspiel

In einer – aus paläographischen Gründen nicht Baldemar von Peter-
weil zuschreibbaren – Dirigierrolle erkennbar: lat. szenische Anweisungen mit den Anfangsversen der jeweiligen Rolle. Zweitägiges
Spiel.
Lebensgeschichte Christi. Vorspiel: Prophetenspiel; Disput zwischen einer Gruppe Juden und den durch Augustinus geführten
Propheten, von denen auf die Vorgänge des *Neuen Testaments* verwiesen wird, die dann im Hauptspiel dargestellt werden. Nachspiel:
Dialog zwischen Ecclesia und Synagoge, in dem Ecclesia siegt. Verwendung von Partien aus dem Epos *Die Erlösung* (Anf. 14. Jh.).

Weiterentwickelt im *Frankfurter Spiel* von 1493.

1320/40   Das Märterbuch

Weitverbreitete oberdt. Slg. von Märtyrerlegenden. Im Gegensatz
zu *Passional* und *Väterbuch* von zelotischem Charakter, ein Buch der
schelte und zuht. Zweckdg. ohne künstlerischen Ehrgeiz.

Möglichkeit früherer Entstehungszeit auf Grund neuen Hs.-Fundes im Burgenland.

1322   Spiel von den klugen und törichten Jungfrauen

Auff. in Eisenach.

Quelle: Matthäus-Evangelium; Verf. wahrscheinlich Eisenacher Dominikaner.

Die törichten Jungfrauen versäumen über Ball- und Brettspiel die
Vorbereitung zum Hochzeitsmahl und werden von Christus trotz
Fürbitte Marias der Hölle überantwortet. Erschütternde Wirkung
auf den Landgrafen Friedrich.
Dt. Reimpaare und lat. Hymnen, die Klage der Törichten in zwölf
Nibelungenstrophen.

1327/34   Heinrich Seuse
(Biogr. S. 63):
Das Büchlein der ewigen Weisheit

Betrachtungen zu Passion und Nachfolge Christi. Dialog zwischen
dem Menschen und der Weisheit. Der Gottsucher als geistlicher
Minnediener, die ewige Weisheit seine Geliebte.
S. verband Mystik und höfische Dg. (Wilhelm Scherer). S. selbst
spricht von geistlicher Ritterschaft. Bezeichnend für das Ritterliche
hinsichtlich Abstammung und Kunstübung bei S. ist auch die Hoch-
gestimmtheit, der frohe jubilierende Grundton. Bilderreich, lyrisch,
gefühlvoll. Verbindung von Mariendienst und Minnedienst. S. die
dichterisch bedeutendste Persönlichkeit der Mystik.

Um 1333 lat. Bearbg. als *Horologium Sapientiae*.

1332/50   Heinrich von Nördlingen
(gest. nach 1351)
und Margarete Ebner
(gest. 1351):
Briefwechsel

Erster erhaltener dt. Briefwechsel. Dokument einer geistlichen Freundschaft; bezeichnend für den Verkehr mystischer Kreise untereinander.

Heinrich von Nördlingen war Wanderprediger, Seelsorger in Frauenklöstern (Nördlingen, Basel). Süßliche, schwärmerische Mystik.

Margarete Ebner, schwäbische Nonne, bestimmende Persönlichkeit des Briefwechsels. Schrieb außerdem auf Wunsch Heinrichs eine Autobiographie ihres geistlichen Lebens: *Offenbarungen* (1345).

1335/40   Hadamar von Laber
(um 1300–1360, aus bayrischem Adel):
Die Jagd

Beste Dg. aus der Gattung der Minne-Allegorien. Jäger und Wild als Sinnbild des Liebeswerbens; staete, triuwe, liebe als Jagdhunde, feindliche Aufpasser als Wölfe. Angeregt durch die Geschichte von der Jagd nach dem Brackenseil in Wolframs *Titurel*.

Formal hochstehend, Titurelstrophe. Verbreitet und vielfach nachgeahmt.

1336   Claus Wisse und Philipp Colin
(beide Straßburger Bürger):
Der neue Parzefal

Im Auftrag eines adligen Herrn geschrieben. Wolframs Werk ergänzt durch Interpolationen aus den frz. Nachfolgern Chrétiens. Dreifacher Umfang des Originals. Völliger Verlust von Gehalt und Form des Höfischen; roher Versbau.

1337   Konrad von Ammenhausen
(Geistlicher aus dem Thurgau):
Schachzabelbuch

Vorlage: das Schachbuch des Franzosen Jacobus de Cessolis, lat. Prosa, Ende 13. Jh. Wichtigste der vier dt. Bearbgg.

Die Figuren des Schachspiels Verkörperungen der Stände. Stände-Didaxe. Bürgerlich, realistisch, Interesse für Gegenwart und soziale Fragen. Bedeutsam als kultureller Zeitspiegel. Novellistischer Einschlag machte den Erfolg des Werkes aus.

1339/71   Johannes Tauler
(Biogr. S. 63):
Predigten

Betont bürgerlich. T. war der Didaktiker und Ethiker unter den
Mystikern. Missionar-Begabung, Volksredner, Stegreifsprecher.
80 Predigten erhalten, in Dominikanerklöstern und vor Laien gehalten. Sprache schlicht, ohne formale Kultur. Bei T. ist die unio
mystica praktische Tat, der Wille dem Seelengrunde gleichzusetzen.
Das Moralische Hauptgegenstand seiner Bemühungen. Entfernung
vom Spekulativen, der bei Eckhart vorherrschenden vita contempla-
tiva, zugunsten der vita activa. Oppositioneller Charakter der Mystik
brach bei ihm durch, Auseinandersetzung mit der Kirche; Ausbreitung der von der Kirche verfemten Lehre Eckharts durch seine Predigten.

Wirkung auf Luther, Böhme. Druck der Predigten 1498.

1349/50   Ulrich Boner
(Predigermönch, urkundl. 1324 bis 1349 in Bern):
Der Edelstein

Quellen: lat. Bearbgg. des Phädrus und andere Fabelslgg.

100 Geschichten, bei denen der Fabelcharakter nicht immer gewahrt
ist; schwank- und nov.-artige Stücke darunter. Moral häufig in
Sprichwortform; Fabel und Sprichwort: Vereinigung zweier volkstümlicher Formen. Gegensatz zum florierten Stil.

19 Hss., 1461 als erstes dt. Buch gedruckt. 1757 hgg. Bodmer und Breitinger. Lessing
(*Zur Geschichte und Lit.*, 1773–1781) stellte den Verf. fest, versuchte Lösung der Quel-
lenfrage und Datierung.

um 1350   Claus Cranc
(in Thorn urkundl. 1323–1335):
Propheten-Übs.

Dt.-Ordens-Lit. Auf Veranlassung des Königsberger Komturs Siegfried von Tahenfeld (1347–1359).
Prosa erstmalig bei Bibelübs. verwendet. Vorrede in Versen. Eine
der bedeutendsten Vorstufen zu Luthers Bibelübs. C. wahrscheinlich
auch Verf. der in der gleichen Hs. überlieferten *Apostelgeschichte* in
Prosa.

um 1350   St. Pauler Neidhartspiel, auch:
Neidhart mit dem Veilchen

Älteste Fassung des Neidhartspiels, überhaupt ältestes überliefertes
dt. weltliches Spiel. Unvollständig. Verf. österreichischer höfisch
orientierter Spielmann. Quelle: ein »unechter Neidhart«, Schwank

um Neidhart von Reuental. Neidhart meldet der Herzogin das erste
Veilchen. Als er sie und ihr Gefolge an die Stelle führt, haben Bauern
es inzwischen mit Kot vertauscht. Verwendung von szenischen Anweisungen.
Im 15. Jh. *Großes Tiroler Neidhartspiel* mit 68 Sprechrollen.

1350/77   Heinrich der Teichner
            (um 1310 bis um 1377, österreichischer Fahrender,
            später Bürger):
            Reimreden

Über 700 Reimreden erhalten. H. gab seine Lehre in Form eines erzählten Gespräches. Rückwärts gewandtes, romantisches Verhältnis
zum Rittertum. Selber unhöfisch, volkstümlich. Große Wirkung auf
bürgerliche Spruchdg.

1361   Heinrich von Mügeln
         (Biogr. S. 63):
         Der Meide Kranz (d. h. die Krone der Jungfrau Maria)

Allegorisch-philosophisches Gedicht über die zwölf Tugenden und
die zwölf Künste. Enthält M.s Philosophie und Theologie. Größtes
Reimwerk M.s, für Karl IV. geschrieben. Schwülstig, geblümter
Stil.
Starke Neigung zur scholastischen Philosophie, Betonung der Ge-
lehrsamkeit. Mischung von meistersingerischem Charakter und dem
am Hofe Karls IV. wirksamen dt. Frühhumanismus, auf den auch
M.s umfangreiche Übss. aus dem Lat. hinweisen.

um 1362   Heinrich Seuse
            (Biogr. S. 63):
            Der Seuse

Autobiographie. Von S.s geistlicher Freundin Elsbeth Stagel begonnen, von S. selbst um 1362 abgeschlossen. Der erste Teil bringt
den Lebenslauf S.s, der zweite Teil Unterweisungen an Elsbeth Stagel. Stellt ein Muster mystischen Lebens auf.
Erste dt. Autobiographie. Stark weiblicher Einschlag. S. hatte die
Seelsorge für Frauenklöster unter sich, Briefe meist für Frauen bestimmt. Starker Einfluß auf die Frauenmystik.
Elf Briefe an Nonnen, geistliche Unterweisungen enthaltend, von
Elsbeth Stagel gesammelt, gab S. als *Briefbüchlein* heraus, später erweitert als *Das große Briefbuch.*

1367/82   Rulman Merswin
(geb. 1307 in Straßburg, gest. 1382; Beichtkind Taulers):
Mystische Schriften

R. M. erfand die geheimnisvolle Gestalt des Gottesfreundes aus dem Oberland. Dieser lebt in der Einsamkeit, Boten vermitteln seinen Verkehr mit der Welt, er erläßt Sendschreiben, Mahnschriften und Briefe an die Straßburger Johanniter und andere Gottesfreunde. Hinter dieser Mystifikation steht in Wirklichkeit Rulman Merswin selber als Verf. und Inszenator der mystischen Botschaften. Er wollte sich dadurch Einfluß bei den Johannitern und in mystischen Laienkreisen verschaffen.
Kennzeichnend für populäre, absinkende Mystik.

1380/1423   Hugo von Montfort
(1357–1423, Ritter aus Vorarlberg,
seit 1415 Landeshauptmann von Steiermark):
Gedichte

Traditioneller, ermüdend farbloser Minnesang. In drei Gattungen geteilt: Reden = Spruchdg., Briefe = Minnebriefe an die Ehefrau in vierzeiligen Strophen, Lieder = Minnelieder, Tagelieder. Geistige Zersetzung des höfischen Minnesangs: Einfluß der Didaxe, Minnethema auf die Ehe übertragen; Minnelyrik nicht mehr gesellschaftliche Form, sondern privatem Erlebnis entspringend. Schwermütig, ängstlich, weltabgewandt. Wendung zur Gottesminne, geistliche Tagelieder. Unsicher im Formalen, Formenarmut.

1389/1400   Wenzelbibel

Bibelübs. in Prosa, doch nur *Altes Testament*. Im Auftrag König Wenzels I. hergestellt, prächtige Bilderhs. – Vorlage: *Vulgata*. Mystischer Einfluß. Daneben vielleicht auch humanistischer (Böhmen!) Einfluß (Konrad Burdach).

um 1390   Peter Suchenwirt
(um 1330 bis um 1400, österreichischer Fahrender):
Reimreden

S. war Reimredner im höfischen Dienst, Ansager von Turnieren. Spezialgebiet Heraldik; Ehrenreden auf verstorbene adlige Persönlichkeiten. Überzeugt von Würde und Sendung auch des zeitgenössischen Rittertums. Historische Zeitgedichte, moralische und religiöse Sprüche; Einfluß des Teichners.

1392   Hans Mair von Nördlingen:
         Buch von Troja

Quelle: Guido de Columna: *Historia destructionis Trojae* (1287), lat. Prosa.

Erste dt. Prosabearbg. des Trojanerkrieges.

1397   Der Große Alexander

Epos in Reimpaaren.

Quelle: Alexander-Dg. des Quilichinus von Spoleto (1236), zurückgehend auf Leos *Historia de preliis.*

Alexander hat in der religiös gesehenen Weltgesch. des MA. seinen festen Platz. Legendengestalt. Thema der superbia, die gestraft wird. Der *Große Alexander* läßt den Hang des späten MA. zum Wunderbaren besonders hervortreten. Reine Stoff- und Abenteuerfreude; keine formalen und stilistischen Ehrgeize mehr.

Ende 14. Jh.   Der Frankforter
         (Deutschherr aus Frankfurt):
         Theologia deutsch

Mystische Lebenslehre, betont praktisch gewandt: Liebe und geistliche Armut an Stelle von spekulativer Erkenntnis.

1516 teilweise, 1518 vollständig hgg. Martin Luther; 1681 als Anhang von Taulers Predigten hgg. Jakob Spener.

um 1400   Heinrich Wittenweiler
         (Verf. umstritten: Advokat in Konstanz oder Einwohner von Lichtensteig im Toggenburg; Adliger):
         Der Ring

Enzyklopädie der Lebensführung in Form eines satirischen Lehrgedichts.

9699 Verse. Quelle: der 680 Zeilen lange Schwank: *Von Metzen höchzit.*

Die Morallehren werden durch eine farbige realistische Handlung schmackhaft gemacht. Werbung des Bauernburschen Bertschi Triefnas, Bauernhochzeit, aus der zwischen zwei Dörfern Krieg entsteht. Zwerge, Riesen, Helden der Dietrich-Sage greifen ein. Neidhart von Reuental tritt als eine mythifizierte Person auf. Das Dorf Lappenhausen wird vernichtet, Bertschi zieht sich als Einsiedler in den Schwarzwald zurück. Bauerngroteske aus dem Geist Neidharts, Parodie des höfischen Epos.

Die mit sichtbarer Freude am Derb-Sinnlichen gezeichnete Welt der Bauern steht im Gegensatz zu den beigefügten Morallehren, die auf bürgerliche »mässichait« und kontrollierende Vernunft gerichtet sind Die triebhafte, vernunftlose Welt der Bauern sollte die Berechtigung der Lehren dokumentieren. Die lehrhaften und die schwankhaften Teile durch rote und grüne Randstreifen kenntlich gemacht. Eine der stärksten Leistungen des späten MA.

Ohne Wirkung, nur eine (Meininger) Hs.

um 1400   Heinrich Kaufringer
               (aus Landsberg am Lech):
               Schwänke

Meist erotische, burleske, derbe Themen der Fspp.: Frauenlist, Hintergehung des Mannes, Liebschaften, Ehebruch. Ganz unhöfisch, sinnenfroher Realismus. Formal an Konrad von Würzburg und dem Teichner geschult.
K. war auch Reimsprecher. In den Reimsprüchen jedoch Moralist. Beispiel für das Doppelgesicht des spätma. Menschen.

um 1400   Der Heiligen Leben

Verf. Nürnberger Bürger. Prosa; auf der Grundlage des *Märterbuches*. Verbreitetstes Passional des späten MA.

Erster Druck 1471 in Augsburg, bis 1521 50 weitere Drucke.

1400/45   Oswald von Wolkenstein
               (Biogr. S. 63):
               Gedichte

In 3 Sammel-Hss. erhalten, davon 2 auf O. v. W.s Veranlassung entst.: Wiener Hs., zunächst mit 42 Liedern 1425 abgeschlossen, 1427–1436 durch O. v. W.s Schreiber auf 107 erweitert; Innsbrucker Hs., mit Noten, von dem gleichen Schreiber angefertigt, enthält 18 weitere Lieder, 7 der Wiener Hs. fehlen.

O. v. W.s Lyrik ist Erlebnisdg., poetische Selbstbiographie. Sie schildert sein von Reisen und Fehden stark bewegtes Leben, vor allem sein Werben um die der feindlichen Familie angehörige Sabine Jäger, die ihn später verriet und an seiner Gefangennahme mitwirkte. Nicht traditionell, nicht rückwärtsgewandt, Ideale von zuht und mâze aufgegeben. Individualismus und Realismus sprengen überkommene Formen. Gelehrsamkeitskrämerei und Zurschaustellung von Sprachkenntnissen zeigen meistersingerischen Einfluß.
Stärke dieser Lyrik beruht auf O. v. W.s Temperament. Urwüchsige, eigenwillige Tanz- und Trinklieder. Blutvolle, erotische Liebeslyrik.
O. v. W. schrieb die meisten Tagelieder von allen Dichtern des MA., Einfluß Wolframs. Liebeslieder zum Teil an die Ehefrau gerichtet. In der Gefangenschaft dichtete O. v. W. auch geistliche Lieder.
»Eins der elementarsten poetischen Genies Deutschlands« (Arthur Hübner). O. v. W. steht auch musikgeschichtl. an einem Wendepunkt.

nach 1410   Johannes Rothe
(Priester, Stadtschreiber, Gelehrter in Eisenach):
Der Ritterspiegel

Lehrdg. in achtzeiligen Strophen.
Klage um die verschwundene ritterliche Zeit. Das echte Rittertum der Verfallszeit entgegengehalten. Rittertum mit bürgerlichem Maß gemessen, R. nahm die gedichtete Ethik der ritterlichen Dg. für historische Wirklichkeit. Betont das Militärische des Rittertums, nicht Ehre und Minne. Interesse für Heraldik, Ansätze zur Heroldsdg.
R.s im Grunde ganz bürgerliche Haltung wird deutlich in seiner Sittenlehre für Ratsleute *Von den Ämtern der Städte und den Ratgebern der Fürsten*; enthält im 1. Teil die ersten dt. leoninischen Hexameter.
Das im *Ritterspiegel* hervortretende historische Interesse kennzeichnend für die neue Zeit. R. vollzog nach Abfassung eines *Lebens der heiligen Elisabeth* in Reimpaaren (um 1420) schließlich sogar den Übergang zur Prosa in der *Thüringischen Chronik* (1421).

1412   Hans von Bühel
(Adliger aus der Gegend von Köln):
Diokletians Leben

Slg. von Novv. in Versen nach einer dt. Prosa-Vorlage *Von den sieben weisen Meistern.* Rahmenhandlung: ein Königssohn wird von seiner Stiefmutter zum Tode verurteilt. Seine sieben Lehrer erlangen Aufschub durch Erzählung von Geschichten. Ehebruchsgeschichten im Boccaccio-Stil, auf die Person Diokletians konzentriert. Bürgerliche Lebensauffassung.

Erster Druck 1473.

1415/33   Meister Muskatplüt
(richtiger Name unbekannt, aus Bayern):
Lieder und Sprüche

M. war an verschiedenen Höfen tätig; steht auf der Mitte zwischen Frauenlob und dem schulmäßigen Meistersang.
Etwa 100 Lieder, nur drei Töne. Mischung von Minne- und Marienlyrik. Nachlassen des geblümten Stils. Geistliche Lieder gelehrt, allegorisch.
Spruchdg.: politische Zeitkritik, an Fürsten gerichtet.
Verurteilung der eigenen Zeit nach dem Maßstabe der ritterlichen Zeit, rückwärtsgewandt.

vor 1420   Thomas von Kempen
(1380–1471, Niederländer):
De imitatione Christi

Andachtsbuch für Klosterbrüder, aus dem Geist der »devotio moderna« entstanden. Anweisung zu einem gottgefälligen Leben in der »Nachfolge Christi«.
Große Wirkung. Eines der meistgelesenen Erbauungsbücher.

1430/37   **Elisabeth von Nassau-Saarbrücken**
(1397–1456):
Loher und Maller; Hug Schapler; Herpin; Sibylle

Übss. von frz. Prosa-Rr.
Stoffe der in den frz. Chansons de geste behandelten Karlssage. *Loher und Maller* vielleicht nach erweiternder Prosafassung der Herzogin Margarethe von Lothringen, der Mutter der Übersetzerin. *Hug Schapler* ist die sagenhafte Geschichte des frz. Königs Hugo Capet. Stil und Haltung der frz. Chansons de geste. Wandel des Heldenideals; aufdringliches, zügelloses Draufgängertum. Ideal von Ehre und Minne aufgegeben, die Frau Gegenstand der Verführung. Anfänge eines dt. epischen Prosastils.

Loher und Maller 1805 erneuert durch Dorothea Schlegel.

1430/60   **Hans Schnepperer gen. Rosenplüt**
(Biogr. S. 63/64):
Lieder, Historische Gedichte, Reimreden, Schwänke, Fastnachtspiele

R. bezeichnete sich selbst als höfischen Wappendichter. Noch kein Meistersinger, Meistersang wurde erst Ende 15. Jh. von Folz nach Nürnberg gebracht. R.s Produktion reichte von der Zote bis zum geistlichen didaktischen Gedicht. In seinen Kneipliedern und Zoten nannte R. sich nicht, dagegen bei Erzählungen und didaktischen, politischen Dgg., bei denen sein lit. Ehrgeiz lag. Diese zeigen den Kleinbürger und Handwerker, der sich betont unhöfisch gab, dem das Rittertum ein überwundener Standpunkt war. Spiegeln Selbsterlebtes: Türken- und Hussitenkriege. Berühmt der *Lobspruch auf Nürnberg* (1447). Ernste Gedichte gehören in die Spätzeit; Einfluß des florierten Stils.

R.s spezielle Form didaktischer Dg. war die Priamel (von lat. praeambulum): mehrere ähnliche Erscheinungen werden in gleichgebauten Sätzen aufgezählt und durch einen auf alle passenden Schlußsatz zusammengefaßt.

Mit einer Priamel schließen auch einige der Fspp., als deren Verf. R. meist nur zu vermuten ist. *Des Türken Fsp.* (1456), ein-

ziges politisches Fsp. des 15. Jh., weist auf die Türkengefahr hin;
sehr verbreitet. R. führte dem Fsp. lit. Stoffe zu, auf dieser Linie arbeiteten Folz und Sachs weiter.

1434/60   Heinrich von Laufenberg
(um 1390–1460, Geistlicher, später Mönch in Freiburg
und Straßburg):
Geistliche Lieder

Etwa 100 Lieder. Formale Anlehnung an das weltliche Volkslied;
14 Kontrafakturen. Geistliche Tagelieder, Marienlieder. Auch Hymnen, Sequenzen, Choräle ohne volkstümlichen Einschlag, zum Teil
nach lat. Vorlagen. Beeinflußt durch die Sprache der Mystik.

1444   Johannes Hartlieb
(in Nürnberg):
Alexander

Erste Prosa-Bearbg. der ma. Sage um Alexander den Großen.

Quelle: Des Archipresbyters Leo *Historia de preliis* (um 950).
Erster Druck 1472.

um 1450   Theophilus-Spiel

Legendenspiel, nddt.

In drei Fassungen erhalten; beste aus Trier, 824 Verse, fragmentarisch. Älteres Spiel
als gemeinsame Vorlage für alle drei Hss. ist anzunehmen. Stoff geht auf lat. Legende
zurück (vgl. Hrotsvit von Gandersheim).

Spiel vom Teufelsbündner; der dem Teufel Verfallene wird durch
Maria gerettet; Faust-Motiv.
Spiel ist nicht mehr an die Feier eines bestimmten Tages geknüpft.

1453   Hermann von Sachsenheim
(1365–1458, schwäbischer Adliger):
Die Mörin

Minne-Allegorie: Prozeß vor Frau Venus, der treue Eckart als Verteidiger.
Zugleich Parodie der Minne-Allegorien, Eindringen zeitsatirischer
Elemente. Die Aufnahme gattungsfremder Elemente bezeichnend
für die Auflösung. Versuch, höfische Aufmachung zu wahren, viele
Zitate aus der höfischen Epik. Prunken mit gelehrter Bildung, daneben volkstümliche Wendungen.

um 1456   Eleonore von Vorderösterreich
(1448–1480):
Pontus und Sidonia

Übs. eines frz. Prosa-R. Ritterlich-abenteuerliche Liebesgeschichte.
Höfischer Ton gewahrt.
Anfänge eines dt. epischen Prosa-Stils.

Erster Druck 1483.

1456   Thüring von Ringoltingen
(gest. 1483, Schultheiß in Bern):
Melusine

Übs. einer frz. Verserz. von Couldrette in dt. Prosa. Ehe eines Grafen mit der Meerfee. Er bricht sein Gelübde, ihr nicht nachzufor-
schen, und verliert sie. Größter Erfolg der frz. Erzz. in Dld.

Erster Druck 1474.

1460   Rheinisches Osterspiel

Spiel aus der Gegend von Mainz. 2285 dt. Reimpaarverse mit lat. sze-
nischen Anweisungen. Wechsel von Gesangs- und Sprechpartien.
Beginnt mit einem Vorspruch der Engel und dem »Resurrexi« des
Salvator, endet mit der Bekehrung des Thomas.
Erstes ma. Spiel, das einen wirklich dramatischen Aufbau zeigt.

1462   Püterich von Reichertshausen
(1400–1469, bayr. Ritter):
Ehrenbrief

An die Erzherzogin Mechtild; 148 Titurelstrophen.
Enthält ein Teilverzeichnis der 164 in P.s Besitz befindlichen Hss.
von höfischen Epen. P. war leidenschaftlicher Sammler ritterlicher
Epik des 12. und 13. Jh. Sammlertätigkeit typisch für rückwärts-
gewandte Haltung der Zeit.

1462/65   Michael Beheim
(Biogr. S. 63):
Das Buch von den Wienern

Der Aufstand der Wiener Bevölkerung gegen Kaiser Friedrich III.
(1462–1465) tagebuchartig aufgezeichnet. Rund 2000 Strophen in der
»Angstweis«.
B., an verschiedenen Höfen als Berufsdichter tätig, nahm Stellung
für die Fürsten gegen das Bürgertum. Gelehrt, wissenschaftlich. Einfluß des Frühhumanismus am Prager Hof und des Enea Silvio Piccolomini am Wiener Hof. Dabei volkstümlicher Ton gewahrt. B.
Übergangserscheinung vom Meistersinger zum Humanisten.

Neuartig B.s Neigung zu politisch-historischer Dg.: *Chronik Friedrichs I. von der Pfalz* (um 1470); Hofdg., Panegyrikus in der »Osterweis«. Zahlreiche Gedichte zur böhmisch-österreichischen Gesch.

1464   Redentiner Osterspiel

Entst. in Lübeck, in einer Redentiner Abschrift erhalten.

Erhalten sind Auferstehungs- und Teufelsszene. Sieg über die irdischen und höllischen Widersacher Christi, Sieg des Priesters über den Teufel. Die Satire auf die Bürger, die bei dem Massensterben von Teufeln geholt werden, zeigt Beziehungen zum Totentanz in der Lübecker Marienkirche. Sehr selbständige Formung des Stoffes.

1466   Mentel-Bibel

Erste gedruckte dt. Bibel; Johann Mentel war Drucker in Straßburg. Grundlage: bayr. und böhmische Bibelübss. des 14. Jh., vor allem der *Codex Teplensis*, eine sehr fehlerhafte Übs. aus Stift Tepl Ende des 14. Jh.

1471   Liederbuch der Klara Hätzlerin

Sammelhs. im Auftrage eines Augsburger Patriziers. Gesellschaftslieder, Kunstlieder, Sprüche. Vorwiegend Minnelieder, auch Geistliches und Didaktisches. Verff.: Suchenwirt, Muskatplüt, Oswald von Wolkenstein u. a.

1472   Das Dresdener Heldenbuch oder
Heldenbuch des Kaspar von der Rhön

Slg. von Epen, hauptsächlich von Heldenepen, im Auftrage des Herzogs Balthasar von Mecklenburg, von Kaspar von der Rhön und einem Anonymus aufgeschrieben.

1473   Philipp Frankfurter
(in Wien):
Der Pfaffe vom Kalenberg

Schwankslg.

Der erste Druck 1473 geht auf eine kurz vorher entstandene, aber verlorene Hs. zurück. Stoffliche Grundlage: historische Persönlichkeit am Hofe Ottos des Fröhlichen von Österreich Anfang 14. Jh.

Schwänke von dreierlei Herkunft: Bauern-, Pfaffen- und Hofschwänke, später an eine Person geknüpft. Umlaufendes Schwankgut dazugefügt und literarisiert. Satire auf die Sitten der Geistlichkeit. Den Eulenspiegeleien verwandt, Zeichen für den bereits in der nichtlit. Schicht vorhandenen Grobianismus.

Zur Reformationszeit viel gelesen.

Viele Drucke bis ins 17. Jh. Neue Bearbg. des Stoffes durch Anastasius Grün: *Der Pfaff vom Kalenberg* (1850).

seit 1473   Hans Folz
            (Biogr. S. 64):
            Meistersang, Reimreden, Fastnachtspiele

F. dürfte den Meistersang bereits in Worms kennengelernt haben, Reimrede und Fsp. wohl erst in Nürnberg. Vor F. sollten im Meistersang nur die Töne der zwölf alten Meister verwendet werden, F. forderte zur Erlangung der Meisterwürde die Schaffung eines neuen Tones. Wende von berufsmäßigem Meistersang zu nebenberuflicher Betätigung in der Singschule. Vorbild für Hans Sachs.
Florierter Stil, betonte Gelehrsamkeit, theologische Betrachtungen. Spezialität »Klopfan«, poetischer Neujahrsgruß. Stärke im Erzählerischen der Schwänke, die abschließende Moral in Form einer Allegorie gegeben. Als Reimredner zeigte F. ein völlig anderes Gesicht, derb und obszön.
In den Fspp. fußt F. auf Rosenplüt, überragt ihn aber: *Kaiser Constantinus*, *Von der alten und neuen Ee*, *Von dem Kunig Salomo und Markolffo*. Revue-Charakter des Fsp. aufgegeben, mehr Lsp.-Charakter. Einfallsreich, witzig, realistisch; guter Dialog.

1473/83   Ulrich Füetrer
            (gest. vor 1502; aus Landshut, Maler in München):
            Das Buch der Abenteuer

Kompendium der beliebtesten Ritterepen, 41500 Verse in Titurelstrophen. Im Auftrag Albrechts III. von Bayern geschrieben. 11 Epen, jedem liegt eine ma. Quelle zugrunde; zu einem Zyklus zusammengefaßt, den Rahmen bildet der *Jüngere Titurel*.

um 1475   Bordesholmer Marienklage

Von einem Mönch Reborch im Kloster Bordesholm bei Kiel nach ostfälischer Vorlage verfaßt.
Der Dialog ist auf fünf Rollen – Maria, Maria Magdalena, die Mutter des Johannes, Johannes und Christus – verteilt. Verherrlichung Mariä; lyrische Grundhaltung. Eingelegte lat. Hymnen; lat. szenische Anweisungen.

1480   Johann von Soest
          (1448–1506, zuletzt Frankfurt/Main):
          Margarethe von Limburg

Epos von rund 15000 Versen.

Nach dem Ndld. des Heinrich von Aken (um 1300).

Ritter- und Liebesgeschichte. Anhäufung von Stoff. Mischung von Elementen: Antike, Artusroman, Volkssage. Bürgerlich: Hervorhebung des Kaufmannsstandes. Beginn psychologischer Sehweise in der Schilderung der Liebe.
Endstadium des höfischen Epos. Verf. wendete sich später dem Lehrschrifttum zu.

1483   Wigoleis vom Rade

Entst. seit 1472. Grundlage: *Wigalois* (1202/05) des Wirnt von Grafenberg. Vielleicht schon Kenntnis des *Wigoleis* in Füetrers *Buch der Abenteuer*.

Prosaauflösung eines dt. höfischen Epos.

Druck 1493.

um 1490   Dietrich Schernberg
(Geistlicher in Mühlhausen/Thür.):
Spiel von Frau Jutten

Dramatisierte Legende von der Päpstin Jutta; Reimpaare.
Eine Frau maßt sich an, es den Männern an Geist und Wissenschaft gleichzutun. Erlangt Verzeihung durch Reue und Demut, Maria als Fürsprecherin.
Spiel nicht mehr im Dienst kirchlicher Feiern; Ansätze zum modernen Dr.

Erster Druck 1565.

um 1490   Neidhart Fuchs

Schwänke, anknüpfend an die Persönlichkeit des Bauernverspotters Neidhart von Reuental. Kompilation aus den sog. *unechten Neidharten*; biographisch angelegt.
Sehr derb. Strophische Form, rund 4000 Verse, echte Lieder Neidharts mit aufgenommen.

1493   Großes Frankfurter Passionsspiel

Auf das *Alte Frankfurter Passionsspiel* (um 1350) zurückgehend.

Dreitägig, 280 Personen. Dt., mit lat. szenischen Bemerkungen. Als Einleitung ein Prophetenspiel.
Von den Frankfurter Spielen abhängig: *Fritzlarer Spiel* (um 1460), *Friedberger Spiel* (Ende 15. Jh.), *Alsfelder Spiel* (1501), *Heidelberger Spiel* (Hs. 1514). Das *Heidelberger Spiel* wirkte seinerseits auf das *Augsburger Spiel*, das die Vorlage für den ältesten *Oberammergauer Spieltext* (1634; ältester überlieferter Text von 1662) bildete.

1498   Reinke de Vos

Lübecker Druck. Nddt., etwa 6800 Verse.

Quelle: ndld. Fassung des Hinrek van Alkmar (1480).

Wichtigste Fassung des ma. Tierepos. Zeit- und Ständekritik. Wie in der Vorlage Handlung mit moralischen Erläuterungen in Prosa durchsetzt.

Einfluß auf die Fabellit. des 16. Jh. (Luther, Rollenhagen). 1752 hgg. Gottsched und nach der hdt. Fassung von 1544 in Prosa übertragen: Quelle für Goethe.

1517   Das Ambraser Heldenbuch

Im Auftrage Kaiser Maximilians von Hans Ried aus Bozen aufgeschrieben.

Enthält höfische Epik und Heldenepik in alten Fassungen (einzige Fassung der *Kudrun*).

1470–1600 Renaissance

Die Auslösung einer neuen geistigen Epoche in Dld., der sog. Renaissance, pflegte mit der Eroberung Konstantinopels durch die Türken (1453) und der durch sie hervorgerufenen Flucht griech. Gelehrter nach Italien, der Entdeckung Amerikas (1492), Luthers Reformation (1517) und der Entstehung eines neuen Prosastils in Verbindung mit den Übss. ital. Schriftsteller durch Wyle, Steinhöwel u. a. angesetzt zu werden. Nach Konrad Burdachs Forschungen beruht die Wende mehr auf einem Willen zu innerer Wiedergeburt, der zuerst in Italien sichtbar wurde und in Dld. in Luthers Reformation seinen stärksten Ausschlag fand. Die ersten stilistischen Einflüsse der Renaissance sind nach Burdach schon in dem »Vorspiel«, den klassizistischen Bestrebungen der Prager Kanzlei (Ende 14. Jh.), zu sehen. Dt. Kunstprosa hat im übrigen Wolfgang Liepe schon seit Elisabeth von Nassau-Saarbrücken (Mitte 15. Jh.) nachgewiesen.

Eine stilistische Einheit im Sinne der Renaissance-Lit. der übrigen europäischen Länder bietet die dt. Lit. des 16. Jh. nicht. Ihre Einheit liegt im Geistigen, etwa in der Forderung »ad fontes«.

Die Zeit selbst hat für ihre Kultur und Lit. den Begriff der Renaissance nicht gekannt. In Italien taucht »rinascita« zuerst auf bei Vasari (1511–1574), dem ersten Geschichtsschreiber der ital. Kunst, dem Sinne nach lebte der Gedanke bereits in den Veröffentlichungen und Briefen des republikanischen Revolutionärs Cola di Rienzo (1313–1354). Für den Bedeutungsgehalt von »renasci« will neuere Forschung weniger das Wiedergeborenwerden als das Wiederwachsen betont wissen (Jost Trier). Im geistig-religiösen Bezirk sprach die Zeit von »reformatio«. Das Wort »Renaissance« wurde für die

Epoche zuerst in der frz. Kunstgeschichtsschreibung des 19. Jh. von
Jules Michelet (1798–1874) angewandt.

Renaissance, Humanismus, Reformation haben dieselbe Quelle und
gingen ursprünglich ineinander über. Die Wurzeln der Renaissance
und des Humanismus lagen nicht in gelehrter Forschung, sondern in
der Sehnsucht des späten MA. nach geistlicher Erneuerung, nach
Wiedergeburt des Menschen im Sinne der Mystik, im Sinne Franz
von Assisis (1182–1226). Diese Sehnsucht war bereits eine der Trieb-
kräfte Dantes (1265–1321). Er erhoffte ein neues Weltkaisertum des
Friedens, das Italiens Leben in seiner Gesamtheit erneuern würde.
Hier ist die Quelle des aufkommenden ital. Nationalgefühls, hier
geht Dante der politischen Schöpfung Rienzos und dessen Sänger
Petrarca (1304–1374) voran. Die ursprüngliche Einheit von reformatio und rinascita spaltete sich später in einen kirchlichen und einen
weltlichen Zweig auf.

Auf der Suche nach der reinsten Ausprägung des ital. Menschen fiel
der Blick auf die römische Antike, in der humanitas rein entwickelt
schien. Es erfolgte eine politische und allgemein menschliche Ausrichtung nach der Antike; die Rückeroberung antiker Kultur war in
Italien nationale Selbstbesinnung. Mit Haß wandte man sich gegen
die Fremdherrschaft der Franzosen und Deutschen und erneuerte für
sie den Begriff »Barbaren«: Ungebildete. Die eben noch Herrscher
in Italien waren, sahen sich veranlaßt, Nachahmer Italiens zu sein.

So kam es über das Medium des Politischen und der Kunst zur Umwandlung eines ursprünglich weltabgewandten Wiedergeburtsbe-
dürfnisses in eine weltbejahende Wiedergeburtsfreude, die die ganze
Renaissance-Welt ergriff: O saeculum! O litterae! Juvat vivere!
(Ulrich von Hutten 1518).

In Dld. fehlte der politische Hintergrund, das Zusammenfassende
der Bewegung. Dt. Nationalgefühl, das im Zusammenhang mit der
geistigen Mündigwerdung durch die Reformation wach wurde und
im Ritteraufstand (1522/23) wie in den Bauernkriegen (1524/25)
spürbar ist, wurde bald durch die politische und kirchliche Entwicklung in Dld. zurückgedrängt. Der Humanismus blieb auf gelehrte
Kreise beschränkt, in denen allerdings gelegentlich ein dem ital. ver-
wandtes Nationalgefühl auftaucht, oft durch wissenschaftliche Studien gestützt.

Streit Wimpfeling *Germania* (1501) – Murner *Nova Germania* (1502), die beide die Zugehörigkeit des Elsaß zu Dld. nachwiesen. Der gelehrte Nationalstolz entzündete
sich an der *Germania* des Tacitus, deren einzige Hs. 1455 im Kloster Hersfeld entdeckt
wurde und deren Lektüre in vielen Schriften der Zeit ihren Niederschlag fand (Frischlin: *Julius redivivus*, Hutten: *Arminius-Dialog*). Herausgabe älterer dt. Schrifttums (Celtes: Hrotsvit, Wickram: Albrecht von Halberstadt).

Entscheidend für die Erweckung eines neuen Lebensgefühls war in
Dld. nicht der Einfluß der ital. rinascita, sondern die eigene Refor-

mation. Die Renaissance war aus dem Erbe einer alten Kulturtradition erwachsen und aristokratisch, Züge, die der dt. Reformation fehlten. Hier setzte sich die religiöse Erregung in Schrifttum um. Eine ästhetische Filtrierung fand selten statt. Die dt. Lit. des 16. Jh. weist drei auseinanderstrebende Elemente auf: das spätma.-volkstümliche, das humanistisch-gelehrte, das kirchenpolitisch-kämpferische. So treten die typischen Züge der ital. Renaissance-Lit. – das Freigeistige, die Heiterkeit und die Diesseitigkeit – in Dld. nur gelegentlich in der neulat. Dg. auf (Celtes). Das humanistische Ziel einer von der Vormundschaft der Kirche befreiten Wissenschaft und Bildung gewann in gelehrten Kreisen Boden. Die klassischen Studien wurden auf die antiken Quellen gegründet. Reuchlin (1455–1522) veröffentlichte 1506 eine Grammatik des Hebräischen mit Wörterbuch *(De rudimentis hebraicis)*, Erasmus (1469–1536) gab 1516 das griech. *Neue Testament* mit lat. Übs. und Anmerkungen heraus. Wissenschaftliche Studien zeitigten auch erste naturwissenschaftliche Ergebnisse (Kopernikus, Paracelsus).

Erasmus von Rotterdam, einer der größten Vertreter des vom Humanismus geformten Menschentyps, kam aus der religiösen Erneuerungsbewegung, der ndld. mystischen Strömung der devotio moderna. Er war liberal, tolerant, bedächtig, lehnte den totalen Anspruch des Protestantismus ab. Renaissancehaft war sein Glaube an das Gute im Menschen und die Möglichkeit, es durch Bildung zu fördern. Er glaubte an die Rückführung der menschlichen Bildung zu Wahrheit und Natur und hielt Frömmigkeit für eine sinngemäße Eigenschaft des wahrhaft humanen Menschen (christlicher Humanismus).

Hauptwerke: *Handbüchlein eines christlichen Ritters* (1503); *Stultitiae laus* (1511); *Colloquia familiaria* (1518); *Antibarbari* (1520). E.' konservativem, harmonischem, durch mystische Einflüsse vertieftem Glaubensbekenntnis (*De libero arbitrio*, 1524) stellte Luther sein »Allein durch den Glauben« in *De servo arbitrio* (1525) gegenüber.

Aus dem pessimistischen Grundgefühl des ausgehenden MA. hatte Erasmus zwar für sich selbst und wenige Auserlesene einen Ausweg gefunden. Breitere Schichten ergriff das neue religiöse Gefühl Luthers. Auch Martin Luther (1483–1546) war Humanist, insoweit er unter Umgehung der Tradition auf die *Bibel* zurückgriff und sie nach dem griech. und hebräischen Urtext übersetzte. Seine Religion aber gründete L. im ma. Geiste auf Glauben und Offenbarung, nicht auf Erkenntnisdrang und Forschung (Abendmahlsstreit mit Zwingli). Ebenso erklärte er die menschliche Willensfreiheit durch die Erbsünde für aufgehoben (im Gegensatz zu Erasmus). Sein die Mittlerschaft der Kirche ausschaltendes Verhältnis zu Gott ist keine auf menschlicher Liebe oder contemplatio beruhende mystische unio, sondern ein Gnadenakt Gottes. Das Vertrauen in diesen Gnadenakt Gottes und in den Erlösertod Christi ist die Grundlage seines Glaubens. Dieser »Vertrauensglaube« rechtfertigt den Menschen, und aus der Rechtfertigung entspringt trotz Sündengefühl Weltbejahung und Optimismus (*Von der Freiheit eines Christenmenschen*, 1520). Die eigentliche Renaissance-Dg. in Dld. war Gelehrtendg. ähnlich der Vagantendg. im frühen MA. (viele Humanisten führten ein Wanderleben). Kulturzentren neben den Höfen wurden die Universitäten.

Den stärksten Anteil an der dt. Lit. des 16. Jh. hat der dt. Südwesten: Basel, Heidelberg, Stuttgart, Straßburg, Schlettstadt, Tübingen waren die Zentren dieser Landschaft (Brant, Reuchlin, Birck, Manuel, Murner, Gengenbach, Frischlin, Fischart). Im weiten Abstand folgen der nddt.-ndld. Raum (Gnaphäus, Macropedius, Erasmus, Bartholomäus Krüger, Rollenhagen, Knaust) und Mitteldld. mit den Universitäten Wittenberg, Leipzig und Erfurt (Luther, Melanchthon, Hessus). Daneben behauptete Nürnberg seinen Ruf als Kulturzentrum.

Die an Höfen und Universitäten gegründeten lit. Gesellschaften trugen wissenschaftlichen Charakter.

Der Kreis am Prager Hof Karls IV.: Rienzo, Petrarca, Johann von Neumarkt.
Der Kreis am Wiener Hof Friedrichs III.: Friedrichs Sekretär Enea Silvio Piccolomini, nachmaliger Papst Pius II., der 1443–1455 in Wien war und Steinhöwel, Wyle, Eyb beeinflußte.
Der Heidelberger Kreis (80er Jahre des 15. Jh.): Johann von Dalberg, Rudolf Agricola, Wimpfeling, Celtes, Reuchlin.
Der Mutianische Orden in Erfurt (Ende 15., Anfang 16. Jh.): Mutianus Rufus, Eobanus Hessus, Hutten, Crotus Rubeanus.
Sodalitas litteraria Rhenana in Heidelberg (seit 1496), deren Gründer Celtes war.
Der Wittenberger Kreis: Melanchthon (1497–1560), Georg Sabinus, Georg Fabricius.

Der Stand der humanistisch Gebildeten stellte eine neue Schicht dar, war ähnlich wie der geistliche unabhängig von der sozialen Herkunft. Er erwuchs aus dem Ständeverfall des ausgehenden MA. Die Sprache der Gelehrten und zum großen Teil auch Sprache der Dg. war, nach dem Vorbild der neulat. Dg. Italiens, das Latein.

Von 1460 an erfolgten die Ausgaben antiker und neulat. Schriftsteller sowie deren Übss. Nur die ersten Übersetzer (Wyle, Steinhöwel, Eyb) legten Wert auf eine Übertragung des originalen Sprachstils, spätere Übss. entstanden nur aus Stoffinteresse; das Formgefühl war vernachlässigt.

Die neulat. Dg. suchte die fremden Muster zu kopieren und ihren Stil zu erfassen. Latein wurde den Gelehrten zur eigentlichen Muttersprache, seine Pflege wurde von Schülern und Studenten auch außerhalb des wissenschaftlichen Betriebes gefordert. Das Neulateinertum verzögerte die Entwicklung der nhd. Schriftsprache, vor allem der dichterischen Sprache, indem es starke Kräfte, hauptsächlich poetische, band. Aber es wuchs über das reine Gebrauchs- oder Lehrschrifttum der vorangehenden Zeit hinaus; es stellte den Begriff des Schriftstellers, des homo litteratus, und seines rein ästhetisch gesehenen Auftrages heraus.

Die Lit. des 16. Jh. in Dld. weist noch stark ma. Züge auf. Sie hat – vor allem, soweit sie dt.-sprachig war – mehr eine pädagogische als eine dichterische Aufgabe erfüllt. Der von der Zeit für signifikant gehaltene »Grobianismus« deckt sich nur mit einem Teil der Lit.

Wolfgang Liepe fand es unmöglich, für das 16. Jh. einen im strengen Sinne renaissancehaften Stil anzusetzen.

Friedrich Gundolf bezeichnete die Epoche als »unschöpferisch im Sprachlichen«.

Fritz Strich nannte als hervorragende Merkmale des Stils das »Wirken der Gemeinschaft und den Mangel an Bewegung«.

H. Gumbel stellte als stilpsychologische Grundl. »Ordnung und Genauigkeit« heraus.

Harold Jantz betonte die Einheit von alt und neu in dieser »rückwärtsgewandten« Epoche, deren Versprechungen sich aus Mangel an Genies nicht erfüllten.

Seit dem 14./15. Jh. war die didaktische Lit. die wichtigste zeitformende und zeitinterpretierende Kraft der Lit. In ihr strömten die verschiedensten geistigen Strömungen zusammen: die höfische Ethik, die allmählich von der bürgerlichen aufgesogen wurde, und vom Ende des 15. Jh. an die pädagogischen und wissenschaftlichen Ideale des ital. Humanismus, die eingedeutscht wurden. In den antiken Philosophen lagen dem Humanismus zum Teil ähnliche Quellen zugrunde wie der Hochscholastik und der ritterlichen Ethik. Das didaktische Schrifttum, besonders das mit satirischem und religiös-politischem Akzent, hatte im Anfang des 16. Jh. eine betont volkstümliche Note, diese verlor sich nach der Niederwerfung der Bauernaufstände (1525). Hauptvertreter der Satire sind: Brant, Murner, Naogeorg, Fischart, Rollenhagen. Eine Sonderform der Satire ist die Narren-Lit. (Brant, Murner, Sachs). Weit verbreitet die Form des Streitgesprächs, das sich schon im MA. häufig fand und nun unter dem Einfluß der Dialoge des griech. Satirikers Lukian (2. Jh. n. Chr.) beliebt wird (Hutten, Sachs, Gengenbach). Neu ist die Briefform als Stilprinzip *(Dunkelmännerbriefe)*. Für die dt. Schriftprosa, die sich im 16. Jh. endgültig als gleichberechtigt mit dem Vers in der Lit. durchsetzt, lagen aus der vorangegangenen Epoche drei Ansätze vor: die rohe Unterhaltungsprosa der an die frz. Chansons de geste angelehnten Unterhaltungs-Rr., die geist- und gefühlschwere Prosa der Mystik und die wissenschaftliche Prosa, die, wenn auch am Latein orientiert, sich an den Universitäten und in den Kanzleien entwickelte. Luther nahm in seine *Bibel*-Übs. und die Flugschriften Elemente der Umgangssprache auf und erreichte dadurch Intensität und Lebensnähe. Die Verschmelzung der vielen Sondersprachen des Frühnhd. zur Hochsprache gelang noch nicht, und Prosa als Kunstsprache, als Sprache der Dg., wurde erst möglich mit der sprachlichen Schulung durch das Neulateinertum, das den Sinn für die Schönheit der Prosa weckte.

Für die erzählerische Breite der Epik fehlte dieser bewegten Zeit der Atem. Größere Werke entstanden nur durch Slgg., durch Weiter-

tragen des Alten. Die Volksbücher des 16. Jh. zeigen den Stil der im
15. Jh. populär gewordenen Chansons de geste. Sie waren zuerst für
eine gebildete Leserschicht bestimmt, seit Mitte 16. Jh. erfolgte
Massenproduktion, die nun wirklich breite Volksschichten erfaßte.
Stoffe: Heldensage und höfisches Epos; Übss. aus dem Lat. und dem
Frz.; ital. Renaissance-Novv. Im letzten Viertel des 16. Jh. wendete
sich das adlige Publikum von den Themen der Volksbücher ab und
einem neuen Typ des Unterhaltungs-R. zu: dem *Amadis-R.*, der seit
1569 aus dem Frz. übersetzt wurde und dessen großer Erfolg auch
die selbständigen dt. Ansätze zu einem Kunst-R. bei Wickram ohne
Nachfolge bleiben ließ.

Typisch für die Zeit ist die Kurzform der Novelle, des Schwankes.
Schon im 15. Jh. wurden Schwankslgg. beliebt, denen nun die pi-
kanten und witzigen Facetien neue Stoffe zuführten.

Schöpfer der Facetien ist der ital. Humanist Gian-Francesco Poggio Bracciolini (gest.
1459). Ihm folgten in Dld. Steinhöwel, Bebel, Pauli, Wickram u. a.

In den Novv. kam internationales Erzählgut zur Verwendung, das
in den Fspp. gleichzeitig zu dram. Formung gelangte.

Der revueartige Charakter der satirischen Lit. und die häufig angewandte Dialogform zeigen den dram. Grundzug der Lit. des 16. Jh.
Es fehlte jedoch die Konzentration zur wirklich großen dram. Form.
Gerade in den Jahren, in denen der Humanismus sich durchsetzte,
erfuhren die ma. Spiele umfassendste Aufführungen. Das Bestreben,
alles zu vergegenwärtigen und naturgetreu wiederzugeben, verlockte
die realistische Zeit, die eigene bürgerliche Umgebung darzustellen.
Man neigte zu Massenszenen, erstrebte Massenwirkung.

Daneben bedeutete das Humanistendr., das sich nach dem Muster
der jetzt als Bühnenwerke erkannten Drr. des Terenz und Plautus
entwickelte, einen Wandel in der gesamten Struktur des Dr.

Das Dr. wird nunmehr in Akte (seit Reuchlin) und Szenen (seit Wimpfeling) eingeteilt. Die Akteinteilung griff auch auf das Mysterienspiel (Luzern) und das Meistersingerdr. (Hans Sachs, Burkard Waldis) über. Die Akteinteilung geschah ohne Erfassung der inneren Gesetzlichkeit des Dr. Von Seneca, der seit Celtes' Edition von 1487
zugänglich war, übernahm man den Brauch, die Akteinschnitte durch Chöre zu kennzeichnen. Ein Prolog eröffnete das Stück, ein Epilog schloß es. Dazu kam ein Argu-
ment, das den Inhalt wiedergab und seit Gnaphäus bei der Aufführung mitgesprochen
wurde, bei lat. Schulaufführungen später meist in dt. Verse übertragen. Titel, Verfas-
serangabe, Personenverzeichnis wurden beim Druck üblich. In der Schweiz entwik-
kelte sich die Sonderform einer Verschmelzung von ma. Theater und Humanisten-
theater, bei Hans Sachs erwuchs aus der Verschmelzung von Fsp. und Humanistendr.
das Meistersingerdr.

Dem neuen dramaturgischen Aufbau entsprach eine neue Bühnenform: Terenzbühne, Badezellenbühne.

Auch die innere Dramaturgie änderte sich. Das neue Dr. war nach
dem Vorbild der Antike auf dem Prinzip des Kampfes aufgebaut:

der Held kämpft, siegt oder unterliegt. Es arbeitete mit dem Moment der Spannung, das dem ma. Dr. fehlen mußte, da der Stoff bekannt war. Zu einer Erfassung des Wesens von Kom. und Tr. kam es noch nicht, die Gattungsbezeichnung wechselte, richtete sich meist nach dem guten oder unglücklichen Ausgang oder nach dem Stand der auftretenden Personen.

Das Humanistendr. verfolgte ein doppeltes Ziel: man wollte für die Ideen des Humanismus arbeiten, Humanität verbreiten und zugleich die spielenden Studenten und das Publikum an den Gebrauch des Lat. gewöhnen. Also keine unmittelbar theatralischen, sondern ethische, didaktische, repräsentative Zwecke. Die beiden ersten Zwecke verfolgte vor allem das Schultheater, das, angeregt und gefördert durch Celtes, Luther, Melanchthon, allmählich zu einer festen Einrichtung an den Gymnasien wurde. An die Stelle der Humanität trat im Schuldr. die Konfession. Öffentliche Wirkung des protestantischen Schultheaters und Einfluß auf die Entwicklung des Dr. besonders deutlich in Straßburg, in kleinerem Ausmaße an den Gymnasien des sächsisch-thüringischen Raumes. Seit 1567 im Zeichen der Gegenreformation Auff. an den Jesuitenkollegien, besonders in München.

Mit Rücksicht auf das nicht Lat. verstehende Publikum ging man bald zu dt. Prologen und zu dt. Aufführungen über.

In erster Linie biblische Stoffe: Joseph, Susanna, Tobias, verlorener Sohn, armer Lazarus, Themen, an denen das protestantische Ethos – in der Folge dann auch das katholische – erläutert werden konnte. Luther selbst schlug in dem Glauben, die alten Juden hätten gespielt, Judith und Tobias als brauchbare Stoffe vor.

Das Dr. des Humanismus brachte zum erstenmal die Wertschätzung des Dichters und des Wortes. Im Theater des MA. waren der Autor und das Wort unwichtig neben Spielleiter, Schauspieler, Schau. Das Dr. des Humanismus ist szenisch arm, aber deklamatorisch. Es arbeitete zum erstenmal an einem inneren Gesetz des Dr., ohne jedoch auf die ma. und gerade in dem so formlosen 16. Jh. vorherrschende Methode der lockeren Reihung zu verzichten.

Von der Lyrik des Jh. ist die neulat. (Eobanus Hessus, Petrus Lotichius Secundus, Conrad Celtes) die bedeutendere. Verfeinernde Übernahme antiker Gattungen, Metren, Themen.

Der Meistersang hatte sein Schwergewicht in diesem Jh. nicht auf lyrischem Gebiet.

Weltliche und geistliche Volkslieder erfuhren eine starke Verbreitung.

Eine Neuschöpfung ist das von Luther ausgehende protestantische Kirchenlied, das vielfach durch Nachdg. und Kontrafaktur entstand.

Wichtigste Autoren der Renaissance:

Brant, Sebastian, geb. 1458 in Straßburg. Seit 1475 Studium der
Juristerei in Basel, 1489 Dr. beider Rechte, 1492 Dekan der juristi-
schen Fakultät, 1496 besoldeter Professor. 1500 Übersiedlung nach
Straßburg, Stadtsyndikus, 1503 Stadtschreiber. Erhielt von Kaiser
Maximilian den Titel eines Kaiserlichen Rates und comes palatinus.
Schon in der Basler Zeit als Literat und Herausgeber tätig. Verf.
juristischer Arbeiten, lat. und dt. didaktischer Gedichte sowie eines
dt. Dr. über Herkules am Scheidewege. Gest. 1521 in Straßburg.

Celtes (eigentlich Pickel), **Conrad,** geb. 1459 in Wipfeld (zwischen Schweinfurt und Würzburg). Sohn eines Winzers. 1477 aus
dem Elternhaus nach Köln geflohen, um zu studieren. 1479 über
Leipzig nach Erfurt, 1484 Heidelberg, 1486 als Magister in Leipzig
Vorlesungen über alte Sprachen und Dichtkunst, erste Schrift *Ars
versificandi et carminum* (1486). 1487 Krönung zum poeta laureatus in
Nürnberg. Wanderjahre: Italien, Krakau, Prag. 1493 von Mainz aus
Stiftung der Sodalitas litteraria Rhenana. 1497 Berufung nach Wien
als ordentlicher Professor für Dichtkunst und Beredsamkeit, Grün-
dung der danubischen gelehrten Gesellschaft. Herausgabe der
Komm. Hrotsvits von Gandersheim (1501). Gest. 1508 in Wien.

Fischart, Johann (mit Beinamen Mentzer), geb. um 1546 in Straßburg. Schulbesuch in Worms bei seinem Verwandten Kaspar
Scheidt. Bildungsreisen. 1570 Beginn der schriftstellerischen Tätigkeit. 1574 Dr. jur. in Basel. 1576–1581 lit. Tätigkeit in Straßburg; in
diese Zeit fallen F.s satirische Schriften gegen das Papsttum. 1581
Advokat am Reichskammergericht in Speyer. 1585 Amtmann in
Forbach. Gest. ebd. 1590.

Frischlin, Nicodemus, geb. 1547 in Balingen. 1576 zum Dichter
gekrönt, 1577 zum comes palatinus ernannt. Professor der freien
Künste an der Universität Tübingen, später Schulrektor (1582 Lai-
bach, 1588 Braunschweig). Verf. von neun Schuldrr.; außerdem dt.-
sprachige biblische Drr. und neulat. Lyrik. F. richtete Angriffe gegen
Theologen und Adel, erhielt durch Herzog Ludwig von Württem-
berg Schreibverbot. Brach mit einem Pamphlet gegen des Herzogs
Räte seinen Eid und wurde auf dem Hohen Urach gefangengesetzt.
Fluchtversuch und Todessturz 1590.

Hutten, Ulrich von, geb. 1488 auf Burg Steckelberg bei Fulda. 1505
dem Kloster entlaufen, Studium in Köln und Erfurt, Umgang mit
humanistischen Kreisen. Wanderleben in Dld. und Italien. 1517 von
Kaiser Maximilian zum Dichter gekrönt. Nahm mit lat. und dt.
Streit- und Flugschriften für die Reformation Stellung. 1522 nach
dem Zusammenbruch des Sickingischen Unternehmens Flucht nach
Basel, wurde von Erasmus abgewiesen und begab sich in den Schutz
Zwinglis. Gest. 1523 auf Ufenau im Züricher See.

Johann von Saaz oder **Johann von Tepl**, geb. um 1350 in Sitbor/ Böhmen. Seit vor 1378 Notar und Schulvorsteher in Saaz, studierter Jurist. 1411 Notar und Stadtschreiber in Prag-Neustadt. Gest. ebd. um 1414.

Luther, Martin, geb. 1483 in Eisleben. 1501 Studium in Erfurt, 1505 Eintritt in das dortige Augustinerkloster, 1512 Dr. theol. und Universitätsprofessor in Wittenberg. 1517 Anschlag der 95 Thesen. 1519 Leipziger Disputation mit Eck gegen Unfehlbarkeit des Papstes und der Konzilien. 1520 gebannt. 1520 die großen Flugschriften: *Von dem Papsttum zu Rom*; *An den christlichen Adel deutscher Nation*; *Die babylonische Gefangenschaft der Kirche*; *Von der Freiheit eines Christenmenschen*. 1521 Reichstag von Worms und Reichsacht, Schutzhaft auf der Wartburg. Übs. des *Neuen Testaments*. Bis 1525 Neuordnung des Kirchenwesens in Wittenberg. 1524/25 Auseinandersetzung in Flugschriften mit den »Schwärmern«, Erasmus von Rotterdam und mit den aufständischen Bauern. 1529 Religionsgespräch mit Zwingli in Marburg. 1530 Augsburger Konfession ohne Anwesenheit Luthers. Gest. 1546 in Eisleben.

Murner, Thomas, geb. um 1475 in Oberehnheim/Elsaß. 1490 Mitglied des Franziskanerordens, Prediger in Straßburg, Bern, Basel. Nahm in satirischen Schriften gegen die Reformation Stellung. Verließ 1525 bei Ausbruch des Bauernkrieges das Elsaß, ging nach der Schweiz, die er 1529 wegen seiner Schmähschriften gegen den Protestantismus wieder verlassen mußte. Zuletzt Pfarrer in Oberehnheim, gest. ebd. 1537.

Naogeorg (eigentlich Kirchmayer), **Thomas**, geb. um 1506 in Straubing. Wahrscheinlich Studium in Tübingen. 1535 Pfarrer in Sulza, weiterhin in Kahla, Kaufbeuren, Kempten, Basel, Stuttgart. Begeisterung für Luthers Person und Werk, obwohl im Dogmatischen abweichend und dem Zwinglianismus anhängend. Vertrat in lat. Schuldrr. und einem lat. satirischen Epos den protestantischen Standpunkt. Gest. 1563 als Pfarrer zu Wiesloch.

Reuchlin, Johann, geb. 1455 in Pforzheim. Anwalt am Stuttgarter Hof unter Eberhard im Bart. Tätigkeit in Basel, Tübingen, Heidelberg und Ingolstadt, Wirken für den Humanismus. Veranstaltete Ausgaben antiker Schriftsteller, verfaßte grammatische Schriften, schrieb Humanistendrr. Seine Stellungnahme zur Frage der Verbrennung hebräischer Schriften löste den sog. Dunkelmännerstreit aus. Gest. 1522.

Sachs, Hans, geb. 1494 in Nürnberg. Sohn eines Schneidermeisters. Besuch der Lateinschule. 1509 Schusterlehrling. 1511–1516 Wanderjahre. Erstes »Bar«: *Gloria patri, Lob und Ehr* (1513), erstes Fsp.: *Das Hofgesind Veneris* (1517). Ergriff in den *Dialogen* (1524) und dem Gedicht *Die wittembergisch Nachtigall* (1523) Partei für die Reformation. 1558 begann die Gesamtausgabe seiner Werke zu erscheinen. S. gab später das Handwerk auf. Gest. 1576 in Nürnberg.

Wickram, Jörg, geb. Anfang 16. Jh. in Colmar. Unehelicher Sohn eines Obristenmeisters (Ratsvorsitzender). Ohne gelehrten Unterricht, aber starkes Bemühen um Bildung. 1546 Bürger und Hausbesitzer in Colmar; Buchhändler, später Ratsdiener. Tätigkeit in der Singschule. 1554 Stadtschreiber in Burgheim im Elsaß. Gest. vor 1562.

seit 1364   **Johann von Neumarkt**
              (Kanzler Karls IV., gest. 1380):
              Summa Cancellariae Caroli IV.

Slg. von Musterbriefen in der Prager Kanzleisprache, entst. für die nach päpstlich Avignoner Muster neuorganisierte kaiserliche Kanzlei. Durch briefliche und persönliche Beziehungen zu Cola di Rienzo (republikanischer Revolutionär und Volkstribun in Rom, 1313 bis 1354), der 1350–1352 als politischer Flüchtling am Prager Hof weilte, und zu dessen Anhänger Petrarca, der 1356 in Prag war, wurde J. v. N. mit der neuen lat. Rhetorik, dem ital. Renaissancestil, bekannt. Nach deren Stilprinzipien gestaltete er eine Prosa mit ostmdt. Grundbestand und bayrischen Elementen, die von hier aus Einfluß auf die meißnische und schlesische Kanzleisprache und die der Nürnberger Reichstagsakten ausübte. Entstehung des »gemeinen Dt.«, der Grundlage für Luthers Sprache.
J. v. N. übersetzte in dem gleichen Stil lat. Schriften und verfaßte selbst geistliche Schriften.

kurz nach 1400   **Johann von Saaz**
                    (Biogr. S. 91):
                    Der Ackermann aus Böhmen

Verf. seit 1934 durch einen in einem Freiburger Kodex gefundenen, von ihm verfaßten lat. Begleitbrief zu seinem Werk als Johann von Tepl identifiziert.

Streitgespräch zwischen dem Ackermann und dem Tod, der ihm seine Frau genommen hat. Der Tod vertritt die Augustinische Lehre von der Schlechtigkeit des Menschen und der Nichtigkeit des Lebens, der Mensch nur ein »Kotfaß«. Der Ackermann verteidigt das Recht des Menschen auf das Leben und die Schönheit des Lebens. Der Dualismus von Glücksverlangen und Sterblichkeit des Menschen findet in den beiden Streitenden Gestalt. Gott entscheidet: »Der klaget, was nicht sein ist, dieser rühmt sich einer Herrschaft, die er nicht von ihm selber hat. Aber ihr habt beide gut gefochten; darum, Kläger, habe Ehre, Tod, siege! Jeder Mensch dem Tode das Leben, den Leib der Erde, die Seele uns zu geben pflichtig ist.«
Nach Konrad Burdach erstes großes Denkmal des Humanismus in Dld., nicht nur nach Form, sondern auch nach Gehalt. Diese These vom renaissancehaften Gehalt des Werkes nach Arthur Hübner jedoch

nur in geringem Maße aufrechtzuerhalten: das Werk sei im wesentlichen aus geistigem Gut des dt. MA. gespeist; Streitgespräche mit ähnlichem Thema kannte schon das MA. Die antike Philosophie von Seneca, Boethius und Plato hat wahrscheinlich auch durch Vermittlung ma. Schrifttums ihren Niederschlag gefunden.

Stilistische Vorbilder: Petrarca und Rienzo. Dichterische Durchbildung des neuen Stils. Sprachliche Grundlage die von Johann von Neumarkt geschaffene Kanzleisprache; das Schlußkapitel ist wörtlich nach dessen *Soliloquia animae ad Deum* (1354–1357) gearbeitet.

Stofflich außer von Petrarcas Dialog *De remediis utriusque fortunae* beeinflußt von des Engländers William Langland *Peter der Pflüger* (1362), ein Zeichen für geistige Beziehungen zwischen England (Wiclif) und Böhmen (Hus). 16 Hss., mehrere frühe Drucke und eine alttschechische Bearbg. *Tkadlec* erhalten.

um 1461   Heinrich Steinhöwel
(1412–1482, Arzt in Ulm):
Übs. von Petrarcas Nov. Griseldis

In der Markgräfin Griseldis wird weibliche Demut und Treue verherrlicht. Ital. Fassung von Boccaccio (1348), lat. Übs. von Petrarca (1373).
Sinngemäße, volkstümlich erzählte Wiedergabe des lat. Textes.

Gießener Hs., erster Druck 1471.
Die Übs. wurde zum beliebten Volksbuch, Drucke bis ins 17. Jh.; dramatisiert von Hans Sachs (1546), Friedrich Halm (1837), Gerhart Hauptmann (1909).

1462   Niklas von Wyle
(um 1410–1478, württ. Kanzler):
Übs. von Enea Silvio Piccolominis Nov. Euriolus und
Lucrezia

Stilistisch unfreie Übs. eines lat. Meisterwerkes des ital. Frühhumanismus (1444).
Gesch. von der zerstörerischen Macht der Liebe zwischen einem Jüngling und einer verheirateten Frau; als belehrendes Beispiel gegen den Immoralismus gemeint.

1472   Albrecht von Eyb
(1420–1475):
Guiscardus und Sigismunda

Übs. von Boccaccios Nov. *Tancredi*.
Neben anderen beispielhaften Erzz. eingefügt in A. v. E.s *Ehebuch*, in dem er für die Ehe eintrat. Die Nov. ist Beispiel für die zum tragischen Tode führende heimliche Liebe einer zur Ehelosigkeit gezwungenen Frau.

Tancredi wurde auch von N. v. Wyle 1476/77 übersetzt.

1472   Arigo

(Deckname für Heinrich Schlüsselfelder aus Nürnberg):
Übs. von Boccaccios Decamerone

Nach dem ital. Original. Schwerfällig.
1. Druck geringe Wirkung, erst 20 Jahre später Neuauflage.

1473   Heinrich Steinhöwel

(1412–1482, Arzt in Ulm):
Von den sinnrychen erluchten Wyben

Übs. von Boccaccios *De claris mulieribus.*
Boccaccios Lebensläufe berühmter Frauen aus Mythos und Gesch.
(1356–1364) gekürzt wiedergegeben. Eleonore von Vorderösterreich
gewidmet.

vor 1475   Albrecht von Eyb

(1420–1475):
Übs. der Menaechmi und Bacchides des Plautus

Ersch. als Anhang zu A. v. E.s Sittenlehre: *Spiegel der Sitten.*

Prosa, als Lesedrr. gedacht; epische Situationsschilderungen ein-
geschoben. Tendenz: Eindeutschung in Stil und Stoff.

um 1475   Heinrich Steinhöwel

(1412–1482, Arzt in Ulm):
Buch und Leben des Fabeldichters Esopi

Übs. lat. Fabelslgg., erweitert durch Übss. einiger ital. Schwänke des
Poggio, sowie Lebensbeschreibung Äsops. Prosa-Übs. neben dem
lat. Text. Gewandtes, am Lat. geschultes Dt., freie charakteristische
Wiedergabe des Textes erstrebt.

1478   Niklas von Wyle

(um 1410–1478, württ. Kanzler):
Translatzion oder Tütschungen

18 Übss. nach dem Lat. und Ital. des Enea Silvio Piccolomini,
Petrarca, Boccaccio, Poggio, auf Anregung des Enea Silvio Picco-
lomini entstanden, schon vorher einzeln im Druck erschienen.
N. v. W. latinisierte das Dt., kopierte lat. Satzbau.

1480   Jacob Wimpfeling

(gest. 1528):
Stylpho

Erstes dt. Humanistendr. Lat. Prosa. W. ließ die »Fabel« im Rahmen
einer Promotionsfeier der Heidelberger Universität – vermutlich im
Wechselgespräch – vortragen.

Studentenmilieu; der Pfründenjäger wird durch den fleißigen Studenten ausgestochen. Gegen Sittenverfall und Unwissenheit des Klerus.

Stilistisches Vorbild: Terenz. In Szenen eingeteilt. Übergangsform vom Dialog zum Dr.

Erster Druck 1494. Auff. als Kom. 1505 belegt.

1486   Hans Nythart
    (Ulm):
    Übs. von Terenz' Eunuchus

Erste dt. Terenz-Übs. Als Lesedr. aufgefaßt. Lehrhaft, eingefügte Erläuterungen.

Wenig verändert in den *Straßburger Terenz* (1499, dt. Übs. der Komm. des Terenz nach der Straßburger lat. Terenzausgabe von 1470) aufgenommen.

1494   Sebastian Brant
    (Biogr. S. 90):
    Das Narrenschiff

Am meisten verbreitetes moralisch-satirisches Lehrgedicht der Zeit. Reimpaare. Satiren auf einzelne närrische Eigenschaften von Personen, Ständen und Zeiterscheinungen, wobei »Narrheiten« entsprechend einer weit zurückreichenden Tradition menschliche Schwächen und Fehler bedeuten. Der Begriff von B. im Sinne einer ethisch-religiösen Idee erhöht. Grundeinfall, alle Narren auf einem Schiff zu vereinigen. Gegenbild zum »Schiff der Kirche«.

Nüchtern, aufklärerisch, volkstümlich; Verwendung von Sprichwörtern. B. hat humanistische Studien getrieben, trat auch für eine kirchliche Erneuerung ein, war jedoch noch im Geiste des MA. von der Herrschaft der Kirche über die Wissenschaften überzeugt. Gedankliches und Formales in Wechselbeziehung, Einheit der Konzeption. Kapitel mit planvollen rhetorischen Bauformen.

Der Prediger Geiler von Kaysersberg hielt 1498 im Straßburger Münster Predigten über das *Narrenschiff*. Bis ins 17. Jh. in vielen Aufl. verbreitet, 1497 von Jakob Locher ins Lat., später in mehrere europäische Sprachen übersetzt.

1497   Johann Reuchlin
    (Biogr. S. 91):
    Henno

»Scenica progymnasmata«. Auff. 31. 1. im Hause Johann von Dalbergs in Heidelberg vor Pfalzgraf Philipp durch Schüler und Freunde R.s. Lat. Jamben, bereits Verwendung des Trimeters. Zweizenige Akte, Chorlieder an den Aktschlüssen. Die Hauptereignisse als verdeckte, durch Berichte referierte Handlung gestaltet.

Behandelt nach der frz. Farce *Maître Pierre Pathelin* die Geschichte vom klugen Knecht, der seinen Herrn und schließlich auch den Anwalt, der ihm geholfen hat, betrügt. Resignierende, aber zugleich humorvolle Behandlung menschlicher Schwäche. Die Verwicklung ist geschickt geführt, doch herrscht die Diskussion vor.

Vorbild für das lat. Schuldr. des 16. Jh.

Druck 1498.

1502   Conrad Celtes
(Biogr. S. 90):
Quattuor libri amorum

Vorbilder: die lat. Elegiker, Ovid, Horaz, doch weitgehend eigene Leistung.

Liebesgedichte in Distichen. 1. Buch der Polin Hasilina (C.' Krakauer Aufenthalt 1488–1490), 2. Buch C.' Regensburger Hauswirtin Elsula, 3. Buch der Mainzerin Ursula, 4. Buch einer (fingierten) Lübecker Geliebten Barbara gewidmet. Jedes Buch nach dem Wesen des jeweiligen Liebesabenteuers abgestimmt. Rein sinnliche Liebe, aber auch Liebe als Weltallbeziehung im Sinne des Neuplatonismus.

1509   Fortunatus
Volksbuch.

Entst. 2. Hälfte 15. Jh.; Herkunft umstritten; Verf. der vorliegenden Fassung wahrscheinlich Augsburger Bürger.

Aufstieg und Niedergang einer Kaufmannsfamilie in zwei Generationen. Fortunatus weiß durch weise Beschränkung die auf abenteuerlichen Reisen gewonnenen Glücksspender, den nie leeren Glückssäckel und das an jeden Ort tragende Glückshütlein, zur Gewinnung von Reichtum und Ansehen zu nutzen. Die Söhne verlieren die Glücksgaben durch Leichtsinn und Ehrgeiz; sie enden im Elend.

1509/14   Heinrich Bebel
(1472–1518):
Facetiae

Lat. Schwankslg. Vorbild: die *Facetien* des Poggio. Volkstümliches Erzählgut, zum Teil sehr derb. Gewandter Stil.

1558 ins Dt. übersetzt.

1510/11   Thyl Ulenspiegel
Volksbuch

Entst. seit 1500. Verf. wahrscheinlich Hermann Bote (1460–1520), Zollschreiber in Braunschweig. Als Forschungsgrundlage dient jetzt statt des Druckes von 1515 der 1975 von Bernd Ulrich Hucker entdeckte ältere, dem die ndld. und engl. Fassungen entsprechen.

Slg. von mündlich umlaufenden Schwänken um einen im 14. Jh. hervorgetretenen Bauernburschen aus Kneitlingen im Braunschweigischen, vermehrt um Erzz. aus dem *Pfaffen Amis* und dem *Pfaffen von Kalenberg.*

Vom Verf. wohl als teuflischer Bösewicht gemeint, der die Sakramente verhöhnt und zu Buße unfähig ist (Hucker), wurde Eulenspiegel als Vertreter bäuerlichen Volkswitzes aufgefaßt, der das Stadtbürgertum narrt, indem er dessen Aufträge wörtlich nimmt.

Beliebtes Volksbuch. Übs. in fast alle europäischen Sprachen. Satirisch ausweitende Bearbg. in Reimen durch Johann Fischart: *Eulenspiegel Reimensweiss* (1572).

1513   Conrad Celtes
      (Biogr. S. 90):
      Libri odarum quattuor

Postum, unvollendet. Vorbild Horaz. In Aufbau und Gehalt ähnlich den *Libri amorum*, jedoch auch philosophische und politische Themen. Vorbild der neulat. Lyrik in Dld.

1514   Eobanus Hessus
      (1488–1540, Erfurt):
      Heroiden

Vorbild: Ovids *Epistulae* oder *Heroides*, fingierte Briefe von Frauen der Heroenzeit an ihre entfernten Geliebten und Antworten der Liebhaber.

H. läßt heilige Frauen und ihre himmlischen und irdischen Geliebten in Korrespondenz treten. Darin christliche Frömmigkeit verschiedener Grade gezeigt. Trotz der antiken Kostümierung keine Vermischung heidnischer Mythologie mit christlichen Stoffen. Abschließend ein Brief H.' an seine Geliebte, die launische Nachwelt; in ihn ist eine Autobiographie H.' eingeflochten.

Das Werk machte H. berühmt und brach dieser Dg.-Gattung Bahn.

1515   Pamphilus Gengenbach
      (um 1470–1524, Buchdrucker und Meistersinger in Basel, Protestant):
      Spiel von den zehn Altern dieser Welt

Zu Fastnacht in Basel von Bürgern aufgeführt. Druck im gleichen Jahr.

Auftreten der einzelnen Altersstufen des Menschen. Ein Einsiedler weist sie auf ihre Fehler hin, aber jedes Alter bleibt bei seiner Art, und jedes verfällt den Lockungen der Welt.

Revuestil des Fsp.

1515   Epistolae obscurorum virorum

Letztes Glied in der literarischen Fehde, die mit Reuchlins Einspruch gegen die von dem getauften Juden Pfefferkorn geforderte Verbrennung jüdischer Bücher anhob. R. schrieb zunächst gegen seine orthodoxen Gegner den dt. *Augenspiegel* (1511), der 1520 vom Papst als ketzerisch verurteilt wurde. Die gesammelten Zuschriften seiner humanistischen Anhänger gab er sodann als *Epistolae clarorum virorum* 1514 heraus. Die anonym erschienenen *Epistolae obscurorum virorum* schließlich fingierten Briefe der theologischen Gegenpartei an R.s Kölner Gegner Ortvinus Gratius und stellen mit ihrem nachgemachten schlechten Lat., ihrer Beschränktheit und Frömmelei eine geniale Satire dar. Sie sind aus dem Erfurter Humanistenkreis hervorgegangen, der 1. Teil wurde vor allem von Crotus Rubeanus, der 2. Teil (1517) von Ulrich von Hutten verfaßt.

1517   Pamphilus Gengenbach
(um 1470–1524, Buchdrucker und Meistersinger in Basel, Protestant):
Der Nollhart

Fsp. Die Repräsentanten der einzelnen Stände treten auf, um nach der Zukunft zu fragen und eine Weissagung als Antwort zu erhalten. Der Frage nach der Zukunft entspricht ein kritisches Bild der jüngsten politischen Vergangenheit.
Parallele zu G.s *Spiel von den zehn Altern dieser Welt*. Revueartiger Charakter.

1517   Kaiser Maximilian
(1459–1519):
Theuerdank

Allegorisierendes autobiographisches Epos in Reimpaaren.

Vorstufe: Die seit etwa 1492 in lat. Sprache diktierte Autobiographie, die mit dem Schweizer Krieg von 1499 abbricht. Seit 1505 Projekt eines dreiteiligen biographischen Werkes in dt. Sprache. Idee und Planung von M., geschrieben von M.s Sekretär Marx Treitz-Sauerwein, Überarbeitung von Kaplan Melchior Pfinzing. Bibliophiler Druck, nur für wenige bestimmt.

Minnefahrt M.s zu Maria von Burgund. Romantisch-ritterlich. Der hohen Berufung das widrige Geschick entgegengestellt. Drei Feinde, Fürwittig, Unfalo und Neidelhart, werden mit Gottes Hilfe besiegt. Biographisch, daher dem Wesen nach zur humanistischen Lit. zu rechnen, obwohl die Form durch M.s Vorliebe für ritterliche Dg. bestimmt war. Humanistisch auch die universale Bildung, die M. an sich selbst hervorhebt.
Als heiteres Gegenstück sollte *Freydal* Ritterspiel und Mummerei behandeln; nur Entwurf.

Das dritte Werk, *Weißkunig*, ist eine Gesamtautobiographie in dt. Prosa nach dem Vorbild des *Alexander-R.*; umfaßt die Zeit von 1450 bis 1513. Drei Teile: Hochzeit der Eltern, M.s Jugend, M.s Kriegstaten.

Hs. des Marx Treitz-Sauerwein 1514 abgeschlossen; die auch hierfür vorgesehene Überarbeitung Pfinzings unterblieb. Zu M.s Lebzeiten nicht veröffentlicht, 1. Druck 1775.

1521   Pamphilus Gengenbach
       (um 1470–1524, Buchdrucker und Meistersinger in Basel, Protestant):
       Die Gouchmat der Buhler

Fsp., Vorlage Murners Satire *Die Gäuchmatt* (1519).
Satirisches Spiel gegen die Liebesnarrheit der Männer, gegen Ehebruch und Unkeuschheit. Vertreter aller Stände, mit Ausnahme des Bauern, werden am Hof der Venus ausgeplündert.
Revuetechnik wie im *Nollhart* und im *Spiel von den zehn Altern dieser Welt.*

1521   Ulrich von Hutten
       (Biogr. S. 90):
       Gesprächsbüchlein

Übs. von vier seiner lat. Dialoge: *Feber* (= Fieber) *das erst, Feber das ander* (gegen Geistlichkeit und Hofleben), *Vadiscus oder die römische Dreifaltigkeit* (gegen die Unterdrückung Dld.s durch die römische Kirche), *Die Anschauenden* (über den Augsburger Reichstag von 1518).

Dialoge nach dem Muster Lukians. Zeitpolitische Themen, die Reformation und nationale Fragen betreffend. Nationalismus ständisch gebunden. H. war eine Zeitlang neben Luther der populärste antirömische Schriftsteller. Die Vorrede zu dem *Gesprächsbüchlein* in Reimpaaren, volkstümlicher Ton; am Schluß H.s Wahlspruch: Ich hab's gewagt.

1521   Johann Eberlin von Günzburg
       (um 1470–1531, aus Schwaben, in der Schweiz wirkender Anhänger Luthers):
       Die 15 Bundsgenossen

Slg. von 15 Flugschriften.
Ursprünglich einzeln in rascher Folge erschienen. Unter Berufung auf Luther, Erasmus von Rotterdam und Hutten Stellungnahme für Reichs- und Kirchenreform, gegen kirchliche Mißbräuche, besonders im Klosterwesen.
Volkstümlich, derb.

1521   Karsthans

Die Verfasserschaft des Joachim Vadianus (d. i. Joachim von Waadt, 1484–1551)
neuerdings bestritten.

Streitgespräch zwischen einem Bauern (»Karst« = Hacke), dessen
Theologie studierendem Sohn, Murner, Luther und Mercurius. Der
Bauer, der die Lehre Luthers gegen alle Überredungskünste vertei-
digt, ist nicht, wie in der zeitgenössischen Lit. üblich, als komische
Figur, sondern als ehrbarer und aufrichtiger Vertreter eines von Gott
eingesetzten Standes gesehen. Vorklang des Bauernkrieges.
Breite Wirkung; in der zeitgenössischen Flugblattlit. wurde der
»Karsthans« zu einer beliebten Figur.

1521 *Neu-Karsthans.*

1522   Johannes Pauli
(um 1455 bis um 1535, Franziskaner):
Schimpf und Ernst

Schwankslg. volkstümlicher Art. Vorbild: Poggios *Facetien.* Ma.
Quellen.
Moralisierender Charakter schon am Untertitel ersichtlich: Historien
zu Besserung der Menschen. Geistliche Deutungen und moralische
Nutzanwendungen der Erzz. Stil der »Predigtmärlein«, Einfluß der
Predigten Geilers von Kaysersberg.
Die Slg. wurde zum überkonfessionellen Unterhaltungsbuch. Viele
veränderte und erweiterte Drucke.

1522   Thomas Murner
(Biogr. S. 91):
Von dem großen lutherischen Narren

M.s bekannteste satirische Dg. M., humanistischer Schüler Jakob
Lochers, war heftigster lit. Gegner Luthers. Er sah in ihm den Zer-
störer des Glaubens. Rücksichtslose Satire, endet mit Luthers Tod
und Begräbnis; Erbschaft ist eine Narrenkappe. Volkstümlich, Verwendung von Sprichwörtern. M., der schon mit den Verssatiren
Narrenbeschwörung, Schelmenzunft, Gäuchmatt die von Sebastian Brant
eingeführte Narrenlit. fortgesetzt hatte, erreichte hier epische Form.
Im Gegensatz zu Brant erscheint bei M. das Närrische aus kämpferi-
schem Geist diabolisiert.
Ohne Wirkung, da vom Straßburger Rat verboten.

1522   Luthers Übs. des Neuen Testaments gedruckt

Erste dt. Übs. nach dem griech. Urtext, die mit der Übs. des *Alten Testaments* nach
dem hebr. Urtext fortgesetzt wurde. Nach Teilveröffentlichungen der Übs. des
Alten Testaments erschien 1534 die erste Gesamtausg. der *Bibel.*

Bei seiner Übs. stützte L. sich auf das »gemeine Deutsch« der sächsischen Kanzleisprache, deren Grammatik und Lautstand er mit dem Wortschatz und der Syntax der Umgangssprache verschmolz. Vor jeweiliger Drucklegung Überarbeitung des Ms. zus. mit dem Gräzisten Melanchthon sowie mit dem Hebraisten Matthäus Aurogallus. Prinzip seiner Übs.-Kunst niedergelegt im *Sendbrief vom Dolmetschen* (1530). Berühmt gewordene Stelle, man solle nicht den Buchstaben der lat. Sprache fragen (d. h. wörtlich übersetzen), sondern »den gemeinen Mann auf dem Markt drumb fragen«, »denn die lateinischen Buchstaben hindern aus der Massen sehr, gut deutsch zu reden«.

Ständige Verbesserungen bei Neuaufl.

Wichtiger Beitrag zu einem volkstümlichen, zugleich künstlerischen und durchgeistigten dt. Prosastil.

1522 Niklas Manuel
(1480–1530, Schweizer Protestant):
Vom Papst und seiner Priesterschaft

Fsp. 7 Szenen. Von Bürgersöhnen zu Fastnacht in Bern öffentlich aufgeführt.

Nach einer Flugschrift Gengenbachs *Die Totenfresser*. Dialog-Charakter. Gehört in die Gruppe der Schweizer Volksschauspiele, die die Tradition des Mysterienspiels und des Fsp. zu dem neuen Typ des Dr. verschmolzen.

Druck 1524.

1524 Achtliederbuch

Slg. geistlicher Lieder durch Luther, vier Lieder von Luther selbst verfaßt. 65 ständig erweiterte Aufll., 1545 *Babstsches Gesangbuch*, letzte von L. besorgte Ausg. mit 105 Liedern.

L.s 41 eigene Lieder haben Psalmen *(Ein feste Burg ist unser Gott,* 1528), Volkslieder (Kontrafakturen wie *Vom Himmel hoch, da komm ich her*), geistliche Volkslieder *(Gelobet seist du, Jesu Christ)* und Kirchenlieder *(Komm, Heilger Geist,* nach: *Veni, sancte spiritus)* zur Grundlage.

1524 Hans Sachs
(Biogr. S. 91):
Dialoge

Sieben Prosa-Dialoge, davon vier im Druck erschienen. Mit ihnen trat S. propagandistisch für die Reformation ein. Bekanntester Dialog: *Disputation zwischen einem Chorherrn und einem Schuhmacher*.

Einfluß der humanistischen Form des Streitgesprächs. Außerdem gab S. seine Sympathien für Luther vor allem in dem Gedicht *Die wittembergisch Nachtigall* (1523) kund.

1525 **Niklas Manuel**
(1480–1530, Schweizer Protestant):
Der Ablaßkrämer

Fsp., ohne Akt- und Szeneneinteilung.
Der Ablaßprediger Rychardus Hinderlist kommt auf ein Dorf, dessen
Bewohner er früher durch hohe Bußforderungen geschröpft hat.
Das inzwischen erwachte Bewußtsein für das Betrügerische des Ab-
laßhandels führt dazu, daß ihn die Dörfler, vor allem die Frauen,
nach seiner Weigerung, das Geld herauszugeben, niederschlagen
und foltern, bis er seine Betrügereien gesteht und das Geld zurück-
gibt, das sie unter sich verteilen und dessen Rest sie einem Bettler
geben.
Vom Verf. selbst mit einem Titelbild versehen.

M.s spätere Satiren gegen kirchliche Mißstände nähern sich der Form des Dialogs:
Barbali (1526), *Testament der Messe* (1528), *Das Chorgericht* (1529).

1527 **Burkard Waldis**
(1490–1556, aus Hessen, Franziskaner, später Protestant,
Riga, Wittenberg, Abterode/Hessen):
De Parabell vam verlorn Szohn

Fsp. 2, Auff. 17. 2. in Riga durch Schüler und Bürger. Druck im
gleichen Jahr.
Stoff: das neutestamentliche Gleichnis vom verlorenen Sohn. Der
verlorene Sohn, der ohne sein Verdienst begnadigte Sünder (Dogma
von der Rechtfertigung durch den Glauben), sein werkgläubiger
Bruder als Inbegriff des katholischen Typs. Unpolemisch, volkstümlich. W. wollte die Derbheiten des Fsp. durch einen geistlichen Stoff
zurückdrängen.
Akteinteilung und Chor nach dem Muster des Humanistendr.

1527 **Hans Sachs**
(Biogr. S. 91):
Lucretia

Tr. Erste dt. Dramatisierung eines antiken Stoffes. Nicht aufgeführ-
ter, erst 1561 in der Gesamtausgabe gedruckter Versuch S.' auf dem
Gebiet des ernsten Dr. Anregung durch Livius. Erstmalig Verwendung der Bezeichnung Tragedia und Actus. Das Werk besteht nur
aus einem einzigen kurzen Akt.

Die Drr. aus S.' Frühzeit behandeln häufig Themen aus der antiken Gesch. und Mythologie, stehen aber formal dem Fsp. noch sehr nahe.

1529   Gulielmus Gnaphäus
     (d. i. Willem van de Voldersgroft, 1493–1568, Den Haag,
     Katholik):
     Acolastus, de filio prodigo comoedia

Lat. Schuldr.; Stoff: neutestamentliches Gleichnis vom verlorenen
Sohn. Reiz und Wertlosigkeit der Gaben dieser Welt. Realistisches
bürgerliches Charakterdr. ohne konfessionelle Tendenz.
Starke formale Anlehnung an Plautus und Terenz: Prolog, fünf
Akte, Epilog, Übernahme stehender Figuren der römischen Kom.
Chor in Anlehnung an das Humanistendr.
Erstes biblisches Dr. des Schultheaters, Muster für das katholische wie
protestantische Schuldr. 1530 dt. Bearbg. durch Georg Binder, Zürich.

1530   Martin Luther
     (Biogr. S. 91):
     Etliche Fabeln aus dem Esopo verdeutscht

Quelle: Dt. Äsop, auf lat. Slgg. in Anschluß an Phädrus zurückgehend.

13 Fabeln mit einer Vorrede über den Nutzen der Fabel. Anregung
für die protestantische Fabel- und Tier-Dg. des 16. Jh.

Druck erst 1557 in der Gesamtausg. der Werke. Aufnahme in spätere Fabelslgg.

1532   Sixt Birck
     (1501–1554, Augsburg, Schweiz, Augsburg; Protestant):
     Susanna

Dt. dram. »Historie«, Auff. in Klein-Basel durch junge Bürger.

Stoff: *Gesch. von der Susanna und Daniel* aus den *Apokryphen* der *Bibel.*

Susanna als Muster der treuen Ehefrau (protestantische Wertschätzung der Ehe), gegen die Ehelosigkeit der Geistlichen. Didaktische
Haltung. Ausschmückung   durch   bürgerlich-idyllische Familienszenen. Breite Darstellung der Gerichtsverhandlungen.
Humanistisch-klassisch bei starken volkstümlichen Einflüssen; akt-
artig gliedernde Chöre in Form von sapphischen Oden.

Als Lehrer in Kleinbasel schrieb B. dt. Drr., später als Schulmeister in Augsburg lat.
Schuldrr.; dort 1537 Umformung der *Susanna* zu einer 5aktigen lat. Tr.

1534   Joachim Greff
     (um 1510 bis um 1552, aus Zwickau, Lehrer und Pfarrer in
     Magdeburg und Dessau):
     **Spiel von dem Patriarchen Jakob und seinen zwölf
     Söhnen**

Dt. Schuldr. 5, in Reimpaaren. Auff. in Magdeburg.
Im Vordergrund der Handlung steht die Gesch. Josephs. Programm-
matische Verarbeitung eines alttestamentlichen Stoffes im formalen

Anschluß an Terenz. Begründung des dt. Schuldr. in Sachsen. Die Handlung dient dem Beweis einer Morallehre bzw. eines Dogmas. Geschickte und straffe Fassung des Stoffes. »Gesprochene« Dekorationen.

Nach Abfassung weiterer biblischer Drr. Überarbeitung des ersten Werkes 1540.

1535   Paul Rebhun
(1505–1546, Protestant aus NdÖsterreich, Lehrer in Kahla, Zwickau, Plauen, Pfarrer in Oelsnitz):
Susanna

»Ein geistlich Spiel«. Dt. Schuldr. 5, Auff. am Sonntag Invocavit in Kahla.

Stoff: *Gesch. von der Susanna und Daniel* aus den *Apokryphen* der *Bibel.*

Susanna als Tugendspiegel und als Beispiel unerschütterlichen Gottvertrauens. Zahlreiche Familienszenen wie bei Birck. Figuren nicht Individualitäten, sondern Funktionsträger.

Akt- und Szeneneinteilung ohne dramaturgische Funktion. R. verwandte als erster dt. Dramatiker drei- bis fünffüßige Jamben und Trochäen statt der Knittelverse. An antike Vorbilder angelehntes Experiment, bei dem auf den dt. Vers- und Satzakzent Rücksicht genommen werden sollte; allerdings nur alternierende Versmaße, die R. durch verschiedene Zeilenlänge variierte. Chöre in kunstvollen Strophenformen.

Realistisch, bürgerliches Zeitkolorit. Der im Grunde noch epischen Struktur des Dr. entspricht die aus den Gängen von einem »Ort« zum anderen erkennbare simultane Bühnenform.

Druck 1536.

1538   Thomas Naogeorg
(Biogr. S. 91):
Pammachius

Lat. Tr. 1, protestantisches Kampfdr. Widmung an Luther.

Dem unentschiedenen Herrscher steht Pammachius, Verkörperung des anmaßenden herrschsüchtigen Pfaffentums, gegenüber, der mit dem Teufel im Bunde ist und durch ihn die Tiara erhält. Das Volk wird aufgewiegelt, der Kaiser muß sich demütigen. Allegorische Figuren, die Pammachius prüfen sollen, werden von Christus, Petrus und Paulus gesandt. Am Schluß die Hoffnung, daß der Gottesstreiter Theophilus (Luther) alle Sünden sühnen wird.

Starke Farben, oft ungerechte Karikaturen, leidenschaftliches Pathos, ganz aus dem Kampfgeist der Zeit geboren. Einfluß der Antichristlegende: der Papst als Antichrist.

Dt. Übs. 1539.

Forts.: *Incendia seu Pyrgopolinices*, Dr. (1541); Angriffe gegen Erzbischof Albrecht von Mainz und Herzog Heinrich von Braunschweig.

153⁰   Georg Macropedius
(d. i. Georg von Langenfeld, 1475–1558, Katholik):
Hecastus

Lat. Schuldr.

Quelle: Christian Ischyrius' *Homulus* (1536), lat. Bearbg. des ndld. *Elckerlijk* (1495), dieser wieder auf engl. allegorisches Dr. *Everyman* (Ende 15. Jh.) zurückgehend.

M. entfernt sich in seiner Bearbg. des Jedermann-Stoffes von der ursprünglichen Form der Moralität, die nur theatralische Veranschaulichung einer erweiterten Predigt ist, und gibt ein moralisierendes realistisches Spiel aus dem bürgerlichen Leben. Hecastus ist nicht mehr Jedermann, sondern ein reicher Bürger, der unerwartet vor den Richterstuhl Gottes gerufen wird und den alle Menschen in seiner Todesnot verlassen. Allegorien weitgehend durch realistische Personen ersetzt. Das Ganze hat humanistisch-antikischen Anstrich; Hecastus wird durch Glauben und Reue erlöst, eine fast protestantische Auffassung, derentwegen M. auch angegriffen wurde. Akteinteilung, Prolog, Epilog; Chöre am Schluß der Akte.

Übs. ins Dt. durch Hans Sachs: *Comedi von dem reichen sterbenden Menschen* (1549). Weiterleben des Stoffes in Hugo von Hofmannsthal: *Jedermann* (1911).

ab 1539   Forsters frische teutsche Liedlein

Volksliederslg. in 5 Bdd.: viele Gesellschaftslieder.

1540   Jörg Wickram
(Biogr. S. 92):
Der verlorene Sohn

Dr. 5. Auff. durch Colmarer Bürger unter W.s Leitung. Druck im gleichen Jahr.
Stoff: neutestamentliches Gleichnis vom verlorenen Sohn. Textlich enger Anschluß an Gnaphäus/Binder, jedoch Ausweitung des Humanistendr. im Sinne des schweizerischen Volksschauspiels; Einfluß Gengenbachs. Volkstümlich, derb; großes Aufgebot an Personen.

1540   Thiebolt Gart
(in Schlettstadt):
Joseph

Dt. Schuldr. 5, Auff. 1. 5. in Schlettstadt durch Bürger.
Beste Gestaltung des viel bearbeiteten Joseph-Stoffes aus dem *Alten Testament* (1. Mose 39). Christus mit Propheten und Aposteln kommentiert als eine Art Chorführer den Gang der Handlung. Ansätze zu psychologischer Gestaltung.

1540   Thomas Naogeorg
          (Biogr. S. 91):
          Mercator

Lat. Schuldr. 5.

Jedermann-Stoff. Anregung durch Macropedius' *Hecastus*.

Dem Kaufmann ist der Tod angesagt. Satan und Pfarrer streiten am
Bett um die Seele des Kranken, dessen Gewissen schrill in den Streit
hineinschreit. Christus schickt schließlich Paulus und den Himmels-
arzt Cosmas: Erlösung nicht durch gute Werke, sondern durch
Christi Gnade.
Starke Effekte. Einfluß von Motiven des Fsp.

1540/60   Hans Sachs
            (Biogr. S. 91):
            Wichtigste dramatische Werke

85 Fspp., beginnend mit *Das Hofgesind Veneris* (1517). Weiterentwicklung der Tradition Rosenplüts und Folz'. Motive der Schwank-
lit., theatralisch wirksam. Hauptfiguren: der dumme Bauer, die böse
Ehefrau, der listige Scholar, der lüsterne Pfaffe. U. a.: *Das Narren-
schneiden* (1536), *Der schwangere Bauer* (1544), *Der fahrende Schüler im
Paradeis* (1550). Häufige Verwendung des Narrenmotivs.
Weiterentwicklung des seit Rosenplüt literarisierten Spieltyps zum
Meistersingerdr., beginnend mit *Lucretia* (1527; vgl. dort). Einfluß
des Humanistendr. Antike Stoffe, biblische Stoffe (*Die ungleichen Kinder Evae*, 1553), ma. Stoffe (*Tristrant und Isalden*, 1553; *Der hürnen Sewfried*, 1557), Bearbg. von zeitgenössischen Humanistendrr. (*Hecastus*,
1549) sowie von Terenz und Plautus. Tragödien (61) und Komödien
(64) unterscheiden sich voneinander nur durch die Tatsache, ob eine
Person stirbt oder nicht.

1548   Burkard Waldis
          (1490–1556, aus Hessen, Franziskaner, später Protestant,
          Riga, Wittenberg, Abterode/Hessen):
          Esopus

Slg. von 400 Fabeln in Reimpaaren.
Unter dem Einfluß des Tierepos breitere Ausführung der Handlung.
Zeitbezüge, satirisch gefärbt.

1549   Friedrich Dedekind
          (1525–1598, Lüneburg, Protestant):
          Grobianus

Satire in lat. Distichen. Bekämpft die groben Sitten des Zeitalters, indem diese scheinbar zur Nachahmung empfohlen werden. Die dabei

von D. herangezogene Anstandslit. (Tischzuchten) ist teilweise schon ironisch gefaßt.
Großer Einfluß, gab der Stilrichtung des Zeitalters den Namen.

Von Kaspar Scheidt 1551 in dt. Reimpaare übertragen und um das Doppelte vermehrt.

1551   Jörg Wickram
(Biogr. S. 92):
Gabriotto und Reinhart

R. Originalstoff. Ständischer Konflikt: tragische Liebe zwischen bürgerlichen Jünglingen und zwei Damen des englischen Hochadels. Bürgerlicher R. Realistisch, lehrhaft.
Neue idealisierende und stilisierende Kunstrichtung.
Beginn einer dt. selbständigen R.-Lit. Anregung vom frz. Unterhaltungs-R., den Elisabeth von Nassau-Saarbrücken zuerst einführte. W. hatte in seinem Erstling *Ritter Galmy* (1539), der das weitverbreitete Motiv von der unschuldig angeklagten Ehefrau behandelt, noch eine frz. Quelle benutzt.

1551   Petrus Lotichius Secundus
(1528–1560):
Elegiarum liber et carminum libellus

Schicksal eines Wittenberger Studenten in lat. Gedichten. Schlichte, bürgerliche Welt, wittenbergisches Kleinstadtmilieu in klassischem Gewand. Dem Liebesglück macht die Niederlage der Protestanten bei Mühlberg (1547) und der siegreiche Einzug Karls V. in Wittenberg ein Ende, hinter poetischen Kriegsschilderungen steht die Sehnsucht nach der verlorenen Idylle. In Südfrankreich findet der Dichter ein Mädchen, das der Wittenbergerin gleicht, ihm aber durch den Tod entrissen wird. In seinen Klageliedern will er mit ihr die Reise zu den Schatten antreten. Lieder an eine Italienerin bilden den Schluß.
In der Art von Catull und Horaz, die überlieferte Schablone jedoch abgestreift. L. empfindungswahrster Elegiker des dt. Späthumanismus.

1554   Jörg Wickram
(Biogr. S. 92):
Der jungen Knaben Spiegel

Erziehungs-R. in dem von W. angestrebten Stil eines neuen künstlerischen R.
Bauernsohn und Adliger gegenübergestellt. Hochzeit mit einer Grafentochter als Lohn des fleißigen Studierens. In dem Schicksal des Grafensohnes zugleich das beliebte Thema vom verlorenen Sohn be-

handelt. Natürliches, einfaches Leben als Forderung. Bürgerlich, nüchtern, praktisch, realistisch statt höfischer Atmosphäre, fremder Länder, abenteuerlicher Erlebnisse, erotisch Galantem.

Im gleichen Jahre von W. selbst dramatisiert.

1555   Jörg Wickram
            (Biogr. S. 92):
            Rollwagen-Büchlein

Schwankslg.

Vorbild: Poggios *Facetien*, Paulis *Schimpf und Ernst*.

Als Reiselektüre gedacht, rein unterhaltend, pointiert, nicht moralisierend. Verhältnismäßig wenig unsaubere Geschichten, da auch für Frauen bestimmt. Auch einige traurige Geschichten sowie Selbstgehörtes aus Elsaß und Breisgau. Kurze, prägnante Erzählkunst, Streben nach naturalistischem Ausdruck.

Kennzeichnend für eine große Anzahl weiterer dt. Schwankslgg. wie:
1556 Jakob Frey: *Die Gartengesellschaft*
1557 Martin Montanus: *Wegkürzer*
1558 Michael Lindner: *Katzipori*
1558 Michael Lindner: *Rastbüchlein*
1559–1566 Martin Montanus: *Die Gartengesellschaft, 2. Teil*
1559 Valentin Schumann: *Nachtbüchlein*
1563–1603 Hans Wilhelm Kirchhof: *Wendunmut*, 7 Bdd.

1556   Jörg Wickram
            (Biogr. S. 92):
            Von guten und bösen Nachbarn

Bürgerlicher R.
Gesch. einer bürgerlichen Familie durch drei Generationen. Das Schicksal des Menschen von seinen eigenen Entschlüssen und Handlungen abhängig. Idealbild friedlichen bürgerlichen Lebens.

1557   Jörg Wickram
            (Biogr. S. 92):
            Der Goldfaden

Bürgerlicher R. in dem von Wickram angestrebten neuen Stil, hier geschickt mit beliebten Elementen des höfisch-ritterlichen R. verschmolzen.

Entst. seit 1554.

Liebe zwischen Hirtensohn und Grafentochter, die zum glücklichen Ende führt. Leufried steigt von der Rolle eines Bedienten im gräflichen Hause über Abenteuer und kühne Taten zum Ritterschlag, zum Schwiegersohn des Grafen und zur Erhebung in den Grafenstand auf. Den Goldfaden, den er von Angliana erhalten hat, näht er sich als Liebespfand in eine Wunde auf seiner Brust ein. Schwergewicht auf Leistung und Bewährung des Menschen.

1809 Neuausg. des *Goldfaden* von Clemens Brentano.

1567   Hans Sachs
(Biogr. S. 91):
34 Bände seiner Werke

Eigenhändige handschriftliche Zusammenstellung.

4275 Meisterlieder, 73 volksmäßige Lieder, 1700 Reimpaardgg., davon 208 Spiele, 7 Prosa-Dialoge.

S. ist der bekannteste Vertreter der bürgerlichen, nicht gelehrten Lit. des 16. Jh. Er pflegte Meistersang, Reimrede und Dr. nach dem Vorbild des Rosenplüt und Folz. In Epik und Dr. ungeheurer Stoffreichtum: umgreift die ganze ältere und neuere Geschichte und Sage sowie die weitgespannte zeitgenössische Epik, internationale Schwank- und Erzählstoffe. Gute Kenntnis antiker historischer und schöngeistiger Schriftsteller. Oft derselbe Stoff in den drei von ihm beherrschten Gattungen bearbeitet. Ohne die Derbheiten von Folz und Rosenplüt; einfacher, gemütvoller, würdiger. S.' Stärke das Lehrhaft-Satirische in Spruch und Spiel, bei tragischen Gegenständen versagte er.
Im Meistersang benutzte S. den strengen Knittel, bei dem Vers- und Sinnakzent völlig auseinandergehen: weiteste Entfernung vom germ. Versrhythmus. In den Reimreden und Spielen freier Knittel, dort natürlicherer, volkstümlicherer Ton.

Wiederentdeckung durch Goethe; Einwirkung auf ihn in Metrik (Knittel), Stoff *(Legende vom Hufeisen)* und Auffassung von ma. Dg. *(Hans Sachsens poetische Sendung).* S. und der Meistersang Thema von Richard Wagner: *Die Meistersinger,* musikal. Lsp. (1862).

1569/95   Übs. des frz. Amadis-Romans

24 Bdd., gedruckt bei Feyerabend in Frankfurt/Main. Bd. 6 übs. Fischart, die drei letzten Bdd. frei erfundene dt. Nachbildungen, die ihrerseits wieder ins Frz. (Ausg. 1615) rückübersetzt wurden.
Amadis, das Vorbild des galanten R., vielleicht in Portugal zu Beginn des 14. Jh. entst.; der Spanier García Ordóñez de Montalvo schuf um 1490 die endgültige Form in 4 Bdd., spanische Fortsetzungen erweiterten ihn auf 12, frz. zunächst auf 21 Bdd.

Ritter-R. in der Nachfolge des ma. höfischen R.; der Held sieht hinter seinen Abenteuern jedoch kein Ziel mehr, er hat keinen Auftrag, und er ist keiner Gesellschaft verpflichtet. Eigentliches Thema ist die höfische Liebe. Durch feindlichen wie durch hilfreichen Zauber wird die Aventiure märchenhaft. Als Zuflucht vor dem verfolgenden

Zauberer Arcalaus bleibt für Amadis und seine Dame Oriane schließlich nur die Insel Firme.

Der gattungbildende *Amadis-R.* bereitete ein neues höfisches, nicht grobianisches Zeitalter vor, schlug eine Brücke vom höfischen MA. zum Barock. Unbürgerlich, letzter Abglanz ritterlicher Diesseitsfreude, freilich ohne den Geist der mâze und zuht, zum galanten Abenteuer-R. herabgesunken.

Goethe mit Bezug auf das abschätzige Urteil des 18. Jh.: »Es ist doch eine Schande, daß man so alt wird, ohne ein so vorzügliches Werk anders als aus dem Munde der Parodisten gekannt zu haben« (Brief an Schiller 14. Januar 1805).

1571   Adam Puschmann
(1532–1600, Görlitz, Schüler von Hans Sachs):
Gründlicher Bericht des deutschen Meistergesangs

Poetische und musikalische Theorie sowie Gesch. des Meistersangs. P. verfaßte außerdem ein handschriftliches Verzeichnis von 300 Meistertönen.

1575   Johann Fischart
(Biogr. S. 90):
Affenteurliche und ungeheurliche Geschichtsschrift vom Leben, Rhaten und Thaten der... Herrn Grandgusier, Gargantua und Pantagruel...

R.

Quelle und stilistisches Vorbild: das 1. Buch (1534) von François Rabelais' (um 1494 bis 1553) fünfbändigem R. *Gargantua et Pantagruel* (1532–1564).

F. übersetzte Rabelais' Erz. von der Jugend eines Riesen-Königssohnes, ohne den Gang der Handlung zu verändern. Die Zusätze, durch die F. das Werk auf den dreifachen Umfang brachte, verlegen lediglich die moralisch-satirischen Partien auf dt. Schauplätze und beziehen sie auf dt. Zustände. Während sich Rabelais' Satire hauptsächlich gegen den rückschrittlichen scholastischen Wissenschaftsbetrieb richtete, wandte sich F. gegen den Sittenverfall, vor allem gegen den Grobianismus. Nach F.s eigenen Worten ist der R. »ein verwirrtes, ungestaltes Muster der heut so verwirrten ungestalten Welt«.

Besonderheit von F.s parodistischem Stil sind Wortspiele, Worthäufungen und Wortverdrehungen. Seine schöpferische Sprachverwirrung bedeutete für die Entwicklung der dt. Kunstprosa Fortschritt und Hemmnis zugleich.

Seit der zweiten Aufl. (1582) der bekanntere Titel: *Affentheurlich naupengeheurliche Geschichtsklitterung* ...

1576   Johann Fischart
      (Biogr. S. 90):
      Das glückhaft Schiff von Zürich

Episches Gedicht über die Fahrt der Zürcher Bürger, die, um ihre
Hilfsbereitschaft zu zeigen, in einem Tage von Zürich nach Straßburg ruderten und einen in Zürich gekochten Hirsebrei dort noch
warm überreichten.
Geschlossenste, populärste Dg. F.s.

1579   Nicodemus Frischlin
      (Biogr. S. 90):
      Frau Wendelgart

Dt. Schuldr. 5. Erstes Dr. F.s in dt. Sprache. Auff. am Stuttgarter
Hof.
Stoff aus der heimatlichen Gesch.: Legende um eine Tochter Kaiser
Heinrichs I., die Klausnerin geworden ist und die unter den Bett-
lern, die sie speist, den totgeglaubten Mann wiedererkennt.
Synthese aus lat. Schuldr. und dt. Volksschauspiel. Das zuvor im
gleichen Jahr aufgeführte lat. Dr. *Hildegardis* hatte bereits einen Stoff
aus der dt. Gesch., die Verstoßung und Rehabilitierung einer Gemahlin Karls des Großen, behandelt.

Auch F.s lat. protestantisches Tendenzdr. *Phasma* (1580 aufgeführt, 1592 gedruckt)
enthält eine dt. Szene, dt. Chor und Epilog. Zwei weitere dt. Spiele F.s sind verloren.

1580   Bartholomäus Krüger
      (um 1540 bis nach 1587, Trebbin):
      Spiel vom Anfang und Ende der Welt

Ins Protestantische umgeschriebenes Fronleichnamsspiel, 5, in Knit-
telversen; Prolog und Epilog.
Gott und Teufel kämpfen in Aktion und Gegenaktion um die Menschen. Der 1. Akt setzt ein mit Aufstand und Sturz Lucifers, Gründung seines irdischen Reichs durch Verführung des ersten Menschen-
paares; Gottes Erlösungsplan. 2. Akt: Verkündigung der Geburt
Christi durch Hirten und Könige; Taufe Christi und Gewinnung der
ersten Jünger. 3. Akt: Tod Christi durch des Teufels Werkzeuge, die
Pharisäer und Hohenpriester; Christi Höllenfahrt und Erlösung der
Seelen, Aussendung der Jünger. 4. Akt: Vertreter des Mönchtums
als Teufelsverbündete; der zum Luthertum bekehrte arme Mann
Christophorus, der sich ihrer und der Teufel erwehrt. 5. Akt: das
Jüngste Gericht.
Reiche Handlung, moralisierend. Selbständige Auffassung von Gott
und Welt, kämpferischer, protestantischer Glaube, wie er in dieser
Zeit seltener wurde.

Mischung aus Simultanbühne und Guckkastenbühne: Himmel,
Hölle und irdischer Schauplatz bleiben nebeneinander bestehen, die
Personen treten jedoch auf und verlassen die Szene. Am Ende des
1. Aktes ein grotesker Tanz der Teufel und Hexen; weitere Akt- und
Szenenschlüsse oft in Musik, besonders Lieder Luthers, ausklingend.

K. auch Verf. des märkischen Eulenspiegels *Hans Clauert* (1587), Slg. der Schwänke
um den Berliner Schlossergesellen H. C.

1580   Johann Fischart
(Biogr. S. 90):
Legende und Beschreibung des vierhörnigen Hütleins

Frz. Quelle.

Satire gegen den vierhörnigen Jesuitenhut, den der Teufel als Krönung seiner Schöpfungen – einhörnige Mönchskapuze, zweihörnige
Bischofsmütze, dreihörnige Tiara – in die Welt geschickt habe.
Höhepunkt von F.s gereimten Satiren gegen den Katholizismus, mit
denen er 1570 begann; u. a. *Bienenkorb des heiligen römischen Immen-
schwarms* (1579). Bissige, maßlose Schmähungen, vor allem gegen das
Mönchswesen, aus Besorgnis um die Errungenschaften der Reformation. Skurrile Phantasie und Sprachgebung.

1582   Ambraser (auch: Frankfurter) Liederbuch

Früheste erhaltene Ausgabe des Frankfurter (Druckort) Lieder-
buchs, dessen erste Ausgabe von 1578 verloren ist; benannt nach
dem Fundort Schloß Ambras/Tirol.
262 Lieder ohne Melodien. Volkslieder, wenig Gesellschaftslieder.

Weitere Ausg. des *Frankfurter Liederbuches* aus den Jahren 1584 und 1599 erhalten.
Wichtige Quelle für Uhland: *Alte hoch- und niederdeutsche Volkslieder* (1844).

1582/83   Nicodemus Frischlin
(Biogr. S. 90):
Julius Redivivus

Lat. Schuldr. 5. Auff. in Tübingen.

Entst. seit 1572.

Cäsar und Cicero kommen aus der Unterwelt nach Dld. zu Hermann,
dem Enkel des Armin, und zu Eobanus Hessus; sie erheben dt. Politik und Wirtschaft, Wissenschaft und Dichtkunst über die Frankreichs und Italiens, die F. durch einen Savoyarden und einen ital. Ka-
minkehrer repräsentieren läßt. Die Trunksucht als dt. National-
laster. Satirische Partien nach dem Muster des Aristophanes.
Merkur als Prolog, Pluto schließt das Dr.

Druck einer überarbeiteten Fassung 1585; Auff. 1585 in Stuttgart am Württembergischen Hof.

1583   Luzerner Passionsspiel

Kürzeres Ostersp. für Mitte 15. Jh. erschließbar, fragmantarisches Sp. von 1545 erhalten.

Höhepunkt der Entwicklung des Spiels, das in der Bearbg. von Renwart Cysat 10914 Verse enthielt und dessen Auff. 2 Tage dauerte. C.s Pläne mit Skizzierung der Spielorte auf dem Weinmarkt in Luzern erhalten. Biblische Ereignisse von der Schöpfung bis zur Erscheinung Christi vor den Jüngern. Akteinteilung (im 16. Jh. eingeführt).

Letzte Auff. 1616; das Spiel wurde durch das Jesuitendr. verdrängt.

1587   Buch der Liebe

Slg. von Rr., bei Feyerabend in Frankfurt/M. erschienen.

Enthält: *Kaiser Oktavian, Die schöne Magelone, Ritter Galmy, Herr Tristam, Camillus und Emilia, Flor und Blancheflor, Theagenes und Chariklea, Gabriotto und Reinhard, Die edle Melusina, Der Ritter vom Thurn, Ritter Pontus, Herzog Herpin, Herr Wigalois vom Rade.*

Auflösungen alter Versepen, Übss. frz. Chansons de geste, Originalwerke. Die am meisten gelesenen Liebesgeschichten des 16. Jh.

1587   Historia von D. Johann Fausten

Volksbuch. Erschienen bei Spieß in Frankfurt/M.
Zurückgehend auf die Faust-Sage, die bereits zu Lebzeiten des hist. Faust entstand.

Georg Faust (um 1480 bis um 1540) hielt sich in Universitätsstädten wie Heidelberg, Wittenberg, Erfurt und Ingolstadt auf und trieb die Modewissenschaften seiner Zeit, Medizin, Astrologie, Alchimie, bis zur Scharlatanerie.

Das Volksbuch erzählt von Fausts Theologie- und Medizinstudium, der Beschäftigung mit Zauberei, dem Bündnis mit dem Teufel, der Faust seinen Geist Mephistopheles als Diener gibt. Es kennt bereits den Famulus Wagner, das Erscheinen Helenas als eines Buhlteufels (succubus), den gemeinsamen Sohn Justus. Faust wird nach Ablauf der Frist vom Teufel erdrosselt.
Von lutherischem Gesichtspunkt geschrieben, läßt den Gegensatz von Renaissance und Reformation erkennen: Faust als warnendes Beispiel für den freventlichen Wissensdurst des Humanismus und des renaissancehaften Genußmenschen gesehen; ein Gegenbild Luthers.

Weitere Fassungen des Volksbuches: von Georg Rudolf Widmann (1599), Johann Nikolaus Pfizer (1674) und dem »Christlich Meynenden« (1725).
In England wurde die Sage durch Christopher Marlowe dramatisiert *(Tragical History of Doctor Faustus,* 1588). Hier bereits wurde Faust zum titanischen Frevler, der in einem Monolog sich von der Wissenschaft der vier Fakultäten ab- und der Magie zuwendet. Helena als Urbild klassischer Schönheit.
Mit den engl. Komödianten wanderte das Dr. nach Dld. und wurde Volksschauspiel, aus dem im 17. Jh. ein Puppenspiel entstand.

In Lessings (bis auf Bruchstücke verlorenen) Plänen zu einem Faust-Dr. (1755 bis 1767) tauchte zum erstenmal die Idee einer Rettung Fausts auf.

1587   Jakob Gretser
(1562–1625, aus Markdorf, Jesuit in Innsbruck, Freiburg/
Schweiz, Ingolstadt):
Dialogus de Udone Episcopo

Lat. Jesuiten-Dr.

Entst. für das Schultheater in Freiburg/Schweiz. Stoff: Legende aus dem 12. Jh. vom Aufstieg, lasterhaften Leben und Höllensturz des Erzbischofs Udo von Magdeburg.

Der Held verfällt allen Mahnungen zum Trotz dem Bösen. Ehrgeiz und weltliches Machtstreben sind sein Untergang. Kampf allegorischer Gestalten um seine Seele. Vorbild für Bidermanns *Cenodoxus*. Dram. Frühform des »Dialogus«. Angleichung an schweizerische volkstümliche Theatertradition. Knapper Dialog (600 Verse).

1598 Umarbg. zum dreiaktigen Dr. für die Münchener Jesuitenbühne (kubische Simultanbühne) durch G. selbst oder den Rektor des Münchener Kollegiums, Mattäus Rader. Zügig fortschreitende Handlung, psychologische Motivierung. Wiederholt aufgeführt.

1595   Georg Rollenhagen
(1542–1609, Wittenberg und Magdeburg, Protestant):
Der Froschmäuseler

Politisch-satirisches Epos.

Anregung: die griech., fälschlich dem Homer zugeschriebene *Batrachomyomachia*, die die ernste Sprache der Heldenlieder auf einen Krieg zwischen Fröschen und Mäusen überträgt. Stilistisches und stoffliches Vorbild das Tierepos in Versen *Reinke de Vos* (1498).

Etwa 20 000 Reimverse. Lange Entstehungszeit seit 1571.
Der Froschkönig Bausback will dem Mäuseprinzen Bröseldieb sein Reich zeigen, schwimmt mit ihm auf dem Rücken durch einen Fluß, taucht vor einer Schlange unter, so daß der Mäuseprinz ertrinkt. Daraus entsteht ein Krieg, in dem die Mäuse unterliegen.
R. hat die Schilderung des Tierreiches zum Weltbild zu erweitern gesucht, eine allegorische Geschichte der Reformation eingebaut. Satire ohne Aggressivität und große Komposition, löst sich in Kritik einzelner Fehler und einzelne Tierfabeln auf. Die Tiere sind Menschen in Tiermasken. Gelehrt und lehrhaft.

R. war auch Verf. mehrerer Schuldrr.

1598   Die Schildbürger

Volksbuch. Ursprüngliche Fassung *Das Lalebuch* (1597, Straßburg), von einem oberhessischen Bearbeiter umgewandelt.

Streiche und Schwänke aus kleinbürgerlicher Welt, hier den Bürgern der sächsischen Stadt Schilda zugeschrieben. Diese führen ihre Narrheiten aus, um ihre Weisheit zu verbergen, bis ihnen die Narrheit zur zweiten Natur wird.

Weiterleben des Stoffes: R. von Julius von Voss (1823); Dr. von Friedrich Lienhard (1900).

1602   Der Ewige Jude

Volksbuch.

Quelle: eine wahrscheinlich weit zurückreichende Legende, zum erstenmal faßbar in *Chronica Maiora* des engl. Mönchs Matthäus Parisiensis (13. Jh.), von dem sie auf einen Türhüter des Pilatus bezogen wurde.

Gesch. des Juden Ahasver, der Christus beim Verhör des Kaiphas geschlagen hat und deshalb zu ewigem Wandern verdammt ist. Früh als Symbol des jüdischen Volkes gedeutet.

Weiterleben des Stoffes: Goethe: *Der ewige Jude*, Fragment (1774); Eugène Sue, R. in 10 Bdd. (1844–1845); Robert Hamerling: *Ahasver in Rom*, Epos in Versen (1866).

1600–1720 Barock

Um 1600 war die Überführung der humanistischen Kunstdg. in die dt. Sprache abgeschlossen. Nach dem stofflichen und stilistischen Durcheinander brachte Opitz' Reform ein Ordnung suchendes und Ordnung gebendes Prinzip in die dt. Lit. Im 16. Jh. standen die Ansätze zu moderner Kunst noch neben ma. Resten; diese wurden nunmehr ausgeschieden, die Voraussetzungen zu einem verhältnismäßig geschlossenen Kunststil geschaffen. Damit war der entscheidende Schritt zur Überwindung der »lat. Tradition« getan, auf der die kulturelle Einheit des christlichen ma. Abendlandes beruht hatte.

Zum Wort »Barock« vgl. portug. barroco = schiefrunde Perle, den ital. Künstler Barocci, ital. baroco = Figur des Syllogismus. Es bezeichnete übertriebene, verzerrte Erscheinungen des Lebens und der Kunst und wurde erst im letzten Jahrzehnt des 18. Jh. in bezug auf die bildende Kunst des 17. Jh. gebraucht. Aus klassizistischer Sehweise hatte es einen abschätzigen Sinn. In die neuere Wissenschaft führte es als Stilbegriff Jacob Burckhardt ein.

Die Barocklit. wurde in den 20er Jahren des 20. Jh. im Zeichen des Expressionismus neu erschlossen. Die Betonung ihres expressiven und subjektiven Charakters schwächte sich in der Folgezeit ab, als man die artistischen Aspekte sowie den bestimmenden Faktor überpersönlicher Traditionen und Konventionen erkannte. Als Epochenbezeichnung wird der Begriff Barock für gültig angesehen, als Stilbegriff gilt er für zu weitschichtig und uneindeutig (Richard Alewyn). Die ersten Jahrzehnte des 17. Jh., die Zeit Opitz', sind als »vorbarokker Klassizismus« (Richard Alewyn) abgeteilt worden. Sie bilden

dann einen Auftakt, während der eigentliche Barock in den 40er
Jahren beginnt. Die Reform und die Anregungen Opitz' andererseits haben die Folgezeit so stark geprägt, und die Dichter des Barock haben Opitz so sehr als ihren geistigen Vater empfunden, daß
man auch von einem weiteren und einem engeren (nach 1640) Typus
des Barock gesprochen hat (Herbert Cysarz). Barocke Züge finden
sich schon im 16. Jh., vor allem unter den Neulateinern. Nicht alle
lit. Erscheinungen des 17. Jh. fügen sich restlos dem dominierenden
Stiltyp ein (Logau, Lauremberg, Grimmelshausen, Moscherosch).
Zwischen dem weltanschaulich bestimmten Reformationszeitalter
und der vom Philosophischen ausgehenden Aufklärungsepoche liegt
die ästhetisch bestimmte Epoche von Opitz bis zu Weise und Günther, die einheitlich umschreibbar ist. Vom weltanschaulichen Gesichtspunkt her ist der Barock auch Kunst der Gegenreformation genannt worden. Schließlich hat man die Schaffung einer einheitlichen
Schrift- und Dichtersprache als zentrale Leistung der Epoche, die
ihren Endpunkt dann in Gottsched hat, angesehen (Richard Newald).

Das Zeitalter des Barock war politisch durch den Dreißigjährigen
Krieg bestimmt. Pessimismus, Todesangst und Lebenshunger haben
in diesem eine ihrer Wurzeln. Im allgemeinen trat das Gefühl der politischen Zusammengehörigkeit hinter dem der konfessionellen zurück: Überfremdung durch die zahlreichen ausländischen Truppen
und Einflüsse; nur gelegentlich auch nationale Empfindungen (Moscherosch, Logau, Lauremberg, Rist). Die politische Form Dld.s war
eine Mischung von Imperium und föderativem Staat, wobei die Föderation der einzelnen Glieder verschieden war. Der auf die Theorien Machiavellis (*Il Principe*, entst. 1513, Druck 1532) gestützte Absolutismus herrschte im Bereich des Staates wie der Kirche. Die
Machtpolitik griff auch über auf das kulturelle Leben. Der Adel
wurde unselbständig, geriet in Abhängigkeit von Landesfürsten, neben ihm entstand ein Beamtenadel aus dem Bürgertum, der starken
Anteil an der Kultur der Zeit hatte. Das 17. Jh. war – abgesehen von
der religiösen Dg. – dem Individualismus und Subjektivismus abhold. Der Mensch schien ihm nur Figur, Kostümträger. Die Naturauffassung war theatralisch, dekorativ, die Beziehung des Menschen
zur Natur hochmütig herablassend; die Natur wurde in die höfische
Konvention einbezogen.

Ein besonderes Verhältnis zum Tode kennzeichnet den Barockmenschen. Er stand unter dem memento mori wie die Vertreter der von
der kluniazensischen Reform beeinflußten Lit. des 11. Jh. Während
aber dort der Todesgedanke einer völligen inneren Ausrichtung auf
das Jenseits, einer aufrichtigen Askese und Verachtung des Diesseits entsprang, war im Barock der Todesgedanke aus dem Lebenshunger geboren; die Grauen des Krieges riefen die Vergänglichkeit

des Irdischen ins Bewußtsein. Dem auffälligen antithetischen Grundzug der Zeit folgend, schuf man sich in christlichem Stoizismus ein Gegengewicht zu Lebensgenuß und Leidenschaft.

Das gesamte Zeitalter war stark religiös: Katholizismus und Protestantismus entwickelten religiöse Lit., die weniger tendenziös war als im 16. Jh. Aber auch das Religiöse unterlag weitgehend dichterischer Konvention: religiöse Gelegenheitsdg. Nur selten hat sich die Religiosität ihre eigenen Formen geschaffen (Spee, Scheffler). Durch die religiösen, individualistischen Kräfte wurde der Barock von innen her durchwachsen und allmählich aufgelöst.

Die große mystische Linie des MA. wurde in dem Werk des Protestanten Jakob Böhme (1575–1624) fortgeführt. Der Begriff der unio mystica wurde erneut fruchtbar gemacht in einer durchaus kontemplativen Mystik: »Wer in diese Gelassenheit eingeht, der kommt in Christo zu göttlicher Beschaulichkeit, daß er Gott in ihm sieht und mit ihm redet und Gott mit ihm, und versteht, was Gottes Wort, Wille und Wesen ist.« (*Aurora oder Morgenröte im Aufgang*, 1612; *Schriften*, 1682). B.s Sprache ist fern von aller barocken Manier, wird Ausdruck für Empfindung und Erlebnis des Göttlichen. Popularisator der Böhmeschen Gedanken war Abraham von Franckenberg (1593–1632). In der Dg. des 17. Jh. ist diese Eckhartsche Mystik vertreten durch den Protestanten Daniel Czepko von Reigersfeld, den Katholiken Spee und den Konvertiten Scheffler. In Spee und Scheffler hatte der Katholizismus der Gegenreformation dichterische Kräfte, die auch über den katholischen Bereich hinaus wirksam waren. Scheffler selbst fußte auf Böhme. Sein »wesentlich werden« heißt das Göttliche in sich pflegen, sich zum Göttlichen erweitern.

Die Gefühlsmystik wurde erst gegen Ende des Jh. im Pietismus August Hermann Franckes (1663–1727) und Philipp Jakob Speners (1635–1705) wiederbelebt. Der Pietismus war anfänglich in seinem Kampf gegen die Orthodoxie im Bunde mit der Aufklärung. Deren erster Vorkämpfer Christian Thomasius (1655–1728) führte 1687 dt.-sprachige Vorlesungen an der Universität Leipzig ein und gab in den *Monatsgesprächen* 1688 f. die erste unterhaltende Zs. in dt. Sprache heraus. Die Franzosen waren ihm Muster dafür, wie man nationale Sprache und Lit. pflegt.

Von diesen beiden Strömungen, der individualistisch-pietistischen Frömmigkeit und den demokratisch-pädagogischen Gedanken der Aufklärung, wurde die Epoche des Barock abgelöst.

Der Schriftsteller des 17. Jh. brauchte die Stütze des fürstlichen Mäzenatentums, verlor aber dadurch einen Teil seiner geistigen Freiheit und objektiven Sicht. Der Auftraggeber wurde weltanschaulich bestimmt; Gesinnungswechsel entsprach häufig dem Dienstwechsel. Vielfach waren die Höfe jedoch echte musische Zentren und boten den Künstlern oft bessere Entfaltungsmöglichkeiten als die bürger-

lich verwalteten Städte. Die aus Standespflicht und aus Neigung betriebene Kunstpflege auch der kleineren Fürsten führte zur Einrichtung von anderenorts nicht vorhandenen Etats für den Unterhalt
von Künstlern. Betriebsamkeit, überterritoriale Beziehungen und
ein gewisses Maß von Glanzentfaltung schufen eine Atmosphäre, die
befruchtender wirkte als kleinstädtische Enge und dem Inhalt und
Stil der barocken Kunst entgegenkam, indem sie ihr Beispiele an die
Hand gab. Reinste Ausprägung der Hofkunst zeigte Wien. Habsburger Barock, von Spanien her beeinflußt, bestimmte nicht nur den
österreichischen, sondern auch den schlesischen Barock. Dresden,
München, Stuttgart, aber auch kleinere und kleinste Höfe vor allem
Süd- und Mitteldeutschlands wirkten als Sammelpunkte und Um-
schlagehäfen der Lit. Außerdem haben Hamburg und Nürnberg und
die – von Dresden nicht unabhängige – Messestadt Leipzig einen
Bürgerbarock entwickelt.

Die Dg. erhielt durch ihre höfischen Zentren und Auftraggeber
öffentlichen, repräsentativen Charakter. Auch ihre Inhalte, ihre Gestalten, ihr Milieu und ihre Sprache waren überwiegend der höfischen
Sphäre entnommen. Oft waren, kaum verhüllt, Ereignisse und Gestalten zeitgenössischer Höfe Gegenstand der Dg., aber auch eine
Szenerie, die der Antike oder dem Orient entnommen war, erschien
höfisiert. Die mit wenigen Ausnahmen bürgerlichen Träger der
Lit. stellten also eine Welt dar, von der sie zwar häufig gute Kenntnis
besaßen, die aber nicht eigentlich die ihre war. Das mag den mitunter
bis zur Blässe illusionären Charakter der höfischen Lit. verstärkt haben. Echte Nähe zur »Staatsaktion« dagegen ist am Werk Herzog
Anton Ulrichs von Braunschweig spürbar.

Es gab jedoch auch eine un- oder gegenhöfische Lit.-Strömung. Sie
setzte die moralisierende und satirische Lit. des 16. Jh. fort und
leitete sie zu verwandten Erscheinungen des 18. Jh. hinüber. Nicht-
Alamodelit. schrieben Moscherosch, Rist, Schottelius, Logau. Der
picarische R. Grimmelshausens bedeutete zwar keinen antihöfischen
Gegenschlag des auch auf dem Gebiet des höfischen R. tätigen Autors, aber Mobilisierung eines als lit. Unterströmung lebendigen
volkstümlichen Erzählgutes. Auch die von mystisch-pietistischem Gedankengut bewegten Autoren standen der höfischen Kunst fern.

Durch ihr humanistisches Element wurde die Dg. wie schon in
der Renaissance auf eine kleine gebildete Schicht beschränkt. Ge-
lehrtheit bildete noch immer die Grundlage des Dichterberufs (vgl.
Opitz: *Poeterei*). Daher waren die lit. Gesellschaften in erster Linie
wissenschaftliche und Sprachgesellschaften. Sie standen unter Führung meist fürstlicher Persönlichkeiten (Blut- und Geistesadel nebeneinander), sie machten sich die Pflege der Sprach- und Dichtkunst
zur Aufgabe. Für ihre Mitglieder bestand der Zwang zum Gebrauch
der dt. Sprache in der Dg., Grobianismus, Fremd- und Dialektworte

wurden bekämpft. Auf diese Weise waren Lit. und Gelehrsamkeit Bindemittel über die ständischen, staatlichen und religiösen Spaltungen hinweg, ihre Träger formierten sich als exklusive, kosmopolitische und konfessionell verhältnismäßig tolerante Gruppe.

Vorbildlich für die Gründung der meisten Sprachgesellschaften des 17. Jh. wurde die ital. Accademia della Crusca, in Florenz 1583 gegründet. Die wichtigsten lit. und Sprachgesellschaften in Dld.:

Heidelberger Dichterkreis (Wende vom 16. zum 17. Jh.): Melissus Schede, Weckherlin, Zincgref, Opitz.

Fruchtbringende Gesellschaft oder Palmenorden (1617–1680, Sitz in Weimar, dann Köthen): Ludwig von Anhalt, Opitz, Harsdörffer, Moscherosch, Rist, Zesen, Logau u. a.

Königsberger Kreis (1630–1650): Dach, Albert.

Nürnberger Kreis »Pegnitzschäfer« oder »Pegnesischer Blumenorden« (seit 1644): Harsdörffer, Klaj, Birken.

Teutschgesinnte Genossenschaft (seit 1643, Hamburg): Zesen, Harsdörffer, Klaj, Moscherosch, Birken, Joost van den Vondel.

Elbschwanenorden (seit 1660, Lübeck): Rist.

Aufrichtige Tannengesellschaft (seit 1630, Straßburg): Schneuber.

Die Lit. des Südens und Westens war katholisch, die des Nordostens protestantisch bestimmt. Im 17. Jh. war der Anteil der dt. Stämme an der Lit. ziemlich gleichmäßig, nur Schlesien trat mit einer Reihe wichtiger Vertreter besonders hervor.

Dem Verfall der äußeren Form im 16. Jh. setzte der Barock eine Überbetonung der Form entgegen. Es beginnt bei Opitz mit einer »uniformen Gebärde, ohne individuelles Antlitz«, einem die Antike nachahmenden »vorbarocken Klassizismus« (Richard Alewyn). In den 40er Jahren wurde dieses Schema durchbrochen, um einer größeren inneren und äußeren Bewegtheit Platz zu machen.

Der Barock häufte, türmte, variierte die antiken Kunstformen und Bilder, übertrumpfte den klassischen und klassizistischen Stil. Er liebte das Gesuchte, Weithergeholte, Manierierte, die Allegorie. Allegorik war insbesondere das Stilprinzip des Hochbarock. Allegorische Parallelen dienten zur Ausdeutung der poetischen Bilder, die nicht subjektiv, sondern am Gegenständlichen orientiert waren. Die durch solche Parallelsetzung erstrebte gegenseitige Erhellung der geistigen und der sinnlichen Welt ist das Wesen der sog. »Emblematik«, die als Stilmittel und Bedeutungsträger in allen dichterischen Gattungen verwendet wurde. Auch diese auf der Kenntnis eines traditionsreichen Systems von Beziehungen und Bedeutungen beruhende Kunst emblematischer Anspielung und Verweisung, die dem heutigen Leser abstrakt und hermetisch erscheint, zeigt die Gebundenheit der barocken Lit. an ältere Kunstauffassung.

Überzeugende Ausformung haben barocke Stilprinzipien in Musik- und Bildkunst sowie im Theater gefunden, hinter denen die Lit. zurücktrat. Im katholischen Süden herrschte das visuelle bildnerische

Prinzip vor, während im Norden das Wort stärker zur Geltung kam; der sächsisch-thüringische Raum war auf musikalischem Gebiet besonders produktiv. Verschmelzung aller drei Künste in der Oper, die der Tendenz zum Gesamtkunstwerk entgegenkam. Eine Verschmelzung der Dg. mit Musik und Malerei strebten die Nürnberger für die Lyrik an. Das Bestimmende der Bildkunst wird auch im Grundsatz ut pictura poesis deutlich (von Lessing wurde die »malende Dichtkunst« im *Laokoon* abgetan).

Das 17. Jh. verlangte vom Dichter die Beherrschung des technischen Könnens.

Die Poetiken der Renaissancezeit hatten sich nur auf die lat. Dg. bezogen. Auch für die Poetiken des Barock sind die sieben Bücher der Renaissance-Poetik Julius Caesar Scaligers (1484–1558) das Vorbild. Die Erkenntnis von der Notwendigkeit einer Poetik für die dt. Sprache ist Opitz' Verdienst. Ihm folgte Zesen *Der dt. Helikon* (1640), Justus Georg Schottelius *Dt. Vers- und Reimkunst* (1645), Harsdörffer *Poetischer Trichter* (1647–1653), August Buchner *Anleitung zur dt. Poeterei* (1665), Birken *Dt. Rede-, Bind- und Dichtkunst* (1679).

Höhepunkt der barocken Stilentwicklung war der Marinismus, eine gesamteuropäische Mode der Überfeinerung und Gesuchtheit.

Die Bezeichnung ist abgeleitet von dem Namen des ital. Dichters Giambattista Marino (1569–1625): *Adonis* (1623) und *Der bethlehemitische Kindermord* (postum 1633). Dieselbe Stilart vertraten
in Spanien: Luis de Gongora (1561–1627; Gongorismus, Wirkung auf Calderon);
in England: John Lyly: *Euphues, Die Anatomie des Witzes* (1578; Euphuismus, wirksam in Shakespeares Jugendwerken);
in Frankreich: das Preziösentum (vgl. Molières Angriffe in dem Lsp. *Les Précieuses ridicules*, 1659).

In Dld. wurde die Richtung als Schwulst bezeichnet und besonders durch die Angehörigen der sog. zweiten schlesischen Schule, Lohenstein und Hofmannswaldau, vertreten.

Im Barock schloß sich die dt. Lit. nach der Sonderentwicklung im 16. Jh. wieder an die gesamteuropäische Lit. an und richtete sich – oft zu weitgehend – nach anderen Litt. aus. Die übrigen europäischen Länder hatten – durch keine geistig-religiösen Spaltungen in ihrem Wachstum gehindert – eigensprachliche Renaissancedg. von starker künstlerischer Kraft entwickeln können. Jetzt wurde Dld. zum Sammelbecken europäischer Kultureinflüsse.

Allen drei Lit.-Gattungen gemeinsam sind die antiken Ornamente und Motive, verbunden mit christlichem Gehalt, der Dualismus zwischen ausschweifendem Leben und Askese.

Die Lyrik hatte nicht das Gewicht von Dr. und Epik, da ihr der repräsentative Charakter ungemäß ist. Sie hatte im Barock unterhaltende Tendenz, war Gesellschaftslyrik, nicht Erlebnislyrik; Gedichte sind »gemacht«. Man »machte« sie in Herz-, Dreiecks- oder anderer Form. Abseits stehen die religiöse Lyrik und das Kirchenlied. Sie

zeigen eine Entwicklung zum Ich-Stil, der über den Barock hinaus-
führte.
Die dt. und die lat. Lyrik des 16. Jh. hatten sich auf verschiedenen
Ebenen bewegt. Die lat., durch die antike Dg. geistig vorgeprägt,
wurde früher als die dt. durch Wiederholung und Überformung
barock aufgebläht. Entscheidenden Einfluß auf die Barockisierung
der dt. Lyrik hatten Ronsard (1524–1585) und die frz. Pléiade. Der
erste dt. Dichter, bei dem sich der Einfluß dieser frz. Gruppe zeigte,
war Paul Melissus Schede. Daneben waren ital. Vorbilder wichtig
für die Einführung kunstvollerer Formen in die dt. Lyrik (Regnarts
Villanellen, 1576). Durch Opitz wurde die formelhafte Stilrichtung
des Petrarkismus herrschend.
Entsprechend der Anweisung von Opitz gab es zunächst nur jambische und trochäische Versmaße. Zesen führte dann mit *Frühlings-
lust* (1642) und *Dichterisches Rosen- und Lilienthal* (1660) praktisch und
August Buchner in *Anleitung zur dt. Poeterei* (1665) theoretisch dakty-
lische und jambisch-daktylisch gemischte Versmaße ein.
Zu den häufig verwendeten Formen der Lyrik gehört das Epigramm;
das antike Vorbild war Martial (43–104), das zeitgenössische der
Neulateiner John Owen (1560–1622). Zu antithetischem Charakter
neigt auch das Sonett, das Opitz durchsetzte.
Das Barocktheater war in erster Linie Schau. Schauspieler und
Inszenierung traten in den Vordergrund, gestützt von den technischen Mitteln der sich durchsetzenden Illusionsbühne. Besonders
die Oper repräsentierte barocke Prachtentfaltung und die Verschmelzung der Künste. Antikes Vorbild des Barockdr. war Seneca (2–66).
Das Dr. des Andreas Gryphius wurde hauptsächlich von religiösen
Impulsen getragen bzw. decken sich in ihm weltlich-politische und
glaubensmäßige Pflichten. Für die Herrscherfiguren seiner Drr. fällt
das Wohl des Staates, den sie von Gottes Gnaden regieren, mit dem
Wohlverhalten gegenüber Gott zusammen: Katharina von Georgien
und Karl Stuart sind zugleich Opfer ihrer Staatsauffassung und Märtyrer ihres Glaubens. Wie im höfischen R. ist Fortunas Gewalt, meist
in höfischer Intrige verkörpert, das widergöttliche Prinzip. Allerdings fehlt der romangemäß illusionistische irdische Sieg der Tugend. Bei Lohenstein kündigte sich mit der Betonung der Vernunft
als entscheidender Tugend die Säkularisierung des Herrscher- und
Helden-Bildes an.
Der Masse der für den Schulgebrauch und für höfische Feste entstehenden dt. Drr. stand eine mindestens ebenso große Fülle der besonders im Süden Dld.s verbreiteten lat. Jesuitendrr. gegenüber, die im
Zusammenhang mit der europäischen Jesuitendramatik gesehen
werden müssen. Das Jesuitendr. ging wie das protestantische Schuldr. vom Humanistendr. aus und hatte parallele pädagogische Ziele.
Stark dynamisch, der Höhepunkt immer am Ende: Erlösung oder

Verdammung durch Gott. Aus der großen Zahl der Autoren ragen Gretser, Bidermann, Avancini, Masen, Balde, der Benediktiner Simon Rettenpacher hervor.

Neben dem Sprechdr. spielte das durch Opitz' *Dafne* in den Kanon der lit. Gattungen aufgenommene Operntextbuch eine von moderner Forschung nicht immer genügend berücksichtigte Rolle. Nicht nur das rein quantitative Gewicht der Oper als der spezifisch höfischen Gattung theatralischer Unterhaltung veranlaßte neben den mehr handwerklichen Librettisten auch die Dichter zur Schaffung von Operntextbüchern, sondern auch der lit. Reiz der Gattung. Die Anpassung an die Erfordernisse der Musik eröffnete Möglichkeiten, die das Dr. nicht bot. Die frühe Liederoper verlangte lyrisch-liedhafte Texte auch volkstümlicherer Art, und die Rezitative sowie die in der voll entwickelten Barockoper zentralen Arien gaben den Autoren die Möglichkeit, vielfältige, leichtere und effektvollere Metren auszuprobieren, die aus der Alexandriner-Tr. ausgeschlossen waren. Schon Opitz hatte für die Arien in der *Dafne* trochäische Kurzverse verwendet. Viele der bedeutenderen, auf dem Gebiet des Dr. tätigen Autoren haben durch Textbücher Anteil an der Schaffung und Durchsetzung der neuen Kunstgattung der Oper (Beer, v. Birken, Buchner, Dach, Hallmann, Harsdörffer, Anton Ulrich von Braunschweig, Klaj, v. König, Reuter, Rist, Schottelius, v. Ziegler und Klipphausen).

Die Werke einiger Dramatiker wie Ayrer, Heinrich Julius von Braunschweig, Gryphius zeigen den Einfluß der engl. Komödianten, die seit dem letzten Viertel des 16. Jh. Dld. bereisten und in deren Aufführungen Shakespeare barockisiert erschien. Gryphius stand außerdem unter dem Einfluß des Theaters der Niederlande (Rederijkerbühne), den er nach Dld. weitertrug.

Im Rederijkertheater war das einheimische Handwerkertheater mit Einflüssen der engl. Komödianten verschmolzen; es hatte seinen stärksten Dramatiker in Joost van den Vondel (1587–1679).

Der letzte Dramatiker des Barock, Christian Weise, griff auf Elemente aus dem 16. Jh. zurück (Satire, Narrenmotiv) und leitete zu einer neuen Epoche über. Er steht jedoch dem Fsp. näher als dem Dr. des 18. Jh. Auch sein Zeitgenosse Christian Reuter verwendete Motive des humanistischen Zeitalters (Studentenleben).

Die Epik hatte ihre Hauptverbreitung auf protestantischem Gebiet. Die kürzeren epischen Gatungen traten zurück, der umfangreiche, auf universale und moralische Bildung zielende R. herrschte vor (»toll gewordene Realenzyklopädien«, Eichendorff).

Das Häufen und Aufschwellen, das den barocken Stil kennzeichnet, war im R. bereits karikaturistisch bei Fischart Ende 16. Jh. verwendet worden.

Der höfische Barock-R. geht letztlich auf den frz. *Amadis-R.* zurück. Elemente dieses
ritterlichen R. hatte Marin Le Roy de Gomberville in seinem *Polexandre* (1632–1637)
mit den sentimentalen des Schäfer-R. verschmolzen; dabei verloren beide Gattungen
den rückwärtsgewandten Charakter, das distanzierende Kostüm. Der so entstandene
sog. heroisch-galante R. wurde durch La Calprenède in *Cassandre* (1642) und *Cléopâtre*
(1648) und durch Madeleine de Scudérys *Cyrus* (1648–1653) weiterentwickelt. In dem
Werk der Scudéry verwuchs der heroisch-galante R. mit dem Staats-R., der ursprünglich rein politische Ziele hatte und dessen Vorbild der von Opitz 1626 übersetzte
lat. R. *Argenis* von John Barclay war. Die maßgebende R.-Théorie schrieb Pierre-
Daniel Huet (*Traité sur l'origine des romans*, 1670).

Die Stoffe der dt. Barock-Rr. waren fast durchweg historisch und
haben Könige, Feldherren, Heroen und hohe politische Persönlichkeiten als Hauptpersonen. Die Gesch. bot dem Dichter, wie für das
Dr., eine Exempelslg. schrecklicher Ereignisse, und je höher ein
Mensch in der gesellschaftlichen Rangordnung stand, um so be-
merkenswerter schien sein Schicksal, um so deutlicher wurde das
unberechenbare Walten der Fortuna. Im Grunde aber sind die Rr.
Spiegelung des zeitgenössischen Lebens und seiner Interessen wie
die hist. Rr. des 19. Jh.: vergangene Zeiten und ferne Länder waren
nur Kostümierung (Schlüssel-Rr.), bedeuteten nur eine Attraktion
mehr. Nach dem Muster vor allem La Calprenèdes und der Scudéry
bot der höfische R. eine vielsträngige Handlung miteinander ver-
flochtener und unter Verteilung auf verschiedene Erzähler aus wech-
selnder Perspektive dargestellter Schicksale, deren Identität noch
durch Verkleidungen und Annahme falscher Namen aufgespalten
wird. Alle Handlungsfäden treffen und lösen sich schließlich in einer
gemeinsamen Aktion und Fügung, der rote Faden der göttlichen
Vorsehung wird den stand- und tugendhaften Helden ebenso sichtbar wie dem Leser, die Illusion eines Sieges des Guten verwandelt
sich in Wirklichkeit.

Eine Gegenströmung gegen den heroisch-galanten R. ging von
Spanien aus, wo ein unbekannter Autor in *Lazarillo de Tormes*
(1554) den picarischen oder Schelmen-R. geschaffen hatte. Der *Gil
Blas* (1715 ff.) des Franzosen Lesage ist das bekannteste Werk dieser
Gattung. Diese Rr. schilderten das Leben schlauer und skrupelloser
Burschen aus den unteren Volksschichten, die auf ihre Art ihr Glück
machen. Die Rr. waren ungalant, unhöfisch, nicht idealisierend, realistisch, sie gaben sich autobiographisch, erzählten in der Ich-Form,
folglich einsträngig. Am Ende steht die illusionslose Absage an eine
den Launen Fortunas unterworfene, enttäuschende und wertleere
Welt. In Dld. entwickelte Grimmelshausens *Simplicissimus* (1669 ff.)
die gegebenen Motive selbständig weiter.

In allen Gattungen des Barock stößt man auf Schäferdg. Sie entsprang im Zeitalter der Etikette der Sehnsucht nach einer (modi-
fizierten) Natürlichkeit, nach einem goldenen Zeitalter und zugleich
der Vorliebe für Maskerade.

Vorbild einer erträumten Integrität des Landlebens wurden die *Hirtengedichte* Theo krits (3. Jh. v. Chr.) und Vergils (71–19 v. Chr.) *Eklogen.* Bereits Petrarca (1304–1374) nahm das Thema in seinen lat. *Bucolica* auf. Im 16. Jh. hat dann das Schäfermotiv die Litt. fast aller europäischen Länder ergriffen, und zwar

Italien: Sannazaro: *Arcadia* (1502), R.; Tasso: *Aminta* (1573), Dr.; Guarini: *Il pastor fido* (1590), Dr.

Spanien: Montemayor: *Diana* (1542), R.

England: Sidney: *Arcadia* (1590), R.

Frankreich: Ronsard: *Bergeries* (1565), Dr.; d'Urfé: *L'Astrée* (1607ff.), R.

In Dld. hat Opitz mit seiner Verdeutschung von Sidneys R. und seiner eigenen *Schäferei von der Nymphen Hercinie* die Thematik eingeführt. Die Nürnberger pflegten speziell Schäferlyrik und verwandten schäferliche Motive im Singsp. Geistliche Schäferdg. bei Spee, Scheffler und Birken. Das Genre reicht bis zu Goethes *Laune des Verliebten* (1767).

Die ersten Widersacher entstanden dem Barockstil bereits kurz nach seiner höchsten Entwicklung. Mit Nicolas Boileau (1636–1711) erfolgte in Frankreich der Durchbruch des Natur- und Vernunftkults, dessen Einflüsse in Dld. bei den sog. Hofpoeten v. Canitz (1654 bis 1699), Neukirch (1665–1729), v. Besser (1654–1729) und v. König (1688–1744) spürbar wurden. Unabhängig davon brach sich das Prinzip des Natürlichen, Nützlichen, Pädagogischen auch bei Christian Weise Bahn. Seit den 90er Jahren des 17. Jh. erfolgte eine langsame Ablösung der alten Prinzipien durch die neue Stil- und Geisteshaltung.

Wichtigste Dichter des Barock:

Balde, Jakob, geb. 1604 in Ensisheim. 1615 Besuch des Jesuitengymnasiums ebd. 1620–1626 Studium der Juristerei, zuerst in Molsdorf, dann in Ingolstadt. 1626–1630 Lehrer an den Jesuitengymnasien in München und Innsbruck. 1630 Theologiestudium in Ingolstadt, 1633 Priesterweihe. Seit 1635 erneute Tätigkeit als Lehrender. 1638–1646 Hofprediger und Prinzenerzieher in München, 1646–1648 Bayerischer Hofhistoriograph. 1650–1653 Prediger in Landshut, 1653–1654 in Amberg, seit 1654 Pfalzgräflicher Hofprediger in Neuburg/Donau. Seit 1627 als neulat. Dichter, zunächst als Dramatiker, hervorgetreten. Gest. 1668 in Neuburg.

Bidermann, Jakob, geb. 1578 in Ehingen/Schwaben. 1594 Noviziat in Landsberg, 1597–1600 Studium der Philosophie in Ingolstadt; 1600–1602 Lehrer in Augsburg, wo *Cenodoxus* entstand und aufgeführt wurde. 1603–1606 Studium der Theologie in Ingolstadt. 1606–1614 Professor der Rhetorik am Gymnasium in München, seit 1614 in Dillingen. In München und Dillingen entstanden sieben weitere Drr. 1624 nach Rom als Assistent seines Ordensgenerals. Gest. ebd. 1639.

Fleming, Paul, geb. 1609 in Hartenstein/Erzgebirge. Studium der Medizin in Leipzig. 1633–1639 als Hofjunker bei einer Gesandtschaft des Herzogs Friedrich von Holstein nach Rußland und Persien; bei der Abreise aus Hamburg 1633 entstand das geistliche Lied *In allen meinen Taten*. 1640 Dr. med. in Leiden. Gest. 1640 in Hamburg.

Grimmelshausen, Hans Jakob Christoffel von, geb. um 1622 in Gelnhausen. Geriet nach der Verwüstung der Stadt (1634) unter die Soldaten. 1639–1649 Soldat, später auch Schreiber beim Obersten von Schauenburg in Offenburg. 1649–1660 Schaffner auf dem Stammsitz Gaisbach der Schauenburgs; erwarb Grundbesitz und war Gastwirt zum »Silbernen Sternen«. 1662–1665 Burgvogt auf der Ullenburg, Beziehung zu Straßburger Lit.-Kreisen. 1667 Schultheiß in Renchen östlich von Straßburg. G. trat vom protestantischen zum katholischen Glauben über. Gest. 1676 in Renchen.

Gryphius (eigentlich Greif), **Andreas,** geb. 1616 in Groß-Glogau. Ließ schon als Fünfzehnjähriger ein Epos über den bethlehemitischen Kindermord drucken. 1638 Student in Leiden, später dort akademischer Lehrer. 1644 Reise nach Frankreich, Italien und Straßburg. 1647 nach Schlesien zurück; seit 1650 Syndikus der Stände des Fürstentums Glogau. Gest. 1664 in Glogau.

Hofmannswaldau, Christian Hofmann von, geb. 1617 in Breslau. Seit 1638 Studium der Juristerei in Leiden; Einfluß von Heinsius, Cats, Vondel. 1639 Bildungsreise nach England, Frankreich, Italien, dort Einfluß Marinos. 1641 Rückkehr nach Breslau. 1657 kaiserlicher Rat und 1677 Präsident des Breslauer Ratskollegiums. Gest. 1679 in Breslau.

Kuhlmann, Quirinus, geb. 1651 in Breslau, trat seit 1668 als Dichter hervor. 1670 Studium der Rechte in Jena. 1673 nach Leiden, hier Bekehrung durch Lektüre Jakob Böhmes. 1674 Sendschreiben *Neubegeisterter Böhme* gegen Scheinchristentum der Zeit, erste der etwa 40 religiösen Schriften in dt., lat., engl., ndld. Sprache. 1674 Amsterdam, Einfluß G. Arnolds und der Schwärmer, 1676 London. Verkündete Anbruch des Tausendjährigen Reiches, nannte sich selbst den Sohn des Sohnes Gottes, den »Kühlmonarch«. Programm einer Heiden-, Türken- und Judenmission. 1678/79 mißglückte Missionsreise in die Türkei, 1681 Missionsreise nach Palästina in Genf abgebrochen. 1682 *De Monarchia Jesuelitica* (Jesusstaat), utopische Staatstheorie. Chiliastische Unionspläne. Häufiger Ortswechsel (Niederlande, London, Paris). 1682–85 viele Kämpfe, als Schwärmer verfolgt. 1689 nach Moskau, Plan der Bekehrung der orthodoxen Kirche. Wegen Ketzerei angezeigt, durch den Plan der Konfessionsvereinigung umsturzverdächtig. Auf Gutachten dreier Konfessionen hin 1689 als Ketzer verbrannt.

Logau, Friedrich von, geb. 1604 in Brockut bei Nimptsch/Schlesien. Studium der Rechte in Frankfurt. Verwaltung des Gutes

Brockut. 1644 Rat des Herzogs von Brieg. Seit 1654 in Liegnitz.
Gest. 1655 in Liegnitz.

Lohenstein, Daniel Casper von, geb. 1635 in Nimptsch/Schlesien.
Als Gymnasiast in Breslau die erste Tr. *Ibrahim Bassa* (1650). Seit
1651 Studium der Rechte in Leipzig und Tübingen, 1655 Dr. jur.
Reisen in die Niederlande, Schweiz, Ungarn. 1657 durch Heirat im
Besitz von drei Gütern. Kaiserlicher Rat. 1666 fürstlicher Regierungsrat in Oels, 1670 Syndikus des Breslauer Senats. Verfaßte seit 1661
fünf Trr. und einen R. Gest. 1683 in Breslau.

Opitz, Martin, geb. 1597 in Bunzlau/Bober, entstammte dem mittleren Bürgertum. Besuch des Elisabeth-Gymnasiums in Breslau und
des Schönaichianums, einer reformiert-humanistischen Hochschule
in Beuthen, wo O. eine Abhandlung über Poetik *Aristarchus* (1617)
verfaßte. 1618 Beginn des Studiums in Heidelberg, Beziehungen zu
Weckherlin und Zincgref. 1619–1621 Reisen nach Holland, wo O.
das ndld. Dr. kennenlernte und von Daniel Heinsius beeinflußt
wurde, und nach Dänemark. 1622 Professor am Gymnasium in
Weißenburg/Siebenbürgen; Studium der Gesch. des Landes, Sammeln antiker Inschriften. 1623 Rückkehr nach Schlesien, 1625 Krönung mit dem Dichterlorbeer durch den Kaiser. 1626 Sekretär des
katholischen Burggrafen Karl Hannibal v. Dohna in Schlesien, 1629
wurde ihm der Adel O. von Boberfeld verliehen. 1630 im Auftrage
der Grafen Dohna in Paris. 1632 trat O. nach der Vertreibung der
Dohnas aus Schlesien in den Dienst der protestantischen schlesischen
Herzöge und ging als Mitglied einer Gesandtschaft nach Frankfurt/
Main. 1634 bis 1635 im Dienst der schlesischen Herzöge als Diplo-
mat im polnischen und schwedischen Lager; schwedischer Agent.
1635 nach dem Frieden von Prag Flucht nach Thorn, dort seit 1636
polnischer Hofhistoriograph Wladislaws von Polen, aber weiter für
Schweden tätig. 1639 Herausgabe des *Annoliedes* nach einer verlorengegangenen – wohl Breslauer – Hs. Gest. 1639 an der Pest in Danzig.

Scheffler, Johann (Angelus Silesius), geb. 1624 in Breslau. Seit
1643 Studium in Straßburg, Leiden, Padua, Dr. phil. und med. 1649 bis
1652 herzogl. Leibarzt in Oels, Umgang mit Abraham v. Franckenberg. 1653 Übertritt zum Katholizismus. 1654 Hofarzt Ferdi-
nands II. 1661 Priester. 1664–1666 fürstbischöflicher Rat und Hof-
marschall. Seit 1667 im Stift St. Matthias in Breslau. Gest. ebd. 1677.

Spee von Langenfeld, Friedrich, geb. 1591 in Kaiserswörth. 1610
Eintritt in den Jesuitenorden. 1627 Professor in Würzburg, 1627 bis
1628 dort als geistlicher Beistand der in Hexenprozessen Verurteilten
eingesetzt. In der anonym erschienenen *Cautio criminalis* (1631)
wandte er sich an die Obrigkeiten in Dld. und bat um Revision der
Praxis der Hexenprozesse. Nach 1630 an der Durchführung der
Gegenreformation in Westfalen beteiligt. Professor der Moraltheo-
logie in Köln. Gest. 1635 an der Pest in Trier.

Weise, Christian, geb. 1642 in Zittau. Studium in Leipzig. 1670 Professor am Gymnasium in Weißenfels. Seit 1678 Rektor am Gymnasium in Zittau. Schrieb dort jährlich für den Schulgebrauch drei Stücke: ein Lsp., ein biblisches und ein hist. Stück, insgesamt 55 Stücke. Gest. 1708 in Zittau.

Zesen, Philipp von, geb. 1619 in Prirau bei Dessau. Studium in Halle, Wittenberg, Leiden, 1642 Magister. 1643 Gründung der Teutschgesinnten Genossenschaft in Hamburg. 1653 geadelt. Verfaßte mehrere Bdd. Lyrik, fünf Rr., viele Übss. und theoretische Abhandlungen über Dichtkunst. Reisen durch Dld., Holland, Frankreich, England. Seit 1683 in Hamburg. Gest. ebd. 1689.

1572   Paul Melissus Schede
(1539–1602, Heidelberg; Protestant):
Dt. Übs. von 50 Psalmen

Nach der frz. Übs. von Marot und Beza, Nachbildung ihrer frühbarocken Versmaße. Mit Melodien.

Verdrängt durch die Psalmenübs. von Ambrosius Lobwasser (1573), die in das Gesangbuch aufgenommen wurde.

1576   Jakob Regnart
(um 1540–1600, Niederländer; Wien, Augsburg, Innsbruck, Prag):
Kurzweilige teutsche Lieder nach Art der neapolitanen oder welschen Villanellen

22 dreistimmige Lieder. Erneuerung des weltlichen Kunstliedes, gebunden an Melodien im Geschmack ital. höfischer Unterhaltungsmusik. Spielerisch, pointiert, kunstvolle metrische Formen.

In weiteren Slgg. fortgesetzt.

1588   Paul Melissus Schede
(1539–1602, Heidelberg; Protestant):
Odae Palatinae

Neulat. Hofdg. auf das Geschlecht der Pfalzgrafen bei Rhein. Erste Einflüsse der Pléiade, Anfänge barocker schwülstiger Formen.

1594   Herzog Heinrich Julius von Braunschweig
(1564–1613):
Vincentius Ladislaus

Kom. 6, in ungereimten, ungleichmäßigen Verszeilen, der Prosa nahe.

Vorbild: Plautus' *Miles gloriosus.*

Ansatz zur Charakter-Kom., schwankhafte Handlung um einen
Prahlhans. Verwendung des nddt. Dialektes in den komischen Auf-
tritten, pomphaftes Pathos in den ernsten. Einflüsse der Drr. der
engl. Komödianten, Übernahme des Clowns in der Figur des Narren
Jan Bouset. Zusammenarbeit mit dem engl. Komödianten Thomas
Sackville wahrscheinlich.

1595 ff.   Jacob Ayrer
            (1540–1605, Nürnberg):
            Dramatische Werke

69 Spiele erhalten. A. war letzter Vertreter des Nürnberger Fsp.,
Nachfolger von Hans Sachs. Gemeineuropäische Erzähl- und
Schwankstoffe. Szenischer Aufbau unter dem Einfluß der engl. Komödianten, besonders der Truppe von Robert Brown, die seit 1592
in Dld. spielte. Knittelverse strophisch gegliedert mit Unterlegung
bekannter Melodien: Anfänge des dt. Singsp. nach engl. Vorbild.

1601   Theobald Höck
        (1573 bis um 1658, aus Zweibrücken/Pfalz):
        Schönes Blumenfeld

Gedichte über Leben und Tod, Liebe und Mühsal des Daseins. Volkstümliches Sprachgut, mitunter vom Dialekt gefärbt. Persönlich Erlebtes an Stelle der üblichen allgemeinen Reflexionen. Zurückgreifen
auf Metrik des Minnesangs.
Einzelgänger ohne Einfluß und Nachfolge.

Von Hoffmann von Fallersleben wiederentdeckt.

1602   Jakob Bidermann
        (Biogr. S. 124):
        Cenodoxus

Lat. Jesuitendr. 5, Auff. 3. 7. in Augsburg in B.s eigener Inszenierung.
Quelle: *Legende des Bruno von Köln*. Geschichte des Doktors von Paris,
des scheinbar frommen Gelehrten, der von geistiger Hoffart be-
sessen und deshalb verloren ist. Seine Jünger feiern den Gestorbenen
wie einen Heiligen, während seine Seele vor dem höchsten Richter
zur Hölle verdammt wird. Verwandtschaft mit dem Faust-Stoff.
Stärkstes Werk der Jesuitendramatik, B. wichtigster Repräsentant
des Jesuitendr. Bewegtheit, kontrastierende Szenen mit häufigem
Wechsel, effektvoll. Psychologische Entwicklung des Charakters.

Auff. der letzten Fassung 1609 in München. 1635 dt. Übs. von Joachim Meichel.

1609   Gabriel Rollenhagen
   (1583–1619, Sohn des Georg R., Magdeburg):
   Amantes Amentes

Dt. Kom. 5, in Versen.
Handlungsgerüst und Namen der Hauptpersonen der Nov. *Euryalus und Lucretia* des Enea Silvio Piccolomini entnommen. Die reiche Bauerstochter Lucretia verschmäht zum Kummer ihrer Eltern den ansehnlichen alten Dr. Gratianus und setzt ihre Verlobung mit dem armen Studenten Euryalus durch. Die Parallelhandlung zwischen Knecht und Magd in nddt. Sprache persifliert mit derber Frivolität die sentimentale Haltung in Liebesdingen.
Ausbruch aus dem Schema des Schuldr.: kein pädagogischer oder erbaulicher Zweck. Einfluß der engl. Komödianten: der Knecht Hans repräsentiert den Spaßmacher. Vorläufer von Gryphius' *Die geliebte Dornrose*.

1616   Johann Valentin Andreae
   (1586–1654, Calw, Stuttgart, Bebenhausen):
   Die chymische Hochzeit des Andreas Rosenkreutz Anno 1459

Anonym. Mystisch-allegorischer R. gegen die falschen »Alchymisten«. Aufstellung des Idealbildes eines Pansophen, eines Weisen, der die Natur erkannt hat. Begriff der unio mystica unter dem Bilde der Hochzeit, mystische Gedanken und Symbole. Die Rosenkreuzer eine mystische Bewegung des 17. Jh. (vgl. Goethe: *Die Geheimnisse*).

Den Weg des irrenden Menschen zu Gott behandelt auch A.s lat. Dr. *Turbo* (1616).

1618/19   Georg Rudolf Weckherlin
   (1584–1653, Stuttgart, London):
   Oden und Gesänge

Lieder, für den geselligen Gesang bestimmt. Höfische, gebildete Gesellschaftskunst. Barock-Ode inhaltlich und formal bereits entwickelt, auch Gedichte in anakreontischem Stil; erstes Auftauchen der Sonett-Form.
Beginn einer nhd. lyrischen Kunstdg. Umsetzung der neulat. Lyrik nach dem Muster der engl. und frz. Renaissancedg. Versuch einer voropitzischen Reform des dt. Versstils; W. behielt jedoch die silbenzählende Methode des 16. Jh. bei. Durch Opitz überholt, der selbst in seiner Heidelberger Zeit durch W. Anregungen erfuhr.

1619   Johann Valentin Andreae
(1586–1654, Calw, Stuttgart, Bebenhausen):
Rei publicae christianopolitanae descriptio

Erster utopischer R. in Dld., lat.

Einfluß von Thomas Morus: *Utopia* (1516) und Tommaso Campanella: *Città del Sole* (entst. 1602, Druck 1623).

Beschreibung eines christlichen Musterstaates. Versuch, den absolutistischen Staatsgeist religiös zu überbauen und zu überwinden. Im Gegensatz zu dieser idealen Gottesstadt steht die reale Gegenwart, deren Schäden charakterisiert werden. Am Schluß Aufforderung zur Gründung einer Gesellschaft, die den geschilderten Zielen zustrebt.

1619/35   Erste dt. Übs. von Honoré d'Urfé: L'Astrée

Ersch. anonym in Mömpelgard.

Übersetzer umstritten; neuerdings werden Friedrich Menius und J. B. B. v. Borstel diskutiert.

Der frz. Mode-R. um die in der Loire-Landschaft spielende Liebe zwischen Astrée und dem sie standhaft anbetenden Schäfer Celadon wurde zum Muster des Schäfer-R. mit Ansätzen zum heroisch-galanten Typ. Idyllisch, anmutig, sensibel, gesellig-galant.

Eine weitere dt. Übs. erschien 1624–1625 in Halle.

1620   Englische Comedien und Tragedien

Slg. von 15 Stücken, darunter 5 Singspp., aus dem Repertoire der engl. Komödianten; mit szenischen Bemerkungen.
Fortgesetzt in *Liebeskampf, oder ander Teil der englischen Comödien und Tragödien . . .* (1630). Slg. von acht nach engl. Muster von einem thüringischen Autor verfaßten Stücken. Vorwiegend dramatisierte ital. Novv., stilistisch an ital. frühbarocke Lyrik angelehnt.

Einiges erneut in *Schaubühne engl. und frz. Comödianten* (1670).

1624   Martin Opitz
(Biogr. S. 126):
Teutsche Poemata

Hgg. Julius Wilhelm Zincgref (1591–1635). Enthält neben Gedichten des jungen Opitz eine lyrische Anthologie des frühbarocken Heidelberger Kreises, dt. Gedichte von Melissus Schede, Peter Denaisius, Zincgref, Weckherlin u. a. Vorbild die Pléiade. Annäherung an volkstümliche dt. Lyrik.
Opitz mißbilligte später Zincgrefs Slg. wegen ihrer volkstümlichen, ungelehrten Thematik und ihrer Formen, die nicht den Maßstäben

seiner Reform entsprachen. Er gab daher seine Gedichte, nur um weniges vermehrt, aber formal im Sinne seiner Reform überarbeitet, erneut 1625 als *Acht Bücher Deutscher Poematum* heraus.

1624 Martin Opitz
(Biogr. S. 126):
Buch von der deutschen Poeterei

Maßgebende Poetik.

Quellen: Horaz' *Ars poetica*, die Renaissance-Poetiken der Italiener Vida und Scaliger, des Holländers Heinsius und der frz. Pléiade-Mitglieder Du Bellay und Ronsard.

Ziel: Eine den übrigen europäischen Litt. ebenbürtige dt.-sprachige Lit. Der Dichter bedarf der Bildung, vor allem einer Kenntnis des klassischen Altertums; angeborene Begabung wird vorausgesetzt. Dichten ist »Nachäffen der Natur«, der Dichter soll jedoch die Dinge weniger so beschreiben, wie sie sind, als wie sie sein sollten. Es ging O. um die Anerkennung der gesellschaftlichen Aufgabe des Dichters.
Über Wortwahl, Wortstellung und Redeschmuck handelt O. in dem Kapitel »Von Zubereitung und Zier der Wörter«. Hier wird zu Ausschmückung, mythologischen Bildern, Steigerung und Pointierung angeleitet, wodurch O. zugleich dem Schwulst die Bahn ebnete.
In der Metrik beseitigte O. das silbenzählende Prinzip und stellte die sinngemäße Hebung, den Zusammenfall von Wortton und Verston wieder her. O.' Empfehlung des alternierenden Prinzips (Jambus und Trochäus) machte die im Knittelvers noch übliche freie Senkung unmöglich und schloß den Daktylus aus. Maßgeblicher Vers ist – außer im Lied – der Alexandriner, das Sonett wird empfohlen.
Die lyrischen, epischen und dramatischen Gattungen werden bestimmt, insbesondere Tr. und Kom. durch den hohen oder niederen Stand der auftretenden Personen unterschieden.
O.' Regeln und sein Ideal einer gelehrten und höfischen Gesellschaftslit. bis ins 18. Jh. bestimmend.

1626/31 Martin Opitz
(Biogr. S. 126):
Übs. von Barclays R. Argenis

R., 2 Teile (1626 und 1631).

Der lat. R. des in Frankreich naturalisierten Schotten Barclay war 1621 erschienen.

Schlüssel-R. Schilderung der Mißstände in Frankreich unter den letzten Valois. Überwindung des *Amadis-R.* Nicht abenteuerlich-phantastisch-pikant, sondern politisch, historisch, sittlich. Gefordert wird die Bezwingung der Leidenschaften durch Einsicht und Willen. Muster des heroisch-galanten R. und des Staats-R.

1627   Martin Opitz
(Biogr. S. 126):
Dafne

Erster dt. Operntext. Musik von Schütz (verloren). Bahnbrechende Auff. auf Schloß Hartenfels in Torgau.

Übs. der ital. mythologischen Hirtenoper (1594) von Rinuccini, dem Urheber des dramma per musica.

Dürftige Handlung, Akte mit Schlußchören dem griech. Dr. nachgebildet.

1629   V. Th. v. Hirschberg:
Übs. von Sidneys R. Arcadia

Der engl. R. des Sir Philip Sidney, dessen 2., fragmentarische, Fassung zuerst 1590, dann, um die inhaltlich ergänzenden Bücher 3–5 der 1. Fassung vermehrt, 1593 erschien, kombiniert die Schäferwelt Arkadiens mit einer heroisch-galanten um die Liebesabenteuer zweier nach Arkadien verschlagener Prinzen. Eingebaute Erzz. sowie moralische und philosophische Erläuterungen.

Wirkung in Dld. erst durch die Bearbg. von Opitz (1638).

1630   Martin Opitz
(Biogr. S. 126):
Schäferei von der Nymphen Hercinie

Beschreibendes Gedicht über eine Wanderung des Dichters im Riesengebirge, während der er mit seinen Freunden von einer Quellnymphe in eine Höhle geführt und mit den Wundern des Berges bekannt gemacht wird. Gespräche über die Sage von Rübezahl. Der Dichter und seine Freunde als Schäfer dargestellt. Letztlich eine dichterische Verbeugung vor dem Geschlecht von Schaffgotsch, dem Besitzer des Landes.

Gelehrt, ohne das erotische und spielerische Element der späteren Schäferdg. Mischung von Erzählung, Lyrik und dram. Szenen.

1633   Martin Opitz
(Biogr. S. 126):
Trostgedichte in Widerwärtigkeit des Kriegs

Entst. schon 1621 auf Jütland.

Episch gehaltenes Mahngedicht an die Protestanten zum Ausharren im Glauben.

1637   Jakob Balde
(Biogr. S. 124):
Jephtias

Lat. Jesuitendr.; Auff. in Ingolstadt.
Das Schicksal der Tochter Jephthas, die der siegreich heimkehrende Vater Gott zum Dank opfern muß (*Altes Testament, Buch der Richter* 11). Als Allegorie auf den Opfertod Christi aufgefaßt.

Druck 1645.

1637   Ännchen von Tharau

Hochzeitslied im ostpreußischen Dialekt. Veröffentlicht in den Arien von Heinrich Albert (1642). Entgegen der Überlieferung nicht von Simon Dach, vielleicht von Albert oder Robert Roberthin.

Hdt. Übertragung von Herder in: *Volkslieder* (1778). In der Melodie von Friedrich Silcher seit dem 19. Jh. als Volkslied eingebürgert.

1639   Andreas Gryphius
(Biogr. S. 125):
Sonn- und Feiertagssonette

Slg. religiöser Sonette.

Entst. meist 1637.

Einteilung in 65 Sonntags- und 35 Festtagssonette; Bindung an die Perikopen. In der Tradition der Gebets- und Erbauungslit., z. B. Übernahme von Wendungen und Motiven aus den Gebeten in Johann Arndt: *Paradiesgärtlein voller christlicher Tugenden* (1612).
Mühsal und Vergänglichkeit des irdischen Lebens; reflektierte, dogmatische Glaubensfestigkeit.

Überarbeitete Fassung mit 64 und 36 Sonetten im 3. und 4. Buch der *Sonette* (1657).

1640 und 1643   Johann Michael Moscherosch
(1601–1669, Elsaß und Worms):
Wunderliche und wahrhaftige Gesichte Philanders von Sittewald

Zum Teil Übs. von Quevedo (1580–1645): *Sueños* (1635).

Zeitsatire. In verschiedenen »Gesichten« bald humorvolle, bald bittere Kritik vom nationalen, bürgerlichen Standpunkt: gegen die Liebestorheit, das Treiben der Soldaten, Ausländerei, Roheit des Adels, Pedanterie der Gelehrten. Das erste Gesicht des zweiten Bd. bildet die Versammlung der alten dt. Helden Ariovist, Hermann, Witukind und Saro auf Burg Geroldseck im Wasgau, bei der über den entarteten Nachfahren Philander zu Gericht gesessen und über die gesamten dt. Kulturzustände ein hartes Urteil gefällt wird.

Desillusionierung der höfisch-idealistischen Welt. In den Motiven Zusammenhang mit den volkstümlichen Zeitsatiren des 16. Jh. (Murner, Brant, Fischart). Gesichte nur lose aneinander geknüpft, das Ganze formlos, ohne Komposition.

1641/49   Georg Philipp Harsdörffer
(1607–1658, Nürnberg):
Frauenzimmer-Gesprächsspiele

Achtteilige Slg. von Erzählungen, Gedichten, Rätseln, Sprichwörtern, Aufzügen und Spielen zu einer Art Konversationslexikon für Frauen verarbeitet. Ital., span., frz. Quellen.
Vermittlung von Bildung auf »spielende«, unterhaltende Weise. Vielfalt und Wechsel der Themen und Formen sind pädagogische Absicht. Sie dienen aber auch der Vorstellung eines Gesamtkunstwerks, der gegenseitigen Ergänzung und Verschmelzung der Künste. Kennzeichnend für die (gegenüber dem 16. Jh.) neue, einflußreiche Stellung der Frau im Lit.-Betrieb des »galanten« Jh. H. Repräsentant und Verfechter barocker Gesellschaftskultur.
Im Mittelpunkt des vierten Teiles (1644) das *Geistliche Waldgedicht Seelewig*, ein Schäfersp., das früheste erhaltene opernähnliche Singsp. in Dld.

1642   Paul Fleming
(Biogr. S. 125):
Teutsche Poemata
Postum, hgg. Adam Olearius.

Liebeslieder, Trinklieder, Oden, Sonette, Epigramme in dt. Sprache. F. wurde nach lat. Anfängen bedeutend als dt. Petrarkist. Seine Gedichte gewandt, liebenswert, liedhaft sanglich und fast natürlich. Von der Beherrschung eines traditionsreichen Formel- und Motivschatzes Übergang zu persönlicher Formung. Bevorzugte Form die Ode. Zentralbegriff der Liebeslyrik die Treue.
Von den Zeitgenossen sehr anerkannt: »Mein Schall flog überweit, kein Landsmann sang mir gleich.«

1643   Jakob Balde
(Biogr. S. 124):
Lyricorum libri IV Epodon liber I und
Silvae (7 Bücher)
1646 zwei weitere Bücher *Silvae*.

Lat. Gedichte, die wichtigsten in den *Vier Büchern Lyrik* (190 Oden), die zweiten Ranges in den *Silvae*. Moralische, patriotische, geistliche und Gelegenheitsgedichte. Vorbild Horaz, Vergil, Ovid, die lat. Elegiker, die neulat. Dg. des Matthias Casimir Sarbiewski.

Bildungsmäßig und politisch in der Tradition des römisch-katholischen Reichsdenkens. Repräsentant der Gegenreformation; enge Verbindung mit dem Haus Wittelsbach. Gedichte begleiten Zeitgesch., den Dreißigjährigen Krieg in Bayern. Dt.-patriotisch, gegen Türken und Schweden. Dazu viel gesellige Gedichte, an Freunde und Gönner. Grundton: Nichtigkeit der Welt, das Leben ein Spiel, der Mensch als Schachfigur.

Wirkliche Durchdringung der Gegenwart mit Antikischem. Einbau von klassischen Zitaten, klassischer Mythologie, Topographie und Gesch. Kanonische Metaphorik. Formale Zucht und Strenge der Sprache.

Gegenpol christlich-asketisches Denken. Von besonderer Eigenart die geistliche Lyrik. Mystisches Erlebnis des Todes als des Vereinigers mit Gott. Die Todesnacht als Brautnacht aufgefaßt, Todesüberwindung. Höhepunkt ein Zyklus von 48 Mariengedichten, beginnend mit dem Schluß des ersten Lyrik-Buches, in gleichmäßigen Abständen über die folgenden Bücher verteilt, beschlossen von einem Hymnus am Schluß des 9. Buches der *Silvae*, B.s gesamte Lyrik beendend.

1660 Gesamtausgabe von B.s Werken.

Ausgewählte Gedichte übersetzte Herder (*Terpsichore*, 3 Bdd., 1795/96); seine Übs. entkleidete B.s Dg. der barocken Elemente.

1644 **Georg Philipp Harsdörffer**
(1607–1658, Nürnberg) und
Johann Klaj
(1616–1656, Nürnberg, Kitzingen):
Pegnesisches Schäfergedicht

Ersch. unter den Pseudonymen Strefon und Clajus.

Gelegenheitsdg. anläßlich einer Doppelhochzeit. Schäferei in der Art Opitz': Mischung von Erzählung, Lyrik und Dialogen. Kunstvoll, zierlich, gesucht; anakreontischer Charakter.

Wurde Anlaß zur Gründung des »Pegnesischen Blumenordens« und 1645 fortgesetzt in einem zweiten Bd. durch Klaj und Sigmund von Birken (Pseudonym: Floridan; 1626–1681, Nürnberg), der noch mehrere ähnliche Gedichte folgen ließ.

Kennzeichnend für H.s Lyrik sind Klangmalerei und Klangspiel. Auch in seiner Poetik (*Poetischer Trichter*, 1647) ist die Fähigkeit der dt. Sprache zu Klangnachahmung hervorgehoben. Beeinflußt durch die neulat. Dg. Jakob Baldes und des Polen Matthias Casimir Sarbiewski.

2. Fassung in Birkens Sammelwerk *Pegnesis* (1673).

1645   Philipp von Zesen
(Biogr. S. 127):
Ritterholds von Blauen Adriatische Rosemund

Erster großer dt. Barock-R. Tragische Liebe zwischen einem dt. protestantischen Dichter und einer katholischen Venezianerin: Mark-
holds religiöse Überzeugung hindert ihre Heirat, Rosemund siecht in
Sehnsucht und Hoffnungslosigkeit dahin. Autobiographische Züge.

Einfluß von Sidneys *Arcadia*: schäferliche Motive.

Die heroische, politische Thematik der hochbarocken Rr. fehlt noch.
Bürgerlich, privat, empfindsam, psychologisch, zeitnah. Detailschil-
derungen. Eingestreute Briefe, Gedichte und Erzählungen.
Z. ging in seinen späteren Rr. zu historischen, heroischen Stoffen
über.

1647   Johann Rist
(1607–1667, Rostock, Wedel, Hamburg):
Das Friede wünschende Teutschland

Allegorisches Spiel. Die altdt. Helden Ariovist, Hermann und Witukind werden von Merkur auf die Erde geführt, um den Niedergang
des »uralten Teutschland« durch die ausländischen Heere zu sehen.
In einem Zwischenspiel wird ein kriegsbegeisterter Jüngling durch
die Schrecken des Krieges von seiner Ansicht bekehrt. Motive nach
dem Vorbild von Frischlins *Julius redivivus* und Moscheroschs *Gesichten*.

Auff. 1649 auf der Meistersingerbühne in Memmingen; auch von Wandertruppen
gespielt.
1653 Forts.: *Das Friede jauchzende Teutschland*. Singsp., enthält 17 Lieder mit Instrumentalmusik. Komische Zwischenspiele in nddt. Mundart. Einfluß auf die Hamburger Oper.
R. war im übrigen einer der fruchtbarsten Verf. weltlicher und geistlicher Lieder.

1649   Friedrich Spee von Langenfeld
(Biogr. S. 126):
Trutz-Nachtigall

Gedichtslg., entst. bereits um 1630, ersch. postum.
Religiöse, mystische Lyrik. Jesus als Schäfer Daphnis, um dessen
Leiden und Tod die Hirten klagen. Thema der Jesusliebe; Vorbild:
Das Hohelied. Zart, gefühlvoll, naturnahe, unkonfessionell. Eine der
stärksten lyrischen Leistungen der Zeit.

1817 neu hgg. Clemens Brentano.

1650   Andreas Gryphius
      (Biogr. S. 125):
      Leo Armenius oder Fürstenmord

Tr. 5, in Alexandrinern. In *Teutsche Reim-Gedichte*.

Entst. 1646 nach byzantinischen Quellen. Stoff: Palastrevolution in Konstantinopel im Jahre 826. Zuvor bearbeitet von dem Jesuiten Josef Simon mit Leo Armenius als negativem Helden.

Kaiser Leo von Byzanz verliert durch eine Palastrevolution den unrechtmäßig erworbenen Thron und das Leben. Unbeständigkeit des irdischen Glücks. Vorliebe G.' für das Grausige und grelle Effekte, für nächtliche Atmosphäre. Personen als Typen für Verhaltungsweisen, keine Charaktere, ohne Entwicklung. Das Ganze bewegter, ursprünglicher als G.' spätere Drr. Das Märtyrer-Thema wird dadurch einbezogen, daß Leo sterbend nach dem Kreuz greift, an dem Christus gestorben ist und durch Christi Blut reingewaschen wird.

Formal Einfluß Senecas, des Jesuitendr. und des ndld. Dramatikers Joost van den Vondel, dessen *Gysbrecht van Aemstel* (1637) neben Pieter Corneliszoons *Geeraerdt van Velsen* (1613) auch inhaltliche Anregung gab.

Am Schluß jeden Aktes »Reyen«, Nachahmung des antiken Chors. Die Akte bezeichnet G. als »Abhandlungen«.
Erstes Dr. G.', erstes dt. Werk im hochbarocken Sprachstil, der in G.' Werken zum Durchbruch kommt.

Auff. 1651 in Köln durch die Truppe des Joris Jollifous, vorher wohl schon in Breslau.

1650   Daniel Casper von Lohenstein
      (Biogr. S. 126):
      Ibrahim Bassa

Tr. 5, in Alexandrinern. Wahrscheinliche Auff. in Breslau, Magdalenengymnasium.

Quelle: Zesens Übs. von Madeleine de Scudérys R. *Ibrahims und Isabellens Wundergeschichte* (1645).

Staatsaktion in Konstantinopel zur Zeit des Sultans Ibrahim (um 1648). Unverdiente Hinrichtung des Feldherrn Ibrahim durch den Tyrannen Soliman. Blutrünstig. Einfluß des Marinismus.
C. v. L., der das Werk mit 15 Jahren schrieb, als Dramatiker bewußt Nachfolger von Gryphius, übernahm von ihm die »Reyen«.

Druck 1653.

1651   Andreas Gryphius
(Biogr. S. 125):
Catharina von Georgien oder Bewährte Beständigkeit

Tr. 5, in Alexandrinern. Auff. in Köln durch die Truppe des Joris
Jollifous.

Entst. 1647 oder 1649/50; 1649/50 vielleicht nur entscheidend überarbeitet. Zeit-
geschichtlicher Stoff: Katharina starb 1624. Einfluß von van den Vondels *De Maeghden*
(1639) und *Maria Stuart* (1646).

Märtyrerdr.: die christliche Königin Katharina von Georgien wird
von Schah Abbas von Persien gefangengenommen, da sie seine Hand
und den Glaubenswechsel ablehnt, und nach achtjähriger, standhaft
ertragener Haft grausam hingerichtet. Sinnlosigkeit des Lebens
durch Glaubenskraft überwunden.
»Reyen« am Schluß der Akte.

Druck 1657 in *Deutscher Gedichte erster Teil*. Bekannte Auff. 1655 am Hofe Herzog
Christians von Wohlau.

1652   Johann Lauremberg
(1590–1658, Rostock):
Veer Schertz Gedichte

Nddt. Zeitsatire gegen das À-la-mode-Wesen, gegen die Sprachver-
mengung durch ausländische Einflüsse (Hinweis auf die lit. Möglichkeiten des Nddt.), gegen das modische Kleiderwesen, gegen Ti-
telsucht. Populär, unbarocker Stil. Große Wirkung.

1654   Friedrich von Logau
(Biogr. S. 125/126):
Deutscher Sinn-Gedichte drey Tausend

Unter dem Pseudonym Salomon von Golau; enthält entgegen dem Titel 3530 Spruch-
gedichte. 1638 bereits eine erste Slg.: *Erstes Hundert Teutscher Reimensprüche*.

Zeitsatire in Form von Epigrammen. Anregung: Slg. lat. Epigramme des Engländers John Owen (1606). Nicht alles eigene Erfindung; viel Übernommenes, Übersetztes. Gegen sozialen Dünkel
und Gewissenszwang. Hauptthema das À-la-mode-Wesen, besonders im Hinblick auf die Überfremdung der Sprache (L. war Mitglied
der Fruchtbringenden Gesellschaft).
Knapp und treffend, nicht geistreichelnd, dem volkstümlichen
Spruch nahe. L. hielt sich nicht streng an die Sprach- und Versregeln
der Opitz-Schule.

Ohne größere Wirkung. Neu hgg. Lessing/Ramler (1759).
L.s Sinngedicht »Und willst du weiße Lilien zu roten Rosen machen / küß eine
weiße Galathee; sie wird errötend lachen« wurde Ausgangspunkt für Gottfried
Kellers Novv.-Zyklus *Das Sinngedicht* (1882).

1655   Daniel Czepko von Reigersfeld
(1605–1660, Schlesien, Protestant):
Sexcenta Monodisticha Sapientium

Lat. Alexandrinerreimpaare.

Entst. 1640–1647.

Ausdrucksstark. Mystische Frömmigkeit: Wiedervereinigung mit
Gott im Tode. Einfluß von Taulers Schriften. Wirkung auf Scheffler.

1657   Andreas Gryphius
(Biogr. S. 125):
Ermordete Majestät oder Carolus Stuardus

Tr. 5, in Alexandrinern. In: *Deutscher Gedichte erster Teil.*

Entst. 1649; wenige Tage nach Eintreffen der Nachricht von der Hinrichtung Karls I.
begonnen. Eine erste Fassung hat vielleicht schon 1650 vorgelegen, eine Auff. in
Thorn, Schultheater, im gleichen Jahr stattgefunden. Quellen: zeitgeschichtliche
Dokumente, Augenzeugenberichte, Werke zur engl. Gesch.

Zeitgenössischer Stoff: Hinrichtung Karls I. von England 1649.
Stilisierung des Königs zum Märtyrer. Sein Sturz zu Beginn des Tr.
bereits vollzogen, Karl sieht dem Tode entgegen und will um der
Märtyrerkrone willen irdischem Leben entsagen. Hinrichtung auf
offener Szene, so daß Karls Schlußmonolog zum Triumph wird, die
Richter als Gerichtete erscheinen.

In der nach Rückkehr der Stuarts auf den engl. Thron entstandenen
Fassung (1663) fügte G. eine visionäre Szene ein, in der Poleh, einer
von des Königs Richtern, von schlechtem Gewissen geplagt, wahn-
sinnig auf die Szene stürzt und seine Gesichte vom schmählichen
Ende der Königsmörder herausschreit, die als lebende Bilder auf der
Hinterbühne erscheinen. Märtyrerzüge Karls und die Parallele zum
Passionsgeschehen verstärkt.

Druck der zweiten Fassung in *Freuden- und Trauer-Spiele* (1663); Auff. 1665 in Zittau,
Schultheater.

1657   Andreas Gryphius
(Biogr. S. 125):
Cardenio und Celinde oder Unglücklich Verliebte

Tr. 5, in Alexandrinern. In *Deutscher Gedichte erster Teil.*

Entst. um 1649; Vorrede von 1654. – Quelle: ital. Übs. einer Nov. des Spaniers
Juan Perez de Montalvan.

Bürgerliches Thema, wegen dessen sich G. in der Vorrede entschul-
digt. Cardenio ist in die – verheiratete – Olympia, Celinde in Cardenio verliebt. Der zu großen und sündigen Leidenschaft wird die
Vergänglichkeit entgegengehalten: Cardenio umarmt nicht Olym-

pia, sondern ein Totengerippe; Celinde wird durch ein ähnliches Symbol vor verbrecherischem Tun gewarnt.

Auff. 1.3. 1661 in Breslau durch die St. Elisabeth-Schule im Keltschen Haus.
Nachwirkung: Achim von Arnim: *Halle und Jerusalem*, Dr. (1811); Karl Immermann: *Cardenio und Celinde*, Dr. (1826).

1657   Andreas Gryphius
(Biogr. S. 125):
Kirchhofsgedanken

Gedicht. In *Deutscher Gedichte erster Teil.*

Entst. 1650/56. Unter der gleichen Überschrift außerdem Übss. zweier Gedichte von Balde und eine von G.' Freund Christoph v. Schönborn stammende Übs. eines Gedichts von Balde.

Gedicht von 50 achtzeiligen Strophen. Erlebnis einer großen Schau modernder Toter. Frage, wie er selbst am Jüngsten Tage bestehen und wie er das Heer der Toten wiedersehen wird. Der ewige Richter wird zu unterscheiden wissen, was Menschen nicht unterscheiden können.

In der Neuausg. von 1663 um ein von Daniel Czepko von Reigersfeld stammendes Gedicht vermehrt.

1657   Johann Scheffler gen. Angelus Silesius
(Biogr. S. 126):
Geistreiche Sinn- und Schlußreime

Seit der zweiten, vermehrten Aufl. 1674 Obertitel: *Cherubinischer Wandersmann.*

Slg. von 1665 Sinnsprüchen in Alexandrinern, meist zweizeilig (Epigramme); am Anfang des 6. Buches 10 Sonette.
Gedanken über das Verhältnis von Seele und Gott. Mystische Religiosität unter dem Einfluß Daniel v. Czepkos; Kenntnis von Tauler, Thomas von Kempen, Böhme. Dualismus von Ich und Gott und ihre Zusammengehörigkeit, ihr Aufeinander-Angewiesensein: »Ich weiß, daß ohne mich Gott nicht ein Nu kann leben, / werd ich zu nicht, er muß für Not den Geist aufgeben.« Das irdische Dasein wird von der Transzendenz, diese vom irdischen Dasein bestimmt. Gott bleibt ruhend in sich und wohnt zugleich in seinem Geschöpf; die Seele an sich ist nichts und kann doch Gott schaffen und in Gott eingehen. Widerspruch von Transzendenz und Immanenz und Selbstaufhebung des Widerspruchs, der nur ein scheinbarer ist: mystische coincidentia.
Das zweizeilige Alexandriner-Epigramm vollzieht die Entgegensetzung und den Zusammenfall des Entgegengesetzten nach. Seine vier Glieder vermögen Variationen, Kombinationen, Negationen

und paradoxe Umkehrungen auszudrücken. Zuspitzung des Antithetischen bis zur Paradoxie.

Wirkung bis in die Gegenwart (Expressionismus).

1657   Johann Scheffler gen. Angelus Silesius
(Biogr. S. 126):
Heilige Seelen-Lust oder geistliche Hirtenlieder der in ihren Jesum verliebten Psyche

Zu Beginn drei epische Bücher: Weg der Seele zum Erlöser. Die weiteren Bücher enthalten geistliche Lieder mit Melodien. Übertragung des Schäfermotivs auf die geistliche Dg. (vgl. Spee). Jesus als der gute Hirte, Sehnsucht der Schäferin Psyche nach dem Seelenbräutigam. Motive des *Hohenliedes*. Gefühlsmystik in der Nachfolge Bernhards von Clairvaux. Übersteigerung des Ausdrucks. Verarbeitung kirchlicher und volkstümlicher Lieder (Kontrafakturen).

Weiterwirken nicht nur in der katholischen, sondern auch in der pietistischen und herrnhutischen Dg.; Aufnahme von Liedern in das protestantische Gesangbuch, z. B. *Mir nach, spricht Christus, unser Held; Ich will dich lieben, meine Stärke.*

1658   Andreas Gryphius
(Biogr. S. 125):
Absurda Comica oder Herr Peter Squentz

Schimpfsp. 3.

Entst. zwischen 1647 und 1650.
G. wurde durch Daniel Schwenter (1585–1636) auf Shakespeares *Sommernachtstraum* oder einen entsprechenden Spieltext der engl. Komödianten hingewiesen.

Komödiantische Verspottung des Handwerkertheaters: Handwerker spielen ohne Verständnis für den antiken Stoff und für das Theater vor einer fürstlichen Person die Geschichte von Pyramus und Thisbe.

Von Schultheatern, bei höfischen Festen und von Wandertruppen häufig gespielt.

1659   Nicolaus Avancini
(1612–1686, Wien, Jesuit):
Pietas Victrix

Lat. Jesuitendr. 5, Auff. in Wien als ludus caesareus, höfisch repräsentative Festauff., die gegen die Oper gedacht war.

Neubearbg. eines 1484 im Vatikan gespielten Stückes.

Kampf Konstantins des Großen mit Maxentius um das Römische Reich. Sieg des rechtgläubigen Herrschers. Nicht tragisch, auf den Glanz des Triumphes am Schluß ausgerichtet. Ganz von der Bühnenwirksamkeit her gestaltet.

1659   Andreas Gryphius
    (Biogr. S. 125):
    Großmütiger Rechts-Gelehrter oder
    Sterbender Aemilius Paulus Papinianus

Tr. 5, in Alexandrinern.

Entst. 1657–1659. Antike Quellen. Papinianus wurde 212 n. Chr. hingerichtet.

Standhaftigkeit des römischen Rechtsgelehrten Papinian gegenüber
der Tyrannei des Kaisers Caracalla, dessen Verbrechen gegenüber
den Christen, an denen er keine Schuld erkennen kann, er nicht rechtfertigen will; seine Verurteilung und Tod. Die Gesinnungsstärke
Papinians wird einer vierfachen Prüfung unterzogen; er erweist seine
christenähnliche Haltung. Mischung von christlichen mit stoischen
Zügen.
Poetische Umkleidung eines zeitgenössischen Ereignisses: Hinrichtung des holländischen Großpensionärs Oldenbarneveld durch die
Partei seiner religiösen Gegner unter Moritz von Oranien.

Auff. 9. 2. 1660 in Breslau, Elisabeth-Gymnasium. Das Dr. ging in das Repertoire der
Wandertruppen ein und wurde auch auf dem Salzburger Benediktinertheater gespielt.

1659   Andreas Heinrich Buchholtz
    (1607–1671, Superintendent in Hamburg):
    Des... Großfürsten Herkules und des... Fräuleins
    Valiska Wundergeschichte

Heroisch-galanter R. Tendenz gegen den »unsittlichen« *Amadis-R.*
Eine Inhaltsangabe und ein Personenverzeichnis sind beigegeben,
damit der Leser sich durch die Wirren der Handlung und die Viel-
heit der Personen durchfinden konnte. Ballung von Intrigen und
Kämpfen, Entführungen, Verkleidungen, Raub und Mord. Die alten
Völker Asiens und Europas in Schlachten bunt durcheinander-
gemengt. Leitmotiv des Ganzen ist christliche Erbauung und Belehrung, teils in Gebeten und Bekehrungen der Personen dargestellt,
teils als theologische Exkurse eingestreut.

Letzte Aufl. 1744. Noch von Susanna von Klettenberg als Lieblingslektüre erwähnt.
Forts.: *Herkuliskus und Herkuladisla* (1665).

1660   Andreas Gryphius
    (Biogr. S. 125):
    Das verliebte Gespenst; Die geliebte Dornrose

Misch-Sp. Auff. 10. 10. in Glogau. Druck von *Das verliebte Gespenst*
im gleichen Jahr.
Das verliebte Gespenst, ein höfisches Gesangsp. in hdt. Alexandrinern
nach Quinaults *Le Fantôme amoureux*, bildet das Rahmenstück. Es

behandelt ein ähnliches Motiv wie *Cardenio und Celinde*, aber ins Komische gewendet.

Die geliebte Dornrose ist ein bäuerliches Scherzsp. in schlesischem Dialekt nach Joost van den Vondels *Leeuwendalers*. Streit zweier Familien, Liebe der Kinder. Eine Reihe realistischer dörflicher Typen. Durch dieses Stück wurde der Bauer zur stehenden Figur höfischer Festspp.

Die Akte beider Stücke wechseln miteinander ab und vereinigen sich im Schlußchor. An beiden soll die Kraft treuer Liebe gezeigt werden.

Zweitdruck beider Spiele 1661.

1660   Kaspar Stieler
(1632–1707, aus Erfurt, Studium und Kriegsteilnahme, dann in fürstlichem Dienst in Rudolstadt, Eisenach, Jena, Weimar):
Die geharnschte Venus

Unter dem Pseudonym Filidor der Dorfferer.

Liebes- und Soldatengedichte eines im Kriegsdienst stehenden Königsberger Studenten. Erlebnisdg. Kräftiger, jugendlicher Ton. Tendenz: carpe diem. Formal gekonnt. Einfluß Flemings.

St. trat namentlich nur als Verf. von mehr gelehrten Werken und von zwei ernsten Drr. hervor, ist aber wahrscheinlich auch Verf. der unter dem Pseudonym Filidor erschienenen sechs *Rudolstädter Festspiele* (1665–1667).

1661   Daniel Casper von Lohenstein
(Biogr. S. 126):
Cleopatra

Tr. 5, in Alexandrinern. Schulauff. in Breslau; Druck im gleichen Jahr.

Entst. seit 1656.

Liebesbeziehungen und Intrigenspiel zwischen Cleopatra, Antonius und Octavian, ein beliebter Stoff des Barock. Hier treibt Cleopatra mit beiden Männern ihr Spiel, findet aber in Octavian, dem Muster des beherrschten Mannes, ihren Meister und zieht dem schmachvollen Gang im Triumphzug den Selbstmord vor. Die Frauenrolle in diesem und den folgenden Drr. des C. v. L. im Mittelpunkt.

Erweiterte Fassung 1680.

1663   Andreas Gryphius
(Biogr. S. 125):
Horribilicribrifax oder wählende Liebhaber

Scherzsp. 5.

Entst. 1647/50, für Schultheater geschrieben.

Variante des Miles-gloriosus-Stoffes. Zur Komik der Charakterzeich-
nung tritt die des typisierenden Sprachkauderwelschs. Überbetonung des Bramarbas-Motivs durch zwei Helden gleichen Charakters.
Mehrere Liebeshandlungen.

Auff. 8. 10. 1674 in Altenburg, Schultheater.

1664   Jakob Masen
(1606–1681, Köln, Jesuit):
Rusticus imperans

Lat. Lsp., Jesuitendr.

Ein im Jesuitendr. häufig behandelter Stoff, besonders nach Jakob Bidermanns Er-
zählfassung in *Utopia* (1640). Auch von Shakespeare in *Der Widerspenstigen Zähmung*
(1594) behandelt.

Der betrunkene Bauer wird, als er vom Rausch erwacht, einen Tag
lang als König behandelt. Die Nichtigkeit und Vergänglichkeit weltlicher Freuden wird demonstriert.

1666–67 Paul Gerhardt
(1607–1676, Berlin, Lübben):
Geistliche Andachten

120 Kirchenlieder mit Vertonung, hgg. Johann Georg Ebeling.
55 Originalschöpfungen, sonst Um- und Nachdgg.
Stil nicht barock: ohne Schwulst, Süßlichkeit, Spielerei. Ausgleich
von Gefühl und zielbewußtem Verstand. Persönliche religiöse Lyrik (Ich-Stil) im Gegensatz zu Luthers Gemeindegesang (Wir-Stil).
Trost ausstrahlende Bekenntnisse eines im Glauben Geborgenen.
Höhepunkt der geistlichen protestantischen Lyrik des Zeitalters.

Großenteils bereits seit 1647 ersch. in: *Praxis pietatis melica*, einem für Hausandach-
ten bestimmten Gesangbuch von Johann Crüger, Kantor von St. Nicolai in Berlin.

1669   Hans Jakob Christoffel von Grimmelshausen
(Biogr. S. 125):
Der abenteuerliche Simplicissimus Teutsch

Unter dem Pseudonym German Schleifheim von Sulsfort.
Begonnen wohl schon in der Offenburger Zeit. Einfluß der satirischen Erbauungslit.
und des span. picarischen R. Benutzung volkstümlicher wissenschaftlicher Lit. Das
»Teutsch« des Titels verrät eine weitere lit. Anregung und läßt Simplicius als Gegen-
figur zu einer typisch frz. R.-Gestalt erscheinen, zu Charles Sorels *Histoire comique de
Francion* (1626 ff.; dt. Übs. 1662).

Lebensgeschichte eines tumben Bauernjungen, der, durch Glanz, Abenteuer, Liebschaften und Reichtum verlockt, dem Reiz der Welt und dem Lebenshunger in den Wirren des Dreißigjährigen Krieges zu erliegen droht, aber zuletzt doch all dies abstreift, um demütig in der Einsamkeit der Natur Gott als Einsiedler zu dienen. Das Leben der durch den Krieg bedrückten Bauern, die Weltabgeschiedenheit des Einsiedlerlebens, die wilde Skrupellosigkeit der Soldateska, höfischer Glanz, erotische Abenteuer in Paris, Krankheit und mißlungene Ehe sind Stadien auf diesem Wege.

Planvoller Aufbau in fünf Büchern: das dritte Buch äußerer Höheund innerer Tiefpunkt des Lebenswegs; Gleichstimmung des ersten und des letzten Buches (die Einsiedelei als Ausgangs- und Endpunkt) sowie des zweiten und vierten Buches (Verstrickung des Helden in die Wirrnis des Lebens und Lösung daraus).

Entwicklungs-R. mit autobiographischen Zügen, in dem, mitangeregt durch Moscherosch, die Darstellung des Krieges einen in der zeitgenössischen Lit. nicht vorhandenen Realismus erreichte. Beeinflußt durch die dem Barock entgegengesetzte Richtung des picarischen R., von einem lit. Außenseiter verfaßt, stofflich angesiedelt in den unteren Volksschichten, erlebt, bekenntnishaft, realistisch, sprengt dies Werk den Rahmen des Barock.

Nach dem großen Erfolg des Buches schrieb G. schon 1669 eine *Continuatio*, die als sechstes Buch angehängt wurde: Der Held pilgert ins Heilige Land und wird schiffbrüchig auf eine Südseeinsel verschlagen, auf der er nun sein Einsiedlerleben fortsetzt, seine Lebensgesch. schreibt und, nach de.. Bericht eines Kapitäns an den Herausgeber der Biographie, sein Leben fern von der Welt beschließen will.

Weitere »Simplizianische Schriften« G.s unter anderem:
Trutz Simplex: Oder ... Lebensbeschreibung der ... Landstörtzerin Courage (1670).
Der seltsame Springinsfeld (1670)
Der erste Bärenhäuter (1670)
Des abenteuerlichen Simplicissimi ewig währender Kalender (1670)
Das wunderbarliche Vogelnest (1672)
Simplicissimi Prahlerei und Gepräng mit seinem teutschen Michel (1673).
Außerdem zahlreiche Simpliziaden anderer Verff.

1669   Daniel Casper von Lohenstein
(Biogr. S. 126):
Sophonisbe

Tr. 5, in Alexandrinern. Schulauff. in Breslau, Magdaleneum.

Entst. bis 1666. Quelle: Zesens R. *Die afrikanische Sophonisbe* (1647), eine Übs. des frz. R. von F. de Gerzan du Sonoy.

Staatsaktion und Liebestragödie in Numidien zur Zeit Scipios. Darstellung der grausamen Verstrickung durch Leidenschaft, die zu Mord und Selbstmord führt, durch Ehrgeiz, der sogar die eigenen Kinder aufs Spiel setzt. Demgegenüber Vernunft als moralischer

Wert betont; Scipio Typ des seine Leidenschaften bändigenden, ver-
nunftgelenkten Mannes.
Leidenschaft in grellen Affektausbrüchen dargestellt.

Druck 1680.

1669/73   Herzog Anton Ulrich von Braunschweig
(1633–1714, Protestant, später Katholik):
Die durchlauchtige Syrerin Aramena

Geschichts-R. Stoff: Teilung des babylonisch-assyrischen Reiches.
Die Bereitschaft einer syrischen Prinzessin, ihr persönliches Wohl
dem Staate zu opfern, wird belohnt, indem das Schicksal ihr schließlich doch den geliebten keltischen Fürsten zuführt. Der Staat als
vollkommene Nachahmung des göttlichen Weltreiches. Glaube an
die Kraft menschlicher Tugend.
Höfischer Charakter. Durchgefeiltes Wortkunstwerk. Schicksale von
34 Personen miteinander verwoben, außerdem Nebenpersonen. 17
fürstliche Hochzeiten beschließen den R.

1672   Christian Weise
(Biogr. S. 127):
Die drei ärgsten Erznarren in der ganzen Welt

Unter dem Pseudonym Catharinus Civilis.

Satirischer R. Rahmenhandlung: Eine Testamentsklausel verlangt
die Beibringung der Bilder der drei größten Narren in der Welt. Die
Suche nach ihnen ist der Inhalt des R. Anknüpfen an die Narrenlit.
des 16. Jh. Nüchtern realistisch, Beginn aufklärerischer Betrachtungsweise.

Forts.: *Die drei klügsten Leute in der ganzen Welt* (1675).

1673   Daniel Casper von Lohenstein
(Biogr. S. 126):
Ibrahim Sultan

Dr. 5, in Alexandrinern.
Nach vier Trr. aus der römischen Gesch. (*Cleopatra* 1661, *Agrippina*
1665, *Epicharis* 1665, *Sophonisbe* 1669) Rückkehr zum orientalischen
Stoff, an dem sich nach Auffassung der Zeit das Wesen der Tyrannei
am besten zeigen ließ. Ibrahim verliert infolge seiner unbeherrschten
Leidenschaftlichkeit und seiner Lüsternheit sein Reich und wird unter schrecklichen Ausblicken ins Jenseits erwürgt.

1673   Christian Hofmann von Hofmannswaldau
(Biogr. S. 125):
Helden-Briefe

Heroiden, in Alexandrinern. In *Deutsche Übersetzungen und Gedichte.*
Möglicherweise hat die – heute nicht auffindbare – Ausg. von 1673
nie bestanden, so daß die erweiterte Ausg. von 1679/80 als erste anzusehen wäre.

Entst. 1663/64. Vorbild: Ovids *Epistulae* oder *Heroides*, fingierte Briefe von Frauen
der Heroenzeit an ihre entfernten Geliebten und Antworten der Liebhaber. Die Gattung wurde durch Eobanus Hessus 1514 in Dld. eingeführt. Auch Michael Draytons
England's Heroical Epistles (1630) dürften H. v. H. bekannt gewesen sein.

28 erfundene Briefe, mit Prosaeinleitungen, die mit dem jeweiligen
Stoff bekannt machen. Jede Epistel umfaßt hundert Verszeilen. Ab-
sender sind berühmte Liebespaare der Geschichte, teils offen genannt (Abälard und Héloïse), teils hinter Decknamen verborgen
(Siegreich = Karl V., Rosamunde = Barbara Blomberg). Das Erotische, Galante im Mittelpunkt: »was die Liebe vor ungeheure Spiele
in der Welt anrichte.«

1677/1707   Herzog Anton Ulrich von Braunschweig
(1633–1714, Protestant, später Katholik):
Octavia, Römische Geschichte

Späterer Titel: *Die römische Octavia* (1711).

Heroisch-galanter R. Geschichte der römischen Kaiserin Octavia,
der Gattin Neros, und des armenischen Königs Tyridates, ihres Liebhabers. Die Heldin, die Christin wird, verkörpert das sittliche Prinzip, das in einer sinnvollen Weltordnung siegen muß. Schließliche
Vereinigung der Liebenden. Absicht, die göttliche Providenz im
Sinne von Leibniz an einer vielsträngigen Handlung sichtbar zu
machen. Zahlreiche episodische Einzelerzählungen, viel Zeitgeschichtliches im hist. Kostüm.

1679   Christian Weise
(Biogr. S. 127):
Bäuerischer Machiavellus

Kom.; Auff. 15.2. in Zittau, Schultheater.
Satirisch-allegorischer Gerichtsstreit, unter dem Einfluß von Bocca-
linis *Ragguagli di Parnaso*. Machiavellismus auf dem Dorfe Querle-
quitsch, ohne daß dort jemand den *Principe* gelesen hat.

Druck 1681.

1682   Johann Beer
(1655–1700, Oberösterreich, Regensburg, Weißenfels):
Teutsche Winter-Nächte

Unter dem Pseudonym Zendorius a Zendoriis.

R., in Form einer Autobiographie.

Held ein fahrender Student, der durch eine Verwechslung in einen
Kreis junger oberösterreichischer Landedelleute gerät, die ihn brü-
derlich aufnehmen und deren lustiges, wildes Leben, Streiche, Ver-
mummungen, Gastereien ihm behagen. Er hat verschwiegen, daß er
eines Schinders Sohn ist, aber auch dieser Makel stellt sich als Maskerade heraus, er kann in den Kreis seiner Freunde einheiraten.

Locker gereihte Episoden. Die Winterabende verkürzt man sich
durch Geschichten, die ähnlich ineinander verhakt sind wie die Lebensläufe sämtlicher Personen. Das Picarische in eine andere soziale
Schicht verlegt: nicht Vagabunden, sondern Angehörige des auf
Landsitzen beheimateten kleinen Adels. Patriarchalische Lebensform, in die auch die Diener, Picaros wie die Herren, einbezogen
sind. Ausklang in einem Gelage, das Zendorius seinem heiratenden
Knecht ausrichtet.

Durchbruch des am Ende des Jh. hervortretenden bürgerlichen Realismus. Erzählfreude, die nicht durch Regelzwang oder didaktische
Absichten eingeengt ist. Einfluß der Volksbücher, des picarischen R.
und Grimmelshausens.

Wiederholung von Milieu und Komposition mit geringen Abwandlungen in: *Kurtz-
weilige Sommer-Täge* (1683).

1682   Christian Weise
(Biogr. S. 127):
**Trauerspiel von dem neapolitanischen Hauptrebellen
Masaniello**

Tr.; Auff. 11. 2. in Zittau, Schultheater.

Quelle: Dt. Übs. eines zeitgenössischen ital. Berichts.

Behandelt die von dem Fischer Tommaso Aniello geleitete Volks-
revolte in Neapel gegen die Spanier 1647. Scharf gesehene Volks-
figuren, geschickte Massenbehandlung. Verständnis gegenüber dieser wenig zurückliegenden Revolution von unten.

Prosa, natürliche Sprache. Einfluß des Theaters der Wandertruppen.

Druck 1683. Stoff später erneut behandelt; so Auber: *Die Stumme von Portici*, Oper
(1828).

1684/86   Quirinus Kuhlmann
        (Biogr. S. 125):
        Der Kühlpsalter

Gedichtzyklus.

Titel anknüpfend an Ausdeutung des eigenen Namens nach *Apostelgesch.* III, 19/20: »tempora refrigerii« = Zeit der Kühlung; danach Vorstellung eines »Kühlreiches«, K. selbst als »Kühlheld«, »Kühlmonarch«, seine Gedichte als »Kühlpsalmen«. Den Auftakt bilden die 1677 vor der Reise in die Türkei veröffentlichten »Fünfzehn Gesänge«, ein lyrischer Rückblick bis in die Jenenser Zeit. – 1679/80 auf zehn Bücher zu je 15 Gesängen geplant, im 8. Buch mit dem 117. Gesang abgebrochen. Von Buch 9 und 10 Bruchstücke in Teildrucken vorhanden, handschriftliche Fertigstellung bis zum 150. Psalm ist möglich.

Bekenntnishafte und zugleich prophetische Gedichte, in denen der Schwärmer sich und seine Vita stilisiert: Selbstdeutung als Künder und Vollzieher eines Endreiches. Neben dem Bekenntnis lehrhaftes Ziel, eine Art Gesangbuch mit liturgischer Funktion. Subjektiv, expressiv. Hochfliegende Gewißheit und Niedergeschlagenheit wechseln. Letztes Gedicht (1685) Klage, ungeduldig fordernde Bitte an Gott um Vollendung des Werks.

Stil gehäuft, steigernd, antithetisch; Wortzusammensetzungen. Der wachsenden Schwierigkeit der geistigen Auseinandersetzung entspricht kunstvollere Form, stoßartiger Rhythmus. Zuerst gereimt, 1684 erstmalig und dann immer reimlos. 1685 teilweise freie Rhythmen, in den letzten Gedichten hymnische und verwandte Formen.

1689   Heinrich Anselm von Ziegler und Klipphausen
        (1663–1696, Görlitz, Frankfurt/Oder):
        Die asiatische Banise oder das blutig- doch mutige Pegu

Heroisch-galanter R.

Stoff: Staatsstreich in Hinterindien im 16. Jh., dessen Einzelheiten auf hist. Darstellungen und Reisebeschreibungen zurückgehen; umfangreiches Quellenstudium.

Frei erfundene Haupthandlung. Der edle Herrscher wird durch den Usurpator Chaumigrem gestürzt und ermordet, sein Reich Pegu aber durch den Prinzen Balacin zurückerobert, der mit der von Chaumigrem gefangenen Prinzessin Banise in Liebe verbunden ist.

Glückliche Vereinigung des heroisch duldenden Liebespaares. Abenteuerreich bis zur Kraßheit. Strafere Durchführung als sonst im heroisch-galanten R. Komische Figur des Knappen Scandor. Höhepunkt der Schwulstzeit.

Großer Erfolg, 10. Aufl. 1766. Oft nachgeahmt. Auf Grund des starken theatralischen Gehalts Opern- und Bühnenbearbgg., der Bösewicht Chaumigrem noch in *Wilhelm Meisters Lehrjahre* als Figur des Puppentheaters des jungen Meister erwähnt. A. v. Z. war selbst Verf. eines Operntextbuches *Die lybische Talestris* (1696).

1689/90   Daniel Casper von Lohenstein
(Biogr. S. 126):
**Großmütiger Feldherr Arminius... nebst seiner
durchlauchtigsten Thusnelda...**

Heroisch-galanter R. 2 Teile, 18 Bücher. Postum.

Geschichte Hermanns des Cheruskers, verbunden mit einer Darstellung der römischen und dt. Gesch. bis ins 17. Jh.; Schlüssel-R.: mit Armin ist Kaiser Leopold, mit Drusus Ludwig XIV. gemeint. Patriotische Grundhaltung.

Verquickung der Handlung mit lehrhaft wissenschaftlichen Absichten, der Leser sollte in der attraktiven Form des R. Kenntnisse erhalten. Dennoch Bestreben, sich an eine klare Handlungslinie zu halten. Höhepunkt des heroisch-galanten R.

Von Wieland für sein Epos *Hermann* (1751) benutzt.

1695   Christian Reuter
(1665 bis um 1712, Leipzig, Berlin):
L'honnête femme oder Die ehrliche Frau zu Pliszine

Lsp. 3, in Prosa. Erschienen unter dem Pseudonym Hilarius und als »aus dem Frantzösischen übersetzt« bezeichnet.

Entst. Sommer 1695. Die Intrige-Handlung den *Précieuses ridicules* von Molière entlehnt. Titel mit Bezug auf Leipzig an der Pleiße.

Verhöhnung der Wirtin R.s und ihrer Töchter. Schilderung einer wohlhabenden Bürgerfamilie, die über ihren Stand hinauswill; Kontrast zwischen groben Manieren und erstrebter Vornehmheit. Die Frauen dadurch gedemütigt, daß sie auf zwei als Adlige verkleidete Brezeljungen hereinfallen. Lockere Reihung satirischer Szenen, erste zwei Akte ohne Handlung. Nicht nur persönliche Satire, sondern Zeitsatire gegen Kleinbürgertum. In dem bramarbasierenden Sohn bereits skizzenhaft Schelmuffsky.

Traditionelle Typen, durch erlebte Züge realistischer gestaltet und entbarockisiert. Auf Bühnenverhältnisse in Leipzig zugeschnitten, jedoch zu R.s Lebzeiten nicht aufgeführt.

Fortss.: *Der ehrlichen Frau Schlampampe Krankheit und Tod* (1696), das die Handlung ausweitende Operntextbuch *Der anmutige Jüngling Schelmuffsky und die ehrliche Frau Schlampampe* (1697, entst. 1696 zwischen der ersten und zweiten Fassung des R. *Schelmuffsky*) sowie die parodistische Gedächtnispredigt: *Letztes Denk- und Ehrenmal der weyland gewesenen ehrlichen Frau Schlampampe* (1697), wegen der R. 1697 auf sieben Jahre relegiert und aus Leipzig verwiesen wurde.

**1695/1727   Herrn von Hofmannswaldau und anderer
Deutschen auserlesene und bisher ungedruckte
Gedichte**

Siebenteilige Slg., deren erste Bdd. von Benjamin Neukirch, spätere auch von anderen herausgegeben wurden. Die beiden Bdd. von 1695 und 1697 enthalten Gedichte von

Christian Hofmann v. Hofmannswaldau, in den späteren auch verschiedene von Casper v. Lohenstein, Neukirch u. a. H.s Autorschaft nicht immer gesichert.

Enthält vor allem die in *Deutsche Übersetzungen und Gedichte* nicht veröffentlichte Liebeslyrik H.s, die wahrscheinlich in den 40er Jahren entstand. Über 50 Liebesoden und etwa 20 wohl zyklisch gedachte Sonette (entst. um 1643), die galante Genreszenen bieten. Höhepunkt der barocken Stilentwicklung in der Lyrik. Marinismus, »die liebliche Schreibart, welche nunmehr in Schlesien herrschet«, die Hofmannswaldau »am ersten eingeführet«. Methode der vergleichenden Beschreibung: »der Arme Elfenbein«, »der Zunge Honigseim«; häufig überspitzt. Auch geistliche Begriffe für die Darstellung des Erotischen verwandt.

Sinnliche Liebe, sehr offen behandelt. Erotische Visionen und Träume. Carpe-diem-Haltung, jedoch mit stetem Hinweis auf die Vergänglichkeit dieser Sinnenfreuden. »Metaphysische Frivolität« (Günther Müller).

Nachwirkung auf Arno Holz: *Lieder auf einer alten Laute* (1903), erweitert unter dem Titel *Dafnis* (1904).

1696   Christian Reuter
(1665 bis um 1712, Leipzig, Berlin):
Schelmuffsky kuriose und sehr gefährliche Reisebeschreibung zu Wasser und Land

Lügen-, Reise- und Abenteuer-R.

An den Schlampampe-Stoffkreis des Verf. anknüpfend. Ältester Sohn der Schlampampe jetzt Zentralfigur. Ich-Erz. Tollkühne und galante Abenteuer, in Wirklichkeit Lügengeschichten eines aufschneiderischen Studenten. Großmannssucht des Kleinbürgertums, das die Kavaliersreise des Adels nachahmen will. Gegensatz zwischen den galanten Phrasen und den grobianischen Flüchen des Erzählers. Zugleich satirisch gegen Abenteuer- und Reise-Rr., auch gegen die Simpliziaden gerichtet, denen der R. in seiner Struktur verpflichtet ist.

Zweibändige völlig umgearbeitete Fassung 1696/97 mit dem Titel: *Schelmuffskys wahrhaftige kuriöse und sehr gefährliche Reisebeschreibung zu Wasser und zu Lande.* Einbeziehung von Szenen der inzwischen erschienenen Oper *Der anmutige Jüngling Schelmuffsky und die ehrliche Frau Schlampampe* (1697). Verlagerung des Akzents von der lügenhaften Reisebeschreibung auf die Selbstentlarvung des ambivalenten Helden: die Reise war nur eine Zechtour ins nächste Dorf; er beschreibt die vornehme Welt, wie er sie sich vorstellt, und entlarvt seine Unkenntnis im Erzählen.

1700   Friedrich Rudolf von Canitz
(1654–1699, Berlin):
Nebenstunden unterschiedener Gedichte

Postum, zu Lebzeiten nur im Freundeskreis verbreitet.

Slg. von Satiren (Lit.-Kritik), geistlichen Gedichten, Gelegenheits-
gedichten. Bukolische Dgg. vom Hof-, Stadt- und Landleben. Anknüpfung an Vergil.
Abstreifung des Schwulstes, Einfluß von Boileau. Undichterisch,
korrekt und steif, ein erster Schritt in die Aufklärungslit., jedoch
noch höfisch orientiert.

Vorbild für die übrigen Hofdichter. Friedrich II. fand C.' Gedichte supportable; Anerkennung durch Fontane in den *Wanderungen.*

1724   Johann Christian Günther
(1695–1723, Wittenberg, Leipzig, Breslau, Jena):
Deutsche und lateinische Gedichte

Postum. Schäfer- und Liebesgedichte, Studentenlieder, geistliche
Lieder. Echte Erlebnislyrik. Überwindung des Marinismus nicht nur
aus kritischer Theorie, sondern aus genialem, natürlichem Talent.
Verbindung zur Volksdg. Ausklang des Barock. G. der »letzte
Schlesier«.

1735 neue Ausgabe, bis 1764 sechsmal aufgelegt. Einwirken auf den Sturm und Drang,
dessen Dichtertyp G. vorlebte. Goethe: »Er wußte sich nicht zu zähmen, und so zer-
rann ihm sein Leben wie sein Dichten.«

1720–1785 Aufklärung

Die Dg. der Aufklärung in der Epoche zwischen 1720 und 1785, in
der die allgemeinen aufklärerischen Standpunkte auf die dt. poetische Lit. übertragen wurden, hat zwei Hauptphasen: bis 1740 im
Zeichen Gottscheds und von 1755 bis 1770 im Zeichen Lessings. Sie
kann auch als vorklassisch oder – im Hinblick auf die Anlehnung an
Frankreich – als klassizistisch bezeichnet werden, wobei sich gegenüber dem vorbarocken Klassizismus um Opitz ein nachbarocker
Klassizismus um Gottsched ergibt.
Während die dt. Kultur im 17. Jh. dreifach zersplittert war – konfessionell, sozial (Gegensatz Gelehrte–Volk) und national –, wirkte
die Aufklärung durch die Idee der Toleranz, den Gedanken des
Weltbürgertums und durch philosophische Allgemeinbildung eini-
gend. Die Bildung verlagerte sich von den Höfen in die großen Han-
delsstädte Hamburg, Zürich, Leipzig.
Aufklärung als geistige Bewegung wirkte zuerst in England, wo sie
auf der Verfassung, den bürgerlichen und kirchlichen Freiheiten und
der Pressefreiheit (seit 1693) beruhte. Hauptvertreter des engl. Em-

pirismus ist John Locke (1632–1704); Hauptwerk: *Essay concerning Human Understanding* (1690). Durch Beobachten wird die Seele mit Erfahrungen erfüllt, Empfindungen (sensations) werden in ihr hervorgerufen und Vorstellungen geweckt, an denen sich der Geist (reflection) übt. »Nihil est in intellectu, quod non antea fuerit in sensu.« David Hume (1711–1776) bildete die Erkenntnislehre Lockes weiter, vertrat in der Ethik den Standpunkt, der Zweck aller menschlichen Tätigkeit sei das Glück.

In Frankreich hatte schon René Descartes (1596–1650) gesagt: »Nichts Nützlicheres gibt es hier zu erforschen, als was die menschliche Erkenntnis sei und wie weit sie sich erstrecke.« Pierre Bayle (1647–1705) betonte den Widerspruch zwischen Offenbarung und Vernunft. Sein Hauptwerk ist das große *Dictionnaire historique et critique* (1695–1697), dessen dt. Ausgabe (1741) durch Gottsched veranlaßt wurde. Voltaire (1694–1778) und Montesquieu (1689–1755) sind die eigentlichen Vermittler der engl. aufklärerischen Ideen. Voltaire sah es als höchste Aufgabe des Menschen an, durch Verwirklichung der Idee der Gerechtigkeit die Unvollkommenheiten der Welt zu mildern. Montesquieu zeichnete in *Lettres persanes* (anonym 1721) ein satirisches Bild des zeitgenössischen Frankreich und legte in *L'Esprit des lois* (1748) seine Lehre von den drei Gewalten (gesetzgebende, ausführende, richterliche) nieder. Vorläufer der dt. Aufklärung war Gottfried Wilhelm Leibniz (1646–1716). Nach ihm ist die Monade der einzelne Kraftträger. Jede Monade ist selbständig und ein lebender Spiegel des Universums. Es besteht eine Stufenfolge der Monaden von den niedrigsten bis zur ultima ratio rerum, Gott. Leibniz erstrebte die Vereinigung der theologisch-teleologischen Auffassung der Welt mit der physikalisch-mechanischen; Körper und Seelen stehen in prästabilierter Harmonie zueinander. Der Aufbau von Leibniz' Weltanschauung hat einen schöpferischen Zug und enthält noch irrationale Elemente der Barockzeit. Der Künstler ist ihm ein Nachschöpfer Gottes. Christian Wolff (1679–1754) brachte leibnizisches Denken in systematische Form, wobei auch aristotelisches, stoisches, scholastisches und kartesisches Gedankengut eklektisch verarbeitet wurde. Wolff erstrebte praktische Brauchbarkeit der Philosophie. Sein Ideal war der gesunde Menschenverstand, sichere Quelle des Lebensglückes die Tugend. Wolff philosophierte nach Thomasius' Vorbild in dt. Sprache. Johann Christoph Gottsched (1700–1766), dessen akademische Laufbahn zunächst der Verkündung Wolffscher Philosophie diente, stellte ihre Verbindung zur Lit. her.

Die Aufklärung vollendete alle Bemühungen seit dem Ende des MA., den Menschen aus jenseitigen Bindungen zu lösen. Ihr Ziel war die allseitige, selbständige Entwicklung des menschlichen Geistes. Der naturwissenschaftlich gebildete Geist tritt kritisch an die übernatür-

lichen Elemente im christlichen Dogma heran: Natürliche Religion.
Der Deismus ist eine philosophische Religion von wesentlich moralischem Inhalt. Die Welt ist zwar von Gott erschaffen, aber ihr ge-
setzmäßiger Verlauf unabhängig von seinem Einwirken. Gott ist
gütig und der Hüter des Sittlichen. Kant beantwortete 1784 die
Frage: Was ist Aufklärung? mit »Ausgang des Menschen aus seiner
selbstverschuldeten Unmündigkeit«. Der Wahlspruch der Aufklärung sei: »Sapere aude! Habe Mut, dich deines eigenen Verstandes
zu bedienen!« Die Bestimmung des Menschen ist Vernunft verbreiten, die Geister aufklären, die Tugend befördern. Das Glück liegt in
Humanität. »Die unglückseligen Zeiten sind eine Frucht des Lasters,
die glückseligen eine Frucht der Tugend« (Wolff). Duldsamkeit gegenüber den verschiedenen Konfessionen. Als Kennzeichen des Zeitalters gelten Optimismus: Leibniz' Lehre von der »besten aller Welten«, Weltbürgertum: Überwindung nationaler Bestimmtheit als einer Fessel freien Denkens, Rationalismus: Glaube an die Erklärbar-
keit auch problematischer Dinge sowie Zweifel am Offenbarungsglauben.
Mitten in der Aufklärungszeit gewannen Auflehnungen des Gefühls
führenden Einfluß, z. B. der Pietismus und eine seelisch beschwingte
Philosophie (vgl. den Abschnitt Empfindsamkeit).
In der Kunstlehre setzte die Aufklärung ethische und ästhetische
Werte gleich. Die Kunst hat die Aufgabe zu nützen und zu ergötzen.
Sie ist Nachahmung der Natur. Der Künstler lernt und richtet sich
nach Regeln. Die Produktion war der theoretisch-kritischen Über-
legung untergeordnet. Die Autonomie des »Genies« der Aufklärung
ist auch bei Lessing noch eine beschränkte: es legt sich selbst die Regeln auf, die aus den genialen Kunstschöpfungen der Vergangenheit
rational erschließbar sind. Nach Alexander Baumgartens *Aesthetica*
(1750–1758) ist Schönheit das sinnlich angeschaute Vollkommene,
Ästhetik ist als Anleitung zum richtigen Empfinden verstanden. Um
die beginnende wissenschaftliche Ästhetik hat sich auch Moses Mendelssohn (1729–1786) besondere Verdienste erworben, der z. B. die
künstlerische Wirkung mit einer Illusionstheorie erklärte. Er wandte
sich gegen die enge Bindung des Ästhetischen an das Moralische
(*Briefe über die Empfindungen*, 1755; *Über die Hauptgrundsätze der schönen Künste und Wissenschaften*, 1757; *Rhapsodie oder Zusätze zu den Briefen über die Empfindungen*, 1761). Dagegen zeigen sich in Johann Georg Sulzers enzyklopädisch angelegtem Werk *Allgemeine Theorie der
schönen Künste und Wissenschaften* (1771–1774) noch keinerlei Anzeichen der sich zu diesem Zeitpunkt schon formierenden Geniebewegung. Das prodesse hat Vorrang vor dem delectare, die Vernunft vor
der Empfindung, die Künste dienen der sittlichen Erziehung des Menschen, Schönheit ist nur »Lockspeise des Guten«. Organ für die
Rezeption erzieherischer Inhalte von Lit. ist der Geschmack.

Im Gegensatz zum Barock griff der Klassizismus des 18. Jh. auf die Einfachheit und Formenreinheit der Antike zurück. Der frz. Klassizismus hatte als Vorbild sogar noch Bedeutung für die Weimarer Hochklassik. Maßgebend wurde auch für Dld. Nicolas Boileaus *L'Art poétique* (1674): entscheidendes Element des dichterischen Schaffens ist die Vernunft, die das Wahre, Schöne und Gute in sich schließt. Reinliche Scheidung der einzelnen Dg.-Gattungen, Ablehnung einer Vermengung von Tragik und Komik. Erfordernis der drei Einheiten für die Tr., Klarheit, Allgemeingültigkeit, Einfachheit, Natürlichkeit als Leitbilder des Stils.

Gottsched verwarf die modernen Italiener und Spanier, empfahl neben den klassizistischen Franzosen die Griechen und Römer, in beiden glaubte er »Vernunft« und »Natur« verwirklicht. Die gegen ihn einsetzende Kritik der Schweizer und der späteren Bremer Beiträger betraf u. a. das Recht des Überrationalen in der Dg. Lessing bemühte sich um die theoretische Trennung von bildender und Wortkunst und die Klärung ihrer spezifischen Mittel.

In der Dg. der Aufklärung stand der Mensch im Vordergrund des Blickfeldes. Heldentypus war ein sich durch Willen und Vernunft vervollkommnendes Wesen; Bändigung der Triebe, zweckbewußtes, vernünftiges Handeln.

Noch 1780 hat Friedrich II. *(De la littérature allemande)* ohne Kenntnis der inzwischen aufgetauchten weiterweisenden dt. Dgg. eine späte, nicht unerwidert gebliebene (Justus Möser u. a.) Kritik aus rationalistisch-klassizistischem Geist geübt.

In die Aufklärung eingebettet ist die Stilrichtung des Rokoko, die aus Frankreich kam und unter dem Einfluß der Höfe um 1740 in Dld. eindrang. Sie ist ohne aufklärerische Geisteshaltung und Kunstübung nicht zu denken, arbeitete ihnen aber in manchem entgegen und bildet »eine Brücke zwischen Barock und Goethezeit« (Alfred Anger). Im Rokoko lebten bestimmte Motive, Formen und Gattungen des 17. Jh. fort, sie sind jedoch ins Anmutige, Graziöse, Tändelnde, Heiter-Ironische, Skeptisch-Frivole abgewandelt. Die zärtlichen Züge verbinden das Rokoko mit der Empfindsamkeit, sein Grazieideal fußte bereits auf der für die Klassik wichtigen Ästhetik Shaftesburys. Anti-aufklärerisch ist die Tendenz zur Auflösung der Gattungen und die Neigung zum Phantastisch-Märchenhaften. Bevorzugt wurden die kleinen Formen und Gattungen: Lyrik, Schäferspiel (Gleim, Gellert, Goethe *Die Laune des Verliebten*, 1767), Schäferidylle (Geßner), Verserzählung (Wieland), Epyllion (Zachariae, Wieland, v. Thümmel); z. T. auch Singspiel (Christian Felix Weiße) und Lustspiel (Johann Elias Schlegel *Die stumme Schönheit*). Züge des Rokoko lebten im Biedermeier wieder auf.

In der Lyrik trat die Ode sowohl als weltliche wie als geistliche auf. Während sie in der Empfindsamkeitsdg. von Samuel Gotthold Lange zum Ausdruck erhabener Gesinnung benutzt wurde und von Klopstock eine Wendung ins Enthusiastische erfuhr, wobei freie Rhythmen die nach antiken Mustern gebaute Ode in den ungebundeneren Stil der Hymne auflösten, ahmte Ramler autoritativ und vermeintlich präzise die antiken Metren nach.

Die zum Rokoko gehörige anakreontische Lyrik (Hagedorn, Gleim, Uz, Götz, Gellert, der junge Lessing, der junge Goethe) orientierte sich an dem Vorbild des Horaz, der Elegiker und der pseudoanakreontischen Gedichte; diese waren schon als Elemente der frz. poésie fugitive vorhanden, in Dld. seit Opitz übersetzt und nachgeahmt. Hauptthemen: Liebe, Wein, Geselligkeit. Elemente der antiken Mythologie und der Schäferpoesie. Epikuräischer Lebensgenuß, durch vernunftvolles Maß und Anmut gebändigt.

Dem philosophischen Zeitgeschmack kam das Lehrgedicht entgegen. Vorbild Alexander Popes (1688–1744) Gedichte *Essay on Criticism* (1711), eine Poetik, und die Theodizee *Essay on Man* (1733; dt. Übs. von Brockes 1740) sowie James Thomsons (1700–1748) *The Seasons* (1726–1730, dt. Übs. Brockes 1745). Haller unterbaute diese Reflexionspoesie mit den Lehren der Stoa und mit denen von Leibniz, Newton und Shaftesbury. Weitere: Hagedorn, Kleist, der junge Wieland (*Natur der Dinge*, nach Lukrez). Meist Alexandrinergedichte mit den vom Deismus und Wolffianismus aufgegebenen religiös-philosophischen Schulthemen, außerdem die sog. »physikalischen Gedichte«. Neue Form erst durch Schillers Ideenlyrik.

Die im 17. Jh. vernachlässigte Fabel trat erst wieder im 4. Jahrzehnt des 18. Jh. und in Folge der moralisierenden Tendenz der Aufklärung auf (Hagedorn, Haller, Gottsched, Gellert, Lichtwer, Pfeffel). Muster außer Äsop La Fontaine (1621–1695) und Lamotte (1672 bis 1731). Die Fabel gibt unterhaltende, typische, nicht individuelle Kritik und Belehrung. Nach Breitinger ahmt sie die Natur nach, ist aber auch wunderbar und von sittlichem Zweck und Nutzen. Lessing gab den drei Büchern seiner *Fabeln* (1759) fünf theoretische Abhandlungen bei; nach ihm hat die Fabel nur der Erkenntnis zu dienen; er verlangte Prosa und präzisen Stil.

Die Satire gab dem vom Dichter nicht wegzudenkenden »Witz« = bel esprit ein besonderes Betätigungsfeld. Gegen Ende des 17. Jh. war die Verssatire häufiger geworden; die »Hofdichter« pflegten die Alexandrinersatire. Unter dem Einfluß Swifts stand Christian Ludwig Liscow (1701–1760), der wie dieser in Prosa schrieb. Ramler kehrte allmählich wieder stärker zur typenhaften Menschendarstellung La Bruyères (1645–1696) und der moralischen Wochenschriften zurück.

Nach Logaus Epigrammen (hgg. Ramler und Lessing, 1759) waren Christian Wernickes (1661–1725) *Überschriften und Epigrammata* (1697 bis 1701) schon gegen den Hochbarock gerichtet, aufklärerisch. Zur Theorie vgl. Lessing: *Zerstreute Anmerkungen über das Epigramm*

(1771). Epigramme schrieb auch Abraham Gotthelf Kästner (1719 bis 1800).

Das Versepos vertrat rokoko-klassizistisch Wieland sowohl komisch-travestierend in antikem Gewand als auch heiter-antikisch und ernst-romantisch. Popes *Lockenraub* (1712) beeinflußte das komische Helden-gedicht der Friedrich Wilhelm Zachariae, Uz, Kortum, Blumauer. Im Gewande der Verserz. gab sich auch oft das Märchen, das in der ersten Hälfte des 18. Jh. durch Übss. aus frz. und orientalischen Vorlagen rezipiert wurde und sich als Unterhaltungslektüre großer Beliebtheit erfreute. Einzige Gattung, in der das Wunderbare Raum haben durfte, häufig lehrhaft-moralisch umgebogen, später von Wieland ironisch relativiert und spielerisch ästhetisiert. Durch das Feenmärchen des 18. Jh. wurde eine stoffliche Grundlage für die Märchendg. der Romantik geschaffen.

Bis ins zweite Viertel des Jh. wurden noch die spätbarocken Romane gelesen, die schon eine gewisse seelische Betontheit zeigten.

Eine verwässerte Abart des heroisch-galanten R., der galante R., in dem das heroische und staatspolitische Element eliminiert war und die Welt zum Schauplatz frivoler erotischer Abenteuer verengt schien, wurde im wesentlichen durch reine Unterhaltungsschriftsteller repräsentiert (Christian Friedrich Hunold, 1680–1721, Johann Leonhard Rost, 1688–1727, und Johann Gottfried Schnabel mit *Der im Irrgarten der Liebe herumtaumelnde Kavalier*, 1738).

Auch Daniel Defoes *Robinson Crusoe* (1719) brachte den Verzicht auf den heroischen Helden von Rang. Die Einführung des Bürgertums als Thema der psychologischen Familien-Rr. geschah durch Samuel Richardson, der die Empfindsamkeit mit prägte. Den humoristisch-satirischen Sitten-R. förderte das Beispiel Henry Fieldings (1707 bis 1754), dessen individualisierende Charakteristik von Hermes bis Jean Paul nachgeahmt wurde. Realistische, oft karikaturistische Typenzeichnung kam von Tobias Smollett (1721–1771), der einen Gegenschlag gegen Richardson und eine Annäherung an den Abenteurer-R. bringt. Steigender Beliebtheit erfreute sich Cervantes' *Don Quijote*, der direkte und (über Fielding) indirekte Einflüsse auf den dt. R. ausübte: Musäus' *Grandison der Zweite*, Wielands *Don Sylvio*, Hippels *Kreuz- und Querzüge*, Müllers *Siegfried*. Die Helden dieser Donquijotiaden zeigten noch keine Entwicklung, am Schluß stand nur eine Desillusionierung, eine rein intellektuelle Heilung. Dagegen brachte Wielands *Agathon* Wandlung von der Zuständlichkeit in ein vom Erlebnis bestimmtes Werden.

Als Gefäß für Staatsphilosophie, als Fürstenspiegel, trat der Staats-R., zurückreichend bis auf Xenophon und Fénelon (*Télémaque*, 1699), bei Haller und Wieland auf. Mit pädagogischen Ideen, besonders nach dem Erscheinen von Rousseaus *Émile* (1762), füllten ihn Sintenis, Schummel, Pestalozzi, Campe. Stoffliche Erweiterung erhielt

der R. durch Wieland und seine Nachfolger nach der Antike und
dem Orient hin, aber auch das dt. MA. und die Renaissance wurden –
ganz unhistorisch – behandelt.
Der Schwerpunkt der R.-Theorie verlagerte sich auf das Problem der
psychologischen Wahrscheinlichkeit. Durch Richardsons Erfolge
wurde die Gattung anerkannt, Gottsched räumte ihr in der 4. Aufl.
(1751) seiner *Kritischen Dichtkunst* daher einen Platz ein. Friedrich
v. Blanckenburgs *Versuch über den R.* (1774) ist mehr eine Abrechnung mit dem bis dahin Geleisteten (Familien-R. der Richardson-
Nachfolge) als dessen Unterbauung und Bestätigung.
Die dram. Dg. wurde von Gottsched zunächst an die tragédie
classique verwiesen, wobei er sich auf deren praktische Erprobung
durch Anton Ulrich von Braunschweig (seit 1690) und die am
Braunschweig-Wolfenbütteler Hof bereits in deren Darstellung ge-
übte Neubersche Truppe stützen konnte. Gottscheds Ziel war die
Ersetzung der possenhaften Harlekinaden, der ital. Ausstattungs-
opern und der Haupt- und Staatsaktionen durch »regelmäßige« Drr.
Durch seine Zusammenarbeit mit dem Prinzipal Johann Neuber und
vor allem dessen Frau Caroline verband er das dram. Schaffen der gelehrten Dichter wieder mit dem Volkstheater und reformierte das
Theater der Wandertruppen; 1737 Verbannung des Harlekins von
der gereinigten Schaubühne. Johann Elias Schlegel zeigte theoretisch
die Abhängigkeit des Dr. von der Eigenart und Kultur einer Nation
und näherte es Shakespeare leicht an. Thematisch und formal war es
noch immer mit dem Barockdr. verwachsen, seine Grundhaltung
stoisch. Von Wieland (*Lady Johanna Gray*, Auff. 1758 in Winterthur),
Simon Grynaeus (Übs. von *Romeo und Julia*, 1758) und Joachim Wilhelm von Brawe (*Brutus*, 1768) wurde der Alexandriner mit dem
jambischen Fünftakter vertauscht, den Lessings *Nathan* durchsetzte.
Ewald von Kleist verwandte bereits Prosa (*Seneca*, 1758). Lessing
griff Gottscheds dt.-frz. Theater an, klärte theoretisch das Ziel der
Tr. und dramaturgische Grundbegriffe im Anschluß an Aristoteles,
verwies das dt. Dr. an Shakespeare und das ältere dt. volkstümliche
Dr. Als Dichter begründete er mit *Miss Sara Sampson* (1755) das bürgerliche dt. Tr., dessen empfindsame Einseitigkeiten jedoch sein
späteres Werk überwand, das in Gehalt und Form das Dr. der Aufklärung unmittelbar an das der Klassik heranführte.
Auch das Lsp. suchte Gottsched auf Grund der frz. Kom. zu refor-
mieren. In die comédie sérieuse hatte bereits Destouches (1680–1754)
eine belehrende Tendenz einbezogen. Das nachklassische frz. Lsp.
wirkte als Charakter- oder Typenlsp. auf Gottsched (*Der Verschwen-
der* u. a.) und seine Frau (*Die Pietisterei im Fischbeinrock*, 1736; *Die ungleiche Heirat*, 1745), Schlegel (*Der geschäftige Müßiggänger*, 1743) und
Lessings Jugendwerke. Die Helden dieser Komm. erschienen am
Schluß meist gewandelt, gebessert.

Der internationale Zeitgeist förderte die Übss.

Unter den Übss. antiker Schriftsteller ragen die Wielands hervor. Shakespeare fand in Wieland (22 Drr., 1762–1766) und seinem Fortsetzer Johann Joachim Eschenburg (1775–1782) die ersten namhaften Übersetzer; beide Übss. noch in Prosa. Des Dänen Holberg Komm. wurden seit 1743 übersetzt (*Holbergs dänische Schaubühne*, 5 Bdd., einzelne Stücke in Gottscheds *Deutscher Schaubühne*).

Wichtig für die Verbreitung der Aufklärung waren die zahlreichen moralischen Wochenschriften.

Muster die engl. von Joseph Addison (1672–1719) und Richard Steele (1671–1729): *The Tatler* (1709–1711), *The Spectator* (1711–1712) und *The Guardian* (1713), die noch täglich erschienen. Erste dt. moralische Wochenschrift: *Der Vernünftler* (1713–1714, Hamburg, hgg. Mattheson). Weitere:

Bodmer/Breitinger: *Diskurse der Malern* (1721–1723, Zürich; die Mitarbeiter zeichneten ihre Beiträge mit den Namen berühmter Maler)
Brockes: *Der Patriot* (1724–1726, Hamburg)
Gottsched: *Die vernünftigen Tadlerinnen* (mißverstanden, nach Tatler; 1725 bis 1727, Leipzig)
Gottsched: *Der Biedermann* (1727–1729, Leipzig)

Die Wochenschriften behandelten in Form kleiner Erzz. und Sittenschilderungen, sog. »Gemälden«, alle möglichen Fragen des täglichen geistigen und praktischen Lebens. Sie arbeiteten der Reform des allgemeinen Erziehungswesens vor, traten für Bildung und Anerkennung des weiblichen Geschlechtes ein. Sie regten das Interesse weiter Kreise des Bürgertums für Kunst und Dg. wieder an und stellten wieder eine Verbindung zwischen Lit. und Leben her.

Bedeutendste dt. kritische und lit. Zss.:

Beiträge zur kritischen Historie der dt. Sprache, Poesie und Beredsamkeit (1732–1744), hgg. Gottsched. Kritisches Lit.-Blatt, zunächst im Dienste der Dt. Gesellschaft.
Göttingische gelehrte Anzeigen, gegr. 1739; wissenschaftlich bedeutsam.
Belustigungen des Verstandes und Witzes (1741–1745), hgg. Johann Jakob Schwabe; vereinigte die Anhänger und Schüler Gottscheds.
Bremer Beiträge (= *Neue Beiträge zum Vergnügen des Verstandes und Witzes*, 1744–1757, Erscheinungsort Bremen), hgg. Karl Christian Gärtner, Johann Adolf Schlegel, Johann Andreas Cramer. Aus dem Gottsched-Kreis hervorgegangene Gruppe, die zu den Schweizern neigte: Gellert, Rabener, Johann Elias Schlegel, Kästner, Zachariae, Hagedorn. 1748 Abdruck der ersten Gesänge von Klopstocks *Messias*.
Bibliothek der schönen Wissenschaften und freien Künste, 1757 gegr. von Friedrich Nicolai, nach zwei Jahren unter der Leitung von Christian Felix Weiße, seit 1765: *Neue Bibliothek* usw.
Briefe, die neueste Lit. betreffend (1759–1765), hgg. Nicolai. Mitarbeiter: Mendelssohn, Lessing, Abbt.
Allgemeine dt. Bibliothek (1765–1792), hgg. Nicolai. Mitarbeiter: Herder, Abbt, Heyne, Campe, Mendelssohn, Zelter, Eschenburg. 1793 fortgeführt als: *Neue Allgemeine dt. Bibliothek* (bis 1805; 1793–1800 nicht unter Nicolais Leitung; insgesamt 268 Bdd.). Gelehrt; Auszüge und Rezensionen.
Der Teutsche Merkur (1773–1789), hgg. Wieland, fortgeführt als: *Der Neue Teutsche Merkur* (1790–1810), hgg. Karl August Böttiger. Erste dt. schöngeistige Monatsschrift

nach dem Vorbild des frz. *Mercure galant* (1772ff., ab 1774 *Mercure de France*). Starker Einfluß auf die Geschmacksbildung. Enthielt Erstveröffentlichungen von Wielands Dgg. und seine kleinen Aufsätze zur Lit., Philosophie und Politik.

Die tragende Schicht der Aufklärung wurde der dritte Stand: die akademisch Gebildeten, vor allem Theologen und Philologen, Gelehrte, Schulmänner.
Die lit. Führung ging an die protestantischen Landesteile, die Niedersachsen, die Alemannen und die Obersachsen, über. Sammelpunkte waren Hamburg, Zürich, Leipzig, Berlin, die Universitäten Halle und Göttingen.

In Leipzig seit 1727 die Deutsche Gesellschaft, in der ihr Führer, Gottsched, eine der Académie française ähnliche Institution schaffen wollte; aus Gottscheds Kreis sonderten sich die sog. Bremer Beiträger (seit 1744) ab. In Halle der sog. ältere Hallenser Kreis (1736ff.), pietistisch, und der jüngere anakreontische Kreis (ab 1740). In Berlin bildete sich ein philosophisch-lit. Kreis um Lessing, Mendelssohn, Nicolai (seit etwa 1755), zu dem Ramler, Sulzer, Kleist gehörten.

Wichtigste Autoren der Aufklärung:

Bodmer, Johann Jacob, geb. 1698 zu Greifensee. Wurde zunächst Kaufmann, entschloß sich aber 1718 zu lit. Leben. War 1725–1775 Prof. für vaterländische Gesch. in Zürich. Bemerkenswerte Herausgabe von Lit.-Denkmälern des dt. MA. Nach Goethe war B. eine »Henne für Talente« oder »Hebamme des Genies«. Klopstock, Wieland, Christian Ewald von Kleist, Geßner, Heinse, Goethe, die beiden Stolbergs haben ihn besucht. Gest. 1783 in Zürich.

Gellert, Christian Fürchtegott, geb. 1715 in Hainichen. 1729 Fürstenschule zu Meißen, 1734–1738 stud. phil. und theol. in Leipzig; hier Freundschaft mit Gärtner, Johann Elias Schlegel, Rabener u. a. Ab 1745 Dozent und später Prof. für Poesie, Eloquenz, Moral in Leipzig. Nach Goethe »Gewissensrat für ganz Dld.«. Von Friedrich II. anerkannt als »le plus raisonnable de tous les savants allemands«. Gest. 1769 in Leipzig.

Gleim, Johann Wilhelm Ludwig, geb. 1719 zu Ermsleben. Früh verwaist und mittellos. 1738–1740 Stud. in Halle. 1747 Domsekretär in Halberstadt. Kanonikus des Stifts Walbeck. Großer Freundeskreis: die Hallenser Dichter Johann Georg Jacobi, Michaelis, Heinse. Aufgesucht von Voß, Herder (1775), Goethe (1783), Wieland, Heinrich von Kleist (1801). Plan einer Dichterschule in Halberstadt. Am Ende seines Lebens erblindet. Gest. 1803 in Halberstadt.

Gottsched, Johann Christoph, geb. 1700 in Judittenkirchen/Ostpr. Seit 1714 Stud. in Königsberg: Theologie, Philosophie, Philologie. Floh 1724 vor den Werbern des Soldatenkönigs nach Leipzig. Habilitierte sich dort 1725 für Philosophie und Dichtkunst. Heraus-

geber mehrerer Zss. Zusammenarbeit mit der Neuberschen Schau-
spieltruppe, Reform des Dr. und des Theaters. 1730 ao. Prof., 1734
o. Prof., 1739 Rektor. Seit 1735 verheiratet mit Luise Adelgunde
Kulmus aus Danzig (1713–1762). Gest. 1766 in Leipzig.

Haller, Albrecht von, geb. 1708 in Bern. Gelehrtes Wunderkind,
schrieb mit 11 Jahren sein erstes Gedicht. 1723–1726 stud. med. in
Tübingen und Leiden. 1727 in Londoner Hospitälern. 1729 Rückkehr nach Bern. 1736–1753 Prof. der Medizin und Botanik in Göttingen; gründete 1751 die *Societät der Wissenschaften*. 1753 Rückkehr
in die Schweiz, Direktor von Salzwerken im Rhônetal. Verfaßte
große medizinische Werke. Gest. 1777 in Bern.

Lessing, Gotthold Ephraim, geb. 1729 in Kamenz/Oberlausitz,
entstammte einer protestantischen Theologenfamilie. 1741–1746 Besuch der Fürstenschule St.Afra in Meißen. 1746–1748 stud. theol.,
später med. in Leipzig; Theaterbesuche bei der Neuberin, Anfänge
übersetzerischer und schriftstellerischer Tätigkeit. 1748–1751 in Berlin. Freundschaft mit Friedrich Nicolai und Moses Mendelssohn.
Ausgedehnte Redakteur- und Rezensententätigkeit. 1751–1752 in
Wittenberg; Erwerbung des Magistertitels, Kritik der Horazüber-
setzung von Samuel Gotthold Lange. 1752–1755 zweiter Aufenthalt
in Berlin, Bekanntschaft mit Sulzer und Ramler, Erscheinen von L.s
Schriften (1753–1755). 1755–1758 in Leipzig; eine geplante Weltreise
wurde durch den Ausbruch des Siebenjährigen Krieges in Amsterdam abgebrochen. 1758–1760 in Berlin; Freundschaft mit Christian
Ewald von Kleist. 1760–1765 Sekretär des Generalgouverneurs von
Schlesien, Tauentzien, in Breslau. 1765–1767 in Berlin; L.s Bewer-
bung um die Leitung der Kgl. Bibliothek durch Friedrich II. abgewiesen. 1767–1770 in Hamburg; Dramaturg der »Hamburger Entreprise« (1767–1768), Fehde mit dem Prof. Christian Adolf Klotz. 1770
bis 1781 Bibliothekar in Wolfenbüttel, 1775 Reise nach Leipzig, Berlin, Wien und – als Begleiter eines braunschweigischen Prinzen –
nach Mailand, Venedig, Florenz und Rom. 1776–1778 Ehe mit Eva
König. 1777 Beginn der Fehde mit dem Hauptpastor Goeze. Gest.
1781 bei einem Besuch in Braunschweig.

Schlegel, Johann Elias, geb. 1719 in Meißen. Schüler in Pforta,
Stud. in Leipzig; hier Einfluß Gottscheds. 1743 Privatsekretär des
sächsischen Gesandten in Kopenhagen, seit 1748 Prof. an der Ritter-
akademie in Sorö. Auch in Dänemark mit Theaterreformplänen beschäftigt (*Gedanken zur Aufnahme des dänischen Theaters*, 1747). Gest.
1749 in Sorö.

Wieland, Christoph Martin, geb. 1733 zu Oberholzheim bei Biberach. Nach pietistischer Schulerziehung 1749 Stud. in Erfurt, seit
1750 in Tübingen. Von Bodmer auf Grund seines Epos *Hermann*
(1751) in die Schweiz eingeladen, von 1752 bis 1754 in dessen Zürcher Haus. Verkehr mit Breitinger, Geßner, Hirzel. Dann Hausleh-

rerzeit. 1760 Rückkehr nach Biberach, wurde dort Kanzleidirektor. Verkehr mit dem Kanzler Friedrich Graf Stadion, Abkehr von der »seraphischen« frühen Periode. 1769 als Prof. der Philosophie nach Erfurt berufen. Auf Grund seines Staats-R. *Der goldene Spiegel* von der Herzogin Anna Amalia 1772 als Erzieher ihrer beiden Söhne nach Weimar berufen. Von 1798 bis 1803 lebte W. mit seiner Familie auf Gut Oßmannstedt bei Weimar. 1803 besuchte ihn dort Heinrich von Kleist. Gest. 1813 in Weimar.

1721/48   Barthold Heinrich Brockes
         (1680–1747, Hamburg):
         **Irdisches Vergnügen in Gott, bestehend in
         physikalisch- und moralischen Gedichten**

Unter dem Einfluß von Alexander Pope (1688–1744) und James Thomson (1700 bis 1748), dessen *Jahreszeiten* B. übersetzte.

9 Teile. Schilderung der Natur durch alle ihre Reiche. Bewunderung für den »schönen Bau der Erde« und die kleinsten Naturerscheinungen bis zum »bewundernswerten Stäubchen«. Das Titelbild: »Wie glücklich, wer, wie wir, von Stadt und Hof entfernet, / den Schöpfer im Geschöpf vergnügt bewundern lernet.«
Erster Einbruch in die kirchliche Offenbarungslehre. Teleologische Naturbetrachtung. B. will durch Naturbeobachtung Gottes Größe erkennen. Überall waltet göttliche Vernunft und zweckmäßig handelnde Vorsehung. Nach langer Verachtung der Natur Wiederentdeckung ihrer intimen Reize.

In den folgenden 23 Jahren 7 Aufl.

1729   Friedrich von Hagedorn
         (1708–1754, Hamburg):
         **Versuch einiger Gedichte oder erlesene Proben
         poetischer Nebenstunden**

Epikureische Lebensweisheit. Natursinn, verfeinerte Sinnlichkeit des frühen Rokoko. Horaz als großes Vorbild bezeichnet. Anstoß zur dt. Anakreontik.

Klopstock in der Ode *Wingolf*: H. »ein Muster im unsokratischen Jahrhundert«. Verehrung auch unter den Bremer Beiträgern.

1730   Johann Christoph Gottsched
         (Biogr. S. 160/161):
         Versuch einer critischen Dichtkunst vor die Deutschen

Führende, philosophisch fundierte Poetik der Aufklärung.

Grundlage: der Wolffsche Rationalismus und Boileaus *L'Art poétique* (1674). Unter den Vorbildern besonders auch Opitz hervorgehoben.

Antibarockes, klassizistisches Formideal. Dichtertum ist intellektuelle Fähigkeit; Phantasie durch »gesunde Vernunft« gemäßigt. »Guter Geschmack« Sache der Erziehung; Übereinstimmung des urteilenden Verstandes mit den Regeln der Vollkommenheit eines »schönen« Gegenstandes. Wesen der Dg. ist Naturnachahmung im Sinne von Batteux, der nur die »schöne Natur« nachgeahmt wissen wollte. Seele der Dichtkunst, auch in Epos und Dr., ist die Fabel, die »Erfindung«, in der eine nützliche moralische Wahrheit liegt. Das Wunderbare muß wahrscheinlich sein (gegen Homers Gottheiten). Der Stil hat klar, natürlich, hochsprachig zu sein.

Der 2. Teil behandelt nach Boileau die Gattungen Idylle, Epos, Dr. Auch die Tr. verlangt einen moralischen Satz, der an einem historischen Fall exemplifiziert wird. Wahrung der drei Einheiten der Handlung, der Zeit und des Ortes (= Standortes), sog. »regelmäßige« Tr. Verbannung des Monologs, Forderung der Kostümtreue, gegen Oper und Auftreten des Hanswurst. Die Kom. ist Nachahmung einer lasterhaften Handlung und spielt unter Bürgerlichen sowie Bedienten; das Lächerliche belehrt über das Laster.

Die 2. Aufl. (1737) enthielt eine scharfe Ablehnung von Miltons *Verlorenem Paradies* als schwülstig. Bruch mit den Schweizern Bodmer und Breitinger. Letzte Aufl. 1754.

1731 **Johann Christoph Gottsched**
(Biogr. S. 160/161):
Sterbender Cato

Tr. 5. Auff. in Leipzig durch die Neubersche Truppe.
Thema: Selbstmord des jüngeren Cato, eines politischen Gegners Cäsars. Catos stoische Tugend trägt den moralischen Sieg über Cäsars verwerfliche Tyrannengröße davon. Kompilation aus Addisons Dr. *Cato* (1713) und F.-M. Deschamps' Dr. *Caton d'Utique* (1715). Erste regelrechte dt. gereimte Alexandriner-Tr., Typus des von G. angestrebten Dr. nach frz. Vorbild. Häufig aufgeführt.

Druck 1732.

1731/43 **Johann Gottfried Schnabel**
(1692 bis nach 1750, Stolberg):
Wunderliche Fata einiger See-Fahrer, absonderlich Alberti Julii, eines geborenen Sachsens, auf der Insel Felsenburg

4 Bdd., Bd. 1 erschien in Nordhausen, weitere 1732, 1736, 1743. Neu hgg., überarbeitet Ludwig Tieck unter dem Titel: *Die Insel Felsenburg* (1828).

Albert Julius gründet mit Hilfe anderer Schiffbrüchiger auf einer Südseeinsel einen Musterstaat. Auf der Insel kein Konfessionsstreit mehr, keine verschiedenen Stände, kein Reichtum, keine Armut. Idealleben in engem Zusammenhang mit der Natur: Vorklang des

Rousseauismus, der Kulturverneinung. Der patriarchalische Ideal-
staat aus dem Geist des Pietismus als politisches Gegenbild zum
Staat des Absolutismus. Entwicklung der Robinsonade zum Staats-
R., zur Utopie (Thomas Morus: *Insula Utopia*, 1516).

Der vielgelesene R. gründete sich auf Daniel Defoes (um 1659–1731) *Robinson Crusoe*
(London 1719, dt. im Frühjahr 1720). Unter dessen Einfluß 1720–1760 etwa 50 dt.
Robinsonaden. Da alle dt. Landesteile ihren eigenen Robinson haben wollten, ent-
standen der schwäbische, thüringische, sächsische, kurpfälzische, brandenburgische
Robinson. Der belehrende Charakter entschwand allmählich zugunsten des Aben-
teuerlichen. Die Bearbg. des Pädagogen Joachim Heinrich Campe: *Robinson der
Jüngere* (1779) steht am Ende der moralisch-erzieherischen Umgestaltung des *Robinson
Crusoe*.

1732   Albrecht von Haller
(Biogr. S. 161):
Versuch schweizerischer Gedichten

Slg. aller Gedichte H.s.
Enthält auch den Erstdruck von H.s bekanntester Dg.: *Die Alpen*,
ein Gedicht in zehnzeiligen Alexandriner-Strophen. Sie war das Er-
gebnis einer botanischen Studienreise von Basel ins Hochgebirge
Juli 1728, entst. Herbst 1728 bis März 1729. Erste Darstellung der
Schönheiten der Hochgebirgslandschaft, vor allem aber begeisterte
Schilderung unschuldigen Naturlebens, der schlichten Älpler und
ihrer Bräuche im Gegensatz zu den städtischen Weltleuten. Die
Berge sind für H. die Mauern, die sein Land vor der verderbten Umwelt schützen sollen. Fromme Ehrfurcht vor der Weisheit Gottes.
Der Gegensatz Stadt–Land herkömmliches Motiv der Hirtendg. Die
Schweiz nach Art Theokrits geschildert und als antikisches Idyll
stilisiert.
Dazu treten Stilmittel, die H. selbst später als »Spuren des Lohen-
steinischen Geschmackes« bezeichnete: barocke metaphorische Um-
schreibungstechnik verdrängt alles, was unmittelbar, selbsterlebt
und charakteristisch wirken könnte.

Gottsched fand H.s Sprache zu dunkel und mystisch. Das Werk wurde Vorbild
klassizistischer Landschaftsschilderung; in Lessings *Laokoon* (XVII) als abschrecken-
des Beispiel beschreibender Dg. angeführt.

Außerdem Lehr-, Mahn- und Gelegenheitsgedichte, z. B. *Gedanken
über Vernunft, Aberglauben und Unglauben* (1729), *Falschheit menschlicher
Tugenden* (1730). Philosophische Lyrik. Großer Lebensernst, innere
Ergriffenheit durch die Probleme. Als Wesen seines Dichtens bezeichnete H. »Empfindlichkeit, dieses starke Gefühl, das eine Folge
von Temperament ist«. Empfindung jedoch nicht unmittelbar, sondern reflektiert wiedergegeben. Berührung mit der Sprache des Pietismus, von dort eine Art Subjektivismus, die dem übernommenen
barocken Sprachgut eine neue Nuance verleiht. Kenntnis der Ästhe-

tik Shaftesburys. In der Vorrede seine Entwicklung von barocken
Anfängen zu engl. Vorbildern (Pope) betont.

Bis zu H.s Tod elf Auflagen, jeweils vermehrt und sorgfältig verbessert: *Über den Ursprung des Übels* (1734), kritische Auseinandersetzung mit Leibniz' Lehre von der besten aller Welten; *Trauerode beim Absterben seiner geliebten Mariane* (1736, auf den Tod seiner ersten Frau), die eine Zeitlang als vorbildliche Erlebnislyrik galt.
Wirkung von H.s Gedankenlyrik bis zu Schiller.

1738   **Johann Gottfried Schnabel**
(1692 bis nach 1750, Stolberg):
Der im Irrgarten der Liebe herumtaumelnde Kavalier

Liebesabenteuer eines frivolen Edelmannes, der sich vorübergehend
zum Besseren bekehrt, aber wieder rückfällig wird. Im 2. Teil des R.
sind bezeichnende amouröse Hofgeschichten der Zeit nacherzählt.
Musterbeispiel des sog. galanten R. Mischung der galanten Elemente
mit picaresken.

1738   **Friedrich von Hagedorn**
(1708–1754, Hamburg):
Versuch in poetischen Fabeln und Erzählungen

2. Teil 1750 in: *Moralische Gedichte*.
Vorbild: La Fontaine *Contes et Nouvelles en vers* (1664 ff.).

Tierfabeln und Dgg. um mythische oder historische Personen und
allegorische Wesen; außerdem einige schwankhafte Erzz., Versnovv.
(Johann, der muntere Seifensieder). Formal bunt und anziehend; mehrstrophige neben kurzen und Zweizeilern. Meist nicht mehr in Alexandrinern. Gesinnung aufklärerisch, stoisch-epikureisch, erwachsen
aus dem Lebensgefühl des reichen Hamburger Handelsherrn. Witzig,
voller Anspielungen.

Wegweisend für die Entwicklung der für das 18. Jh. so bezeichnenden Dg.-Gattung
der Fabel: Gottsched (Ausg. und Übs. des *Reinke de Vos*, 1752) – die Schweizer
(Fabeln aus den Zeiten der Minnesinger, 1757, nach Boners *Edelstein)* – Gellert (1746) –
Lichtwer (1748) – Lessing (1759).

1740   **Johann Michael von Loën**
(1694–1776, aus Frankfurt/Main, preußischer Regierungspräsident der Grafschaften Lingen und Teklenburg):
**Der redliche Mann am Hofe oder die Begebenheiten
des Grafen von Rivera**

R.
Vorbilder: Fénelon *Télémaque* (1699) und Prévost *Mémoires d'un homme de qualité*
(1728–1731).

Der lehrhafte Staats-R. beweist, wie die Tugend eines Mannes sich
nicht nur in höfischer Atmosphäre behauptet, sondern den Hof umgestaltet. Der Graf von Rivera, der anfangs in seiner Liebe zu der
Gräfin von Monteras mit dem König konkurriert und von diesem

aus Eifersucht gefangengesetzt und in den Krieg geschickt wird, erreicht nicht nur eine körperliche und geistige Gesundung des Königs, er stiftet auch dessen Ehe und veranlaßt ihn zu Reformen, zu deren Konzeption ihn eigene und fremde Erfahrungen in anderen Staaten veranlaßt haben.

Eingebaut zahlreiche andere beispielhafte Lebensläufe. Anhang: *Freie G danken von der Verbesserung eines Staates zur Ausfüllung und Erläuterung der im vorhergehenden Werk befindlichen Vorschläge.* v. L.s Großneffe Goethe sagte von dem R., daß er Beifall gefunden habe, weil er »von den Höfen, wo sonst nur Klugheit zu Hause ist, Sittlichkeit verlangte«.

1740   Johann Jacob Bodmer
         (Biogr. S. 160):
         **Kritische Abhandlung von dem Wunderbaren
         in der Poesie**

Unter dem Eindruck und als Verteidigung Miltons, dessen *Verlorenes Paradies* (1661–1667) B. 1732 in Prosa übersetzt herausgegeben hatte, werden gewisse Fesseln rationalistischer Befangenheit erkannt. Kunst ist Nachbildung der Natur, aber ihr Reich so groß wie Idee und Phantasie. Auch Überrationales hat ein Recht, vom großen Dichter gestaltet zu werden. »Diese freie Einbildungskraft ist nicht auf die sichtbare Welt beschränkt, auch nicht auf die unsichtbar-wirkliche, sondern sie kann sich auch mögliche Welten bilden; sie hat also das Wirkliche und Mögliche zum Schauplatz.« Die Grenze des Wahrscheinlichen ist jedoch nicht zu überschreiten. »Das Wunderbare braucht in der Poesie keine Wahrheit, sondern Wahrscheinlichkeit.« Gipfel der Poesie ist das religiöse Epos in reimlosen Versen (Milton). Erster Hinweis auf Shakespeare.

1742 antwortete Gottsched, der zunächst mit den Schweizern in freundschaftlichem Einverständnis stand, in seinen *Kritischen Beiträgen* mit Ausfällen gegen Shakespeare. Verteidigte die klassizistischen Regeln gegen den angeblichen Rückfall in Schwulst.

1740   Johann Jakob Breitinger
         (1701–1776, Zürich):
         Kritische Dichtkunst

2 Teile, Vorrede von Bodmer.

Zusammenfassung der Lehren, die sich gegen Gottscheds rationalistischen Klassizismus richteten. Beginnt mit dem alten Vergleich von Dg. und Malerei und schränkt dann den Begriff der Nachahmung und Wahrscheinlichkeit ein, über den sie die Begriffe des »Neuen« und des »Wunderbaren« stellt. Die Dg. habe eine ins Ideale gesteigerte Wirklichkeit darzustellen, ihre Phantasieschöpfungen sollen über das Alltägliche hinausragen. Die vornehmste Schönheit und Kraft der Poesie liege in der Verbindung des Wunderbaren mit

dem Wahrscheinlichen, z. B. Beseelung lebloser Dinge und Rede der
Tiere. Ablehnung des Reims, aber Eintreten für Mundartliches.

Die systematische Verarbeitung von Breitingers Grundsätzen erfolgte durch Johann
Georg Sulzer (1720–1779) in *Theorie der schönen Künste* (1771–1774). Lessing bekämpfte
im *Laokoon* (XIV ff.) B.s Vergleich der Malerei und der Dichtkunst.

1740/45   Johann Christoph Gottsched
(Biogr. S. 160/161):
Deutsche Schaubühne nach den Regeln der alten Griechen und Römer eingerichtet

Von den 6 Bdd. der Drr.-Slg. erschienen zuerst Bd. 2 (1740) und 3 (1741), Bd. 1, der
ursprünglich eine Übs. der *Poetik* des Aristoteles enthalten sollte, mit leicht geänder-
tem Titel erst 1742.

Enthält neben 16 Übss. aus dem Frz. (Corneille, Racine, Voltaire,
Molière) und Dänischen (Holberg) die ersten Originalstücke G.s,
seiner Frau und seiner Schüler, darunter Johann Elias Schlegel.
Die dt. Drr. der Slg. sind nach dem Muster der frz. tragédie classique
angelegt: lose Verbindung von Staats- und Liebeshandlung, die
»noble« und die »belle passion«. Schauplatz in ideale Ferne, Antike
oder Orient gerückt, der Dialog »geschraubt platt« (Goethe). Wahrung der drei Einheiten. Mit dem Barockdr. noch durch das Martyrium (statt tragischer Schuld) des Helden, die christlich-stoische Gelassenheit und Vorliebe für blutige Vorfälle verbunden.
Gedacht als Spielplanvorrat für reformwillige Bühnen.

1741   Hinrich Borkenstein
(1705–1777, Hamburg):
Der Bookesbeutel

(»Bookesbeutel«, Buchbeutel = umgangssprachl. Schlendrian).

Lsp. 3, anonym. Auff. 16. 8. in Hamburg durch die Schönemannsche
Truppe.
Erste Hamburger Lokalposse; erster Niederschlag Holbergs im dt.
Lsp. Gegensatz zwischen den ungeschliffenen Niedersachsen und
den feingebildeten Obersachsen während der unerquicklichen Vor-
gänge in einer geldprotzigen Bürgerfamilie. Gegen das beharrliche
Festhalten an überkommenen rohen Sitten.
Lehrhafter Grundzug, stark realistisch, die Personen noch typenhaft.

Buchausg. 1742.

1742   Friedrich von Hagedorn
1744   (1708–1754, Hamburg):
1752   Sammlung neuer Oden und Lieder

3 Teile. – Ins Bürgerliche verpflanztes dt. Gegenstück zur frz. poésie
fugitive oder poésie légère, der tändelnden, galant-graziösen lyrischen
Gedichte der Libertins unter Ludwig XIV. und in der Régence.

Hauptthemen die Liebe, aber ohne spirituelle Züge und Gefühls-
schwere, der Wein, Lob der »Landlust« mit idealisiertem Bauern-
leben und häufiger Verwendung schäferlicher Einkleidung, aber in
der Tendenz gelegentlich in Richtung auf Rousseau. »Vorzugsrecht«
der Jugend an heiterem Lebensgenuß. Anakreontisch, Beginn des
lit. Rokoko.

1743   **Johann Elias Schlegel**
           (Biogr. S. 161):
           Hermann

Tr. – In Gottscheds *Schaubühne*, Bd. 4.

Entst. 1740–1741.

Erstes Dr. mit Stoff aus der dt. Gesch.: »in der Geschichte des Vater-
landes wichtiges Sujet«. Gegensatz von römischer und germ. Kultur,
der Cherusker Hermann als Verteidiger aufklärerischer Ideale, vor
allem der Pflichttreue. Tragendes Motiv: Hermann und der im
Römerheer kämpfende Flavius als feindliche Brüder. Einheit des
Ortes: in einem Hain; die Schlacht als verdeckte Handlung. Pathe-
tisch-rhetorisch.
Sch. wies in *Vergleichung Shakespeares und Andreas Gryphs* (1741) auf
Shakespeares Menschenkenntnis und Charakterisierungskunst hin,
verstand ihn aber noch klassizistisch. Forderte ein der dt. Sonderart
gemäßes Theater, blieb selbst jedoch im rhetorischen Alexandriner-
stil befangen.

1744   **Johann Wilhelm Ludwig Gleim**
1745   (Biogr. S. 160):
1758   **Versuch in scherzhaften Liedern**

3 Teile. – Anakreontisch und horazisch, u. a. ein erstes Gedicht auf
Anakreon. Lebenslust der mürrischen Sittenrichterei entgegen-
gestellt. Im wesentlichen unerlebt, verspielt. Antike Götter- und
Märchenwelt, die Grazien als Staffage. Vermeidung des Reims.

1744   **Friedrich Wilhelm Zachariae**
           (1726–1777, Leipzig, Göttingen, Braunschweig):
           Der Renommist

Komisches Heldengedicht nach dem Vorbild von Popes *The Rape
of the Lock* (1712). Gereimte Alexandriner. In Schwabes *Belustigungen
des Verstandes und Witzes.*
Gegensatz zwischen dem Renommisten, einem Raufbold aus Jena,
und dem Leipziger Studenten, einem galanten Stutzer. Lieblingsgott
des Renommisten Bacchus und Vulkan, des Leipzigers der Kaffee-
gott. Die Göttin Galanterie geht nach Jena, um die Stadt für sich zu

gewinnen. Wertvolles Dokument aus dem Universitätsleben und Kulturbild der galanten sächsischen Verfeinerung. Rokoko.

Erstes Werk der Gattung, Vorbild zahlreicher weiterer komischer Epen, darunter Thümmels *Wilhelmine* (1764) und Kortums *Jobsiade* (1784).

1746   Christian Fürchtegott Gellert
1748   (Biogr. S. 160):
       Fabeln und Erzählungen

2 Bdd. – Versgeschichten.
Eine Begebenheit wird leicht plaudernd erzählt, zu ihr tritt die epigrammatisch kurze Lehre. Quintessenz der Lebensweisheit: Wunschlosigkeit, Selbstgenügsamkeit, Beherrschung. Gegen Freigeisterei, Modetorheiten und Charakterschwächen, zuweilen auch politisch-soziale Fragen. Die *Fabel von der Nachtigall* gegen Gottscheds Regelsystem: Geist und Natur Voraussetzung poetischen Schaffens.

Quellen und Vorbilder: Antike Dg., Swift, *The Spectator*, La Fontaine, Lamotte-Houdar.

Traf den Geschmack des Durchschnittslesers der Zeit und wurde zum moralischen Hausbuch des dt. Bürgers.

In fast alle europäischen Sprachen, auch ins Lat. und Hebräische übersetzt.
G.s Leipziger Habilitationsschrift (1744) behandelte die Theorie der Fabel.

1747/48   Christian Fürchtegott Gellert
          (Biogr. S. 160):
          Das Leben der schwedischen Gräfin von G...

Familien-R. 2 Bdd.

Vorbilder: Abbé Prévost: *Histoire de M. Cleveland*, Richardson: *Pamela*.

Ein totgeglaubter Gatte, Kriegsgefangener in Sibirien, kehrt zurück, nachdem sich die Heldin mit seinem besten Freund verheiratet hat. Dieser gibt sie entsagend wieder zurück. Nach dem wirklichen Tod des ersten Gatten will die Frau, dessen Wunsch entsprechend, die zweite Ehe fortsetzen, der Tod auch dieses Mannes verhindert es. »Seltsamer lit. Wechselbalg« (Ferdinand Josef Schneider): empfindsame Ansätze (Briefeinlagen), Nachwirkungen von Schnabel, Darstellungsweise des alten Abenteurer-R. Krasse Motive, bunte Schauplätze.
Volkserzieherische Tendenz: Gelassenheit gegenüber der Schickung. Pietistisch gefärbte Aufklärung. Soziales Verständnis für alle Schichten und Klassen. Frauenehre und -tugend konventionell, psychologisch unbeholfen.

1748   Johann Christoph Gottsched
      (Biogr. S. 160/161):
      Grundlegung einer deutschen Sprachkunst

Nach den Mustern der besten Schriftsteller des vorigen und jetzigen Jahrhunderts abgefasset.
Behandelt die Grammatik. Tritt für antibarocken, einfach logisch-durchsichtigen Stil ein sowie für die sächsische Sprache als Hochsprache gegenüber den Mundarten. Faßt – nach Konrad Burdach – 400jährige Bemühungen um die theoretische Regelung der dt. Gemeinsprache zusammen und vollendet sie »zu einem Bau, der für die deutsche Prosa, wenigstens in Fundament, Wänden und Dach, auch späteren Stürmen und Wandlungen standhielt«.
In die meisten europäischen Sprachen übersetzt.

1748   Johann Elias Schlegel
      (Biogr. S. 161):
      Der Triumph der guten Frauen

Lsp. 5, Prosa. In *Beiträge zum dänischen Theater*, zus. mit *Die stumme Schönheit* und *Die Langeweile.*

Die *Beiträge zum dänischen Theater* sollten ins Dänische übersetzt und im neuen Komödienhaus in Kopenhagen aufgeführt werden; dies geschah jedoch nur mit dem allegorischen Vorsp. *Die Langeweile.*

Verkleidungs-Kom. Zwei kluge Ehefrauen gewinnen mit Hilfe eines gewitzten Kammermädchens die Anerkennung und Zuneigung ihrer charakterlich wenig einwandfreien Ehegatten zurück: die eine ihren tyrannisch-egoistischen durch Duldsamkeit und Treue, die andere ihren flatterhaften, indem sie ihm in Männerkleidung folgt und bei seinen Abenteuern als Nebenbuhler in den Weg tritt.
Zügiger, witziger Dialog nach frz. Muster. Galant, fast frivol, kaum Anzeichen der »rührenden« Geschmacksrichtung. Komik und Sittenschilderung auch von Holberg beeinflußt. Von Lessing als eines der besten dt. Original-Lspp. bezeichnet.

1748   Johannes Elias Schlegel
      (Biogr. S. 161):
      Die stumme Schönheit

Lsp. 1, in Alexandrinern. In *Beiträge zum dänischen Theater*, zus. mit *Der Triumph der guten Frauen* und *Die Langeweile.*

Die *Beiträge zum dänischen Theater* sollten ins Dänische übersetzt und im neuen Komödienhaus in Kopenhagen aufgeführt werden; dies geschah jedoch nur mit dem allegorischen Vorsp. *Die Langeweile.*

Statt des ihr anvertrauten fremden Mädchens, das ein nach langer Abwesenheit zurückkehrender Vater dem Bräutigam zuführen will, präsentiert eine Pflegemutter die eigene Tochter. Der Bräutigam, der eine Frau »mit Verstand«, aber nicht diese gezierte, gedanken- und wortarme Puppe heiraten möchte, tritt von der Verlobung zurück und verliebt sich in das ihm vorenthaltene gescheite Mädchen, das sich schließlich auch als die Tochter des erleichterten Vaters herausstellt.

Motivverwandt mit Gellerts *Betschwester*. Gewandter Dialog. »Kleines Schmuckstück des dt. Bürgerrokoko« (Günther Müller).

Sch. hatte seine positive Stellung zum Vers.-Lsp. gegenüber Gottsched, der für die Kom. Prosa vorschrieb, damit begründet, daß das Wahrscheinlichkeitsprinzip durch anderes mehr verletzt werde als durch den Vers (*Komödie in Versen*, 1740).

1748   Gotthold Ephraim Lessing
(Biogr. S. 161):
Der junge Gelehrte

Lsp. 3, Prosa. Auff. im Januar in Leipzig durch die Neubersche Truppe.

Entst. 1747.

Darstellung jugendlicher schulmeisterlicher Pedanterie unter Verwertung eigener Erfahrung des Zwiespalts zwischen Pedanterie des Gelehrten und freier Menschlichkeit des Künstlers.
Klassizistisch, im Stil der frz. Typenkom.

Druck 1754.

1749   Christian Ewald von Kleist
(1715–1759, Königsberg, Berlin, bei Kunersdorf tödlich verwundet):
Der Frühling

Lehrgedicht.

Erster Teil eines geplanten größeren Werkes: *Die Landlust*. Titel »Der Frühling« stammt von Gleim. Wichtigstes Werk unter den Nachähmungen von Thomsons *Seasons*, in der Art von Hallers *Alpen*.

Schildert in Form eines Spazierganges ein gefühlvoll verklärtes Landleben, ohne die Fülle von Einzelwahrnehmungen zu einem plastischen Bild abrunden zu können.
Erregte schon durch die damals noch als neu empfundenen Hexameter (mit Auftakt) allgemeine Aufmerksamkeit. Stilistisch zwischen Rationalismus und Empfindungstiefe, zwischen Rokoko und realistischen Genrezügen.

Zahlreiche Aufl. und Übss. Von Lessing (*Laokoon XVII*) als Beispiel der zu überwindenden beschreibenden Dg. angeführt, von Schiller *(Über naive und sentimentalische Dg.)* wurde K. neben Haller und Klopstock als Hauptvertreter der elegischen Dg. genannt.

1749   Johann Peter Uz
        (1720–1796, Ansbach, Halle):
        Lyrische und andere Gedichte

Heitere Gesellschaftsdg., Gipfel der dt. Anakreontik. Hauptthema
die Liebe, von sinnlich-schäferlichem Getändel umspielt, gelegentlich auch frivol. Preis gemäßigten Weingenusses. Außerdem einige
vaterländische Gesänge, Gedenkverse auf Freunde sowie philosophische und religiöse Oden. Kulturphilosophische Ideen wie die der
Erziehung des Naturmenschen durch die Dg. und die des Götter-
mythos als Spiegel der menschlichen Entwicklung *(Die Dichtkunst)*
sowie der Freundschaftskult *(An die Freude)* zeigen U., auch in der
rhythmischen und metrischen Formung, als Vorläufer Schillers.
Beibehalten des Reims.

Wiederholt vermehrt und verbessert.

1751/55   Gottlieb Wilhelm Rabener
        (1714–1771, Leipzig, Dresden):
        Sammlung satirischer Schriften

4 Bdd. – Bürgerlich, maßvoll, unpersönlich. Mannigfaltige Formen
und Themen, bunte Einkleidungen: Rede, Bericht, Traum und vor
allem auch satirische Briefe. Im 4. Teil Behandlung von Sprichwörtern wie: Kleider machen Leute, Die Ehen werden im Himmel
geschlossen u. a. Satire als »Erbauung«; ihr Gegenstand Heirats-
geschichten, Modetorheiten, weibliche Schwächen.
Vorbericht: *Vom Mißbrauch der Satire.* Die Satire habe nur durch
Witz, Spott, Ironie die Laster lächerlich oder verhaßt zu machen;
sie habe es nicht mit dem politischen, sondern mit dem sittlichen
Menschen zu tun; die Klugheit fordere, daß man nicht alle Stände
tadele.
Typische Modesatire des Rokoko.

1752   Christian Felix Weiße
        (1726–1804, Leipzig):
        Die verwandelten Weiber oder Der Teufel ist los

Sing- und Zauberposse. Auff. 6. 10. in Leipzig durch die Kochsche
Truppe. Musik von Standfuß.

Nach Coffeys *The Devil to Pay* im Gefolge von Gays *Bettleroper.* In von Borcks Übs.
bereits 1743 in Berlin durch die Schönemannsche Truppe aufgeführt.

Begründung des dt. Singsp. (Komische Oper, Operette) trotz Gottscheds Gegnerschaft. Urwüchsige Komik, drastische Wirkungen.
Große Zugkraft erst in einer erneuten Bearbg. W.s und mit der Komposition von Adam Hiller (1728–1804); Auff. 1766 in Leipzig durch
die Kochsche Truppe.

Die übrigen Libretti W.s, der in seinen Anfängen auch Trr. geschrieben hatte (vgl. Lessing *Hamburgische Dramaturgie*), meist nach frz. Quellen: *Der Dorfbarbier* (1759), *Lottchen am Hofe* (1767). W.s Singspp. erschienen 1768 in 2, 1777 in 3 Teilen. Zwischen 1766 und 1772 Hauptbestandteil des dt. Bühnenrepertoires. Einfluß bis zu Goethe *(Erwin und Elmire, Claudine von Villa Bella)*.

1755   Gotthold Ephraim Lessing
(Biogr. S. 161):
Miss Sara Sampson

Bürgerliches Tr. 5, Prosa. Auff. 10. 7. in Frankfurt/Oder durch die Ackermannsche Truppe. Druck im gleichen Jahr.

Entst. in Potsdam. Vorbild George Lillo: *Der Kaufmann von London* (1731), unter Verwendung von Richardsonscher Technik (Briefschreiben).

Der flatterhafte Mellefont steht zwischen der tugendhaften Sara, die er entführt, und der lasterhaften Marwood, die er verlassen hat und die ihre Nebenbuhlerin vergiftet. Die reuige Sara lernt das Vergeben des himmlischen Vaters an ihrem leiblichen Vater und vergibt der Mörderin; Mellefont endet durch Selbstmord. Wendung des Medea-Themas vom Heroischen und Stoischen ins Christlich-Bürgerliche. Stark rührselige Züge.

Nach Gryphius' *Cardenio und Celinde* erstes entscheidendes dt. bürgerliches Dr. Das bürgerliche Milieu jedoch mehr Kulisse. Komposition noch in der Art der klassischen Tr. Gemischte Charaktere. Weiterleben des Mellefont-Typs in Guastalla, Clavigo, Weislingen, Fernando. Prosa, aber nicht Umgangssprache.

Die Auff. eröffnete nach zeitgenössischem Urteil eine »neue Ära realistischer Schauspielkunst in Dld.«.

1758   Johann Wilhelm Ludwig Gleim
(Biogr. S. 160):
Preußische Kriegslieder in den Feldzügen 1756 und 1757, von einem Grenadier

Anonym: 1757 schon auf einzelnen Blättern gedruckt erschienen.

Fiktion der Entstehung auf dem Schlachtfeld. Durchbrechung des Stils der klassizistischen Ode. Realistische Details, lokale Bezeichnungen. »Berlin sei Sparta«. Volkstümlicher Ton.
Form der Chevy-Chase-Strophe: 4 Kurzverse mit stumpfem Reim.

Von einem Berliner Advokaten komponiert und von Lessing mit einer Vorrede versehen, eroberten sich die Gedichte rasch die Sympathien aller Stände. Nachfolger: Weiße, Gerstenberg, Lavater u. a.

1758   Christoph Martin Wieland
           (Biogr. S. 161/162):
           Prosaische und poetische Schriften

3 Bdd. – Enthalten die während des Aufenthaltes in der Schweiz entstandenen Werke der seraphischen, klopstockischen Periode. *Anti-
Ovid* (1752), *Zwölf moralische Briefe in Versen* (1752), *Empfindungen eines
Christen* (1757), *Cyrus* u. a. Versuchter Kampf gegen die Anakreontiker, da sie unmoralisch seien.

1759   Gotthold Ephraim Lessing
           (Biogr. S. 161):
           17. Literaturbrief

Berühmtester der 55 von Lessing stammenden unter den insgesamt
333 *Briefen, die neueste Literatur betreffend*, hgg. Friedrich Nicolai.
Hinweis auf Shakespeare, der der antiken Kunst »in dem Wesentlichen« näherstehe als die Franzosen, die sie nur nachahmten. »Es
wäre zu wünschen, daß sich Herr Gottsched niemals mit dem Theater
vermengt hätte. Seine vermeinten Verbesserungen betreffen entweder entbehrliche Kleinigkeiten oder sind wahre Verschlimmerun-
gen.« Scharfe Kritik des klassizistischen Dr. der Franzosen.
Als Beweis für die Artverwandtheit des engl. Dr. mit dem dt. teilte
L. das Bruchstück eines *Doktor Faust* mit, das als altes Volksdr. ausgegeben wurde, in Wahrheit aber von L. selbst stammte. L. brach als
erster mit der theologischen Verdammung Fausts als eines hoffärti-
gen Spekulierers. Keine eigentliche Schuld mehr. Fausts Wißbegierde
der »edelste der Triebe«, den die Gottheit dem Menschen nicht gegeben habe, »um ihn ewig unglücklich zu machen«.

1759   Gotthold Ephraim Lessing
           (Biogr. S. 161):
           Philotas

Prosa-Tr. 1.
Antike, heroische Charaktere, patriotische Opferwilligkeit: der gefangene Königssohn gibt sich selbst den Tod, damit sein Vater
nicht um die Frucht des Sieges kommt.
Unter dem Eindruck des Siebenjährigen Krieges gesehen. Wahrung
der drei Einheiten.

Fontane: »Kalt berechnet und kalt lassend.«
Auff. 10. 1. 1780 in Hamburg durch Friedrich Ludwig Schröder.

1760/62   Johann Karl August Musäus
(1735–1787, Jena, Weimar):
**Grandison der Zweite oder Geschichte des Herrn
von N.**

Parodistischer R. in Briefform, 3 Bdd.

Nach der Art von Cervantes' *Don Quijote* angelegt, Einfluß Fieldings.

Ein von Richardsons *Sir Charles Grandison* beeindruckter dt. Adliger,
dem ein in England lebender Neffe weisgemacht hat, die Personen
des R. lebten wirklich, bemüht sich, ein zweiter Grandison zu werden. Die darüber berichtenden Briefe seiner Nichte an ihren Bruder
in England werden von diesem gesammelt, um einen R. über einen
zweiten Grandison zu ergeben.
Gegen Richardsons Tugendrr. und ihre empfindsamen dt. Nachfolger.

Neubearbg. als zusammenhängende Erz. unter gleichzeitiger Verspottung auch der
Robinsonschwärmerei: *Der deutsche Grandison* (1781–1782).

1762   Christoph Martin Wieland
(Biogr. S. 161/162):
Komische Erzählungen

Vier Verstravestien: *Das Urteil des Paris, Juno und Ganymed, Diana und
Endymion, Aurora und Cephalus.* Bezeugen W.s Abkehr von der seraphischen Schwärmerei und bevorzugen, französisch elegant, schlüpf-
rige Themen, wobei die Stoffe der griech. Mythologie, zum Teil
nach Lukian, ironisierend übernommen werden.
Hauptanlaß für die Anfeindungen von seiten des Göttinger Hains.

1764   Moritz August von Thümmel
(1738–1817, Leipzig, Coburg):
Wilhelmine oder Der vermählte Pedant

»Ein prosaisches komisches Gedicht« im Stile Popes und Zachariaes,
in ländliche Kreise verpflanzt und in Prosa.
Werbung und Trauung eines etwas linkischen Dorfpfarrers. Seine
Braut, die durch ihre Schönheit das Wohlgefallen eines Hofmar-
schalls erregte und von ihm als Kammermädchen an den Hof gebracht wurde, besitzt die Gunst ihres Beschützers so sehr, daß er ihr
die Hochzeit ausrichtet. Hinneigung zur Idylle, das ländliche Milieu
jedoch rokokohaft spöttisch-frivol beschrieben.

1764　Christoph Martin Wieland
　　　　(Biogr. S. 161/162):
　　　　Der Sieg der Natur über die Schwärmerei oder
　　　　Die Abenteuer des Don Sylvio von Rosalva

»Eine Gesch., worin alles Wunderbare natürlich zugeht.«

Entst., 1763. Erlebnishintergrund: W.s ab 1760 erfolgte Abkehr von der Schwärmerei der Schweizer Zeit zu verstandesmäßigerer Haltung.

Burlesker R. im Stil des *Don Quijote.* Anregungen durch das frz. Feenmärchen sowie durch Sterne und Fielding.

Don Sylvio zieht aus, um Wunder zu erleben – er sucht seine in einen Schmetterling verwandelte Geliebte – und lernt die Wirklichkeit – vor allem in einer echten Liebe – kennen. Eingefügt: *Geschichte des Prinzen Biribinker,* parodistische Übersteigerung eines erotischen Feenmärchens.

Harmonie des Geistigen und Sinnlichen, spielerisch heitere Mischung von Märchen und Satire, Traum und Wirklichkeit. Breite Stimmungsskala. Erzählerische Spannung zwischen Autor, Figuren der Handlung und Leser.

1766　Gotthold Ephraim Lessing
　　　　(Biogr. S. 161):
　　　　Laokoon oder Über die Grenzen der Malerei und Poesie

Nach Johann Joachim Winckelmann (1717–1768) bezeuge der zurückhaltende (spätgriech.) Bildhauer, der seinen Laokoon nur seufzen läßt, griech. Empfinden »der edlen Einfalt und stillen Größe«, während Vergil, der seinen Laokoon schreien läßt, bereits entartet sei. L. weist nach, daß sowohl der Bildhauer wie der Dichter grundsätzlich im Recht seien, und widerlegt damit die herrschende Lehre des Horaz (»ut pictura poesis«). Nach L. schreit Laokoon deshalb nicht, weil das Schreien einen transitorischen Moment festlegen würde, während der Bildhauer nur den »fruchtbaren« Moment, den der höchsten Spannung, wählen dürfe, und weil das Schreien zur Häßlichkeit führen würde, die der bildenden Kunst versagt sei, da sie dauernd vor unseren Augen bliebe.

Die andersartige Behandlung des gleichen Motivs durch den Dichter wird Ausgangspunkt für einen Nachweis der Abhängigkeit der Dg. und Malerei von den jeweiligen technischen Mitteln, mit denen sie wirken, und begründet ihre spezifische Verschiedenheit. Die Dg. sei nicht nur dazu da, moralisch schöne Charaktere vorzuführen und Schilderungen zu geben, ihr Anliegen sei Handlung. An der Beschreibung des Alpenleinkrauts in Hallers *Alpen* analysiert L. typische »malende Poesie«. Meister der Dg. wie Homer ersetzen die Beschreibung der Schönheit durch Handlung (Der Schild des Achill) oder geben ihre Wirkung auf andere, Zuschauende, wieder (Helenas Eindruck auf die trojanischen Greise).

Es ergibt sich für L. eine Reihe von Gegensatzpaaren, die er für grundsätzlich bindend hielt:

Malerei: Farben im Raum; Nebeneinander von Körpern; Wahl des fruchtbarsten Moments.

Poesie: Töne in der Zeit; Nacheinander der Handlung; Umsetzung von Beschreibung in Handlung.

2., vermehrte Aufl. 1788. Enthielt Pläne für einen zweiten Teil über Musik und Tanz-kunst.

Goethe: »Man muß Jüngling sein, um sich zu vergegenwärtigen, welche Wirkung L.s *Laokoon* auf uns ausübte, indem dieses Werk uns aus der Region eines kümmer-lichen Anschauens in die freien Gefilde der Gedanken hinriß.«

Der aus Opposition gegen das Ideal der barocken Bildkunst und das der klassizisti-schen Poetik aus einseitiger Sicht auf die Antike geschriebene *Laokoon* preßte unter Malerei alle Gattungen der bildenden Kunst. Romantik und Impressionismus haben die Grenzen der Wortkunst nach der Malerei und Musik hin verwischt.

1766/67   Christoph Martin Wieland
(Biogr. S. 161/162):
Die Geschichte des Agathon

R. 2 Bdd.

Begonnen 1761. Druckerlaubnis in Zürich verweigert, auf dem Titel daher Autor und Verleger verschwiegen und als Druckort Frankfurt und Leipzig angegeben. Die Idee Platos *Ion* entnommen. Agathon, ein athenischer Dramatiker zur Zeit Platos, wird in der *Poetik* des Aristoteles erwähnt. Motto Horaz: Quid virtus et quid sapientia possit.

Ein junger Mann entwickelt sich in einem wechselvollen Leben, das über Delphi, Athen, Feldherrntum, Sturz, Verbannung, Seeräuber-tum, Sklaverei in Smyrna und über Tarent führt, zu ästhetischer Moralität, gebildeter Sittlichkeit, humanitärer Haltung und geistiger Unabhängigkeit. Das Buch enthält stark philosophisch unterbaute autobiographische Züge. Wieland: »Alles vorige war nur für mich und etliche gute Freunde oder Freundinnen geschrieben.«

Einfluß von Richardson, Sterne, Fielding. Begründete den dt. Bildungs-R. und die psychologische Erzählkunst, die in Goethes *Wilhelm Meister*, in Kellers *Grünem Hein-rich* u. a. weitergeführt wurde. Auch technische Mittel wie die Erzählung der Jugend-geschichte vor der schönen Hetäre Danae kehren bei Goethe und Keller wieder.

Lessing nannte W.s *Agathon* den ersten und einzigen dt. R. für den denkenden Kopf von klassischem Geschmack (*Hamburgische Dramaturgie*, 69. Stück), Friedrich von Blanckenburg (*Versuch über den R.*, 1774) hielt das dt. Publikum noch nicht für reif für dessen Lektüre.

Neue Fassung 1773 in 4 Bdd., 3., wieder umgearbeitete Ausg. 1794.

1767   Karl Wilhelm Ramler
      (1725–1798, Kolberg, Berlin):
      Oden

Klassizistisch-pathetisch, handwerklich angefertigt. Maßloser Gebrauch von antiker Geschichte, Sage, Mythologie. Wahllose Anlässe. »Novantiker Mischmasch« (Ferdinand Josef Schneider).

R. übte als Übersetzer römischer Dg. (*Oden aus dem Horaz*, 1761), Kenner antiker Metrik und schulmeisterlicher Berater lange maßgebenden Einfluß aus.

1767   Gotthold Ephraim Lessing
      (Biogr. S. 161):
      Minna von Barnhelm oder Das Soldatenglück

Lsp. 5, Prosa. Auff. 30. 9. in Hamburg durch die »Entreprise«. Druck im gleichen Jahr.

Entst. schon 1760–1763, während L.s Aufenthalt in Breslau.

»Wahrste Ausgeburt des Siebenjährigen Krieges«: Beitrag des in preußischen Diensten stehenden Sachsen zur Entspannung zwischen Preußen und Sachsen. »Die Anmut und Liebenswürdigkeit der Sächsinnen überwindet den Wert, die Würde, den Starrsinn der Preußen« (Goethe, *Dichtung und Wahrheit*, 7. Buch).
Die Handlung, um eine Ring-Intrige gebaut, führt an die Grenze des Tragischen: Major Tellheim droht durch Überspannung seiner Ehrauffassung das eigene und Minnas Glück zu zerstören. Die Stärke des Stückes liegt in den Charakteren (Nebenfiguren: Just, Tellheims treuer Bedienter, der bärbeißige Wachtmeister Werner, Franziska, eine gehobene »Lisette«, die Chargenrolle des frz. Falschspielers Riccaut). Zeitnähe auch in der Gestalt der Offizierswitwe, Lebensnähe in dem Berliner Wirt, dessen Hotel »König von Portugal« den historischen Schauplatz abgibt. Vermeiden des Rührseligen, Überwindung der klassizistischen Typisierung; Durchbruch zur Charakterkom.

1767/69   Gotthold Ephraim Lessing
      (Biogr. S. 161):
      Hamburgische Dramaturgie

52 Theaterkritiken, die L. als angestellter Kritiker des am 22. 4. 1767 neu eröffneten Hamburger Nationaltheaters schrieb. Die reine Schauspielerkritik bald verärgert aufgegeben. Besondere Bewunderung für Konrad Ekhof (1720–1778). Einzelne Bemerkungen zur Theorie der Schauspielkunst (Schauspielkunst = transitorische Malerei, die Behandlung von Maximen durch den Schauspieler u. a.). Aus der Betrachtung einzelner Drr. wuchs das Ganze zu einer in lockerer polemischer Form vorliegenden allgemeinen dt. Lehre vom Dr.

Hauptthemen:

1. Das Katharsis-Problem. Nach Aristoteles sei das Ziel der Tr. die Katharsis. L. übernimmt leicht ändernd die Deutung von Daniel Heinsius: Reinigung der Leidenschaften; er übersetzt: »Die Tragödie ist die Nachahmung einer Handlung, die nicht vermittels der Erzählung, sondern vermittels des Mitleids und der Furcht die Reinigung dieser und dergleichen Leidenschaften bewirkt.« Das griech. phobos, das über die Franzosen unrichtigerweise mit Schrecken (terreur) wiedergegeben worden war, will L. nicht als Furcht *vor* dem Helden, sondern *für* den Helden, und Furcht als das auf uns selbst bezogene Mitleid verstanden wissen. Moralisierende Auffassung der Katharsis, bessernde Funktion der Tr.: »Verwandlung der Leidenschaften in tugendhafte Fertigkeiten.«

2. Die Frage der drei Einheiten. Aristoteles wird neu und richtiger interpretiert, indem L. die Äußerlichkeit der frz. Auslegung der drei Einheiten aufzeigt und den Anspruch der Franzosen, Nachfolger der Griechen zu sein, zurückweist. Es liege kein Grund mehr vor, an der seelenlos gewordenen Schale festzuhalten, die auch Corneille und Voltaire Verrenkungen im Handlungsablauf kostete. Aufrecht erhalten wird nur die Einheit der Handlung.

3. Shakespeare. Ausgehend von der Gespenstererscheinung in Voltaires *Sémiramis*, die er mit der im *Hamlet* vergleicht, wird die Unnatur der frz. tragédie und ihrer Helden an Shakespeare gemessen, Voltaires *Zaïre* gegen *Romeo und Julia* und Orosman in *Zaïre* gegen Othello abgehoben. Dennoch warnte L. vor zu engem Anschluß an Shakespeare (abweichend vom *17. Lit.-Brief*). Gegen Hamanns und Herders schrankenlose Verherrlichung des Naturgenies.

4. Verwerfung der christlichen Märtyrerdrr. Da weder ganz gute noch ganz schlechte Menschen unser Mitleid erregen könnten, fordert L., ausgehend von Christian Felix Weißes *Richard III.* (1759) und Johann Friedrich von Cronegks Märtyrerdr. *Olint und Sophronia* (1760), gemischte Charaktere.

5. Verhältnis des Dramatikers zur Gesch. Die Gesch. ist für den Dramatiker nur ein Repertorium von Namen; in Handlung und deren Aufbau ist er frei, dagegen sollen historische Charaktere dem Dichter unantastbar sein.

Die vorwärts weisenden, wenn auch noch aufklärerisch befangenen Theorien wurden vom Sturm und Drang und, hinsichtlich des Schuldbegriffes, von Schiller überwunden.

1768   Christoph Martin Wieland
(Biogr. S. 161/162):
Musarion oder Die Philosophie der Grazien

Verserz.

Anregung: Lukian.

Die Hetäre Musarion, eine »schöne Seele« im Sinne von Shaftesburys
Lebenskunst, bekehrt Phanias zu einer ironisch-weisen, heiteren Le-
bensanschauung. Synthese aus Philosophie und Sinnlichkeit: »rei-
zende Philosophie«, Philosophie der Grazien.
Lit.-Gattung, in der sich nach W.s Anschauung Elemente des Lehrgedichts, der Erz. und der Kom. vereinigen sollten. Didaktische
Struktur herrscht noch vor.

1769/73   Johann Timotheus Hermes
(1738–1821, Stargard, Breslau):
Sophiens Reise von Memel nach Sachsen

R. 6 Bdd.
Ostpreußisches Zeitbild während des Siebenjährigen Krieges. Trotz
breiter moralisierender Partien tiefe Einblicke in das bürgerliche
Leben. Übertragung des meist in engl. Milieu spielenden Familien-R.
in dt. und der adligen in bürgerliche Verhältnisse. Verwendung des
Dialektes.

Eins der meistgelesenen Werke des ganzen Jh.

1772   Gotthold Ephraim Lessing
(Biogr. S. 161):
Emilia Galotti

Tr. 5, Prosa. Auff. 13. 3. in Braunschweig durch die Döbbelinsche
Truppe. Druck im gleichen Jahr.

Seit 1757 daran gearbeitet, ursprünglich dreiaktig. Quelle Livius: der Dezemvir Ap-
pius Claudius will Virginia, die Braut des Icilius, seinen Wünschen gefügig machen,
indem er ihren Vater, den greisen Virginius, zum Heere fortschickt. »Das Schicksal
einer Tochter, die von ihrem Vater umgebracht wird, dem ihre Tugend werter ist als
ihr Leben...« (L. an Nicolai 21. 1. 1758).

Das ursprünglich als heroisches Römerdr. und ganz antik gedachte
Werk wurde für den Wettbewerb um den von Nicolai für das beste
Tr. ausgesetzten Preis ins Bürgerlich-Menschliche umgegossen. Moralische Bloßstellung des absolutistischen Regimes, des Egoismus
und der Ränke bei Hof und Adel. Zeitlich noch in einen Tag ge-
spannt, aber größere dramaturgische Freiheit im Räumlichen durch
Wechsel des Schauplatzes. Mittelcharaktere (vgl. *Hamburgische Dra-*

maturgie). Der Höfling Marinelli, eine neuartige Milieustudie. Die Mätresse Orsina wirkte auf die Lady Milford in Schillers *Kabale und Liebe*.

L.s Freund Ebert schrieb am Tage nach der Urauff.: »O Shakespeare-Lessing!« Goethe in hohem Alter: Die *Emilia Galotti* sei wie die Insel Delos aus der Gottsched-Gellert-Weißeschen Wasserflut emporgestiegen. Am Ende von Goethes *Werther* L.s *Emilia Galotti* aufgeschlagen auf dem Tische liegend, entsprechend dem wirklichen Vorgange beim Tode des Werther-Vorbildes Jerusalem. Friedrich Schlegel nannte die technische Lösung des Konfliktes ein »gutes Exempel dramatischer Algebra«.

1772   Christoph Martin Wieland
        (Biogr. S. 161/162):
        Der goldene Spiegel oder Die Könige von Scheschian

Staats-R. in morgenländischem Kostüm, Fürstenspiegel in einer Rahmenhandlung. Schildert den Staat des aufgeklärten Despotismus im Hinblick auf Joseph II. Politisch-utopische Gedankengänge. Nach W. eine Art von summarischem Auszuge des Nützlichsten, was die Großen und Edlen einer gesitteten Nation aus der Geschichte der Menschheit zu lernen hätten.

Vorbild: Xenophons *Kyropädie*; Beziehungen zu Rousseaus Forderung naturgemäßen Lebens. Gegenstück zu Hallers Staats-R. *Usong* (1771).
Trug W. die Berufung durch Anna Amalia ein, als Erzieher des Erbprinzen Karl August nach Weimar zu kommen.
Forts.: *Geschichte des weisen Danischmende* (1775).

1773   Christoph Martin Wieland
        (Biogr. S. 161/162):
        Alkeste

Singsp. 5, in Versen. Auff. 28. 5. in Weimar, Schloßtheater, durch die Seylersche Truppe, Musik von Anton Schweitzer. Druck im gleichen Jahr.
Bearbg. des mythischen Stoffes in Anlehnung an den Handlungsgang bei Euripides. Thema der den Tod überwindenden Gattenliebe, im Mittelpunkt der edle Wettstreit zwischen Alkeste und Admet, füreinander sterben zu dürfen. Sentimentale Erweichung; Umwandlung des rauhen Herkules in einen wohlerzogenen Höfling.
Versuch einer dichterischen Aufwertung des dt. Opernlibrettos im Zusammenhang mit Glucks Opernreform. Rechtfertigung von Stoffwahl und Charakter des Textbuches in *Briefe an einen Freund über das dt. Singspiel Alkeste* (1774).

Von Goethe wegen seines ungriech. Geistes in *Götter, Helden und Wieland* verspottet (1774). Dennoch deutet *Alkeste* voraus auf Goethes *Iphigenie*.

1773/76   Christoph Friedrich Wilhelm Nicolai
(1733–1811, Berlin):
**Das Leben und die Meinungen des Herrn Magister
Sebaldus Nothanker**

R. 3 Bdd.
Das Werk schildert die Leiden und Verfolgungen eines aufgeklärten
Geistlichen. Sittengemälde aus den geistigen Kämpfen der Zeit.
Ironisch-satirische Bloßstellung des pietistischen Sektenwesens und
des orthodoxen Fanatismus. Porträtähnliches Auftreten des Haupt-
pastors Goeze, hinter Decknamen auch Lessing, Nicolai u. a.

Wirksame Waffe der Aufklärung. Schnelle und weite Verbreitung.

1774/80   Christoph Martin Wieland
(Biogr. S. 161/162):
Die Abderiten, eine sehr wahrscheinliche Geschichte

Komischer Prosa-R., im *Teutschen Merkur* 1774 (1. Teil) und 1779 bis
1780 (2. Teil).

Entst. seit 1773. Das antike Abdera in Thrakien, die Heimat des lachenden Philosophen Demokrit (geb. um 460), hatte einen ähnlichen Ruf wie in der Moderne Schilda.

Die Handlung von W., ohne eigentlichen Plan und durchsetzt mit
historischen und philologischen Exkursen, gruppiert um die mit eigenen Zügen ausgestattete überlegene Philosophengestalt des Demokrit. Geschichten-Reihung wie im *Volksbuch von den Schildbürgern*;
einzelne, in sich geschlossene anekdotische Erzählteile.
Witzige·Bloßstellung des Spießertums von Zürich, Bern, Biberach,
aber auch Erfurt und Weimar, im griech. Gewande. Gegenfiguren
die von humanitärem, aufgeklärtem Denken geleiteten Gestalten des
Demokrit, Hippokrates und Euripides. Rasche Verarbeitung eigener
Beobachtungen und von Lesefrüchten aus Lukian u. a. So verarbei-
tete das 3. Buch sofort W.s Erlebnis in Mannheim aus Anlaß der
vorgesehenen Auff. seiner *Rosamunde* am dortigen Nationaltheater
im Beginn des Jahres 1778 zu: Euripides unter den Abderiten. Bedeutsam und berühmt im 4. Buch, in das die Erfahrungen mit der
Biberacher Stadtrepublik eingingen, der Prozeß um des Esels Schatten (die Onoskiamachia), ein antikes Abderitenmärchen: ein Esel-
treiber verweigert dem Mieter seines Esels die Benutzung von dessen
Schatten und begründet damit einen einschneidenden Rechtsfall, bei
dem sich schließlich die Volkswut gegen den Esel selbst austobt.
Das 5. Buch, das Erfurter Eindrücke verwertet, enthält den Kampf
um die Frösche der Göttin Latona, in dem religiöser Fanatismus und
Aberglaube über die Vernunft triumphieren und die Bürger zwingen,
ihre Stadt den Fröschen preiszugeben und sich selbst in alle Welt zu
zerstreuen, um dort bis in die Gegenwart weiterzuleben.

Höhepunkt des ironischen Erzählstils in W.s Schaffen. Stilistisch
Einfluß von Sterne. Subjektive und zeitbedingte Erfahrungen zu gül-
tiger Dimension erweitert, Dämpfung des kritisch-satirischen Elements zu heiterer Toleranz im Geist des Humanitätszeitalters. Mischung von »Närrischem« (im Sinne des 16. Jh.) und allgemein
Menschlichem. Durch Lokalisierung in Griechenland zugleich Korrektur des zeitgenössischen Griechenideals; neben Athen die »entarteten Athener« gestellt. Nachsicht gegenüber menschlicher
Schwäche, Skepsis in bezug auf die Erziehbarkeit des Menschen.
W.: »Es ist vielleicht keine Stadt in Dld., wo die *Abderiten* nicht
Leser gefunden haben; und wo man sie las, da fand man die Originale zu meinen Bildern.«

1789 veränderte und neugegliederte Buchausg. in 2 Teilen. In der Nachfolge steht
Gottfried Keller: *Die Leute von Seldwyla.*

1779   Gotthold Ephraim Lessing
(Biogr. S. 161):
Nathan der Weise

Dram. Gedicht 5, in Shakespeares Blankvers, reimlosen jambischen
Fünffüßlern.

Der jambische Fünffüßler statt des Alexandriners später – verfeinert – gebräuchlich-
ster Vers des dt. Dr.; Friedrich Schlegel: »der fünffüßige Jambus die beste Prosa Lessings«. L.s nicht vorbehaltlose Veröffentlichung *Von Duldung der Deisten (Fragment
eines Ungenannten,* 1774) und späterer Nachträge in den *Beiträgen zur Gesch. und Lit.
aus den Schätzen der Herzoglichen Bibliothek zu Wolfenbüttel,* die der Zensur nicht unter-
lagen, schließlich die Herausgabe des letzten *Fragmentes* als Buch – der wahre Autor
Hermann Samuel Reimarus, der 1768 starb, erst 1814 eingestanden – war von den
Theologen, besonders dem Hamburger Hauptpastor Melchior Goeze, aber auch von
freisinnigen Vertretern der Kirche als Angriff auf den Offenbarungsglauben und die
Bibel angesehen und zurückgewiesen worden. L. antwortete darauf u. a. mit *11 Anti-
Goeze* (1778), der *Nötigen Antwort* und auch mit seiner *Erziehung des Menschengeschlechts*
(1780), die er als Erziehung zur Sittlichkeit um ihrer selbst willen verstanden wissen
wollte. Als der Herzog von Braunschweig sich dafür gewinnen ließ, L. die Zensur-
freiheit zu entziehen, holte dieser im August 1778 seinen, bis 1750 zurückverfolgbaren
Dr.-Entwurf hervor, um den Theologen auf der ihm eigenen Kanzel entgegenzutre-
ten. Am 14. 11. 1778 begann L. das Stück in Verse zu bringen, das im April 1779
druckfertig war.

Humanitätsdg., Forderung entschiedener Toleranz und vorurteils-
freien Liebeswerks. Die bloße Zugehörigkeit zu einer der positiven
Religionen gibt keinen Vorrang. Sie haben nur insoweit Geltung,
als sich die Gesinnung ihrer Bekenner bewährt. Die wahre Religion
ist sittliches Empfinden und Handeln, unabhängig von aller geoffen-
barten Religion.
L. führt auf dem Boden des ma. Palästina Vertreter des Christentums, des Islams und des Judentums in einer verwickelten Handlung

zusammen und gibt, nicht ohne Absicht, Nathan die Führung. Seiner
jenseits der Konfessionen stehenden Religiosität schließen sich die
besten Vertreter der anderen Religionen an.

Keimzelle und berühmtes Kernstück die um 1100 in Spanien von
aufklärerischen Juden erfundene Parabel von dem Ring, dessen Besitz den Erben der wahren Religion kenntlich macht und zu dem ein
Vater, der keinen seiner Söhne enterben will, noch zwei gleiche an-
fertigen läßt, so daß der echte nicht mehr erkannt werden kann. In
L.s Quelle, Boccaccios *Decamerone* (Giornata I, Nov. 3), will Saladin
mit der Frage nach der besten Religion dem Juden Melchisedech
eine Falle stellen, der dieser jedoch durch seine Parabel geschickt
entgeht. Bei L. ist der Ring nicht nur wundersamer Herkunft, sondern hat ». . . die geheime Kraft, vor Gott / und Menschen angenehm
zu machen«. Nach L. liegt es an jedem einzelnen, seinen Ring zu dem
echten zu machen. An der Echtheitsprobe, die in dem sittlichen
Wettstreit liegt, sind alle aus der Urreligion hervorgegangenen
Offenbarungsreligionen beteiligt. Das Werk näherte sich in Gehalt
und Gestalt der Hochklassik.

Auff. 14. 4. 1783 in Berlin durch die Döbbelinsche Truppe.

1779   Johann Gottwert Müller
       (1743–1828, Itzehoe):
       Siegfried von Lindenberg

Humoristischer R.
Der Titelheld ist ein pommerscher Krautjunker, dessen Großmannssucht verspottet wird. Neben ihm der unwissende, närrische, ver-
schmitzte Ludimagister.
Eine der besten dt. Donquijotiaden. Verwendung plattdt. Mundart.

Erweiterte Fassung 1781–1782.

1780   Christoph Martin Wieland
       (Biogr. S. 161/162):
       Oberon

Romantisches Heldengedicht, 14 Gesänge in abgewandelten Stanzen
(ital. ottave rime). Im *Teutschen Merkur.*

Quelle: frz. Ritter-R. *Huon de Bordeaux*; Oberon entstammt Chaucers *Merchant's Tale*,
außerdem Einfluß der Oberon-Titania-Szene aus Shakespeares *Sommernachtstraum*; die
Gestalt der Rezia den Märchen aus *Tausendundeine Nacht* entnommen. Formales Vorbild: Ariost.

W.s Verserz. verwebt die als Stoffe erprobten Geschichten um
Huon – Rezia und Oberon – Titania. Der Elfenkönig Oberon hilft
Huon bei seinen Abenteuern und findet durch die Treue Huons und
Rezias wieder zu seiner Gattin Titania zurück. Gehalt tief ethisch:

die Aufopferung der Liebenden füreinander, ihre Treue bis in den bitteren Tod, versöhnen den Zwist der Elfen.

Die Bewährung der Liebenden besteht jedoch nicht in der Erfüllung eines stoischen Tugendbegriffs – sie werden entgegen Oberons Gebot zunächst Opfer ihrer menschlichen Schwäche –, sondern in Handlungen, die den Gesetzen eines reinen Herzens und dem Glauben an sich selbst folgen. Oberon wird zum Diener eines göttlichen Willens und ist nicht mehr der bloße Elementargeist seiner lit. Vorbilder. Die romantische, ma. höfische Aventiure verwandelte sich bei W. in ein Bekenntnis zum Geist der Humanität.

Goethe an Lavater: »*Oberon* wird, solange Poesie Poesie, Gold Gold und Kristall Kristall bleiben, als ein Meisterstück poetischer Kunst geliebt und bewundert werden.«
Buchausg. 1796, 12 Gesänge.
Schiller plante 1784 Dramatisierung. 1826 als Oper von Carl Maria von Weber. Zahlreiche Nachahmungen und Übss.

1780   Johann Karl Wezel
(1747–1819, aus Sondershausen):
Hermann und Ulrike

Komischer R. 4 Bdd.
Liebe eines kleinbürgerlichen Einnehmersohnes zu einer Baronesse. Legitime Vereinigung erst nach vielen Schwierigkeiten und Irrfahrten, als der Held zum Staatsmann emporgestiegen ist.
Anwachsendes soziales Interesse. Positive Achtung der realistisch gesehenen Bauern. Der Wirklichkeit angenähert.

1782/87   Johann Karl August Musäus
(1735–1787, Jena, Weimar):
Volksmärchen der Deutschen

5 Bdd. – Nur zum Teil echte, aus mündl. Überlieferung geschöpfte Stoffe; auch Sagen. Rationalistisch behandelt und der Nov. angenähert.

1784   Karl Arnold Kortum
(1745–1824, Duisburg, Bochum):
Leben, Meinungen und Taten
von Hieronimus Jobs dem Kandidaten

Komisches Heldengedicht, 3 Teile.
Leben eines Pfarramtskandidaten und späteren beschränkten Philisters, der als Nachtwächter endet. Vierzeilige Knittelversstrophen. Einfluß Wielands.
Parodie des Bildungs-R., gegen die empfindsame Lit.

1799 erweitert als *Die Jobsiade*.

1791/1805   Moritz August von Thümmel
(1738–1817, Leipzig, Coburg):
**Reise in die mittäglichen Provinzen von
Frankreich im Jahre 1785–1786**

R. 10 Bdd.
Ein berufsloser großstädtischer Kavalier schildert in Tagebuchform
eine zur Vertreibung seiner Hypochondrie unternommene Reise von
Berlin nach Marseille und über Holland zurück.
Der im Jahre 1777 tatsächlich erlebte Stoff mit galanten Abenteuern,
lit. Erinnerungen und Tagesvorgängen verbrämt. Thema: sittliches
Absinken und Umkehr. Die Erkenntnis der Sittenverderbnis, aus
der Niedergang und innere Gefährdung eines ganzen Staates resul-
tieren, führt zur Forderung einer Erziehung des einzelnen »nach
neuen Grundsätzen«, die der Verbildung entgegenarbeiten.
Noch aufklärerisch, rokokohaft, wielandisch, aber schon mit empfindsamen kulturpessimistischen Elementen und klassischen Bil-
dungsidealen durchsetzt. Typisches Übergangsprodukt.
Eins der meistgelesenen Bücher der Zeit; Vorbild für die Unterhaltungslit.

1792   Anna Luise Karsch
(1722–1791, Berlin):
Gedichte

Offizielle »Heldengesänge«, weniger pedantisch und antik-über-
frachtet als die gelehrterer Verff., sowie private gereimte Poesie.
A. L. K. war Autodidaktin, vom Kirchenlied angeregt.
Gleim, Ramler u. a. überschätzten diese »dt. Sappho«, der ihr Talent sogar ein Haus
von Friedrich Wilhelm II. eintrug.

1793/94   Theodor Gottlieb von Hippel
(1741–1796, Königsberg):
Kreuz- und Querzüge des Ritters A bis Z

Humoristischer R., Donquijotiade. Witzige, wenn auch breite und
weitschweifige Abfertigung der geheimen Gesellschaften und ihrer
Zeremonien. Gegen die die Aufklärung gefährdenden oppositio-
nellen Mächte.

1795/96   Johann Jakob Engel
(1741–1802, Berlin):
Herr Lorenz Stark

R. In Schillers *Horen*.
Am Schluß versöhnlich gelöster Vater-Sohn-Konflikt im Kaufmanns-
milieu auf dem Hintergrund eines kulturellen Generationswechsels.
Straffgebaute Erzählung, maßvolle Empfindsamkeit, leiser Humor.
Buchausg. 1801.

1800/02   Christoph Martin Wieland
(Biogr. S. 161/162):
Aristipp und einige seiner Zeitgenossen

R. 4 Bdd., Briefform. W.s umfangreichstes Werk.
Den Inhalt bildet die Entwicklung der sokratischen Schulen und die Lebensatmosphäre des 4. Jh. v. Chr. Aristipp von Kyrene ist der wahre Sokratiker unter den verschiedenen Richtungen, ein »Weltbürger«, zugleich bis zu einem hohen Grade Vertreter von W.s eigener Weltanschauung: daseinsnah und doch über dem Sinnlichen, aufs Geistige gerichtet. Das romanhafte Element besonders durch die Gestalt der geistvollen Hetäre Lais und ihr bunt verworrenes Schicksal gegeben.

1740–1780 Empfindsamkeit

Eine gefühlsbetonte Dg. übernahm etwa von 1740–1755 im Rahmen der Aufklärung die Führung. Ihren Höhepunkt bildete 1748 Klopstocks *Messias*. Als Empfindsamkeit im engeren Sinne wird vor allem der lit. Ausdruck und die Verweltlichung der Erweckungsbewegung angesehen. Empfindsamkeit und Aufklärung nicht schroff voneinander zu trennen: »Sie sind Pole der gleichen seinsgeschichtlichen Stufe« (Friedrich Sengle). Empfindsame Tendenzen befruchteten auch Dichtwerke aus vorwiegend anderem geistigen Boden. Sie gingen auch in den Sturm und Drang ein. So ist Goethes *Werther* z. B. formal und geistig noch empfindsam, weist aber in der Unbedingtheit der Gefühle und in dem tragischen Verhältnis des Genies zur Wirklichkeit über die Empfindsamkeit hinaus.

Das Wort »empfindsam« geht auf Lessing zurück, der es seinem Freunde Johann Joachim Bode 1768 zur Verdeutschung des engl. »sentimental« in Sternes *Sentimental Journey* empfahl.

Die politische und gesellschaftliche Unterdrückung des Bürgertums, dessen Kräfte sich auf den rein geistigen, wissenschaftlichen und künstlerischen Bereich verwiesen sahen oder zu utopischen Programmen verwandt wurden, fand eine Auslösung in zum Teil selbstgenügsamer Empfindungsseligkeit und Schwärmerei. Damit verband sich oft eine auf ma. und germ. Vorzeit zurückschauende Vaterlandsbegeisterung und ein mehr lit. als real erlebter Tyrannenhaß.
Der Pietismus hatte bereits im letzten Drittel des 17. Jh. eingesetzt. In ihm kehrten wesentliche Züge der spät-ma. Mystik, der Wiedertäuferbewegung und der schlesischen Mystik des Barocks wieder. Er war neben den Hoffnungen, die in Magnetismus und Somnambulismus gesetzt wurden, neben Theosophie, Alchimie und neben Freimaurerei die gefährlichste Keimzelle im Zersetzungsprozeß der Aufklärung (Ferdinand Josef Schneider).

Mit der Aufklärung teilte der Pietismus freilich den Kampf gegen allen Dogmatismus, für verstärkte Bibellektüre durch die Laien und für Überbrückung der religiösen, aber auch der sozialen Gegensätze. Gegenüber der intellektuellen Einseitigkeit der Aufklärung jedoch bedeutete er Steigerung des Gefühlslebens. Er gründete sich auf »innere Heilserfahrung«, wartete auf »Durchbruch der Gnade«, »innere Wiedergeburt«. Die ständige Vorbereitung darauf geschah durch In-sichhineinlauschen, durch Ablehnung der »Lust-Mitteldinge« wie z. B. Theaterbesuch. Zur Aufmerksamkeit für die seelischen Vor-gänge im eigenen Inneren kam die Teilnahme auch an den inneren Erfahrungen der Mitmenschen. Ein neues Zusammengehörigkeits-gefühl entstand. Die »Stillen im Lande«, eine vom Pietismus her-kommende Strömung, haben die Entwicklung der Zeit wesentlich mitbestimmt. Begründer des Pietismus war Jakob Spener (1635 bis 1705). Suchte ab 1670 in Frankfurt durch Erbauungsstunden, col-legia pietatis, die Herzen anzusprechen und ihnen mehr zu geben, als das erstarrte lutherische Dogma vermochte. Hauptwerk: *Pia desideria oder herzliches Verlangen nach gottseliger Besserung der evangelischen Kirche* (1675). Spener wirkte von 1691 ab in Berlin, war Mitbegründer der Universität Halle. Dort bedeutsam als Theologe August Hermann Francke (1663–1727), der Speners Bestrebungen lehrmäßig ausbaute. Aus freiwilligen Spenden ging das Hallische Waisenhaus hervor: werktätige Liebe. *Die Unparteiische Kirchen- und Ketzerhistorie* (1699) von Gottfried Arnold (1660–1754) betonte Herzensfrömmigkeit und praktische Nachfolge Christi.

Die Verinnerlichung des religiösen Lebens führte der protestanti-schen geistlichen Lyrik am Beginn des 18. Jh. neue Impulse zu (Ter-steegen, Zinzendorf). Neuorganisation des Gemeindelebens und des-sen Durchdringung mit Erbauungslit. und Kirchenliedern gingen schon bei Spener Hand in Hand; Zinzendorf wurde Gründer und Leiter der Herrnhutischen »Brüdergemeine«. Der Pietismus reicht bis zu Susanna von Klettenberg (1723–1774) und dem empfind-samen Verf. der *Physiognomischen Fragmente* (1775–1778), dem Zürcher Prediger Johann Kaspar Lavater (1741–1801), die beide auf den Goethe der Frankfurter Jahre wirkten.

Führenden Einfluß auf die dt. Empfindsamkeit hatte England bereits seit etwa 1715 durch die Wochenschriften. In den 40er Jahren kam der Tugend- und Familien-R. Samuel Richardsons (1689–1761). Hauptwerke: *Pamela*, in Briefform geschriebene Geschichte eines um seine Tugend kämpfenden armen, schönen Landmädchens (1740); *Clarissa Harlowe* (1749, 8 Bdd.), ein ähnliches Thema, breiter ausge-führt in Briefen der Heldin an ihre Freundin und des ihr nachstellen-den Verführers an seinen Freund; *Sir Charles Grandison* (1753), Ge-schichte eines Tugendhelden, Handlung um eine Entführung ge-baut. In diesen engl. Rr. waren die früheren prinzlichen Helden von

Bürgerinnen abgelöst. Die Gefühle wurden ausführlich zergliedert; die Problemstellung war thesenhaft; die Handlung brachte keine Charakterwandlungen. In den 6oer Jahren begann der Einfluß Laurence Sternes (1713–1768) mit *Tristram Shandy* (1760–1767) und *Sentimental Journey through France and Italy* (1768). Das Wesentliche der Reisebeschreibung und des dargestellten Weltbildes wurde mit ihm die Reaktion des Reisenden und Erlebenden auch auf die geringsten Abenteuer; inniges Mitleiden, durch das befreiender Humor bricht. Außerdem wirkte Oliver Goldsmith (1730–1774), dessen *Vicar of Wakefield* (1766) als Wunschbild friedlicher Häuslichkeit und mildtätiger Frömmigkeit bewundert wurde. Ein Lieblingsbuch des 18. Jh. wurde Edward Youngs (1683–1765) *Night Thoughts on Life, Death and Immortality* (1742–1745, dt. von Johann Arnold Ebert 1754) als Vorbild weltschmerzlicher Empfindsamkeit.

Unter dem Einfluß der Neubewertung der Gemütskräfte setzte sich, angebahnt schon bei Bodmer und Breitinger, um die Mitte des Jh. eine neue Vorstellung vom Dichten und vom Dichter durch. Dichten war nun nicht nur ein mehr oder weniger an Vorbildern orientiertes und auf Begabung beruhendes Können, sondern eine besondere Daseinsweise auf der Grundlage einer spezifischen Gestimmtheit.

Die seelische Vertiefung durch den Pietismus äußerte sich auf lit. Gebiet zuerst in der Kunstlyrik. Immanuel Jakob Pyra hatte 1737 zuerst in dem Gedicht *Tempel der wahren Dg.*, gestützt auf Dionysius Longinus' Traktat *Vom Erhabenen* (1. Jh. n. Chr.), einen priesterlichen, entflammten Dichtertyp verkündet und inhaltliche sowie formale Forderungen an den »Sänger« gestellt, die den jungen Klopstock beeindruckten. Klopstock führte der Lyrik große Gegenstände und eine vom Alltag streng geschiedene überhöhte Sprache zu. Die strenge, die Antike nachahmende Ode löste sich bei ihm in die freien Rhythmen der reimlosen Hymne auf. Die Dichter des Hainbunds pflegten neben dieser erhabenen Form auch die anspruchslosere Form des Liedes, das bis dahin Domäne der Anakreontiker gewesen war, nun aber erste schlichte, volksliednahe Züge bekommt.

Den empfindsamen Neigungen kam die Idylle ohnehin entgegen, Voß gab ihr auch realistische Züge.

Mit Klopstocks monumentalem Epos *Der Messias* erfuhr die Empfindungs- und Sprachgewalt eine Höhe, die auf die Zeitgenossen wie eine Offenbarung gewirkt hat.

Der empfindsame Roman, der von Ansätzen bei Gellert bis zu Sophie von Laroche und dem Unterhaltungsschriftsteller August Lafontaine (1758–1831) führt, spiegelte besonders als Reise-R. gefühlvoll äußere Eindrücke und die sentimentale Teilnahme des Helden an unbedeutenden Gegenständen wider. Zum Teil hat er eine gesellschaftskritische Haltung. Der Hauptton auch des R. ist larmoyant, voller Seufzer. Der autobiographische R. in der Art Jung-Stillings gab der religiös unterbauten Selbstbetrachtung einen geeigneten lit. Ausdruck.

Die erste dt. R.-Theorie von hist. Gewicht, Friedrich von Blanckenburgs *Versuch über den R.* (1774), kann im Zusammenhang mit der Empfindsamkeit gesehen werden. Das Außenseitertum des preußischen Offiziers als Nicht-Literaten und Autodidakten, seine Stellung zwischen den Zeiten, die ihn den aufklärerischen R. – mit Ausnahme von Wielands *Agathon* – kaum mehr beachten, die Geniebewegung aber trotz mancher großzügigen Äußerung gegenüber der Freiheit des Genies nicht mehr erreichen ließ, haben einen Mangel an unmittelbarer Wirkung zur Folge gehabt, der sich auch darin ausdrückt, daß der *Versuch* über die erste Auflage nicht hinauskam. v. B.s kunsttheoretische Orientierung an Henry Home, Edmund Burke und Shaftesbury, an Lessing, Mendelssohn und Sulzer hat weniger Gewicht als die große Kenntnis von engl. zeitgenössischen Rr., aus der v. B. seine Theorie über einen zu schaffenden dt. R. herleitete. Dessen Gegenstand sollten »die im Innern des Menschen wohnenden Empfindungen« sein. Gegen Abenteuer-R. und hist. R. trat v. B. für den Charakter-R. ein, der die »innere Gesch.« von »möglichen Menschen der wirklichen Welt« darzustellen habe. Dieser Werdegang sei vollständig und in seinem kausalen Zusammenhang darzubieten: äußere Begebenheiten lösen Empfindungen, diese wieder Handlungen aus. Die Empfindungen seien in dram. Bildlichkeit anschaulich zu machen, daher wiederholte Anlehnung an die Dr.-Theorie der Zeit und der Hinweis auf Shakespeare als vorbildlichen Charaktergestalter. Ablehnung Richardsons wegen seiner Nichtbeachtung von Naturwahrheit, Kausalität und Anschaulichmachung des Gefühls. Ziel des R. sei Bildung, daher seien Empfindungen darzustellen, die »zu Vervollkommnung unseres Daseins das mehrste beitragen«. Die Freisprechung des Genies von der Pflicht der Regelbeachtung wird dadurch aufgewogen, daß v. B. den Bildungsgang des Helden auf vorgefaßte Richtungen und Ziele einschränkte. Diese noch aufklärerische Sicht verschloß v. B. die Wirkung auf die Sturm- und Drang-Generation, während seine vorausweisende Theorie des dt. Seelen- und Entwicklungs-R. ihm schon den Zugang zu Goethes *Werther* ermöglichte (Rezension in der *Bibliothek der schönen Wissenschaften*... 1775).

Das spezifisch empfindsame Dr. entstand aus der Aufweichung der strengen Gattungsgrenzen zwischen Tr. und Kom. durch das Ferment des Rührenden. Das Typen-Lsp. der Aufklärung wurde allmählich durch die von Frankreich übernommene comédie larmoyante, die Rühr-Kom., verdrängt. Schon Destouches(*Le philosophe marié*, 1727) hatte in die Charakter- und Sittenkom. mit moralpädagogischen Absichten rührende Züge einbezogen. Voltaire (*L'Enfant prodigue*, 1736) erstrebte ein Gleichgewicht der rührenden und komischen Elemente, doch näherte sich seit Marivaux, in dessen Prosa-Kom. die Liebe vom episodischen zum wesentlichen Element aufstieg, und bei Nivelle de la Chaussée, dessen sentimentalischer Vers-Kom. sich Voltaire mit *Nanine* (1749) anschloß, die Kom. mit ihrem seelischen Konfliktstoff, Situationsunheil, menschlichen Edelmut der Tr. Den 1738 geprägten Begriff »comédie larmoyante« hat Lessing 1753 durch »weinerliches Lsp.« wiedergegeben. In Dld. setzten sich die rührenden Züge von der sächsischen Kom. her durch (Gottschedin: *Das Testament*, 1745, Gellert: *Die Betschwester*, 1745 und *Die zärtlichen Schwestern*, 1745, Johann Elias Schlegel: *Der Triumph der guten Frauen*, 1748). Gellert verteidigte die Gattung (Leipziger Antrittsrede *Pro comoedia commovente*, 1751), die sich im Rahmen der klassischen Gattungsgesetze hielt. Lessing rügte in der *Vorrede* zu seiner dt. Übs. von Gellerts Antrittsrede (1754) die Überanstrengung der Kom. durch rührend-ernste Elemente.

Der gleichzeitige Wandel der klassizistischen hohen »tragédie« zum »bürgerlichen« Dr. äußerte sich im Verzicht auf die erst spätantike Ständeklausel, den hohen Stand des tragischen Helden, sowie in der Aufhebung des Verszwanges. Der Vers im Munde bürgerlicher Personen widersprach den neuen realistischen Anforderungen an die Wahrscheinlichkeit des Dargestellten. Trotz der auch in der frz. Dr.-Theorie sich abzeichnenden allmählichen Lösung von den klassizistischen Regeln folgten frz. Dramatiker nur langsam dem engl. Vorbild, *The London Merchant* (1731) von George Lillo. Im Zusammenhang mit Nivelle de la Chaussées *L'École des amis* fiel 1737 erstmals die Bezeichnung »tragédies bourgeoises«. Bekannteste Beispiele der Gattung wurden in Frankreich Landois' *Sylvie* (1741), Mdme Françoise de Graffignys *Cénie* (1751), Diderots *Le Fils naturel* (1757) und *Le Père de famille* (1758) sowie Schauspiele von Mercier und Beaumarchais. Lessing verwandte 1750 in der Vorrede zur dt. Übs. von Voltaires *Nanine* (1749) die Bezeichnung »bürgerliches Trauerspiel«, und *The London Merchant* wurde 1752 mit diesem Zusatz von Henning Adam v. Bassewitz ins Dt. übersetzt. Schon vor Lessings *Miss Sara Sampson* (1755) entstand das erste dt. bürgerliche Tr., Christian Leberecht Martinis *Rhynsolt und Saphira*, das wahrscheinlich schon im gleichen Jahr 1753 in Schwerin gespielt worden ist (Richard Daunicht).

Wichtige lit. Kreise der Empfindsamkeit:
Der ältere Hallenser Kreis um die Pietisten Lange und Pyra.
In Anlehnung an Klopstocks Ode *Der Hügel und der Hain* nannte sich nach dem Ort seiner ersten feierlichen Zusammenkunft »Hain« der lit. Freundschaftsbund junger Akademiker aus Nord- und Süddld., die sich in Göttingen zusammenfanden (1772 bis 1774). Auch nur »Bund« genannt. Als späterer Name Hainbund 1804 von Voß gebraucht. Mitglieder: Boie, Voß, die Brüder Stolberg, Miller, Hölty; dem Kreise nahe standen Claudius und auch Bürger. Lit. Organ des Hainbundes war der seit 1770 bestehende *Göttinger Musenalmanach*, hgg. Heinrich Christian Boie (1744–1806), 1775 Johann Heinrich Voß, später andere, der Vorbild für viele weitere Musenalmanache und Taschenbücher wurde.

Mittelpunkt des im Anschluß an Gleim und Klopstock Gefühls- und Freundschaftskult treibenden Darmstädter Kreises (Anfang der 70er Jahre) waren Johann Heinrich Merck (1741–1791), Karoline Flachsland spätere Herder, Herder und Goethe. Vgl. Goethe: *Dichtung und Wahrheit*, 12. und 13. Buch.

Unter den Ablehnern der Empfindsamkeit stehen an erster Stelle die ausgesprochenen Aufklärer, unter den Vertretern der nächsten Generation Goethe, der sich nach anfänglichem Zusammengehen in Werken wie *Der Triumph der Empfindsamkeit* (entst. 1777, Umarbg. 1786) und *Fastnachtsspiel vom Pater Brey* (entst. 1773–1774, Druck 1789) von der empfindsamen Richtung löste. Schiller ließ Geßner als deutschen Theokrit ebensowenig gelten wie Klopstock als dt. Homer. Gegen Geßner richtete sich auch Tieck in der Nov. *Der Mondsüchtige*.

Wichtigste Autoren der Empfindsamkeit:

Claudius, Matthias, geb. 1740 in Reinfeld/Holstein. Sohn eines Pfarrers. Stud. theol. und jur. Wurde bei einem Aufenthalt in Kopenhagen Anhänger Klopstocks. Schriftsteller und Bankrevisor in Wandsbek. 1771–1775 Herausgeber des *Wandsbecker Boten*. 1813 durch den Krieg aus Wandsbek vertrieben. Gest. 1815 in Hamburg.

Klopstock, Friedrich Gottlieb, geb. 1724 in Quedlinburg. Interesse für Antike in Schulpforta geweckt; Kenntnis Homers und Vergils, der Theorien der Schweizer. 1745–1748 stud. theol. in Jena und Leipzig. 1748–1750 Hauslehrer in Langensalza; vergebliches Werben um Fanny (= Sophie Schmidt). 1750–1751 auf Einladung Bodmers in Zürich; Bruch mit Bodmer. Februar 1751 von Friedrich V. nach Kopenhagen berufen, Ehrensold. Einflußreicher Mittelpunkt einer dt. ausgerichteten Gruppe von Dichtern und Schriftstellern, darunter Gerstenberg u. a. 1759 Herausgabe der Schriften seiner 1758 verstorbenen ersten Frau Margarethe, geb. Moller, die er 1754 geheiratet hatte und die als Cidli und Meta von ihm bedichtet wurde. 1759 bis 1763 in Halberstadt, Braunschweig, Quedlinburg. Seit 1770 meist in Hamburg. Gest. 1803 in Hamburg; fürstliches Begräbnis in Ottensen.

Voß, Johann Heinrich, geb. 1751 in Sommersdorf/Mecklenburg. Sohn eines armen Lehrers. Durch Vermittlung Boies 1772 Stud. in Göttingen, zuerst Theologie, dann Altertumswissenschaften. Übernahm 1775 die Herausgabe des *Göttinger Musenalmanachs*. Rektor zu Otterndorf, seit 1782 Rektor in Eutin. 1802 nach Jena. 1805 Prof. in Heidelberg. Gest. 1826 in Heidelberg.

1725   Nikolaus Ludwig Graf von Zinzendorf
(1700–1760, Halle, Wittenberg, Dresden, Herrnhut):
Sammlung geistlicher und lieblicher Lieder

Geistliche Lieder für die Andachten und Gottesdienste der von Z.
1722 gegründeten Herrnhuter Brüdergemeine. Pietistische, inbrün-
stige Frömmigkeit. Oft weich, verspielt, süßlich, noch der geistlichen
Schäferdg. des 17. Jh. verwandt. Im Vordergrund die im Zusammenhang mit der herrnhutischen mystischen Auffassung des Ehe-
sakraments stehenden Hochzeitslieder und die Gedichte für den
herrnhutischen Blut- und Wunden-Kult. Die meisten Lieder wurden
von Z. beim Gottesdienst improvisiert. Bekannteste der rund 2000
Lieder, von denen einige in die protestantischen Gesangbücher Aufnahme fanden: *Jesu, geh voran*; *Herz und Herz vereint zusammen*.

3., vermehrte Aufl. 1731. – Z. gab außerdem zahlreiche weitere Slgg. heraus.

1729   Gerhard Tersteegen
(1697–1769, Mülheim):
Geistliches Blumengärtlein inniger Seelen

Kurze Schlußreime, daneben eine Abteilung eigentlicher geistlicher
Lieder (in späteren Ausgg. das 3. Büchlein), die in der letzten Ausg.
111 Nrr. umfassen.
Die Lieder sollen »zur Erweckung, Stärkung und Erquickung in dem
verborgenen Leben mit Christo in Gott« dienen; subjektiver Charakter, ein Teil eignet sich nur für die private Erbauung. Die schlich-
teren gehören zum echten Gemeindegesang: *Gott ist gegenwärtig*; *Ich
bete an die Macht der Liebe*. Fanden Eingang in die protestantischen
Gesangbücher.

Von T. selbst 7 Ausgg., die letzte 1768. 15. Aufl. 1855.

1745   Immanuel Jakob Pyra
(1715–1744, Kottbus, Halle) und
Samuel Gotthold Lange
(1711–1781, Halle):
Thirsis' und Damons freundschaftliche Lieder

Gedichtslg., hgg. Bodmer.
In der Hauptsache reimlose, von religiöser Gestimmtheit getragene
Lieder zur Feier der Freundschaft, die die beiden Studiengenossen in
Halle und als Mitglieder der dortigen Lit.-Vereinigung zusammen-
führte (Pyra = Thirsis, Lange = Damon). Neue erhabene Auffassung von der Dichtkunst und dem Dichter. Erlebnislyrik. Trotz bu-
kolischer Einkleidung in typischer Rokokolandschaft auch ganz
realistische Züge. Mit großem Beifall aufgenommen.

Pyras Lehrgedicht *Der Tempel der wahren Dichtkunst* (1737) beeindruckte mit seinen formalen und inhaltlichen Reformforderungen einer religiös geprägten Dg. den jungen Klopstock in Schulpforta.

Langes *Horazische Oden* (1747) sind teils religiös-pietistisch, teils anakreontisch-graziös; reimlos, aber unbeholfen in der Nachbildung horazischer Versmaße.

1745   Christian Fürchtegott Gellert
          (Biogr. S. 160):
          Die Betschwester

Lsp. 3, Prosa. Auff. in Leipzig durch die Neubersche Truppe. Druck in *Bremer Beiträge*, Buchausg. im gleichen Jahr.

Der Bräutigam Simon, der von der mangelnden geselligen Bildung seines Christianchen und dem heuchlerischen Wesen seiner zukünftigen Schwiegermutter, der »Betschwester« Frau Richardinn, enttäuscht ist, wendet sein Herz Christianchens Freundin Lorchen zu. Diese verzichtet jedoch, als sie Christianchens Neigung erkennt, aus Freundschaft zugunsten der vorbestimmten Braut.

Rührstück nach Art der comédie larmoyante, moralisch-didaktisch. Als solches und auf Grund seiner naturnäheren Charakterisierungskunst gattungbildend.

Das Satirische, das der Selbsterziehung des Bürgertums dienen soll, überwiegt jedoch noch das einfühlend Charakterisierende. Spott über die Scheinheiligkeit nach dem Muster von Frau Gottscheds Typen-Kom.

1745   Christian Fürchtegott Gellert
          (Biogr. S. 160):
          Die zärtlichen Schwestern

Lsp. 3, Prosa. Auff. in Leipzig durch die Neubersche Truppe.

Rühr-Kom. Von den Schwestern Lottchen und Julchen erhält das hübsche Julchen zu ihrem reichen Verehrer noch durch Erbschaft ein Rittergut. Siegmund, Lottchens unbemittelter Liebhaber, entdeckt plötzlich Julchens Reize, sucht ihre Verlobung zu hintertreiben und wirbt selbst um sie. Da aber das edelmütige Lottchen sich als die wirkliche Erbin und Julchen sich als ihrem Damis treu herausstellt, wechselt er erneut zu Lottchen über, die sich jedoch, als sie von seiner Untreue erfährt, von ihm abwendet.

Überwindung der Typen-Kom., Nähe zum bürgerlichen Tr. Die ernsten, rührseligen Züge überwiegen. Ausleuchtung der psychologischen und gesellschaftlichen Zusammenhänge; »Familiengemälde«. Seelische Gelassenheit in Freuden und Leiden als bürgerliche Tugend. Vorbilder: Marivaux und Destouches.

Druck 1747 in *Lustspiele*.

1748/73   Friedrich Gottlieb Klopstock
(Biogr. S. 192):
Der Messias

Biblisches Epos in Hexametern. 20 Gesänge.

Erste drei Gesänge im 4. und 5. Stück der *Bremer Beiträge*. Mit 16 Jahren begonnen, mit 49 vollendet. In Jena zuerst in Prosa; in Leipzig Hexameter gewählt trotz Alexandriner-Mode. Gegenüber dem antiken mechanischen dynamisches Versprinzip. Gegensatz zum Homerübersetzer Voß. Hauptquelle: *Evangelium Johannis* und *Offenbarung*.

Stoff dieses ersten großen dt. Epos nach dem MA. das Martyrium Jesu. Das Stoffliche übergossen von pietistischen Empfindungen und Visionen übersinnlicher Welten. Die Struktur setzt sich gemäß der Tradition des biblischen Epos seit Otfried von Weißenburg aus episch-horizontalen und erbaulich-vertikalen Elementen zusammen; die betrachtenden Partien sind in die Seele von »teilnehmenden Zeugen« (Reinhold Grimm) verlegt. Die Erniedrigung Christi ist mit Rücksicht auf Stil und Thema unterdrückt und ins Gegenteil gewendet. Ziel: Homer und Milton zu überbieten.

Stil rhapsodisch, enthusiastisch, unplastisch. Die unalltägliche Stilebene durch kühne Neuprägungen abgegriffener Wörter (»Maria, heiliges Mädchen«, »Flammenwort«, »einem die Seele überströmen«), Vernachlässigung nur logischer Wortarten (Artikel, Partikel, Konjunktionen, Präpositionen), neuen Gebrauch des Partizipiums, überraschende Personifikationen, ungewöhnlichen Satzbau. Trennung der Dichtersprache, die symbolischen Wert hat, von der Gebrauchssprache. Dadurch und durch die Auffassung vom Amt des Dichters epochemachend.

Begeisterte Aufnahme der Proben (Bodmer: »Miltons Geist ruht auf dem Dichter«) und der ersten Gesänge (Christian Ewald von Kleist, Wieland). Herder: das erste klassische Buch dt. Sprache nach Luthers *Bibel*. Leidenschaftlicher Angriff auf Klopstocks Dichtersprache dagegen durch den Gottschedianer Christoph Otto von Schönaich in *Neologisches Wörterbuch oder die ganze Ästhetik in einer Nuß* (1754); verspottende Zusammenstellung neuer Kraftwörter, z. B. »Junghintern« zu Klopstocks »Altvordern« usw. Bereits bei Lessing die symptomatisch gewordene distanzierte Bewunderung: »Wer wird nicht einen Klopstock loben? / doch wird ihn jeder lesen? Nein!«

1756   Salomon Geßner
(1730–1788, Zürich):
Idyllen

Anonym, »*von dem Verfasser des Daphnis*«.
G., eigentlich Landschaftsmaler und vorzüglicher Kupferstecher, hat auch seine Idyllen als »Bildchen« aufgefaßt und gelegentlich so genannt. Vorher hatte er sich zunächst an die lyrisch-idyllischen Stellen im *Messias* und *Adams Tod* angelehnt.
Die bis ins kleinste dargestellten Landschaften enthalten Rokokoelemente, Schäfer und Schäferinnen verkünden Natursehnsucht in

der Art Theokrits. Ethische Ziele: menschliches Glück durch Tugend und Zufriedenheit; Seelenruhe. Die Rokoko-Kunsttendenzen
schon stark empfindsam unterbaut; häufigste Beiwörter »sanft« und
»süß«, keine gewaltsamen Erschütterungen. Rhythmisch abgetönte
Prosa.

1757   Christian Fürchtegott Gellert
           (Biogr. S. 160):
           Geistliche Oden und Lieder

Will, laut Vorrede, die Erbauung der Leser befördern und die Herzen in fromme Empfindungen setzen. Ton gefühlvoll und zuweilen
didaktisch. Stil sowohl an die Lutherbibel wie an den rationalistischen Sprachgebrauch angelehnt. Leibnizischer Optimismus neben
orthodoxem und pietistischem Pessimismus.

Vertonung von Philipp Emanuel Bach, Johann Adam Hiller, Beethoven (6 Lieder,
darunter *Die Himmel rühmen des Ewigen Ehre*).

1769   Friedrich Gottlieb Klopstock
           (Biogr. S. 192):
           Hermanns Schlacht

Erstes »Bardiet für die Schaubühne«, weitere: *Hermann und die Fürsten* (1784), *Hermanns Tod* (1787).
Festlich-lyrische Verherrlichung heldischen Freiheitssinnes und sittlicher Größe bei den Germanen. Die musikdramatische Form, Prosa
mit lyrischen Einlagen, entstammt einer falschen Auffassung des
Wortes barditus (Tacitus, *Germania*, Kap. 3 »Schlachtgeschrei«) im
Zusammenhang mit dem irischen Wort bard = Sänger, das jene alt-
keltischen Sänger und Dichter von unter Harfenbegleitung vorgetragenen Götter- und Heldenliedern meint.

Die für das neuerwachte Interesse an anord. Überlieferung und Symbolik kennzeich-
nenden Schöpfungen sind mit Heinrich Wilhelm von Gerstenbergs *Gedicht eines Skalden* (1766) und mit den von Gerstenberg und Klopstock ausgehenden sog. Barden-
poeten (Karl Friedrich Kretschmann: *Gesang Ringulphs des Barden*, 1768; Michael Denis:
Lieder Sineds des Barden, 1772) verbindbar. Von den Gegnern als Bardengebrüll verspottet, auch von Goethe abgelehnt, Jakob Grimm: »ungedeihlicher Bardenunfug«.

1771   Friedrich Gottlieb Klopstock
           (Biogr. S. 192):
           Oden

1. Gesamtausg. der seit 1748 einzeln veröffentlichten Lyrik.
Freundschafts- und Liebesoden, religiöse Oden und Hymnen, vaterländische Oden, Bardendg. und Revolutionsoden. Unter dem Einfluß von Horaz und Pindar, Milton und Young. Behandeln nur er-

habene Gegenstände: Gott, Unsterblichkeit, Natur, Tugend, Freundschaft, Freiheit, Geliebte und Frau (Fanny und Cidli).
Begründung der neuen Erlebnisdg. an Stelle der galanten Poesie.
Starke Phantasie, kosmisches Lebensgefühl. Zunächst in antiken Versmaßen, ab 1754 in den folgenreich gewordenen freien Rhythmen. Durchbruch einer neuen unalltäglichen Sprachhandhabung.
Nachwirkung auf Hölderlin und die Moderne. Bekannteste: *Die Frühlingsfeier, Das Wiedersehn, Der Eislauf, Die frühen Gräber, An meine Freunde* (später: *Wingolf*; auf den »Hain«), *Der Zürchersee.*

1771/72   Sophie von Laroche
             (1731–1807, aus Kaufbeuren):
             Geschichte des Fräuleins von Sternheim

R. 2 Bdd. Hgg. Wieland mit Anmerkungen.
Beschreibt die Geschichte eines jungen Mädchens, das sich zur Rettung ihrer Ehre einem Ungeliebten vermählt. Nach schweren Schicksalen wird sie mit dem Geliebten doch noch vereint. Einfluß von Goldsmith. Überwiegen des pietistischen Grundelements über den Rationalismus: grenzenloses Mitgefühl, Wohltätigkeitstrieb, quietistische Gelassenheit.

S. v. L. war die erste dt. Unterhaltungsschriftstellerin; gab auch Monatsschriften heraus. Behandelte in einem zweiten R. *Rosaliens Briefe* (1776) die Aufgaben der Frau; Ablehnung aller Gelehrsamkeit, bürgerlich.

1771/75   Matthias Claudius
             (Biogr. S. 192):
             Der Wandsbecker Bote

Wöchentlich viermal erscheinende Ztg., die durch C. Berühmtheit erlangte. C. veröffentlichte in ihr seine volkstümlichen Gedichte, Übss., Briefe, Abhandlungen. Er stand den Hainbündlern durch Klopstockverehrung, religiöse und politische Anschauung nahe. Vorliebe für das Einfache und Ländliche. Verf. schlichter, liedhafter, klarer, tief empfundener Verse *(Das Abendlied; Der Mond ist aufgegangen; An den Tod; Der Tod und das Mädchen).* Auch fröhliche Töne *(An den Frühling am ersten Maimorgen; Bekränzt mit Laub den lieben vollen Becher).*

1775–1812: *Asmus omnia sua secum portans oder sämtliche Werke des Wandsbecker Boten,* 8 Teile.

1776   Johann Martin Miller
          (1750–1814, Ulm):
          Siegwart, eine Klostergeschichte

Wertheriade. M., Angehöriger des »Hains«, war zunächst mit Gedichten im Stil der Minnesänger hervorgetreten. Seine Mittel als rührseliger Erzähler waren reißerisch.

1777   Heinrich Jung-Stilling
(1740–1817, aus Grund in Nassau, Straßburg, Heidelberg,
Marburg):
Heinrich Stillings Jugend

Erster Teil einer Autobiographie. Von Goethe zum Druck befördert.

Weitere Teile: *Jünglingsjahre* (1778), *Wanderschaft* (1778), *Häusliches Leben* (1789), *Lehr-jahre*, *Rückblick* (1804) und *Alter* (mit einem Bericht über Jung-Stillings Lebensende
hgg. von seinem Enkel W. Schwarz 1817).

Aus pietistischer Sicht gegebene, leicht poetisierte Darstellung seines
Lebens: in der Jugend Dorfschullehrer, Schneidergeselle, dann Hauslehrer, Medizinstudent in Straßburg, Arzt, Dozent und Professor für
Kameralwissenschaft, schließlich freier Publizist und Berater des
Markgrafen von Baden. Der Beiname Stilling weist auf die »Stillen«,
die Pietisten, hin.
Schilderung eines bescheidenen, nach innen gewandten, von Gott
geführten Daseins. Naturstimmung und -schilderung. Leicht sentimental. Vorliebe für dt. Vergangenheit schon auf Romantik hindeutend. Seit langem zum erstenmal eine positiv gesehene Bauern-
gestalt: der alte Stilling. In der Selbstanalyse Mischung von Demut
und Selbstbewußtsein, hypochondrischer Niedergeschlagenheit und
Wille zur Aktivität. Das Leben als Kette gottgewollter Fügungen.
Darstellung seit *Häusliches Leben* zunehmend annalistisch unter Aufgabe der künstlerischen Gestaltung.

1778/81   Theodor Gottlieb von Hippel
(1741–1796, Königsberg):
Lebensläufe nach aufsteigender Linie

R. – Unter dem Einfluß Sternes. Anschauliche Schilderung Kurlands
mit dem Gegensatz von dt. Herren- und Predigerstand und dem unterdrückten Landvolk. Populäre Verbreitung kantischer Ideen. Vorläufer Jean Pauls.

1779   Christian Graf zu Stolberg
(1748–1821) und
Friedrich Leopold Graf zu Stolberg
(1750–1819, in dänischem diplomatischen Dienst in
Kopenhagen, Eutin, Berlin, Petersburg):
Gedichte

Oden, Hymnen, Balladen, Romanzen, Lyrisches *(Des Lebens Tag ist
schwer und schwül)*. Einfluß Klopstocks. In Abwandlung der Barden-
motive Preis adt. Tugend und Tapferkeit. Empfindsame Betrachtung der dt. Vergangenheit; bereits romantische Töne *(Lied eines alten schwäbischen Ritters an seinen Sohn; Das Rüsthaus in Bern)*. Volkstümlich; manchmal Balladenhaftes in der Art Bürgers.

Die Brüder St. setzten auch in den späteren Revolutions- und Befreiungsoden Klopstock fort.
Gesammelte Werke beider Brüder 1820–1825, 20 Bdd.

1781   Johann Heinrich Voß
(Biogr. S. 192):
Der siebzigste Geburtstag

Hexameter-Idylle. Im *Hamburger Musenalmanach*. Bekannteste der Idyllen Voß'. Die Welt des Dorfschulmeisters, genrebildartig, behaglicher Ton.
Ähnlich: *Die Bleicherin*; *Die Kirschpflückerin*; *De Winterawend*. Das Schäferliche der Idyllendg. ist bei V. in die Realität des Dorf- und Kleinstadtlebens übersetzt. Verwendung von nddt. Dialekt.
V.' erste Idyllen hatten bereits sozialkritische Themen: *Die Leibeigenen, Die Freigelassenen*. In ihnen wurde dem rein lit. Tyrannenhaß des »Hains« eine echte Erlebnisgrundlage gegeben (V. war Enkel eines Leibeigenen).

1781/93   Johann Heinrich Voß
(Biogr. S. 192):
Übs. von Homers Odyssee und Ilias

Durchbruch der Hexameterform. Schnelle Verdrängung der Vorgänger. Lang anhaltender Einfluß auf die dt. Dg. im Guten und im Negativen.

1782/83   Ludwig Christoph Heinrich Hölty
(1748–1776, Göttingen):
Gedichte

Postum, zuerst hgg. Adam Friedrich Geisler, dann – 1783 – Friedrich Leopold Graf zu Stolberg und Johann Heinrich Voß. Von Voß stark geändert; erste Originalausgabe 1869.
Idyllen, Lieder *(Rosen auf den Weg gestreut*; *Üb immer Treu und Redlichkeit)*, Oden und Hymnen *(Auftrag*; *Die Liebe*; *Hymnus auf den Mond)*. Einfluß Klopstocks, aber durchaus selbständig weiterentwickelt, schlichter, Verwendung kurzer Formen. Vom Bewußtsein frühen Todes überschattet, elegischer Grundton. Sehnsucht nach den verwehrten Schönheiten des Lebens. Natur-Innigkeit. In den Liebesliedern Einfluß des Minnesangs *(Minnelied)*.
Einfluß auf Hölderlin, Lenau und die österreichische Lyrik.

1783/84   Johann Heinrich Voß
(Biogr. S. 192):
Luise

Ländliches Gedicht in drei Idyllen. Hexameter. Die einzelnen Teile erschienen im *Hamburger Musenalmanach* und im *Teutschen Merkur*.

Schilderung des ländlichen Pfarrerdaseins um Brautzeit und Vermählung. Breite bürgerliche Behaglichkeit. Landschaftsbeschreibung.

In Form und Gehalt Einfluß auf Goethes *Hermann und Dorothea*. Geänderte und erweiterte Gesamtausg. 1795 und 1800.

1800/06   Georg Christoph Lichtenberg
(1742–1799, Oberramstadt bei Darmstadt, Göttingen, England, Göttingen):
Vermischte Schriften

9 Bdd., postum. Für die Lit.-Gesch. wichtigster Teil *Bemerkungen vermischten Inhalts*, Auszüge aus den in Tagebücher (»Sudelbücher«) eingetragenen Aphorismen über Politik, Gesellschaft, Pädagogik, Lit.

Von den elf Tagebüchern, die seit 1765 entstanden, ist eines unvollständig. In der Erstausg. auch Teile aus zwei Büchern, die später verlorengingen.

Aus pietistischen Ursprüngen stammende Selbstbeobachtung und Selbstprüfung sowie an diesen geschulte, krankhaft scharfe Beobachtung des Alltäglichen und der Mitmenschen, ihrer Mängel, Fehler, Narrheiten. Von starker Beeindruckbarkeit und unbefriedigtem Erkenntnisdrang gekennzeichnete Feststellungen eines unsystematisch vorgehenden, sich auf Erfahrungen stützenden Moralisten, Skeptikers und Hypochonders. Stimmungsreligiosität. Einfluß von Swift, Fielding, Sterne, dem letzteren verwandt. Über die Aufklärung hinausweisend die Bewertung des Unbewußten, die Vorliebe für Traum und Ahnung, das Grübeln über das Todesproblem, jedoch Ablehnung von Pathos und genialischem Wesen, von Klopstock, Goethes *Werther* und Shakespeare-Kult. Auf Grund der pietistischen Ausgangsposition und der Hinwendung zu innerseelischen Vorgängen der Empfindsamkeit zuzurechnen.
Formal unabhängig von der frz. Aphoristik, Anschluß an Bacon.

Wirkung auf Kierkegaard, Schopenhauer, Nietzsche.

Außerdem: *Briefe aus England* (1776–1778, vor allem über den engl. Schauspieler Garrick); *Ausführliche Erklärung der Hogarthschen Kupferstiche* (1794–1799).

1767–1785   Sturm und Drang

Als Sturm und Drang wird im allgemeinen die Zeit vom Erscheinen der Herderschen *Fragmente* (1767) bis zur Wandlung Goethes und Schillers (1785) angesehen. Höhepunkt der Zeitraum zwischen Goethes *Götz* und Schillers *Kabale und Liebe* (1773–1784). Bezeichnung nach Maximilian Klingers gleichnamigem Schsp., dessen ursprünglicher Titel *Wirrwarr* von dem Genieapostel Christoph Kaufmann durch *Sturm und Drang* ersetzt wurde.

Der Name »Geniezeit«, der zeitgenössischen Bezeichnung »Genieperiode« nachgebildet, ist von der Dg.-Deutung hergenommen: die hervorstechendste Programmforderung war die Überordnung des Genies über den kritischen Kopf. Sie wurde verfochten von der antiaufklärerischen Welle der »Originalgenies«. Der Begriff »Genie« von Lavater als »Aussprecher unaussprechlicher Dinge« und als »Licht der Welt«, von Herder als »Urkraft«, »Erfinder«, »Original« und von Kant als »eigentümlicher Geist« gedeutet. Nach Hermann August Korff bilden Sturm und Drang – Klassik – Romantik, also die Jahre 1770–1830, eine große, in sich zusammenhängende geistesgesch. Einheit, zeigen den »Geist der Goethezeit«.

Die anschaulichste Schilderung des Sturm und Drang gab schon Goethe (*Dichtung und Wahrheit*, besonders 7., 10., 13., 14. Buch).

Der Sturm und Drang erstrebte die natürliche Gesellschaftsordnung für den natürlichen Menschen. Da eine Befriedigung des Tatendranges im wirklichen Leben unter dem Despotismus nicht möglich war, schuf man sich meist den Ausweg einer wenigstens schriftstellerischen Betätigung und theoretischer Bemühungen um die Lösung der wesentlich moralisch gesehenen Aufgaben der Politik, während zugleich die wirklich kraftvollen Charaktere ihr »tintenklecksendes Säkulum« zu hassen begannen.

Obwohl der Sturm und Drang in vieler Hinsicht als die radikalere Fortführung der Aufklärung zu betrachten ist, stand er im ganzen jedoch in Widerspruch zu ihrem Geist. Besonders stark wurde die Verkennung der irrationalen Bezirke empfunden und dem Verstand daher Herz, Gefühl, Ahnung und Trieb gegenübergestellt. Mit dem Glauben an den Kulturfortschritt und mit der Tradition wurde gebrochen. Das neue Weltgefühl vergöttlichte die Natur, während die Aufklärung sie naturwissenschaftlich entgöttert hatte. Der Kulturpessimismus fand seine Entsprechung in einem positiven Ideal, dem Naturoptimismus und Naturidealismus. Dem gebildeten Kulturmenschen wurde der Naturmensch als etwas Höheres entgegengestellt: der Dichter des Sturm und Drang sympathisierte mit unschuldigen Kindern, naiven Frauen, der Landbevölkerung, Handwerkern, Kleinbürgern, mit den ersten Menschen, den Griechen Homers, den alten Germanen und mit urwüchsigen Kraftgestalten. Der Gegensatz zwischen Endlichkeit und Unendlichkeit bildet das »faustische Lebensgefühl«. Das Lebensgefühl des Sturm und Drang besteht »in einem eigentümlichen Widerstreite zwischen dem entschiedenen Gefühl für den Wert aller Endlichkeiten, d. h. der Wirklichkeit, und dem entgegengesetzten Gefühl für die innerliche Unendlichkeit der Natur und des Lebens, vor der alle Endlichkeiten

innerlich zunicht werden« (Hermann August Korff). Typisch wurde
gesteigertes Sinnenleben, Selbstbewußtsein des einzelnen, Hervor-
kehrung der Individualität. Das Wesen des Lebens erschien als ein
ruheloser Wandel der Formen. Neu wurde auch das Verhältnis zur
Gesch. und zu gesch. Urkunden. In der *Bibel* vernahm Hamann die
Sprache Gottes, der nicht nur durch Worte, sondern auch durch die
ganze Gesch. des jüdischen Volkes und durch ihre Gestalten zu uns
rede: Gleichnis für das Schicksal der gesamten Menschheit. Für Herder war die *Bibel* nicht mehr der einzige authentische Kommentar
des in der Welt versteckten Gottes, H. brach mit dem christlichen
Dogmatismus. Auch die *Bibel* ist nur Poesie, aber auch die Poesie ist
Bibel. H.s gesch.-philosophische Werke versuchten den Verlauf der
Menschheitskultur zu umreißen. Das Verhältnis von Kultur und
Religion sei gleich dem Verhältnis von Religion und Dg.: beide
haben die Bestimmung, die Menschheit zur reinen Humanität zu füh-
ren. Die Menschheitsgesch. ist die Verwirklichung eines göttlichen
Plans, das Göttliche und das Wirkliche in der Gesch. eine Einheit, das
Göttliche ist keine unberechenbar eingreifende Person, sondern die
höchste Ursache von allem (dynamischer Pantheismus).

Die Kunst war für den Sturm und Drang nicht mehr Mittel zu
einem Zweck, sondern Offenbarung. Schon 1759 erklärte Hamann,
die dichterische Sprache sei Naturlaut, das ahnende Gemüt und die
bilderschaffende Phantasie seien ursprüngliche göttliche Kräfte. Wie
die Natur sich in ihren Schöpfungen ausdrückt, so drückt der Dichter
sich in seinen Schöpfungen aus. Die neue Kunstauffassung war
»symbolisch«, »genialisch«: nicht mehr der Genußwert war entscheidend, sondern der Symbolwert, nicht die Zweckhaftigkeit, sondern die Ursprünglichkeit.

Der Kunstschaffende, das Genie, wurde zur Norm des Kunstwerkes.
Aus seiner Perspektive, nicht mehr aus der des Kunstauffassenden,
erfolgte die Wertung der Kunst. Geniale Dg. war Erlebnisdg. Hatte
sich der Geniebegriff schon vorher, bei Mendelssohn, Lessing, Nicolai u. a. angebahnt, so wurde das Genie-Erlebnis im Sturm und
Drang neu. Das Genie ist der Begnadete Gottes und zugleich Nacheiferer, nicht Nachahmer Gottes: Symbol Prometheus. Während
schon einzelne Theoretiker des Rationalismus die Unabdingbarkeit
der Regeln bezweifelt hatten, wurde das Genie jetzt zur gesetzgeben-
den und entscheidenden Instanz. Die Naturdg. wurde stärker bewer-
tet und in der Geniedg. Naturdg. gesehen (Shakespeare).

Schon Mendelssohn hatte 1755 die psychologische Lehre von den »gemischten« Empfindungen vorgetragen, die für den Sturm und Drang wichtig wurde. Trotz seiner Befangenheit in der Aufklärungsphilosophie hatte er seine Ästhetik bei ihrer praktischen
Anwendung aus der Verstandesstarre zu lösen und der konkreten Lebendigkeit des
Kunstschaffens anzupassen gesucht: »Das Genie kann den Mangel der Exempel ersetzen, aber der Mangel des Genies ist unersetzlich.« Young erklärte: »Regeln sind

wie Krücken, eine notwendige Hilfe für den Lahmen, aber ein Hindernis für den Gesunden. Ein Homer wirft sie von sich«, und bei Gerstenberg heißt es: »Das Genie geht nach der Ordnung der Natur vor dem Geschmack her.« Klopstocks in den Anbruch der Geniezeit fallende *Deutsche Gelehrtenrepublik* (1774) sah den Künstler als Schöpfer und lehnte Dichterschulen ab.

Im ganzen hatte der Sturm und Drang einen nationalen Zug. Es gab für ihn keine klassischen Muster mehr. Latinisierung der dt. Sprache etwa zerstöre deren zeugende Eigenart. »Je entschiedener unsere Werke dt. und modern sind, um so verwandter werden sie den Griechen sein. Was uns ihnen gleich machen kann, ist allein die gleiche, unbefangene, geniale Schöpferkraft« (Herder, *Fragmente*). 1781 verteidigte Justus Möser (1720–1794) die Rechte der dt. Lit. in *Über die dt. Sprache und Lit.*, seiner Entgegnung auf Friedrichs II. *De la littérature allemande* (1780): es gehe um die Überwindung des frz. Einflusses. Wahrheit sei mehr als Gefälligkeit, Lebensfülle mehr als Klarheit, Kraft und Rhythmus mehr als glatte Gliederung.
Daher wirkte das Ausland weniger als nachzuahmendes Muster denn als gedanklicher und formaler Anreger.
Zu den begeistert übernommenen Anregungen gehörten die Jean-Jacques Rousseaus (1712–1778). Nach ihm geht der Verfall der Sitten mit dem Fortschritt der Kultur Hand in Hand. Die Gesch. ist ein unaufhaltsamer Entartungsprozeß. Alles ist gut, wenn es aus den Händen des Schöpfers kommt, während es unter den Händen des Menschen verdirbt. Daher sein Ruf: »Zurück zur Natur!« Eine grundlegende Rolle in Rousseaus Schriften spielen der Naturzustand und die Gesellschaft; der Gemeinwille des Volkes sei der wahre Souverän des Staates. Hauptschriften: die gesellschaftskritische Abhandlung *Du Contrat social* (1762); der Erziehungs-R. *Émile ou de l'Éducation* (1762); *Julie ou la Nouvelle Héloïse* (1761), die mit der Schilderung von Liebe und idyllischer Ehe den Durchbruch von Gefühl und Naturempfindung im R. bedeutete (erste dt. Übs. 1761–1766); schließlich die autobiographischen *Confessions* (1781, dt. Übs. Adolf v. Knigge 1786–1790). Den gesch.-philosophischen Pessimismus Rousseaus hob Herders Kulturphilosophie in einer neuen Form des Optimismus wieder auf.
Aus England brachten Edward Youngs (1681–1765) *Conjectures on Original Composition* (1759) und Robert Woods *Essay on the Original Genius and Writings of Homer* (1769) Anregungen zu der neuen Lehre vom Genie. Nach Young schafft das Genie nicht aus der theoretischen Einsicht in die Kunstgesetze, sondern aus instinktiven Eingebungen. Befruchtenden Einfluß auf die dt. Kunstlyrik nahm über Herder und Goethe die aus England herüberdringende Volksliedbewegung. Der Schotte James Macpherson (1736–1796) veröffentlichte *Fragments of Ancient Poetry, collected in the Highlands* (1760–1763; endgültige, vermehrte Fassung 1773).

Macphersons Veröffentlichung enthielt zunächst 15, später 22 Stücke aus dem irisch-schottischen Sagenkreis um den Helden Finn (Fingal) und seinen Sohn Oisin (Ossian). Frei bearbeitete, ausgeweitete und willkürlich zusammengesetzte Dgg. einer neuen, bisher unerhörten Empfindungswelt. Einbruch in den klassizistischen Stil. Kampf-szenen und Liebesklagen, das düstere Meer, weite, einsame Hochlande, ein ewig grauer Himmel. Rhythmische Prosa. Erste dt. Übs. 1768–1769 durch Michael Denis (1729–1800) in Hexametern; Herder tadelte 1769 die verfehlte Wahl des Versmaßes. Herders eigene *Ossian*-Verdeutschungen wurden in die *Volkslieder*, die Goethes in den *Werther* aufgenommen.

Der sog. *Ossian* versah die Dg. mit Elementen nordischer Überliefe-rung, die an die Stelle der für unentbehrlich geltenden Namen der antiken Mythologie traten. Eine originalgetreue und vielseitigere Wiedergabe alter Balladen bot Thomas Percys *Reliques of Ancient English Poetry* (1765).

Die Dg. des Sturm und Drang gehört überwiegend dem Drama an, das am meisten über den ästhetischen Selbstzweck hinausstreben und Aufruf zur Änderung der sittlichen und sozialen Zustände sein konnte. Wirkungsmöglichkeit und Aufgabenbereiche des Theaters erscheinen trotz der teilweise noch aufklärerischen Terminologie wesentlich erweitert. Die große Bedeutung, die der Sturm und Drang dem Theater zuerkannte, ist an den zahlreichen theoretischen Schrif-ten abzulesen: Helferich Peter Sturz, *Brief über das dt. Theater* (1767); Lenz, *Anmerkungen über das Theater* (1774); Heinrich Leopold Wag-ner, *Neuer Versuch über die Schauspielkunst* (1776, dt. Übs. von des Rousseau-Schülers S. Mercier Schrift *Du Théâtre ou Nouvel essai sur l'art dramatique*, 1773) und *Briefe, die Seylersche Schauspielergesellschaft betreffend* (1779); Schiller, *Die Schaubühne als moralische Anstalt betrach-tet* (1784). Hierher sind auch die das Theater betreffenden Partien in Goethes *Wilhelm Meisters theatralische Sendung* (entst. seit 1776) und in Karl Philipp Moritz' *Anton Reiser* (1785–1790) zu rechnen.

Das Hauptthema der Drr. ist der Konflikt zwischen dem Natur-menschen und der bestehenden Kultur. Der Konflikt tritt vorwie-gend auf als

Kampf um die politische Freiheit (Schiller, *Kabale und Liebe*; *Fiesko*); Freiheitskampf gegen die Gesellschaft (Goethe, *Götz*; Schiller, *Die Räuber*; Klinger, *Die Zwillinge*; Leisewitz, *Julius von Tarent*); Kampf um die Freiheit der Liebe gegen ihre Beschränkung durch den Standesunterschied (Schiller, *Kabale und Liebe*); als Darstellung der Problematik gesellschaftlicher Geschlechtsmoral (Lenz, *Soldaten*; das Kindsmörderin-Motiv bei Goethe, Wagner, Maler Müller); als Freigeisterei der Leidenschaft und der Ehe (Goethe, *Stella*, *Clavigo*; Klinger, *Das leidende Weib* und *Simsone Grisaldo*); Kampf um die metaphysische Freiheit gegen die christliche Kirche *(Faust)* für eine natürliche Religion und sittliche Weltordnung (Karl Moor in den *Räubern*).

Vorbild des Dr. wurde im Sturm und Drang statt der Franzosen endgültig Shakespeare. Die Technik der Fetzenszenen, der Bruch mit den sog. Einheiten, die Verherrlichung der Kraft und der Kraftkerle, der Leidenschaft als solcher, das Schaurige und Krasse glaubten die Stürmer und Dränger in ihm vorbildlich zu finden.

Charakteristisch sind die Unberechenbarkeit der Menschentypen, die »schwachen« Charaktere neben den Übermenschen, die auch direktionslose, haltlose Menschen sind, die Besinnungslosigkeit der Leidenschaft, das innere Schwanken und die Unbestimmbarkeit der Sehnsucht. Den Handlungszusammenhang stellt die Kette von »symbolischen Zufällen« her, die Episode ist Material zu einem Lebensgemälde. Vorliebe für Volksszenen und Milieuschilderung. Mischung komischer und tragischer Wirkungen (Lenz).

Die Sprache, fast ohne Ausnahme in Prosa, sonst in neuen Versformen (Knittel, freie Rhythmen), wollte der Sturm und Drang endgültig aus dem Schrifttd. erlösen. In ihrem Übernaturalismus entartete sie gelegentlich zu neuem Schwulst. Der forcierte Kraftstil verschmäht vollständige Sätze, häuft Ausrufe und überlädt sich mit Exaltation: Explosivstil.

Die Lyrik wurde im Gegensatz zur rein lit. Lyrik der vorangegangenen Zeit endgültig Erlebnis-Dg., Bruchstück einer großen Konfession. Nach Goethe war poetischer Gehalt Gehalt des eigenen Lebens. Das Lied löste seit Goethes Sesenheimer Liedern die rationale Chanson ab. Friedrich Leopold Graf zu Stolberg unterschied in einem Gedicht zwischen Chansonette und dem »herzlichen deutschen Lied«. Es bekommt eigenes rhythmisches Profil und individuelles Tempo. Das Volkslied, das seit Macpherson, Percy und Herder gleichberechtigt neben die Kunstdg. trat, ist für das Kunstlied nur bei Goethe und gelegentlich bei Maler Müller *(Heute scheid ich, morgen wandr ich)* fruchtbar geworden.

Die Ode, Hymne streifte den gedanklichen Ballast ab, schwang sich bei Goethe und Schiller über logische Bezirke hinaus. In den politischen Oden Schubarts trat an die Stelle theoretischer Betrachtungen und anempfundenen Tyrannenhasses echter Zorn und erlebtes Rachegefühl.

Die Ballade, deren Wurzeln im ausgehenden MA. liegen und die im 17. Jh. ausgestorben war, war im 18. Jh. nur parodistisch aufgetaucht. Gleim und Johann Friedrich Löwen kopierten in der »künstlich naiven« (Emil Staiger) Romanze den Bänkelsang der Jahrmärkte mit seinen grotesk-komischen und frivolen Elementen. Erst seit Macpherson und Percy erfuhr die Ballade eine echte Wiederbelebung. Bei Bürger und Goethe war sie Erzählung einer außerordentlichen Begebenheit in außerordentlichem Ton, hatte die Magie der alten Volksballade, die Übereinstimmung vom Charakter des Inhalts mit dem des Klanges.

Die Sprache der Sturm-und-Drang-Lyrik bevorzugte die gesprochene Naturform, abgesehen von gelegentlichen archaisierenden Versuchen (Hans-Sachs-Ton, Minnesängerton). Sie wählte die übertragene statt der logischen Bedeutung der Begriffe.

Die Form der Sturm-und-Drang-Lyrik war nicht mehr äußerlich regelmäßig, sondern organisch gewachsen, individuell, unregelmäßig. Der Inhalt bestimmt das Klangbild. Klassische Vorbilder sowie kunstvolle metrische und strophische Formen traten zurück.

Die erzählende Dg., soweit sie nicht überhaupt die der Aufklärung und Empfindsamkeit fortsetzte, ist in der Lit. des Sturm und Drang seltener vertreten. Hier richtete sich das Interesse unter dem Einfluß Rousseaus und seines Verteidigers Hamann auf die innere Entwicklung des Menschen, den Charakter-R., den auch v. Blanckenburgs *Versuch über den R.* (1774) anstrebte.

Der Roman erlebte in Goethes *Werther* äußerste Subjektivierung. Mit dem Sturm der Leidenschaft, Gesellschaftskritik und Natursehnsucht verband sich hier eine neue Welle der Empfindsamkeit, die ganz der Zeitströmung entsprach und dem Buch eine sensationelle Wirkung verschaffte, die nicht nur Deutschland, sondern ganz Europa ergriff (frz. »Werthérisme«). Auch bei Karl Philipp Moritz steht das Ich im Zentrum der Handlung, die Autobiographie geht in den psychologischen R. über. Bei Friedrich Heinrich Jacobi, dessen Rr. mehr in R.-Form gekleidete philosophische Abhandlungen sind, setzt sich das eigene Ich mit dem Wesen des Freundes Goethe auseinander. Den Themen der Sturm-und-Drang-Dramatik steht Heinse mit seiner revolutionären Forderung des Rechtes auf Leidenschaft und Sinnenfreude am nächsten.

Die Zentren des Sturm und Drang lagen in Südwestdld.

Die ältere Gruppe sammelte sich um den jungen Goethe in Straßburg und Frankfurt und bestand größtenteils aus Süddeutschen: Klinger, aus Frankfurter Kleinbürgertum stammend, Lenz, Livländer, in Straßburg mit Goethe lebend, Heinrich Leopold Wagner aus Straßburg, Friedrich Müller aus der Pfalz. Eine eigene Zs. hatte die Gruppe nicht. Nur die kritischen *Frankfurter gelehrten Anzeigen* (1772–1790) vertraten das lit. Programm der jungen Generation. Redakteur: Johann Heinrich Merck (1741 bis 1791), Mitarbeiter: Goethe, Herder, Goethes Schwager Johann Georg Schlosser (1739–1799). Außerdem war Sturm-und-Drang-Lit. auch vertreten in der von Johann Georg Jacobi herausgegebenen Frauenzs. *Iris* (1774–1776); Mitarbeiter: Goethe, Gleim, Heinse, Lenz.

Die jüngere Gruppe sammelte sich in Schwaben um Schubart, Wilhelm Ludwig Wekherlin, den jungen Schiller. Schubart war Herausgeber der politisch-lit. Zs. *Deutsche Chronik* (ab 1774 in Augsburg, seit 1775 in Ulm), die nach Schubarts Gefangensetzung 1777 Johann Martin Miller übernahm (bis 1781). Schillers eigener erster Versuch einer Zs.-Gründung *Württembergisches Repertorium der Lit.* (1782), in der die Selbstrezensionen seiner ersten Werke erschienen, ging bald ein.

Wichtigste Autoren des Sturm und Drang:

Bürger, Gottfried August, geb. 1747 zu Molmerswende am Harz. Seit 1764 stud. theol. in Halle, seit 1768 stud. jur. in Göttingen. Freundschaft mit Boie und Beziehungen zum Hain, besonders zu Voß, Hölty, den Stolbergs. 1772 Amtmann in Altengleichen. Zwiespältige Ehe mit Dorette Leonhart, deren Schwester »Molly« er liebte. 1784 Dozent in Göttingen. Nach Dorettes Tod Heirat mit Molly 1785, die bereits 1786 starb. 1789 Prof., doch ohne Gehalt. Unglückliche dritte Ehe mit Elise Hahn 1790–1792. Starb völlig gebrochen 1794 in Göttingen.

Gerstenberg, Heinrich Wilhelm von, geb. 1737 in Tondern. Stud. in Jena. 1760 dänische Militärdienste, seit 1763 in Kopenhagen ansässig. Nahm 1771 als Rittmeister den Abschied und wurde dänischer Zivilbeamter. 1775 dänischer Resident in Lübeck. Seit 1786 Direktor des Lottojustizwesens in Altona. Lebte in großen finanziellen Sorgen. Gest. 1823 in Altona.

Goethe, Johann Wolfgang (vgl. S. 238–245).

Hamann, Johann Georg, geb. 1730 in Königsberg. Stud. theol., dann phil. Hofmeister und Kaufmann. Reise nach London. 1767 Sekretär bei der preußischen Zollverwaltung, 1777 Packhofverwalter, 1787 pensioniert. Gest. 1788 bei Münster.

Heinse, Johann Jakob Wilhelm, geb. 1746 in Langewiesen in Thüringen. Seit 1764 stud. jur. in Jena, zog später nach Erfurt, wo Wieland sein Gönner wurde. Gleim verschaffte ihm 1772 eine Hauslehrerstelle in Quedlinburg, nahm ihn dann in Halberstadt auf. 1774 mit Johann Georg Jacobi nach Düsseldorf. 1780 bis 1784 in Italien. 1786 Vorleser des Erzbischofs von Mainz, 1794 Hofrat und Bibliothekar in Aschaffenburg. Gest. 1803 in Aschaffenburg.

Herder, Johann Gottfried, geb. 1744 in Mohrungen/Ostpr. Seit 1762 stud. med., dann theol. in Königsberg. Trat hier zu Kant und Hamann in Beziehung. Seit 1764 in Riga als Lehrer und Geistlicher tätig. Im Juni 1769 Reise nach Nantes und Paris. Einfluß auf Goethe in Straßburg 1770. 1771 Hofprediger in Bückeburg. 1773 Heirat mit Karoline Flachsland. 1776 nach Weimar, Generalsuperintendent, Oberkonsistorialrat. Die Freundschaft mit Goethe wurde 1789 schwer erschüttert und erlitt 1795 einen erst später wieder geheilten Bruch. 1788–1789 in Italien. Gest. 1803 in Weimar.

Klinger, Friedrich Maximilian, geb. 1752 in Frankfurt/Main. 1774 bis 1776 Stud. in Gießen. 1776 in Weimar Unstimmigkeiten mit Goethe. 1777–1778 Theaterdichter der Seylerschen Truppe; verbrannte 1778 seine Manuskripte. Wurde 1779 durch Vermittlung von Goethes Schwager Johann Georg Schlosser Offizier und trat 1780 in russische Dienste. 1801 Generalmajor, 1802 Leiter des Pagen-

korps, außerdem 1803 Kurator der Universität Dorpat (bis 1817).
Gest. 1831 in Dorpat.

Lenz, Jakob Michael Reinhold, geb. 1751 als Pfarrerssohn in Livland. 1768 Theologie-Stud. in Königsberg, 1771 abgebrochen. Reise-
begleiter zweier Adliger nach Straßburg. Begegnung mit Goethe,
dessen Verhältnis zu Friederike er fortzusetzen suchte. Erhielt sich
notdürftig von Privatunterricht. März 1776 nach Weimar. Eine
»Eselei« (Goethe in seinem Tagebuch) führte zur Ausweisung von
dort. Anschließend am Oberrhein; Ausbrüche geistiger Störung;
1778 Aufenthalt bei Pfarrer Oberlin im Steintal. Schließlich 1779
nach Livland zurückgeholt. 1781 nach Moskau, wo er 1792 im Elend
starb.

Schiller, Friedrich (vgl. S. 245–249).

1759   Johann Georg Hamann
(Biogr. S. 207):
**Sokratische Denkwürdigkeiten für die lange Weile des
Publikums zusammengetragen von einem Liebhaber
der langen Weile**

Kritische Abhandlung, entst. aus der Auseinandersetzung H.s mit
seinen Freunden Kant (Aufklärungs-Optimismus) und Christoph
Berens (ökonomische Philanthropie). H. stellte diesen sich selbst als
einen sokratisch existierenden Menschen gegenüber. Sokrates nicht
als der erste antike Aufklärer, sondern als Bewahrer religiöser Tiefe
und sittlicher Unbedingtheit, als Gegner des antiken Sophismus gesehen. In seinem Namen fordert H. mehr Sein als Bewußtsein, mehr
Wesentlichkeit als Wissen, mehr Glauben als Erkenntnis. Verteidigung des Christentums. Herausstellung des Genies. »Das Genie muß
sich herablassen, Regeln zu erschüttern, sonst bleiben sie Wasser.«
Originalgedanken machen das Wesen der Dg.
Stil: sokratisch, ironisch, nicht beschreibend-historisierend.

Goethe: »Man ahnte hier einen tiefdenkenden gründlichen Mann, der, mit der offen-
baren Welt und Lit. bekannt, doch auch noch etwas Geheimes, Unerforschliches gelten ließ und sich darüber auf eine ganz eigene Weise aussprach.«
Wolken. Ein Nachspiel sokratischer Denkwürdigkeiten (1762) war die Antwort auf Be-
sprechungen von Mendelssohn, Bode (lobend) und Ziegra (abweisend); H. fühlte sich
von beiden unverstanden.

1762   Johann Georg Hamann
(Biogr. S. 207):
Kreuzzüge des Philologen

Slg. kleinerer Bruchstücke.
Hauptstück: *Aesthetica in nuce*; Titel Schönaich nachgebildet. H.s
einzige ästhetische Schrift prinzipieller, wenn auch nicht systemati-
scher Art. Fülle von Gedanken, Einfällen, Anspielungen, Gleich-

nissen. Ausgehend von einer Polemik gegen den rationalistischen Göttinger Theologen Johann David Michaelis und dessen nicht poetische Auffassung der *Bibel* und ihrer Sprache. »Poesie ist die Muttersprache des Menschengeschlechts«, die natürliche Sprache des glaubenserfüllten Menschen der Vorzeit. Sinne und Leidenschaften reden in Bildern. Wendet sich gegen die sog. »Verschönerung« der Natur in der Dg. der Aufklärung. Da Mythologie Symbolisierung geglaubter Wahrheit ist, entfällt die Möglichkeit, mit griech. Elementen zu dichten. Für die dt. Dg. liege Moses näher als Homer.

Gesamtausg. der *Schriften* in 8 Teilen 1821–1843.

1766   Heinrich Wilhelm von Gerstenberg
           (Biogr. S. 207):
           Gedicht eines Skalden

Fünf Gesänge in gereimten, ungleich langen Verszeilen.
Der Geist eines Skalden schwebt über seinem Grabhügel in Dänemark, erinnert sich der Heldenzeit und ahnt die vorgegangene Wandlung.
Wirkung *Ossians*. Anregung für Klopstocks bardische Dgg.

1766/67   Heinrich Wilhelm von Gerstenberg
             (Biogr. S. 207):
             Briefe über Merkwürdigkeiten der Literatur

Nach ihrem Erscheinungsort *Schleswigsche Lit.-Briefe* genannt.

Scharfe Verurteilung Wielands als Shakespeare-Übersetzer. Glühendes Bekenntnis zu Shakespeare; Ablehnung herkömmlicher Begriffe für dessen Werke: »Weg mit der Klassifikation des Drama! . . . ich nenne sie (die plays) lebendige Bilder der sittlichen Natur.« Vor Lessings *Hamburgischer Dramaturgie* in der Erkenntnis Shakespeares bereits über Lessing hinausgehend. Abgrenzung des Schöngeists gegen den echten Dichter. Hinweis auf Ariost und Cervantes.

Ein Nachtrag erschien 1770.

1767/68   Johann Gottfried Herder
             (Biogr. S. 207):
             Fragmente über die neuere deutsche Literatur

In Riga erschienen.

Ausgehend von Nicolais *Briefen, die neueste Lit. betreffend*, sich mit Lessings Anteil an ihnen beschäftigend.
Alles Denken hat eine sinnliche Wurzel, die Sprache ist gleichsam »Gesang der Natur«. Fordert Rückkehr zur natürlichen Sprache. Gegen Nachahmung fremder Dgg. Keine »schiefen Römer«, sondern original sein auf Grund der eigenen Religion, Gesch., Sitte,

Klimalage. Hinweis auf die Griechen, Homer und Pindar. »Je entschiedener unsere Werke deutsch und modern sind, um so verwandter werden sie den Griechen sein.« Begründung psychologisch-
genetischer Lit.-Betrachtung: statt Zweckästhetik Beurteilung nach
Regeln. Einfühlung in die besonderen persönlichen und sachlichen
Bedingungen des jeweiligen Werks.

1768   Heinrich Wilhelm von Gerstenberg
          (Biogr. S. 207):
          Ugolino

Tr. 5, Prosa. Anonym ersch.

Quelle: Dante, Hölle, Gesang 33. Entst. 1767.

Darstellung der Kerkerqualen und des Hungertodes des ehemaligen
Herrschers von Pisa, des Grafen Ugolino Gherardesca, der sich zum
Stoizismus durchringt. Wenig Personen und äußere Handlung. Ein-
heit des Ortes und der Zeit mit dem Stoff gegeben und als Stimmung
schaffendes Mittel eingesetzt. Natürliche bis krasse Wiedergabe der
Leidenschaft; Einfluß Shakespeares. Vorläufer der Sturm-und-
Drang-Dramatik.

Lessing kritisierte brieflich, daß sich der Stoff dramatischer Behandlung entziehe; das
dargestellte Leiden entspreche nicht der Schuld und rufe ein Mitleid hervor, das zu
einer lästigen, schmerzhaften Empfindung werde.
Auff. 22. 6. 1769 in Berlin durch die Döbbelinsche Truppe.

1769   Johann Gottfried Herder
          (Biogr. S. 207):
          **Kritische Wälder oder Betrachtungen, die Wissenschaft
          und Kunst des Schönen betreffend, nach Maßgabe
          neuerer Schriften**

Begonnen Sommer 1768. 1.–3. Wäldchen erschien 1769, 4. erst 1846.

Das erste Wäldchen Lessings *Laokoon* gewidmet. Ausgangspunkt
für H.s Äußerung zur bildenden Kunst. Zerstreute Anmerkungen
zu *Laokoon*, Erweiterung von Lessings Ansichten über die Dichtkunst. Eintreten für Homer, den man aus seiner Zeit heraus verstehen müsse.
Das 2. und 3. Wäldchen eine Abrechnung mit Klotz.

1769   Johann Gottfried Herder
          (Biogr. S. 207):
          Journal meiner Reise im Jahre 1769

Erst nach dem Tode H.s veröffentlicht.

Kein »Tagebuch« mit Reiseerlebnissen, vielmehr Niederschlag einer
inneren Wandlung vom Bildungstod zum natürlichen Leben; be-

ginnt mit Anklagen gegen die Bücherwelt und klingt aus mit neuen
Buchprojekten. Enthält H.s hochfliegende – wieder rationale, buch-
mäßige! – Pläne und Entwürfe, Wünsche und Phantasien im Anblick des Meeres, der Natur und die Keime zu fast sämtlichen Wer-
ken und späteren Anschauungen. Das große Thema und Ziel H.s,
Universalgeschichte der Bildung der Welt, bereits angeschlagen. Die
Welt als Gesch. und der Mensch als geschichtliches Wesen begriffen.
»Jüngling, das alles schläft in dir, aber unausgeführt und verwahr-
lost.« Regeln für seinen Beruf als Befreier und Beglücker der Kunst,
Wissenschaft, Schulen, Kirchen, des Staates. Die möglicherweise geplante Veröffentlichung war überholt, als die Hauptideen in anderen
Werken ausgeführt worden waren. »Präfiguration des Gesamt-
werkes« (Klaus Günther Just).
Faustische Stimmung, schwankend zwischen Resignation und höchster Erwartung. Bezeichnendes Dokument der Genialität der damaligen Jugend, für den Durchbruch des Rousseauismus.

1770   Johann Gottfried Herder
       (Biogr. S. 207):
       Abhandlung über den Ursprung der Sprache

Beantwortung einer Preisaufgabe der Berliner Akademie von 1769, mit der Herder
auch den Preis gewann (1771). Plan dazu seit 1764.

Inhalt ist »Sprachphilosophie«. Die Intelligenz des Menschen ist
unterscheidendes Bewußtsein: »Besonnenheit«. Der Mensch hat eine
viel theoretischere Haltung als das Tier; sie bewirkt, daß er auch
andere Reize apperzipiert als solche, die er sofort mit Handlung beantwortet; er beantwortet sie mit Sprache. Sie ist der Ausdruck der
Unterscheidung eines neuen Erlebnisinhalts und zugleich Fixierungs-
mittel, um das einmal Unterschiedene dauernd festzuhalten. Worte
sind Merkworte, die den wechselnden Bewußtseinsinhalten Dauer
verleihen. In jedem Wort ist ein tiefes Urerlebnis der Menschheit
fixiert. Die erste Sprache enthielt die Elemente der Dg., war eine
Art Gesang. Die Sprache ändert sich unter dem Einfluß von Klima
und Lebensweise. Die Entwicklung der Sprache und mit ihr der
Bildung geht in der Entwicklung des Menschengeschlechtes vor sich.

Hamann schrieb, obgleich viele von H.s Gedanken nicht ohne innere Beziehung zu
ihm sind, 1772 eine spöttisch-ablehnende Kritik.
Einfluß auf Wilhelm von Humboldt: *Über die Verschiedenheit des menschlichen Sprach-
baues und ihren Einfluß auf die geistige Entwicklung des Menschengeschlechts* (1836–1840) und
Jakob Grimm: *Über den Ursprung der Sprache* (1851).

1773   Johann Gottfried Herder
(Biogr. S. 207):
Von deutscher Art und Kunst, einige fliegende Blätter

5 Abhandlungen: 1. *Auszug aus einem Briefwechsel über Ossian und die Lieder alter Völker* (entst. Mai–Juni 1771). 2. *Shakespeare* (entst. September 1771). Beide von Herder. Der Shakespeare-Aufsatz schließt mit der Vorankündigung von Goethes *Götz*. 3. *Von deutscher Baukunst* (entst. August 1772, ersch. einzeln schon 1772). Von Goethe. Erkenntnis der Art und Bedeutung der dt. Gotik am Straßburger Münster. 4. *Versuch über die gotische Baukunst* (Übs. eines ital. Aufsatzes von Frisi, entst. Oktober 1772). 5. *Deutsche Geschichte* (entst. Oktober 1772). Von Justus Möser.

Bedeutsam wurde vor allen Dingen die von Herder vorgetragene Dg.-Philosophie: Jeder Kunst liegt die allgemeine Naturgesetzlichkeit ihrer räumlich-zeitlichen Bedingtheit zugrunde. Diese verleiht ihr ihren Formcharakter. Die rationalistische Kunstauffassung übersieht diese Naturgebundenheit der Kunst und nimmt für Ausdruck rationeller Absicht, was in Wirklichkeit irrationaler Ausdruck kultureller Bedingtheit ist. So ist das Gesetz der drei Einheiten nicht ein Kunstgesetz der griech. Tr., sondern ihr Naturgesetz; auch Shakespeares ganz entgegengesetzte Form ist nichts anderes als der natürliche Ausdruck seiner historischen Bedingtheiten. Seine Behandlung von Ort und Zeit gehört zur organischen Einheit. »Shakespeare ist des Sophokles Bruder«, beide stellen Menschen entsprechend ihrem Volks- und Vaterlandscharakter dar.

1773   Johann Wolfgang von Goethe
(Biogr. S. 238–245):
Götz von Berlichingen mit der eisernen Hand

»Ein Schauspiel« 5, Prosa.

Im Selbstverlag. Erste Fassung *Geschichte Gottfriedens von Berlichingen mit der eisernen Hand, dramatisiert* (1771) aus G.s Nachlaß 1832 veröffentlicht.
Quelle: *Lebensbeschreibung Herrn Goezens von Berlichingen, zugenannt mit der eisern Hand* (Nürnberg 1731), Autobiographie, von G. v. B. (1480–1562) in seinen letzten Lebensjahren aufgezeichnet. Zusammenhang mit G.s Beschäftigung mit dem späten MA. (Faust-Stoff, Hans Sachs).

Eine urwüchsige Persönlichkeit, ein »ganzer Kerl«, wird der unkräftigen Gegenwart als Muster vor Augen gestellt. Götz sucht vergebens, sein Naturrecht auf Freiheit im Denken und Handeln zu behaupten. Er unterliegt einer unaufhaltsamen neuen gesetzlichen und sozialen Ordnung. Sein Gegenspieler Weislingen, der Treulose, der zwischen Götzens Schwester und Adelheid schwankende, zwiespältige Charakter, von Lessings Mellefont und aus G.s Selbstkritik geprägt; Adelheid, dämonische Kraftnatur weiblicher Spielart, ohne moralische Hemmungen.

Luther- und Hans-Sachs-Sprache. Bruch mit dem klassizistischen Dr.-Schema. Neue, an Shakespeare entwickelte Form: episch lockere Bilderfolge aus allen Schichten und Lebensräumen des 16. Jh., viel äußeres Geschehen. Die Umschmelzung in die 1773 veröffentlichte Fassung hervorgerufen durch Herders Urteil, daß bei Shakespeare nur »das Ganze eines Ereignisses, einer Begebenheit«, bei den Griechen nur »das Eine einer Handlung herrscht«.

Auff. 12. 4. 1774 in Berlin durch die Kochsche Truppe im hist. Kostüm, ebenso im selben Jahre in Hamburg durch Friedrich Ludwig Schröder. G. unternahm 1804 und 1809 Bearbgg. für die Weimarer Bühne, 1809 unter Aufteilung des Werkes in zwei Stücke.

G.s *Götz* steht am Beginn der Ritterdrr., Dramatisierungen dt. Gesch. mit ritterlichen Biedermännern. Die Reihe reicht von Maximilian Klingers jugendlich-wildem *Otto* (1775) über Josef August von Törrings *Agnes Bernauerin* (1780; vgl. Hebbel, Otto Ludwig), Josef Marius von Babos *Otto von Wittelsbach* (1782) u. a. bis zu Kleists *Käthchen von Heilbronn* (1810). August Wilhelm Schlegel: »Aus Ritterstücken wurden Reiterstücke.«

1773   Gottfried August Bürger
  (Biogr. S. 207):
  Lenore

Ballade. Im *Göttinger Musenalmanach auf das Jahr 1774.*
Weitverbreiteter, auf die Gegenwart übertragener Sagenstoff: die Macht der Liebe erzwingt Verbindung zwischen Lebenden und Toten. Der Geist eines im Siebenjährigen Kriege gefallenen Soldaten holt als gespenstischer Reiter sein Mädchen zu sich ins Totenreich. Meisterhaft getroffene Geisterstimmung und Naturbeseelung, wirkungsvolle Sprachmittel. Einfluß von Herders *Briefwechsel über Ossian und die Lieder alter Völker* und Goethes *Götz.*
B.s *Lenore* unterstützte die Wirkung von Percys *Reliques of Ancient English Poetry* (1765) und brachte ein Aufblühen der volkstümlichen Kunstballade.

1774   Johann Wolfgang von Goethe
  (Biogr. S. 238–245):
  Clavigo

Tr. 5, Prosa. Auff. im gleichen Jahr (23. 8.) in Hamburg durch Friedrich Ludwig Schröder.
Quelle: Caron de Beaumarchais: *Fragment de mon voyage en Espagne* (1774). C. de B., der Verf. des *Figaro*, suchte 1764 den königlichen Bibliothekar und Schriftsteller Josef Clavijo y Faxardo in Madrid zur Einhaltung eines seiner Schwester gegebenen Heiratsversprechens zu zwingen und machte ihn gesellschaftlich unmöglich.

Dramatisierung eines zeitgenössischen Stoffes. Anlehnung an die im Elsaß gehörte dt. Volksballade von dem Herrn, der sich an der Bahre der von ihm verlassenen Geliebten den Tod gibt (*Vom Herrn und der*

Magd, von G. 1771 für Herder aufgezeichnet), in dem tragischen Schluß. Anspruch des Genialen und Erfolgreichen auf eine Ausnahmestellung im Sittlichen. Typische Sturm-und-Drang-Problematik der Ehe und Treue. Clavigo in der Reihe der »Treulosen« in G.s bekenntnishafter Jugenddg.
Regelmäßigere Form.

1774   Johann Wolfgang von Goethe
       (Biogr. S. 238–245):
       Die Leiden des jungen Werthers

Monologischer Brief-R., 2 Teile.

Von eigenem Erlebnis gespeist: G.s Liebe zu Kestners Braut Charlotte Buff 1772 in Wetzlar. Verarbeitung des Schicksals des am 29./30. Oktober 1772 in Wetzlar in Selbstmord geendeten grüblerischen Legationssekretärs Karl Wilhelm Jerusalem, den unglückliche Liebe zu einer verheirateten Frau und Kränkung seiner Ehre zu dem verzweifelten Entschluß brachten (die Pistole lieh sich J. von Kestner). Schließlich G.s Trennung von Maximiliane Laroche, die von dem Kaufmann Brentano geheiratet wurde. Verarbeitung vieler Einzelheiten in die Dg., so z. B. Werthers berühmte Tracht nach der Jerusalems, die unliebenswerten Züge Alberts nach Brentano, Lottes schwarze Augen von Maximiliane Laroche; Werthers Tod zum Teil in wörtlichem Anschluß an ausführlichen Bericht Kestners über Jerusalems Ende.

Schicksal eines jungen, von krankhaft gesteigerter Empfindsamkeit erfaßten Menschen, das sich nur zufällig in einer unglücklichen Liebe erfüllt. Darstellung unglücklicher Liebe des seelenhaften Menschen zur Welt überhaupt. Lebensproblematik (typisch für Sturm-und-Drang-Dg.). Negatives Verhältnis zur bürgerlichen Gesellschaft. Der Umgang mit Menschen, ausgenommen mit einfachen und mit Kindern, verdrießlich. Bezeichnend für die Enttäuschung Werthers der Umschlag in seinem Naturgefühl: die freudige Zeit des Frühlings und Sommers im Zeichen Homers, die düstere Folgezeit in dem *Ossians.* »Fühlbarkeit« als Glück und Stolz des Menschen. Der Selbstmord eine Krankheit, des Mitleids wert, eine Seligkeit, Wiedervereinigung mit Gott. Pantheistische Natursympathie in dem berühmten Brief vom 10. Mai. Sichtbarster Einfluß von Richardsons Empfindsamkeitsstil und Rousseaus Forderung von Rückkehr zur Natur und ungebrochener Leidenschaft (*La Nouvelle Héloïse* 1761). Durchbruch zweckfreier Dg. (vgl. *Dichtung und Wahrheit,* Buch 13). Schöpferische Sprachgestaltung, Stilelemente des Sturm und Drang.

Zahlreiche Aufl. Von ungeheurem Einfluß auf die Seelenhaltung der Zeitgenossen, Wertherfieber. Nachahmungen, Gespräche, Betrachtungen über Werther. Parodiert von Friedrich Nicolai *Die Freuden des jungen Werthers* (1775).
1782–1783 und 1786 kompositionelle und stilistische Umarbeitung. Unter dem Eindruck von Rousseaus *Confessions* (1781) Verstärkung des Psychologischen; Nähe zu *Torquato Tasso.*
1824 *An Werther,* 1. Gedicht der *Trilogie der Leidenschaft.*

1774   Johann Wolfgang von Goethe
        (Biogr. S. 238–245):
        Mahomets Gesang und
        Adler und Taube

Im *Göttinger Musenalmanach.*
Gedichte über das Genie.
Mahomets Gesang, für ein geplantes Dr. *Mahomet* 1772/73 entstanden,
Preis Mahomets. Im Erstdruck von 1774 noch in der dialogischen
Verteilung der Verse auf zwei Personen: Mahomets Gattin Fatema
und ihren Vater Ali. Das Schicksal der außergewöhnlichen Persönlichkeit im Werden und Wachsen des Stromes, der die »Brüder« mit
in seine Bahn reißt, symbolisiert. Hymne in freien, reimlosen Rhythmen nach dem Vorbild Klopstocks und Pindars.

1789 in monologischer Form in G.s *Schriften.*

Adler und Taube. Der Adler Symbol des Genies, das in der Tauben-
welt des Durchschnittsbürgers verkümmern muß.
Sturm-und-Drang-Hymnen (Oden) wie die erst 1785 und später veröffentlichten: *Wanderers Sturmlied* (entst. 1772), *Ganymed* (1773), *Prometheus* (1773), *Schwager Kronos* (1774). Im Gegensatz zu Klopstock
Rückkehr zur Naturform der Sprache, Abwendung vom Bildungsdt.
Über die Logik hinausgehender Überschwang: »Halbunsinn« (G.
über *Wanderers Sturmlied*). Individuelle Psychologie. Thema ist meist
eine Wanderung; Bewegungen, nicht Zustände; eine Idee entwickelt
sich, wird organisch erzeugt.

1774   Jakob Michael Reinhold Lenz
        (Biogr. S. 208):
        **Anmerkungen über das Theater nebst angehängtem
        übersetzten Stück Shakespeares**

Entst. zum Teil schon in Lenz' früher Straßburger Zeit. Widersprüche zwischen den
alten und neuen, wohl nach *Von deutscher Art und Kunst* (1773) und *Götz* (1773) hinzu-
gekommenen Teilen.

Verwerfung der »jämmerlich berühmten Bulle von den drei Einheiten« der Franzosen und des Aristoteles und Aufstellung einer
Theorie, die Kom. und Tr. scheidet; jene wolle Charaktere, »Kerls«,
diese Handlung.

Angehängt ist *Amor vincit omnia,* Prosaübs. von *Love's Labour's Lost.*

1774   Jakob Michael Reinhold Lenz
        (Biogr. S. 208):
        Der Hofmeister oder Vorteile der Privaterziehung

Kom. 5, Prosa.

Entst. 1772/73. Im Ms. als »Lust- und Trauerspiel« bezeichnet; dadurch der tragikom.
Grundzug angedeutet. L. suchte die Bezeichnung »Kom.« später zu rechtfertigen.

Thema vom gefallenen Mädchen: der als Hofmeister auf einem ost-preußischen Adelssitz tätige Theologiekandidat Läuffer bringt eine Majorstochter zum Vergessen ihrer echten Jugendliebe und macht sie unglücklich. Der zur Einsicht gekommene, reuige Läuffer macht mit seinem neuen Ideal eines enthaltsamen Lebens bis zur Selbst-entmannung ernst, und das kokette, entehrte Gustchen wird Braut ihres geliebten Vetters Fritz, der ihr uneheliches Kind als das seine aufnimmt. Kritik am Hofmeistertum, Eintreten für öffentliche Schu-len. Verwertet Beobachtungen über das Studentenleben in Königs-berg.

Schonungslose und drastische Zeichnung der Situationen und der – leicht karikierten – Gestalten. Willkürliche Handlungsführung, häu-figer Schauplatzwechsel. »Novellen im Dialog« (Ludwig Tieck). Mi-schung von skurril Komischem und Rührendem im Stile der comé-die larmoyante. Lehrhaft-tendenziöser Grundzug.

Auff. 12. 4. 1778 in Hamburg durch Friedrich Ludwig Schröder in dessen Bearbg. Bearbg. von Bertolt Brecht: Auff. 15. 4. 1950 in Berlin (DDR), Dt. Theater, durch das Berliner Ensemble; Buchausg. 1951.

1774   Jakob Michael Reinhold Lenz
     (Biogr. S. 208):
     Lustspiele nach dem Plautus fürs deutsche Theater

Enthält: *Das Väterchen (Asinaria), Die Aussteuer (Aulularia), Die Entführungen (Miles gloriosus), Die Buhlschwester (Truculentus), Die Türkensklavin (Curculio).*

Übss. mit modernisierten Namen und wiederholter absichtlicher Durchbrechung des antiken Stils unter Verwertung von Elementen der Redeweise und des Milieus der Zeit. Als Probe auf L.' Theorie der Kom. und gegen das Moralisierende der Aufklärungskom. ge-dacht.

Trotz L.' und Goethes Hoffnungen nicht aufgeführt.

1775   Johann Wolfgang von Goethe
     (Biogr. S. 238–245):
     Gedichte der Straßburger und Frankfurter Zeit

In Johann Georg Jacobis *Iris.*

Entst. 1770–1775.

In erster Linie Gedichte um Friederike Brion: *Willkommen und Ab-schied* (entst. 1770), *Mit einem gemalten Bande* (1770), *Mailied* (1771); weitere um Lili Schönemann: *Neue Liebe, neues Leben* (1775), *An Belinden* (1775), *Mit einem goldenen Halskettchen* (1775), *Herbstgefühl* (1775); außerdem: *Das Veilchen* (1773, aus *Erwin und Elmire*), *Der neue Amadis* (1774), *Rettung* (1774).

Nach dem traditionellen Rokoko (*Das Buch Annette*, 1767; *Neue Lieder*, 1768, Druck 1770) brachten die Sesenheimer Lieder den Umschwung zur Erlebnislyrik. Den früheren rationalen Chansons trat das irrationale Lied gegenüber. Dieses wird aus der rein metrischen Regelmäßigkeit erlöst, der Inhalt bestimmt wieder den äußeren Klang. Individuell im Tempo, charakteristisches rhythmisches Profil. Die Lili-Lieder, das Schwanken zwischen Gesellschaftlichkeit und Leidenschaft behandelnd, stehen den rokokohaften Leipziger Gedichten wieder näher. Sie unterscheiden sich von ihnen durch größere sprachliche und technische Gelöstheit und dadurch, daß G. »die Freiheit, die Naturfülle und die tragische Leidenschaft schon kennt und nur aus Rücksicht auf die gesellschaftlichen Forderungen ... auf das letzte Wort verzichtet« (Friedrich Gundolf). Bezeichnend der schäferliche Name Belinde.

Neun bis dahin unbekannte Lieder an Friederike enthalten die *Sesenheimer Lieder*, hgg. Heinrich Kruse 1835 nach einer Abschrift Friederikes; z. T. G., z. T. Jakob Michael Reinhold Lenz zugeschrieben.

1775   Friedrich Maximilian Klinger
           (Biogr. S. 207/208):
           Das leidende Weib

Tr. 5, Prosa, anonym.

Entst. 1774.

Ehebruchsthema, endet mit Verzweiflung und Tod des edlen, aber der Leidenschaft widerstandslos verfallenen Paares. Gegen die Entsittlichung durch schöngeistige Schwärmerei. Schicksale zweier weiterer, mit den Hauptfiguren kontrastierender Liebespaare: tragisches Scheitern eines idealen Liebespaares sowie eine Verführungsgesch. Kritik am Hofleben aus dem Geist Rousseaus, ohne direkte revolutionäre Ansätze.
Einfluß von Lenz, Anklänge an Lessings *Emilia Galotti*. Große Einheitlichkeit im Stimmungsmäßigen. Die realen Vorgänge der dargestellten wie der verdeckten (erzählten) Handlung bleiben undeutlich.

1775/76   Friedrich Heinrich Jacobi
              (1743–1819, Düsseldorf, Pempelfort, Eutin, München):
              Aus Eduard Allwills Papieren

R. – Anfang in der von J.s Bruder Johann Georg J. herausgegebenen Zs. *Iris*. Forts. 1776 im *Teutschen Merkur*.
Angeregt durch Goethes Besuch in Pempelfort 1774. Die Gestalt Allwills spiegelt den Eindruck, den Goethe auf J. machte. Es wird der Nachweis versucht, daß das geniale sittliche Individuum keiner

äußerlichen moralischen Gesetze bedürfe. Durch Treue zu sich selbst vermeidet es die Gefahr der Maßlosigkeit.

Umgearbeitet 1781 als *Eduard Allwills Papiere*, 1792 abermals umgearbeitet und fragmentarisch als *Allwills Briefsammlung.*

In einem zweiten R. *Woldemar* (1777, mehrere Fassungen bis 1792) erstrebte J. die Einordnung des Genies in die Gemeinschaft der Mitmenschen.

1776   Johann Wolfgang von Goethe
　　　　(Biogr. S. 238–245):
　　　　Stella. Ein Schauspiel für Liebende

Schsp. 5, Prosa. Auff. 8. 2. in Hamburg durch Friedrich Ludwig Schröder. Buchausg. im gleichen Jahr.

Entst. Februar bis April 1775.

Nach dem *Werther* erneute Darstellung von Lebensproblematik und unglücklicher Leidenschaft. Problem der Doppelliebe; alte Sage von dem Grafen von Gleichen und seinen zwei Frauen. »Stella« hindeutend auf eine der zwei von Swift nebeneinander geliebten Frauen. Empfindsame Charakterzüge bei Fernando, Edelmut der Entsagung bei Stella und Cäcilie. Versöhnlicher Schluß: Cäcilie will sich mit der jungen Stella in die Liebe des wiedergefundenen Gatten teilen. Lösung der Geniezeit (vgl. Bürgers Leben). Eigene Erlebniswirren G.s: Lotte, Maximiliane, Lili Schönemann, Anna Sibylle Münch.

1803 in ein Tr. gewandelt und so am 15. 1. 1806 in Weimar gespielt. Stella und Fernando enden durch Selbstmord. Diese Fassung erst 1816 gedruckt.

1776   Friedrich Maximilian Klinger
　　　　(Biogr. S. 207/208):
　　　　Die Zwillinge

Tr. 5, Prosa. Auff. 23. 2. in Hamburg durch Friedrich Ludwig Schröder. Druck (anonym) im gleichen Jahr.

Das Dr. wurde 1775 für Schröders Dr.-Ausschreibung verfaßt und dem Werk von Leisewitz vorgezogen.

Gestaltung des gleichen Motivs wie in Leisewitz' *Julius von Tarent*: die feindlichen, charakterlich ungleichen Brüder rivalisieren in der Liebe der Eltern und in der Gunst des geliebten Mädchens. Die Handlung beherrscht der unausgeglichene, mißgünstige, düstere Guelfo, der glaubt, daß der – wenig in Erscheinung tretende – ruhige Ferdinando durch Betrug für den Erstgeborenen ausgegeben worden ist. Er tötet den Bruder und wird durch seinen Vater gerichtet. Infolge der Vorschriften Schröders strenger gebaut und bei aller Überspannung des Tons und der Gefühlsausbrüche bühnennäher

als das unter dem Eindruck von Goethes *Götz* geschriebene Ritterdr.
Otto (1775; in spätere Slgg. von K.s Werken nicht aufgenommen)
und das Ehebruchsdr. *Das leidende Weib.*

1794 überarbeitete, stilisiert-philosophische Fassung.

1776   Johann Anton Leisewitz
        (1752–1806, Göttingen, Braunschweig):
        Julius von Tarent

Tr. 5, Prosa. Auff. im gleichen Jahr (19. 6.) in Berlin durch die
Döbbelinsche Truppe.

Bereits 1774 in Göttingen beendet.

Haß ungleicher Brüder – des Tatmenschen Guido und des Gefühls-
menschen Julius – wegen der Geliebten; Brudermord und Tötung
des Mörders durch den Vater. Gegenüberstellung von Fürstenthron
und rousseauischer Idyllik. Bemühung um einen übergeordneten
Standpunkt in der Gestalt des weisen Vaters und aufopfernden Regenten.
Vorbild für Form und Sprache: Lessings *Emilia Galotti.* Mischung
aus Sentimentalität und Rationalismus. Schillers Lieblingsdg. auf
der Militärakademie. Motivgleich mit den *Räubern* und der *Braut von
Messina.*

Bei der 1775 von dem Hamburger Theaterleiter Friedrich Ludwig Schröder veranstalteten Dr.-Ausschreibung eingereicht gewesen, aber von Klingers Tr. *Die Zwillinge*
ausgestochen.

1776   Jakob Michael Reinhold Lenz
        (Biogr. S. 208):
        Die Soldaten

Kom. 5, Prosa.

Entst. 1774–1775. Die Bezeichnung Kom. später zurückgenommen.

Begründete das Ständedr. im Rahmen des bürgerlichen Dr. Stellt die
Gefahr der – verlangten – Ehelosigkeit der Offiziere für die Bürgers-
töchter dar. Im Mittelpunkt das allmähliche Sinken der Tochter
Marie eines Galanteriewarenhändlers. Motivierung durch die soziale
Lage ebenso wie durch des Mädchens moralische Schwäche. Verwertung eigener Erlebnisse aus Straßburg. L. an Herder: »Ich hab
einige Jahre mit den Leuten gewirtschaftet, in Garnison gelegen, ge-
lebt, hantiert.« Objektivität angestrebt. Handlung nach frz. Flandern
verlegt.
Zur Lösung des sozialen Problems Vorschlag einer »Pflanzschule
von Soldatenweibern«, die ihre Ehre dem Staat zum Opfer bringen
sollen.

Zwischen weit voneinander entfernten Orten hin- und herspringende Handlung; blitzlichtartige Kurzszenen. Das Typische der Personen durch individuelle Züge überwunden.

Auff. 26. 12. 1863 in Wien, Burgtheater, unter dem Titel *Soldatenliebchen*, bearb. Eduard von Bauernfeld. – Opernbearbg. von Bernd Alois Zimmermann 1960. – Bearbg. von Heinar Kipphardt 1968.

1776   Johann Wolfgang von Goethe
        (Biogr. S. 238–245):
        Die Geschwister

Schsp. 1, Prosa. Auff. 21. 11. auf dem Weimarer Liebhabertheater mit G. als Wilhelm.

Ende Oktober 1776 für Frau von Stein gedichtet: die von Wilhelm geliebte tote Witwe, in deren Umgang er reifte, »Charlotte«.

Intimes Kammersp. zwischen drei Personen. Durch Fabrices Werben um Wilhelms angebliche Schwester kommen dieser und Marianne zur Befreiung aus nur geschwisterlichem Zusammenleben. Mittelstand, Kaufmannsmilieu. Vorliebe für Detail und gemütvolle Enge, verhaltene Sprache.

1776   Heinrich Leopold Wagner
        (1747–1779, Straßburg, Frankfurt):
        Die Kindermörderin

Tr. 6, Prosa, anonym ersch.

Entst. 1776.

Zeittypisches Motiv der Kindsmörderin. Evchen Humbrecht wird verführt und in ihrer Liebe getäuscht. Sie tötet ihr Kind aus Verzweiflung über ihre verratene Liebe, den durch ihre Schande verursachten Tod der Mutter sowie aus Angst vor dem strengen Vater. Der Verführer bereut zu spät, Evchen geht dem Gericht entgegen.
Goethe erhob den Vorwurf, W. habe den ihm anvertrauten *Faust*-Plan benutzt.
Sichere Beherrschung der dramaturgischen und theatralischen Mittel. Schonungslos realistische Verführungsszene des in einem Absteigequartier spielenden ersten Aktes.

Auff. Juli 1777 in Preßburg durch die Wahrsche Truppe.

Umarbg. mit glücklichem Ausgang 1777 unter dem Titel *Evchen Humbrecht oder ihr Mütter merkt's euch*, nach dem Muster Karl Lessings, der in einer Bearbg. (1777) den 1. Akt gestrichen hatte.

Auff. September 1778 in Frankfurt a. M. durch die Seylersche Truppe, Druck 1779.

1776   Friedrich Maximilian Klinger
(Biogr. S. 207/208):
Simsone Grisaldo

Schsp. 5, Prosa.

Entst. 1776.

Simsone, Feldherr des kastilischen Königs im Kampf gegen die Mauren und gegen Aragon, hat seine Kraft einem höheren Dienst, dem König, unterstellt und bewahrt seinem Herrn die Treue trotz der Verleumdungen seiner Feinde und trotz des Undanks des Königs, ·der schließlich bereut und sich mit ihm versöhnt. Die Treue gilt dem monarchischen Prinzip, nicht der Person. Parodierende Kritik an der höfischen Welt durch eine Reihe grotesker Figuren im Stil der commedia dell'arte. Nur im Bereich des Erotischen besitzt Simsone keine Selbstzucht: er macht sein Recht als Ausnahmemensch geltend, beruft sich im Sinne Rousseaus auf den Anspruch des natürlichen Gefühls gegen die Konvention.
Kritik und Überwindung des nur sich selbst verpflichteten Kraftgenies. Der geistigen Bändigung entspricht eine größere Künstlichkeit im Formalen. Rückgriff auf volkstümliche Theatertradition, parodistische Elemente der Rokoko-Lit.

1776   Friedrich Müller
(»Maler« Müller, 1749–1825, Mannheim, Rom):
Golo und Genovefa

Fragmente in *Balladen* und *Die Schreibtafel*. Fertigstellung 1781 in Rom. Weitere Bruchstücke 1787 und in Arnims *Trösteinsamkeit* (1808). Vollständige Ausg. 1811 in *Gesammelte Werke*, hgg. Ludwig Tieck.

Quelle: Volksbuch und Puppenspiel von *Genovefa*.
Ritterschsp. Der legendäre Stoff ist bei M. konzentriert auf den unglücklich liebenden Golo, dessen ungezähmte Leidenschaft bis zu Betrug und Mord führt. Der zum zeittypisch zwiespältigen, schwachen Charakter umstilisierte Bösewicht legt seine Untaten als sein Recht aus, da ihm das Schicksal zwar seine Liebe einpflanzte, deren Gegenstand aber versagte.
Volkstümliche, landschaftlich stimmungshafte Züge, lyrischer Einschlag, Verwandtschaft mit M.s Idyllen.

Anregung für Tiecks *Leben und Tod der heiligen Genoveva* (1800) und Hebbels *Genoveva* (1843).

1777   Friedrich Maximilian Klinger
(Biogr. S. 207/208):
Sturm und Drang

Schsp. 5, Prosa.

Entst. 1776 in Weimar. Ursprünglicher Titel: *Wirrwarr*.

Haß zweier engl. adliger Familien, deren Kinder einander lieben. Die Handlung entwirrt sich in allgemeinem Wiederfinden und Versöhnung. Auf amerikanischem Boden, vor dem Hintergrund des Unabhängigkeitskrieges, wird eine Anzahl abenteuernder Kraftnaturen vorgeführt, denen Europa zu eng wurde. Das Groteske bewußt neben das Ernste gestellt: an der Seite des vorbildlichen Liebespaares zwei komische Paare. Freiheitsgedanken, Rousseauismus.

Forcierter Stil; den extremen Handlungssituationen entspricht ein Extrem an Pathos einerseits und Parodistischem andererseits. Übertrumpfung der zeitgenössischen Vorbilder und Vorgänger.

Der von Christoph Kaufmann stammende Titel gab der Lit.-Epoche den Namen.

Auff. 1. 4. 1777 in Leipzig durch die Seylersche Truppe.

1778   Friedrich Müller
(»Maler« Müller, 1749–1825, Mannheim, Rom):
Fausts Leben dramatisiert, I. Teil

Langjähriges Interesse an dem Stoff. Ein Gespräch mit Lessing beförderte Dr.-Plan. Zum Zeitpunkt der Konzeption noch ohne Kenntnis von Goethes Absichten.

Neben der bereits 1776 veröffentlichten *Situation aus Fausts Leben* weiteres, wahrscheinlich durch Goethe angeregtes Bruchstück eines Faust-Dr. Prosa. Der Ingolstädter Prof. Faust als »Kerl«, als Genießer ohne Tiefe. Die *Situation aus Fausts Leben* zeigt die verhängnisvollen Folgen des Paktes, mit dem der *I. Teil* schließt: Faust kann den Teufelspakt nicht kündigen, weil er sonst seinen Reichtum verlieren und die Königin von Aragonien nicht gewinnen würde; er scheint dem Teufel für immer verfallen.

Spätere Umarbeitung in Knittelverse, wahrscheinlich durch Goethes *Faust. Ein Fragment* (1790) beeinflußt.

1778   Gottfried August Bürger
(Biogr. S. 207):
Gedichte

Neben Balladen (ernste: *Der wilde Jäger*, *Das Lied vom braven Mann*; heitere: *Der Kaiser und der Abt*) bedeutsam die Molly-Lieder an B.s spätere, zweite Frau Auguste Leonhart *(Elegie*; *Liebeszauber*; *Das hohe Lied von der Einzigen)*. Neuartige leidenschaftliche Unmittelbarkeit. In Ausweitung von Herders Idee der Volkstümlichkeit sieht B.

in »Popularität« das »Siegel der Vollkommenheit«; bezeichnet sich
in der Vorrede als »Volkssänger«.

Schillers B. niederschmetternde Rezension (1791 in der *Allgemeinen Lit.-Ztg.*) vom
idealistisch-klassizistischen Gesichtspunkt verlangte: »sich selbst fremd zu werden,
den Gegenstand seiner Begeisterung von seiner Individualität loszuwickeln, seine Leidenschaft aus einer mildernden Ferne anzuschauen«. Das Ideal der Unmittelbarkeit
trage die Gefahr der Unkunst in sich. Es fehle die Freiheit des Geistes, »welche die
Übermacht der Leidenschaft aufhebt« und den Dichter zur Idealisierung befähigt. Der
Begriff des Volksdichters müsse in dem Sinn verstanden werden, daß der Dichter der
»verfeinerte Wortführer« der Volksgefühle sei. *Antikritik* B.s (1791 ebd.) und *Verteidigung des Rezensenten* (1791 ebd.).
B. hat in seiner bereits seit 1789 geplanten Ausg. seiner *Schriften* (4 Bdd. 1796–1802,
postum, hgg. Karl Reinhard) an den Gedichten zahlreiche Änderungen im Sinne von
Schillers Forderungen vorgenommen.

1778/79   Johann Gottfried Herder
            (Biogr. S. 207):
            Volkslieder

Slg. vielfältiger Herkunft.

Eine kleinere Veröffentlichung bereits für 1773 vorbereitet. Schon in den *Fragmenten*
hatte H. auf Vorzeitgedichte und den Wert echter Nationallieder hingewiesen. Einfluß von *Ossian* und Percys *Reliques of Ancient English Poetry*.

Das Wort Volkslied von H. geprägt und so in andere Kulturspra-
chen übernommen. Volkslied sollte Erbauungslit. ersetzen.
H.s Slg., an der Goethe, Lessing, Lavater, Raspe u. a. mitarbeiteten,
umfaßt alle Zeiten und Völker. Sie enthält dt., engl., span., dänische,
frz., gälische, griech., ital., lat., morlakische, estnische, lettische u. a.
Lieder, wobei nicht nur eigentliche Volkslieder, sondern auch Kunstdg., z. B. Lieder aus Shakespeare und Gedichte von Goethe, Claudius, Dach, Fleming aufgenommen wurden.
Großartiges Gefühl für Poetisches. H. erwies sich gleichzeitig als
Schöpfer feinster Übertragungen, die ihn auch über Zwischenglieder
hinweg den eigentümlichen Ton des Fremden treffen ließen. Die Slg.
belegte H.s Ansicht von der Volksdg. als einer unverfälschten Äußerung der Volksseele und Offenbarung des Menschengeistes. Sie
wurde zum entscheidenden Einbruch in die Gelehrten-, Standes- und
Regelpoesie des 18. Jh. Berühmt H.s Übs. der alten schottischen
Edward-Ballade.

Neue, umgearbeitete Ausg. 1807; erhielt von ihrem Herausgeber Johannes von Müller den heute oft üblich gewordenen Titel *Stimmen der Völker in Liedern*. Friedrich
Nicolai verspottete H.s Volkslieder mit *Eyn Feyner Kleyner Almanach* (1777–1778).
H.s *Volkslieder* gaben Anlaß zu weiteren Slgg.: Arnim/Brentano *Des Knaben Wunderhorn* (1806 und 1808); Ludwig Uhland *Alte hoch- und nddt. Volkslieder* (1844); Rochus
von Liliencron *Die historischen Volkslieder der Deutschen* (1864–1869) u. a.

1781   Friedrich von Schiller
(Biogr. S. 245–249):
Die Räuber

Schsp. 5, Prosa. Anonym.

Begonnen 1777, vollendet 1780. Das Motto »In tirannos« erst in der 2., veränderten, mit neuer Vorrede versehenen Aufl. von 1782. Quelle: u. a. Schubarts Erzählung *Zur Geschichte des menschlichen Herzens* (im *Schwäbischen Magazin* 1775), Thema der feindlichen Brüder und einzelne Handlungselemente, Schluß jedoch sentimental versöhnlich. Von Schiller neu das Räubermotiv und die Gestalt der Amalie.

Der Held Karl, voll glühendem Verlangen nach Freiheit, Tat, Kraft, Größe, ein für den Sturm und Drang typischer »edler Verbrecher«, den das entartete Zeitalter zum Rebellen gegen die Gesellschaft und aus »sittlicher Verzweiflung« zum Führer einer Bande von »Libertinern, nackter Banditen« macht. Revolutionärer Angriff auf die Zustände am Hofe und die Gesellschaftsordnung, Gegensatz von Ich und Gesellschaft, Genie und Kastraten-Jh., von Natur und Kultur, Gefühl und Konvention. Nur »die Freiheit brütet Kolosse und Extremitäten aus«. Am Schluß äußerliches Einlenken des Verbrechers aus verirrtem Idealismus, da der Aufstand des Sozialrebellen »den ganzen Bau der sittlichen Welt zu Grund« hätte gehen lassen können. Auslieferung an die Gerichte einer im Grunde schlechteren Ordnung. »Man trifft hier Bösewichter an, die Erstaunen abzwingen, ehrwürdige Missetäter, Ungeheuer mit Majestät, Geister, die das abscheuliche Laster reizet um der Größe willen, die ihm anhänget, um der Kraft willen, die es erfordert, um der Gefahren willen, die es begleiten...« (Sch. im Vorwort 1782). Karl, dem Verbrecher aus Empfindung, steht in Franz der zynische Verbrecher aus Verstand gegenüber.
In Ausdrücken, Gestalten, Szenen, Konflikten mit den anderen Drr. des Sturm und Drang verwandt, in Anlage des Ganzen, persönlicher Schwungkraft, genialem Theaterinstinkt ihnen überlegen.

Auff. 13. 1. 1782 in Mannheim. Auf Anregung des Intendanten Wolfgang Heribert von Dalberg (1750–1806) die ursprünglich in der Gegenwart spielende Handlung ins 16. Jh. verlegt, Kürzungen, Milderungen. Beispielloser Erfolg.
Kritische Selbstrezension Sch.s in dem *Württembergischen Repertorium der Lit.* (1782). Viele Nachdrucke und Bearbgg.

1782   Anthologie auf das Jahr 1782

Hgg. Schiller. Anonym, »gedruckt in der Buchdruckerei zu Tobolsko«. »Meinem Prinzipal dem Tode zugeschrieben«.
Enthält hauptsächlich Jugendgedichte Sch.s und einige Lückenbüßer seiner Freunde, unter Chiffren.

Entst. als Gegengründung gegen Gotthold Friedrich Stäudlins *Musenalmanach auf das Jahr 1782.* Stäudlin hatte von den von Sch. eingesandten Oden nur *Entzückung an Lau-*

ra aufgenommen, sein Almanach enthält gefällige Muster »einer auf gegenseitige Beweihräucherung eingestellten Provinzialkultur« (Julius Petersen).

Hauptsächlich Oden: *Der Triumph der Liebe, In einer Bataille, Die Kindsmörderin, Gruppe aus dem Tartarus, Die Freundschaft, Die schlimmen Monarchen, Oden an Laura.* Dazwischen Sinnsprüche und Inschriften satirischer Art, außerdem: *Semele, lyrische Operette in zwo Szenen.* Die Gedichte spiegeln Sch.s Entwicklung vom Klopstockianer bis zum Realismus des Sturm und Drang.

Pseudonyme Selbstkritik Schillers im *Württembergischen Repertorium der Lit.* (1782): »Überspannt sind sie (die Oden) alle und verraten eine gar zu unbändige Imagination.« 2. Aufl. mit Angabe des Herausgebers und des Stuttgarter Verlages 1798. In den 2. Teil der *Gedichte* (1803) 19 Stücke aufgenommen: zusammengestrichen, abgeschwächt und dem klassischen Maßstab unterstellt.

1782/83   Johann Gottfried Herder
(Biogr. S. 207):
Vom Geist der ebräischen Poesie

2 Bdd. 1. Teil in Form von Gesprächen, die im 2. Teil fallengelassen wird.
Behandelt die *Bibel* als eine Slg. alter Schriften unter dem Gesichtspunkt der Lit.-Gesch., als Phase auf dem großen Kulturgange der Menschheit. Für H. ist sie die nationale Poesie von Hirten, eines abgeschlossenen Stammes voll Geschlechtsstolz, eines ganzen von Gottesbewußtsein erfüllten Volkes. »Poesie der Freundschaft mit Gott«. Durch Übs. der wichtigsten Stücke dargelegt, daß in dieser Dg. Kraft und Reinheit der Empfindung und Begeisterung sei: die »älteste, simpelste und erhabenste Poesie überhaupt«.

1783   Friedrich von Schiller
(Biogr. S. 245–249):
Die Verschwörung des Fiesko zu Genua

»Ein republikanisches Trauerspiel« 5, Prosa. Auff. im gleichen Jahr (20. 7.) in Bonn.

Im Sommer 1782 begonnen, im November 1782 vollendet. Quellen u. a. Kardinal Retz: *La conjuration du Comte Jean Louis de Fiesque.* Der hist. Fiesko starb durch einen Zufall: bei der Besichtigung eines Admiralschiffes fiel er 1547 ins Wasser und ertrank. Sch. begründet seine Änderungen im Vorwort mit Lessings *Hamburgischer Dramaturgie.*

Fiesko stürzt durch eine Verschwörung den verhaßten Prätendenten und wird von dem radikalsten Verschwörer, Verrina, der sich danach dem greisen Staatsoberhaupt unterwirft, ertränkt, als er der Versuchung unterliegt, sich selbst zum Herzog zu machen. Der aristokratische Held als revolutionärer Verteidiger der republikanischen Frei-

heit gegen entartete Diktatur. In ihm kämpfen Republik und Cäsarismus miteinander.
Theaterarbeit voller Intrigen, Verwicklungen und greller Kontraste.

Bühnenbearbg. auf Veranlassung des Mannheimer Intendanten Freiherrn von Dalberg. In ihr bleibt Fiesko leben und entsagt freiwillig der Krone. Auff. 11. 1. 1784 in Mannheim. Mißerfolg. In einer 1943 gefundenen Bearbg. ersticht Verrina Fiesko, unterwirft sich dann aber dem Gericht des befreiten Volkes; Sch.s Autorschaft zweifelhaft.

1784/91   Johann Gottfried Herder
          (Biogr. S. 207):
          **Ideen zur Philosophie der Geschichte der
          Menschheit**

Plan bereits während der Seereise 1769. Enthält die Summe von H.s Geschichtsauffassung und faßt alle seine geistigen Leistungen zusammen. Weiterarbeit vielfach unterbrochen, vom 5. Teil ab Fragment.

H. entwickelt die Stellung des Menschen als eines Naturgeschöpfes im Verhältnis zur Pflanzen- und Tierwelt. Nur ihm ist eigentümlich die Gabe der Vernunft und Freiheit; durch den Drang zur »Humanität«, zu geistig-sittlicher Entwicklung wächst er über sein Selbst hinaus. Das gesch. Leben der Menschheit stellt etwas organisch Gewachsenes dar. Es ist an geographische und klimatische Bedingungen geknüpft. Die Völkergesch. (3. und 4. Teil) führte H. von China, Japan, Tibet, Indien, Babylon, Assyrien, Ägypten über Griechenland und Rom zu Kelten, Gälen, Cymren und den germ. Stämmen bis ins MA. Dieses wertet er in seiner Eigenart als Zeit des »Rittergeistes« und der Kreuzzüge. Gott ist die »Urkraft aller Kräfte«, die sich in den ständigen Verwandlungen der substantiellen organischen Kräfte der sichtbaren Schöpfung entfaltet (vgl. H.s *Gott*, 1787). Verkündung einer Universalreligion und Universalkirche; in ihr »kein Jude und Grieche, kein Knecht noch Freier, kein Mann noch Weib. In ihr sind wir alle eins«.

Die Humanität als Ziel der Menschheit weiter ausgeführt in den *Briefen zur Beförderung der Humanität* (1793-1797).

1784   Friedrich von Schiller
          (Biogr. S. 245-249):
          Kabale und Liebe

»Ein bürgerliches Trauerspiel« 5, Prosa. Auff. 13. 4. in Frankfurt a. M., 15. 4. in Mannheim. Druck im gleichen Jahr.

Der Überlieferung nach von Sch. während des vierzehntägigen Arrests in Stuttgart 1782 entworfen; intensiver vom 10. Oktober 1782 daran gearbeitet, vollendet Juli 1783. Ursprünglicher Titel *Luise Millerin*, neuer Titel von Iffland.

Politisches Tendenzdr. Die tragische Spannung, unter der Ferdinand von Walter und die Musikertochter Luise mit ihrer Liebe stehen, entspringt dem ständischen Gegensatz zwischen Feudalschicht und Bürgertum; jene, lasterhaft und machtgierig, vertreten durch den Präsidenten von Walter und sein teuflisches Werkzeug Wurm, dieses durch den alten Miller und seine Tochter. Die Auslösung des Konflikts beruht auf dem traditionellen theatralischen Mittel des verwechselten Briefes. Eigentlich tragische Heldin des »bürgerlichen Tr.« ist, wie der ursprüngliche Titel erkennen läßt, Luise, die den Konflikt zwischen – bejahter – Sitte und Liebe in seiner ganzen Tragik erfährt, während Ferdinand als typische Gestalt des Sturm und Drang nur vom Menschen gesetzte Schranken sieht, die er hinwegfegen zu können glaubt. Auflehnung gegen die Konvention, »Menschheit« gegen »Mode«. Ferdinand: »Laßt doch sehen, ob mein Adelsbrief älter ist als der Riß zum unendlichen Weltall?«
Starker Einfluß von Lessings *Emilia Galotti*; Parallelfiguren: Luise – Emilia, Ferdinand – Appiani, Miller – Odoardo, Wurm – Marinelli, Lady Milford – Gräfin Orsina. Vorwärts weisend vor allem der von persönlichem Fühlen getragene Schwung der Sprache, besonders in der Rolle des »jugendlichen Helden« Ferdinand, und die realistische Darstellung des Bürgertums.

1785   Johann Wolfgang von Goethe
       (Biogr. S. 238–245):
       Prometheus

Gedicht. Druck – ohne Angabe des Verf. – in Friedrich Heinrich Jacobi: *Über die Lehre des Spinoza in Briefen an den Herrn Moses Mendelssohn.* Als Antithese dem 1783 entstandenen Gedicht *Das Göttliche* gegenübergestellt.
Ursprünglich Monolog in dem 1773 entstandenen fragmentarischen Dr. *Prometheus.* Extreme Formulierung des Titanismus: Trotz des »Selbsthelfers« gegenüber den Göttern, denen er nichts zu verdanken hat, Pochen auf die eigene Leistung und Freude an den eigenen Geschöpfen, die ihm an Selbständigkeit gleichen sollen.
Freie Rhythmen, ohne Anlehnung an antike Strophenform, der rhythmischen Freiheit des germ. Verses verwandt; überwiegend zweihebige Verse.

Das Dr.-Fragment *Prometheus* (Druck 1830) umfaßt zwei kurze Akte und den Eingang des 3. Aktes, den Monolog. Absage an den Götterboten Merkur und an den Bruder Epimetheus: Prometheus will sich nicht mit den Göttern versöhnen und ihnen nicht dienen, sondern im Kreis seiner Wirksamkeit bleiben. Minerva verhilft ihm dazu, seine Gestalten zu beleben; er begleitet die ersten Schritte der Menschen und belehrt Pandora über das Wesen der Liebe, das zugleich das des Todes ist: »Wenn aus dem innerst tiefsten Grunde Du ganz erschüttert alles fühlst, Was Freud und Schmerzen jemals dir ergossen… Und du, in inner eigenem Gefühl, Umfassest eine Welt: Dann stirbt der Mensch.«

In dieser Szene Nähe zu der Sehnsucht nach erlösender Rückkehr in die Einheit (vgl. *Ganymed* und *Mahomets Gesang*), die als Ergänzung zur Vereinzelung des Genies und seiner Hybris gesehen werden muß.

1785/87   Christian Friedrich Daniel Schubart
             (1739–1791, Ludwigsburg, Ulm, gefangen auf dem
             Hohen Asperg 1777–1787, Stuttgart):
             **Sämtliche Gedichte mit Vorbericht auf der Feste
             Asperg**

Von Tyrannenhaß und Freiheitsdrang getragene Oden: *Die Fürstengruft, Der ewige Jude, Freiheitslied eines Kolonisten*, am bekanntesten: *Kaplied* (1787); brandmarkt den bei absolutistischen Fürsten üblichen Verkauf von Landeskindern als Soldaten an fremde Mächte (vgl. Kammerdienerszene in Schillers *Kabale und Liebe*). Volkstümlicher Ton in den *schwäbischen Bauernliedern*.
Einfluß Klopstocks, Oden meist durch Reim der eigenen Tonart angepaßt. Pathos, mitunter elementare Ausbrüche des Empfindens, persönlich *(Gefangener Mann, ein armer Mann)*.

1785/90   Karl Philipp Moritz
             (1756–1793, Hannover, Rom, Berlin):
             Anton Reiser

Autobiographischer R., der »das Gefühl der durch bürgerliche Verhältnisse unterdrückten Menschheit« darstellen wollte. Ökonomische Argumente jedoch nicht als einseitige Leitvorstellung. Ebenso wichtig die von der Mutter ererbte hypochondrische Veranlagung und das mangelnde Verständnis des Vaters. Harter Lebensweg: Hutmacherlehrling, von Stipendien und Freitischen lebender Gymnasiast, gescheiterter Schauspieler. Zeichnung eines fast modernen problematischen Charakters. Pessimistischer Grundzug. Einfluß Rousseaus (*Confessions*, 1781–1788) in der quälenden, unbarmherzigen Selbstentblößung, Wiedergabe psychologischer Details. Eine Art säkularisierter pietistischer Autobiographie.
Reiser sucht in der Kunst, besonders im Theater, eine Zuflucht vor teils sozial bedingter, teils selbstverschuldeter Misere, lebt in zwei Welten. Gespaltenes Bewußtsein. Theater als Erlebnisersatz, Nahrung für Geltungsdrang und krankhaftes Selbstbewußtsein. Daher Scheitern des unechten Dranges zum Künstlerberuf. Aufschlußreiche Schilderung des Schauspielerlebens und der Anfänge Ifflands, mit dem M. zusammen auf der Schule war.
M.' Werk als psychologischer R. entspricht der Forderung F. v. Blanckenburgs, daß der R. das Innere des Menschen darzustellen habe.

1786   Gottfried August Bürger
(Biogr. S. 207):
**Wunderbare Reisen zu Wasser und zu Lande, Feldzüge
und lustige Abenteuer des Freiherrn von Münchhausen**

Übs. und mit eigenen Zutaten versehene Bearbg. der 2. Auflage von Rudolf Erich
Raspes (1727–1794) in London veröffentlichtem Buch *Baron Münchhausen's Narrative of
his Marvellous Travels and Campaigns in Russia* (1786); erst in der 2. Auflage hatte Raspe
den aus dem *Vade Mecum für lustige Leute* (1781–1783) entnommenen, ins Engl. über-
setzten Geschichten als eigene Leistung die Seeabenteuer zugefügt. Bürgers Buch erschien, wie das Original, anonym.

Lügengeschichten, geknüpft an den Freiherrn Karl Friedrich Hieronymus von Münchhausen (1720–1797), »wie er dieselben bei der
Flasche im Zirkel seiner Freunde selbst zu erzählen pflegte«. Auf-
schneidereien, anknüpfend an lügnerisch übertreibende Reise-,
Kriegs-, Seefahrt- und Jagdgeschichten, Motive aus Swift und Lukian. B.s Leistung letztlich eine Art Rückübertragung ins Dt., durch
welche die Erzz. erst berühmt wurden. Neun zusätzliche Geschichten eigener Erfindung, die zu den besten gehören. Volkstümlicher
Stil in der Art mündlichen Erzählens. Titel an Christian Reuters
Schelmuffsky anklingend.

2. Aufl. (1788) fußte auf der 5. engl. Aufl. und brachte fünf neue eigene Erzz. B.s.

1787   Johann Jakob Wilhelm Heinse
(Biogr. S. 207):
Ardinghello und die glückseligen Inseln

R.
Der viele körperliche und geistige Vorzüge in sich vereinende Maler
Ardinghello gründet auf den griech. Inseln einen Idealstaat, in dem
er mit Geliebten und Freunden ein Leben in Schönheit und Freiheit,
unbeeindruckt vom Moralismus, führt. Nicht Bücher, sondern Natur und Erfahrung schaffen wahre Menschen. Ardinghellos Vorbild
sind die Griechen und ihre freie Menschlichkeit im Guten und
Schlechten. Erste Schilderung der ital. Renaissance als eines Zeitalters des ästhetischen Herrenmenschentums. Zahlreiche Beschreibungen von Kunstwerken der Renaissance.
Die maßvolle Sinnlichkeit nach dem Muster Wielands in H.s frühen
Rr. hier aufgegeben; antik-heidnische Sinnlichkeit, Rousseausche
Abkehr vom Zivilisatorischen.

1786–1832   Klassik

Die Dg. der Klassik im engeren Sinne, die Hochklassik, beginnt mit
Goethes ital. Reise 1786–1788, während der die neuen Ideale reiften.
Die zum Teil schon ausgearbeiteten Drr. *(Egmont, Iphigenie, Tasso)*
erfuhren Umarbeitung im klassischen Sinne. Die Natur- und Ge-

fühlsschwärmerei des Sturm und Drang wurde überwunden. Zur gleichen Zeit näherte sich Schiller der »Klassik«. Die klassische Dg.-Zeit endete strenggenommen nach wenigen Jahren, läßt sich jedoch in ihrer Nachwirkung lange verfolgen. Schon Zeitgenossen wie Jean Paul und Hölderlin, aber auch Goethe in späteren Jahren entziehen sich eng begrenzender Einordnung.

Das vom lat. classicus abgeleitete dt. Adjektiv klassisch bezeichnete zunächst entsprechend seiner römischen Herkunft – classicus = ein zur ersten Steuerklasse Gehöriger – etwas Bevorzugtes und wurde allmählich gleichbedeutend mit auch auf ideellem Gebiet Mustergültigem. Daneben trat in der Neuzeit die Bedeutung klassisch = antik oder antikisch, meist gleichzeitig mit »nicht zu übertreffen«, vorbildlich.

Gegenüber dem allmählich verwässerten Begriff ist klassisch nur der aus Kunst und Weltanschauung erwachsene Stil der Dichtkunst jener Jahrzehnte, die den Gipfel der seit der Renaissance wirkenden antikisierenden Kunstauffassung bedeutet.
Von der überragenden Dichterpersönlichkeit Goethes aus gesehen umgreift eine sog. Goethezeit zugleich Sturm und Drang und wesentliche Teile der Romantik. Soweit sie teil hat an den zwischen 1780 und 1830 geschaffenen entsprechenden philosophischen Systemen, steht die Zeit im Zeichen des dt. Idealismus. Gegenüber der Romantik ist sie besonders als Epoche einer auf geschlossene Form, »Vollendung«, gerichteten Kunst im Gegensatz zu der »Unendlichkeit« der romantischen Universalpoesie gewertet worden. Klassische Dg. erstrebte die Statik des in sich ruhenden guten und schönen Menschen. Da in einigen dichterischen Hauptwerken und außerdem von Männern wie Wilhelm von Humboldt die Humanität, die Ausbildung reinster Menschlichkeit im Dienst der gesamten Menschheit und einer harmonischen Übereinstimmung von Gemüt und Verstand verkündet wurde, spricht man von der klassischen Zeit und ihrer Dg. auch als einer Zeit und Dg. der Humanität.
Den politischen Hintergrund für die Zeit vor und kurz nach der Jh.-Wende geben die Frz. Revolution und ihre Wirkung auf das übrige Europa, dann der Aufstieg und die Persönlichkeit Napoleons ab. Zugleich ging die Macht Preußens zurück. Die Geisteshaltung der Zeit war nicht so sehr von politischen wie von philosophischen Gedankengängen bestimmt. Der Kulturbegriff stand über dem Staatsbegriff. Die Frz. Revolution rief in Dld. keine ähnliche Bewegung hervor.
Die Klassik postulierte neue Ideale. Der Mensch sieht als richtunggebend das Gute, Wahre, Schöne und glaubt an freie Selbstbestimmung und Selbstvollendung. Er erkennt die großen Mächte der Sittlichkeit, der Kultur an. Seine philosophische Haltung enthebt ihn der kirchlichen Dogmen, ohne daß er zu ihnen in einen ausgesprochenen Gegensatz tritt. Die Natur erschien als ein großartig geordnetes Reich ohne Willkür und Gewalt. Alles Lebendige beseelte der

Mensch von sich aus, und er erlebte das Weltganze im Gefühl einer Einheit, in der alle Disharmonien untergehen. An Stelle des Rousseauschen Aufstandes gegen die Kultur trat eine neue Kulturverklärung. Mit der Gesellschaft und ihrer Satzung söhnte sich der klassische Mensch aus. Das Empörerindividuum des Sturm und Drang unterwarf sich dem höheren Gesetze der Natur, suchte einen Typus, die Norm. Hatte der Sturm und Drang ein wesentlich amoralisches Lebensideal, so bekannte sich die Klassik zum Humanitätsideal und einem sittlichen Idealismus. Dieser Idealismus der Klassik ist – nach Hermann August Korff – gespalten in den Naturidealismus Goethes und des späteren Herder und den Vernunftidealismus Schillers und Kants. Allen Glauben und alle Sehnsucht legte die Klassik in den Begriff der reinen Menschlichkeit.

Die philosophische Grundlegung des Idealismus stammt von Immanuel Kant (1724–1804). Er entwickelte sein System zunächst aus der *Kritik der reinen Vernunft* (1781, erweiterte Fassung 1787), einer Prüfung der menschlichen Erkenntnisfähigkeit, der »Kopernikanischen Wendung der abendländischen Philosophie«. In der *Kritik der praktischen Vernunft* (1788) untersuchte K. den Vorgang des sittlichen Handelns, dessen Sittlichkeit nicht auf der Befolgung bestimmter Gebote beruhen kann, sondern allein in der Form des handelnden Willens, der reiner, unbedingter Wille sein muß. »Es ist überall nichts in der Welt, ja überhaupt auch außerhalb derselben zu denken möglich, was ohne Einschränkung für gut könnte gehalten werden, als allein ein guter Wille.« Das Sittengesetz ist das allgemeine Gesetz für den Menschen als Vernunftwesen. Es lautet in der Form des kategorischen Imperativs: »Handle so, daß du die Menschheit sowohl in deiner Person als in der Person eines jeden andern jederzeit zugleich als Zweck, niemals bloß als Mittel brauchst.« Dieser sittliche Wille ist begleitet von den »praktischen Postulaten« Gott, Freiheit, Unsterblichkeit. Die *Kritik der Urteilskraft* (1790) enthält auch die Darstellung des ästhetischen Schaffens und des ästhetischen Aufnehmens. Der Gegenstand der Ästhetik biete sich dar in den beiden Formen des Schönen und des Erhabenen. Das Schöne ist Gegenstand eines uninteressierten Wohlgefallens, das Erhabene, in Vergleich mit welchem alles andere klein ist, erweckt in uns die Idee des Unendlichen. Das Genie empfängt keine allgemeinen Gesetze von der Natur, sondern in ihm gibt sich die Natur besondere Gesetze. Schöne Kunst ist die Kunst des Genies. Seine Produkte sind exemplarisch. Nur von ihnen kann die Kunst ihre Regeln ableiten. Die wahre Propädeutik der schönen Kunst besteht in der Humanität als allgemeinem Teilnehmungsgefühl und dem Vermögen, sich innigst und allgemein mitzuteilen. Ewige Muster dieser Kunst sind die Griechen.

Das seit 1792 betriebene Studium Kants brachte die Wendung in Schillers Entwicklung. Schiller kam von Ferguson (1723–1816), Leibniz (1646–1716) und Shaftesbury (1671–1713) her, der bereits die Natur als ein vom göttlichen Geist durchseeltes, teleologisch durchwirktes Ganzes begriff. Von Leibniz und Shaftesbury übernahm Schiller den für die Welt- und Kunstanschauung der Klassik wichtigen Begriff der Harmonie. Über den kantischen Gegensatz von Sittlichkeit und Vernunft, der ihm alle Grazien zurückzuschrecken schien, erhob Schiller das Ideal ihrer Versöhnung in der ästhetischen Harmonie. Schönheit und Anmut müssen zu der moralischen Handlung sich gesellen. In der »schönen Seele« treten der physische und der moralische Zustand des Menschen in ein freies Spiel miteinander. Die »schöne Seele« ist von Natur harmonisch. Stimmen Pflicht und Neigung aber nicht überein, so tritt in der Überwindung der Neigung die Würde des Menschen, seine Erhabenheit, hervor. Der Gegensatz von harmonischer Entfaltung aller Kräfte im Menschen und der Erhabenheit in Fassung und in Handlung löst sich durch eine entwicklungsgesch. Betrachtung: Die Harmonie ist einmal in der Natur verwirklicht gewesen. Die Kultur erst hat sie gespalten, um sie zu einer neuen Harmonie in einer Kultur zu führen, die wieder Natur ist. Der Verwirklichung dieses Kulturideals dient die ästhetische Erziehung (*Anmut und Würde*, 1793; *Briefe über die ästhetische Erziehung des Menschen*, 1795; *Vom Erhabenen*, 1793).

Mit Abstand kann hier auch Friedrich Maximilian Klinger genannt werden, der sich um 1780 von den Idealen des Sturm und Drang ab- und denen des mittleren 18. Jh. zuwandte. Er setzte sich zunächst in einer Anzahl von Drr., dann in einer zehnbändigen R.-Reihe mit Rousseau und mit Kant auseinander und bezog eine Schiller ähnliche Position von ethischem Rigorismus, der sittliches Handeln über alle Zweifel an einer fragwürdigen Welt triumphieren läßt. Er gelangte – bei bedeutend geringerer dichterischer Begabung – selbständig zu Anschauungen, die denen der Weimarer Klassik verwandt sind.

Johann Joachim Winckelmann (1717–1768) hatte in seiner Dresdner Erstlingsschrift *Gedanken über die Nachahmung der griech. Werke in der Malerei und Bildhauerkunst (1755)*, die gegen die Maßlosigkeit des Schwulstes gerichtet war, den Stil der griech. Kunst mit dem für das Schönheitsideal der Klassik programmatisch gewordenen, eigentlich von Adam Friedrich Oeser (1717–1799) stammenden Wort von der »edlen Einfalt und stillen Größe« bezeichnet. Mit der Interpretation des Begriffs Nachahmung als einem Nachstreben und Nacheifern, das jedoch angeborene Begabung zur Voraussetzung habe, rückte Karl Philipp Moritz (1756–1793; *Über die bildende Nachahmung des Schönen*, 1788) die Vorstellung vom Künstler nicht nur weit von der aufklärerischen weg, sondern gelangte sogar über das »Genie« des Sturm und Drang hinaus, so wie er auch das Wesen des Kunstwerks bereits im Sinne der klassischen Ästhetik auf seine Schönheit und Vollkommenheit und nicht mehr auf seine Nützlichkeit gegründet wissen wollte.

Wilhelm von Humboldt (1767–1835), gleich hervorragend als Ästhetiker und Sprachforscher, geistiger Begründer der Berliner Universität, verkündete besonders das Humanitätsideal der Klassik, forderte auf zu menschlicher Selbstvollendung durch harmonische Bildung. Vorbild und Beweis sei die Antike, vor allem die griech., apollinische. Kennzeichnend für H. ist der durch Humanität geläuterte Individualismus. Der Wert eines Menschen beruht bei ihm auf dem besonderen Beitrag, den er zur Bereicherung und Vertiefung der Kultur geliefert hat. Ein Individuum werde um so größer, je mehr es vermag, das Individuelle in sich zum Allgemeingültigen, Gesetzlichen zu entfalten. Ziel einer höheren Bildung sei das im Griechentum verwirklicht geglaubte Menschheitsideal einer allgemeinen menschlichen Geistesbildung.

Das Kunstideal der Klassik war Bändigung, Formung, Normung. Schiller formulierte Schönheit als Freiheit in der Erscheinung. Das Wesen der Schönheit sei Harmonie zwischen sinnlichem Trieb und dem Gesetz der Vernunft. Im Erhabenen sind wir Bürger einer höheren Welt, mit der der Mensch durch den »reinen Dämon« in sich zusammenhängt. Während die »naive« Dg., der realistische Dichter, sich noch im Zusammenhang mit der Natur fühlt, ringt die »sentimentalische« Dg. um die verlorengegangene Einheit (*Über naive und sentimentalische Dichtung*, 1795–1796). Neben dem Schönen und dem Erhabenen wies Jean Paul dem Humor die ihm gebührende Stelle in der Poesie an, der bei ihm aus Weltüberlegenheit und Weltliebe besteht (*Vorschule der Ästhetik*, 1804). Kunstgegenstand ist nach klassischer Auffassung nicht die Lebendigkeit, sondern die Gesetzlichkeit des Lebens, nicht die Wirklichkeit, sondern die Wahrheit. Nach Goethe müsse der Dichter auch in der individuellen Gestalt den Typus erkennen lassen und dem Typus durch die individuelle Gestalt Leben verleihen.

Das Drama der Hochklassik gestaltete Stoffe von grundsätzlicher Bedeutung. Goethe klärte im *Tasso* die Frage von Genie und Gesellschaft und feierte den Humanitätsglauben in *Iphigenie*. Schillers klassische Trr. sind eine philosophische Art der Dg. am Stoff der Gesch. In ihr suchte er das gigantische Schicksal, das nicht bedeutend für den realen Verlauf der Gesch. zu sein brauchte, aber etwas zur Erkenntnis des Lebens beitragen mußte. Hauptprobleme waren ihm menschliche Freiheit, Charakter und Schicksal, Schuld und Läuterung. In der Abhandlung *Über den Grund des Vergnügens an tragischen Gegenständen* (1792) wird die tragische Läuterung in dem Sieg des Moralisch-Zweckmäßigen über das Moralisch-Unzweckmäßige oder der höheren über die niedere moralische Zweckmäßigkeit gesehen. Die zweckwidrige Opferung des Lebens werde zweckmäßig, wenn sie in moralischer Absicht geschehe, denn das Leben sei nur wichtig als Mittel zur Sittlichkeit. In der Prüfung des Todes entfalte der

Mensch die Kraft zur Gegenwirkung gegen das Schicksal. Dies sei das Vermögen höchster Freiheit, unsere herrlichste Anlage, das Göttliche in uns. In Hölderlins *Empedokles* entsteht tragisches Leid durch Götterferne und wird Götternähe als Fest gefeiert.

Die Sprache des klassischen Dr., gebunden an den Vers (vorherrschend Jambus), sucht allgemeingültige Formulierungen, dient der Analyse, wird Sentenz. Der Wille zur Form arbeitete die dramaturgischen Grundlinien deutlich heraus, sparte mit Personen, Szene, realistischem Detail. Elemente und Verfahrensweise der antiken Tr. (Chor, analytische Methode) wurden erneuert.

Nach dem Seelen-R. des Sturm und Drang, der Auseinandersetzung mit Sturm-und-Drang-Idealen, manchem Vorstoß zur Überwindung einer tragischen Weltauffassung drängte der klassische Roman nach einer »zusammenfassenden Neugestaltung des Lebens aus dem Geiste des dt. Idealismus. Der Bildungs-R. wurde damit symbolischer Ausdruck der Zeit« (Hans Heinrich Borcherdt). Dem Bildungs-R., der mit *Wilhelm Meisters Lehrjahre*, *Hyperion*, *Titan*, *Heinrich von Ofterdingen* eine für das klassische und romantische Lager repräsentative Leistung ist, kam eine neue biologische Betrachtungsweise zugute: die Lehre vom Organismus, Grundlage des hochklassischen Bildungsideals. Da der R. zu sehr in der Realität verwurzelt sei und der monumentalen Ausprägung des klassischen Urbildes nicht fähig, wurde in ihm nicht die höchste Ausdrucksform gesehen. Schiller betrachtete ihn als »Halbbruder der Poesie«, Goethe als eine »unreine Form«. Für den Prosa-R., der in der Antike keine Entsprechung hat und als Gattung für die an klassischen Kunstidealen orientierte Auffassung nicht sanktioniert ist, holte man die Richtlinien beim Versepos (vgl. Schiller/Goethe *Über epische und dramatische Dg.*). Neben *Wilhelm Meisters Lehrjahre* standen um 1795 noch der aufklärerische R. (Wieland, von Thümmel), der von Lafontaine gelieferte weinerliche Familien-R. mit leisen sozialen Nebentönen und schon Werke von Jean Paul oder Tieck mit Varianten der Schwärmerischen, Zerrissenen im Sturm und Drang. Mit Hölderlins *Hyperion* wurde bereits der Untergang der Humanität beklagt und das Leiden an der Menschheit dargestellt, und mit Jean Pauls *Wuz* und *Siebenkäs* begann der romantische Humor. Mit den hochklassischen *Wahlverwandtschaften* erkannte Goethe geheimnisvolle Naturgesetze an, die auch den kompositionellen Aufbau bestimmen, und griff damit der Romantik vor.

Als eine Theorie der Lyrik in der klassischen Epoche kann Schillers Rezension der *Gedichte* Bürgers (1791) gelten, die innere Distanz zur jeweils movierenden Seelenlage, Idealisierung und Klärung des Individuellen zum Allgemeingültigen forderte. Sie wollte das Gedicht den intellektuellen und sittlichen Forderungen, die ein »philosophierendes Zeitalter« stelle, angepaßt wissen.

Goethes Lyrik kam zu Klärung, Vertiefung, Beruhigung, geläutertem Stil. Ihre Themen sind die Ordnung der menschlichen Gesellschaft, die Verantwortlichkeit des Ich, die gesetzliche Fügung der Welt. Durch Italien des Sinnlichen sicher, wird der Leib als Kunstwerk gesehen, die reine Einheit des Menschlichen gepriesen; aus naturwissenschaftlicher Erkenntnis erwuchs die *Metamorphose der Pflanzen*. Der lyrische Stil des klassischen Goethe ist gegenständlich-episierend, der des alten Goethe reflektierend-sprechend, geistreichspielend (Emil Ermatinger). Bei Schiller wirkt nicht so sehr das Leben wie das Erkennen der Welt. Seine »Lyrik des Gedankens« durchtränkte das alte »Lehrgedicht« mit eigener Philosophie, und auch in den Balladen, in denen Schiller allgemeine moralische Gedanken an anekdotischen Stoffen darstellte, zeigte sich der Gegensatz zu Goethe, der lange im Innern gehegte Stoffgebilde durch eigene Ideen beseelte (Emil Ermatinger). Mit Hölderlin wurde der Gegenstand der Lyrik fast ausschließlich das Erhabene, das verlorene und das wieder ersehnte Göttliche. Der Stil ist monologisch, orphisch.

Metren waren zunächst freie, doch gebändigte Rhythmen, dann diejenigen von Strophen antiker, romanischer (Stanze, Sonett), morgenländischer Verskunst. Bei Hölderlin enden sie erneut in sog. freien, aber griech. gefühlten Rhythmen mit griech. harter Fügung der Wörter.

Den gelehrten Dichter des 17. und frühen 18. Jh. lösten hauptberuflich schreibende Männer und Frauen ab. Der mit Bildung lebende Adel und das mittels Bildung lebende Bürgertum verfügten über mindestens talentierte Kräfte. Das Angebot der Leipziger Buchmesse an Unterhaltung wuchs. Lesegesellschaften, Integrationszentren des lit. und sozialen Lebens, begünstigten die Verbreitung.

Die beliebte Gattung des Ritter- und Räuber-R., die Elemente aus Goethes *Götz* und Schillers *Räuber* trivialisierte, vertraten Karl Gottlob Cramer (1758–1817) sowie, am erfolgreichsten, Goethes Schwager Christian August Vulpius (1762–1827), Autor des *Rinaldo Rinaldini* (1798). In *Abällino, der große Bandit* (1794) u. a. führte Heinrich Daniel Zschokke (1771–1848) als modische Zutat die geheimen Gesellschaften ein. Inzwischen gab es durch *Das Petermännchen* (1791–1792) von Christan Heinrich Spieß (1755–1799) den Geister-R. Wegen ihres 1796 in den *Horen* veröffentlichten R. *Agnes von Lilien* bleibt Karoline von Wolzogen geb. von Lengefeld (1763–1847) mitschuldig am Bruch zwischen ihrem Schwager Schiller und Friedrich sowie August Wilhelm Schlegel.

Johann Gottfried Seume (1763–1810), nach eigner Erkenntnis »zur Verwaisung geboren«, Verf. des vorbildlosen Briefprotokolls *Der Spaziergang nach Syrakus im Jahre 1802* (1803) und des Gedichts von dem Kanadier und »Europens übertünchter Höflichkeit«, war mit seiner Ideologie und dem sozialen Engagement der damaligen Schreibart weit voraus.

Eine ähnlich üppige Produktion herrschte auf dem Gebiet des Theaterstückes. Der mit der Nationaltheateridee verbundene, durch die »Reinigung« der Schaubühne seit Gottsched über Lessing, Konrad Ekhof, Friedrich Ludwig Schröder führende Aufschwung des Theaters gipfelte in Goethes Leitung des Weimarer Theaters (1791–1817). Aber das Repertoire auch dieser an der Schaffung eines klassischen Schauspielstils arbeitenden Bühne bestand nur zum kleinen Teil aus den Drr. Goethes und Schillers und der großen Ausländer.

Klassizistisch waren *Regulus* (Auff. 1801) und andere Römerdrr. des Wieners Heinrich Joseph von Collin (1771–1811). Bürgerliche Themen bevorzugten August Wilhelm Iffland (1759–1814, Schauspieler, besonders bedeutend in Rollen Shakespeares und Schillers – der erste Franz Moor –, zuletzt Direktor des Berliner Schauspielhauses) mit vielgespielten Rührstücken und Lspp. (*Verbrechen aus Ehrsucht*, 1784; *Die Jäger*, 1785; *Die Hagestolzen*, 1793; *Der Spieler*, 1799) und der sehr fruchtbare August Friedrich von Kotzebue (1761–1819; *Menschenhaß und Reue*, 1789; *Die dt. Kleinstädter*, 1803), der sich auch im Schillerschen Stil versuchte (*Gustav Wasa*, 1801).

Örtlicher Mittelpunkt der Klassik wurde Weimar. Das »Mittelding zwischen Dorf und Stadt« (Herder) hatte damals wenig mehr als 6000 Einwohner. Herzogin Anna Amalia (1739–1807) zog Wieland als Prinzenerzieher (1772) und Herder als Generalsuperintendent (auf Goethes Rat 1776), ihr Sohn Karl August (1757–1828) vor allem Goethe an den Hof (1775). In enger Beziehung zu Weimar standen Gelehrte und die dem Verlagswesen angehörenden lit. Interessierten der zum Herzogtum W. gehörigen Universitätsstadt Jena. 1799 siedelte Schiller von Jena nach Weimar über.

Zu dem »Weimarischen Musenhof« gehörten in der Frühzeit außer der Herzogin Anna Amalia und ihrem Sohn Charlotte von Stein (1742–1827), die Frau des weimarischen Stallmeisters, die Hofdame Luise von Göchhausen (1752–1807), Wieland, Herder, Johann Karl Musäus (1735–1787), Herausgeber der *Volksmärchen der Deutschen* (1782 ff.), Karl Ludwig von Knebel (1744–1834), Erzieher des Prinzen Konstantin, Übersetzer antiker Dgg., Friedrich Justin Bertuch (1747–1822), Herzoglicher Rat, Drucker und Verleger der *Jenaischen Allgemeinen Lit.-Ztg*. In späteren Jahren gehörten zum Goetheschen Kreis in W.: Friedrich von Müller (1779–1849), seit 1815 weimarischer Kanzler (vgl. *Goethes Unterhaltungen mit Kanzler von Müller*, 1870); Johann Heinrich Meyer (1760–1832), Maler, Kunstgelehrter, Goethes Berater in Fragen der bildenden Kunst; Friedrich Wilhelm Riemer (1774–1845), Philologe, 1803–1812 Hauslehrer von G.s Sohn August und G.s Sekretär; Johann Peter Eckermann (1792 bis 1854), auf Grund einer Schrift *Beiträge zur Poesie mit besonderer Hinweisung auf Goethe* (1822) seit 1823 G.s Sekretär, Herausgeber der *Vollständigen Ausgabe letzter Hand* (1827 ff.) und der *Gespräche mit G. in den letzten Jahren seines Lebens* (1837–1848). Berühmte Orte des Zusammentreffens waren die Schlösser Ettersburg und Belvedere sowie Tiefurt (vgl. Goethes Gedicht *Die Lustigen von Weimar*).

Der Weimarische Musenhof veranstaltete Liebhaberaufführungen, bei denen die an den Weimarer Hof gezogene Darstellerin Korona Schröter (1751–1802) mitwirkte, und unterhielt ein handschriftlich verbreitetes Wochenblatt (teilweise Monatsblatt), das *Journal von Tiefurt*, dessen Abonnenten mit »beschriebenem Papier als Beiträge« bezahlen konnten.

1791 Gründung des Hoftheaters, dessen »Oberdirektion« G. übernahm und bis 1817 innehatte. Berühmte Schauspieler: Pius Alexander Wolff (1782–1828), Johann Jakob Graff (1769–1848), Darsteller Schillerscher Helden, Anton Genast (1765–1839), Regisseur und Komiker, Karl Ludwig Oels (1780–1833), Darsteller von Orest, Egmont,

Max Piccolomini, Christiane Becker-Neumann (1778–1797, vgl. Goethes Elegie *Euphrosyne*), Karoline Jagemann (1777–1848), Geliebte des Herzogs, gefeierte Heroine, Amalie Wolff (1783–1851).

Die wichtigsten Zss. der Klassik:

Rheinische Thalia, 1785 Mannheim, hgg. Schiller, ein Heft. Dann *Thalia*, Leipzig, erstes Heft, Wiederholung der *Rheinischen Thalia*. Seit 1792 *Neue Thalia*, bis 1793.

Allgemeine Lit.-Ztg. (1785–1804), Jena, gegründet von Wieland und Friedrich Justin Bertuch, hgg. Christian Gottfried Schütz und Gottlieb Hufeland. Mitarbeiter: Goethe, Schiller, Kant, Humboldt, August Wilhelm und Karoline Schlegel, Schelling u. a. Rezensionen lit. Neuerscheinungen. 1804 nach Halle verlegt, auf G.s Anregung 1804 Gründung der *Jenaischen Allgemeinen Lit.-Ztg.*, Red. Prof. Eichstädt.

Journal des Luxus und der Moden (1786–1827), Weimar, hgg. Friedrich Justin Bertuch und Georg Melchior Kraus. Ab 1815 als *Journal für Lit.*, *Kunst, Luxus, Mode*, ab 1828 als *Journal für Lit.*, *Kunst und geselliges Leben*.

Die Horen (1795–1797), Tübingen, hgg. Schiller. Mitarbeiter: Goethe, Wilhelm von Humboldt, Fichte, August Wilhelm Schlegel, Herder, Körner, Voß.

Die Propyläen (1798–1800), Tübingen, hgg. Goethe und Johann Heinrich Meyer. Hauptsächlich über bildende Kunst, Zeugnis für G.s Vorliebe für antike und klassizistische Kunst. Auch Lit.

Über Kunst und Altertum (1816–1832), Stuttgart, hgg. Goethe und Johann Heinrich Meyer. Hauptsächlich über bildende Kunst, Streben nach Versöhnung von antiker und moderner Kunstanschauung. Die letzten Hefte vorwiegend über Lit.

Wichtigste Autoren der Klassik:

Goethe, Johann Wolfgang von (vgl. Chronologie von Goethes Leben).

Hölderlin, Friedrich, geb. 1770 zu Lauffen/Württ. Früh Halbwaise, besuchte die Lateinschule zu Nürtingen, zu Denkendorf, das theol. Seminar zu Maulbronn, seit 1788 Stipendiat des sog. Tübinger Stifts, zusammen mit Hegel und Schelling; nachhaltige Wirkung der Frz. Revolution. 1793 durch Schiller Hauslehrer bei Freiherr von Kalb in Waltershausen. 1794–1795 stud. phil. in Jena bei Fichte. 1796–1798 Hauslehrer bei Bankier Gontard in Frankfurt/Main, Liebe zu dessen Frau Susette, »Diotima«. 1798–1800 bei seinem Studienfreund, Regierungsrat Isaak von Sinclair, in Homburg; Kontakt mit Reformpolitikern der württembergischen »Landschaft«. 1801 Hauslehrer bei St. Gallen. 1802 in Bordeaux, verfiel auf der Rückreise in Geistesstörung, 1802–1804 in Nürtingen bei der Mutter. 1804 durch Sinclair Scheinanstellung als Bibliothekar in Homburg. 1806–1807 in der Heilanstalt Tübingen, dann bis zu seinem Tod 1843 bei dem Tischler Zimmer in Tübingen.

Jean Paul, eigentlich Jean Paul Friedrich Richter, geb. 1763 in Wunsiedel als Sohn eines Lehrers. Gymnasium in Hof, 1781–1783 stud. theol. in Leipzig. 1784–1786 bei seiner inzwischen verwitweten Mutter in Hof, 1786–1789 Hauslehrer. Gründete 1790 zu Schwarzenbach eine Elementarschule, die er bis 1794 leitete. Bis zum Tode seiner Mutter 1797 bei ihr in Hof. Zog nach Leipzig, darauf nach Wei-

mar, Hildburghausen, 1800 nach Berlin, 1801 nach Meiningen, 1803 nach Coburg, 1804 nach Bayreuth. Gest. 1825 in Bayreuth.
Schiller, Friedrich von (vgl. Chronologie von Schillers Leben).

Chronologie von Goethes Leben

28. 8. 1749

Johann Wolfgang Goethe in Frankfurt/Main geboren. Vater: Johann Kaspar, Kaiserlicher Rat ohne Amtsausübung. Mutter: Katharina Elisabeth geb. Textor, Tochter des Stadtschultheißen. Fast nur Privatunterricht, z. T. durch den Vater. Umgang mit Frankfurter Malern. Puppenspiel und frz. Theater. Phantasie durch die Märchen der Mutter angeregt. In *Dichtung und Wahrheit* als stärkste Jugendeindrücke angegeben: Erdbeben in Lissabon, Kaiserkrönung, erste Liebe zu einem schlichten Bürgermädchen »Gretchen«. Dichterische Anregungen durch *Bibel*, Robinsonaden, Volksbücher, Klopstock. Unpersönliche frühe Gedichte.

1765/68

Student der Rechte in Leipzig. Einfluß der Rokoko-Lit. Anregung durch den reflektierenden Zyniker Behrisch. Zeichenunterricht bei Oeser; Winckelmann-Verehrung. Liebe zu Annette Käthchen Schönkopf; *Das Buch Annette* (1895 in Behrischs Abschrift aufgefunden, Druck 1896); Schäfersp. *Die Laune des Verliebten* (Druck 1806); *Oden an meinen Freund* (Behrisch); *Neue Lieder* (Druck 1770). Schwere Erkrankung.

1768/70

Frankfurt/Main. Durch Susanna von Klettenberg Beschäftigung mit Pietismus, Mystik. Lsp. *Die Mitschuldigen* (Druck 1787).

1770/71

Straßburg. Abschluß des Studiums durch Lizentiat. Durch Herder auf Shakespeare, *Ossian*, Volkspoesie hingewiesen. Besuch im Pfarrhaus zu Sesenheim: Friederike Brion. Erste Erlebnislyrik: Friederikenlieder. Pläne zu *Götz* und *Faust*.

1771/75

Frankfurter Geniezeit. Verkehr mit dem Kaufmann und Schriftsteller Johann Heinrich Merck aus Darmstadt. Durch ihn in den Darmstädter Zirkel der Empfindsamen mit Karoline Flachsland, Herders Braut, eingeführt.

1771

Zum Schäkspears Tag, Rede, Nachwirkung des Straßburger Shakespeare-Erlebnisses. *Urgötz*.

1772

Sturm-und-Drang-Lyrik: *Wanderers Sturmlied*. Reichskammergericht in Wetzlar; Liebe zu Charlotte Buff. Unter dem Einfluß der Darmstädter Empfindsamkeit die Gedichte: *Pilgers Morgenlied, Elysium, Felsweihgesang. – Von deutscher Baukunst*.

1773

Umarbg. *Götz von Berlichingen mit der eisernen Hand*. Verkehr mit Maximiliane von Brentano geb. Laroche. Häufiges Zusammensein mit Dichtern des Sturm und Drang; satirische Spp.: *Jahrmarktsfest zu Plundersweilern* (Druck 1774) – *Satyros oder der vergötterte Waldteufel* (Druck 1817 in *Werke* Bd. 9) – *Götter, Helden und Wieland* (Druck 1774) – *Fastnachtsp. vom Pater Brey* (Druck 1774) – *Prolog zu den neuesten Offenbarungen Gottes* (Druck 1774).

1773/75

Dramen-Fragmente: *Urfaust, Prometheus, Mahomet*.

1774

Die Leiden des jungen Werthers – Clavigo. Beginn der Arbeit an dem Epos *Der ewige Jude* (Fragment geblieben, Fortss. 1786 und 1788). Sturm-und-Drang-Lyrik: *Ganymed – Adler und Taube – An Schwager Kronos*. Balladen: *Der König in Thule – Der untreue Knabe*. Rheinreise mit Johann Kaspar Lavater und Johann Bernhard Basedow; Gedicht: *Diner zu Koblenz*. Bekanntschaft mit dem weimarischen Erbprinzen Karl August.

1775

Singspiele *Erwin und Elmire* (Druck 1775) und *Claudine von Villa Bella* (Druck 1776) beendet; *Stella*. Um Ostern Verlobung mit Lili Schönemann; Lili-Lieder. Mai-Juli Schweizer Reise mit den Brüdern Stolberg, Besuch bei Lavater in Zürich; Gedicht *Auf dem See*. Beginn der Arbeit an *Egmont*. Im September Lösung der Verlobung und Einladung des Herzogs Karl August nach Weimar. 7. 11. Ankunft in Weimar. Freundschaft mit dem Herzog; Aufnahme in den »Weimarischen Musenhof«. Während des ersten Weimarer Jahrzehnts fast ausschließlich staatspolitische Tätigkeit, Selbsterziehung. Übergang vom Naturerlebnis zur Naturforschung; botanische und geologische Studien.

1776

Ab März Führung eines Tagebuches. Als Geheimer Legationsrat Mitglied der obersten Regierungsbehörde. Durch G. Herder als Oberhofprediger nach Weimar. Gedicht: *Seefahrt*. Beginn der Arbeit an *Wilhelm Meister*.

1776/85

Dram. Produktion für das Liebhabertheater: *Die Geschwister* (1776, Druck 1787), *Lila* (1776, Druck 1777, 2. Fassung 1778), *Der Triumph der Empfindsamkeit* mit dem Monodr. *Proserpina* für die Schauspielerin Korona Schröter (1776–1777, 2. Fassung 1786; Druck 1787), *Jery und Bätely* (1779, Druck 1780), *Die Fischerin* (1782), *Scherz, List und Rache* (1784–1785, Druck 1790).

1776/88

Freundschaft mit Charlotte von Stein. Erziehung zu Maß, Form und Entsagung. Briefe und Gedichte an sie.

1777

Besteigung des Brocken; Gedicht: *Harzreise im Winter*.

1778

Einziger Besuch in Berlin.

1779

Ernennung zum »Geheimen Rat« (Minister). Zweite Reise in die Schweiz, mit dem Herzog; Wiedersehen mit Friederike und Lili. *Briefe aus der Schweiz – Gesang der Geister über den Wassern*. Direktion der weimarischen Kriegs- und Wegebaukommission.

1779/86

Arbeit an *Iphigenie*.

1780

Beginn der Arbeit am *Tasso*. Gedicht: *Meine Göttin*.

1781

Grenzen der Menschheit. Beginn der Arbeit an *Elpenor* (Fragment, Druck 1806).

1782

Ernennung zum Kammerpräsidenten (Finanzminister); Erhebung in den erblichen Adelsstand. Einzug in das Haus am Frauenplan. Ballade *Der Erlkönig*.

1782/85

Entstehung der Lieder Mignons und des Harfners im *Wilhelm Meister*.

1783

Das Göttliche. Klassische Ideenballade: *Der Sänger*. Rückblick: *Ilmenau*.

1784

Abhandlung *Über den Granit*, Mischung von dichterischer Naturverherrlichung und Forschungsergebnis. Entdeckung des Zwischenkieferknochens. Beginn der klassischen Lyrik: *Zueignung*.

1784/85

Die Geheimnisse, Epos in Stanzen, Fragment geblieben.

1786/88

Erste ital. Reise. Abreise aus Karlsbad 3. September 1786, Rückkehr nach Weimar im Juni 1788.

1786/87

Ende Oktober bis Februar Aufenthalt in Rom. Intensive Beschäftigung mit antiker Kunst. Verkehr mit den Malern Wilhelm Tischbein und Angelika Kauffmann, dem Schriftsteller Karl Philipp Moritz, dem Schweizer Maler und Archäologen Johann Heinrich Meyer. Umarbeitung der *Iphigenie* in fünffüßige Jamben.

1787

Reise nach Neapel und Sizilien. Gesteins- und Pflanzenstudien. Plan zum Dr. *Odysseus auf Phäa* (als Bruchstück unter dem Titel *Nausikaa* überliefert).

1787/88

Wieder in Rom. *Egmont* beendet, Arbeit an *Faust, Tasso, Wilhelm Meister*.

1788

Rückkehr nach Weimar: ». . . ich vermißte jede Teilnahme, niemand verstand meine Sprache.« Oberaufsicht über die Anstalten für Kunst und Wissenschaft, von den anderen amtlichen Pflichten entlastet. Verbindung mit Christiane Vulpius; Niederschlag des Erlebnisses in *Römische Elegien, Das Wiedersehen* (1789), *Amynthas* (1797), *Gefunden* (1813). Bruch mit Frau von Stein. 7. 9. erstes Zusammentreffen mit Schiller in Rudolstadt, ohne Nachwirkung.

1788/1806

Morphologische und optische Studien.

1789

Tasso beendet. Geburt des Sohnes August.

1789/97

Dichterischer Niederschlag der Frz. Revolution in den Drr.: *Der Groß-Cophta* (entst. 1787–1791), *Der Bürgergeneral* (1793), *Die Aufgeregten* (Fragment, 1793), *Das Mädchen von Oberkirch* (Fragment, 1795) und dem Epos *Hermann und Dorothea* (1796–1797).

1790

Zweite ital. Reise; *Venezianische Epigramme*. Besuch bei Schiller in Jena, keine Annäherung. *Über die Metamorphose der Pflanzen. Faust, ein Fragment*, erschienen.

1791/1817

Leitung des Weimarer Hoftheaters, 1796–1805 in Zusammenarbeit mit Schiller. Mit der Auff. des *Wallenstein* (1798) Beginn der klassischen Epoche des Weimarer Theaters.

1792/93

Als Begleiter des Herzogs Teilnahme am Feldzug in Frankreich und an der Belagerung von Mainz; *Die Campagne in Frankreich – Die Belagerung von Mainz – Reineke Fuchs*.

1794

✻ Beginn des Bündnisses mit Schiller. Im Juli Begegnung und Aussprache nach einer Sitzung der Naturforschenden Gesellschaft in Jena. Schiller eröffnet den positiven Gedankenaustausch: sein Brief vom 23. 8. zieht die Summe der Goetheschen Existenz und stellt die eigene Art der Goethes gegenüber. Aktivierung der künstlerischen Kräfte G.s durch Schiller. Erörterungen von Wesen und Gesetzen der Kunst. Briefwechsel. Kulturelles Reformprogramm. – Umarbeitung des *Wilhelm Meister*.

1795/96

Wilhelm Meisters Lehrjahre beendet und herausgegeben.

1796

Beginn der Arbeit an *Hermann und Dorothea*.

1797

G.s und Schillers *Xenien* in Schillers *Musenalmanach*. Dritte Schweizer Reise: *Die Schweizer Reise im Jahre 1797* (ersch. 1833). Wiederaufnahme der Arbeit an *Faust*, Schema des gesamten Werkes; erste Beschäftigung mit *Faust, 2. Teil*.

1798

Balladenalmanach.

1798/1800

Herausgabe der *Propyläen*, zus. mit dem Kunstschriftsteller Johann Heinrich Meyer.

1799

Achilleis (nur ein Gesang erhalten). *Die natürliche Tochter* begonnen.

1804/05

Arbeit an der Abhandlung *Winckelmann und sein Jh.*

1804

Begründung der *Jenaischen Allgemeinen Lit.-Ztg.*

1805

Schillers Tod; *Epilog zu Schillers Glocke*. G.s Altersfreundschaften: der Berliner Komponist Karl Friedrich Zelter (1758–1832) und der Hallenser Altphilologe Prof. Friedrich August Wolf (1759–1824).

1806

Faust, 1. Teil beendet. Verheiratung mit Christiane Vulpius.

1806/08

Arbeit an dem Festsp. *Pandora.*

1807

Beginn der Arbeit an *Wilhelm Meisters Wanderjahren.* Liebe zu Minna Herzlieb; dichterische Auswirkung: *Sonette* (1807–1808), *Die Wahlverwandtschaften* (1807–1809).

1808

Erfurter Fürstentag; Zusammentreffen mit Napoleon. G.s Mutter gestorben.

1808/31

Arbeit an *Dichtung und Wahrheit.*

1813

Shakespeare und kein Ende.

1814/15

Reisen an den Rhein, Liebe zu Marianne von Willemer.

1814/19

Entstehung des *West-östlichen Divan.*

1815

Über das dt. Theater. Erscheinen der *Gesamtausg.* (bis 1819).

1816

Wiederaufnahme der Arbeit an *Faust II.* – Christiane gestorben. Herausgabe der Zs. *Über Kunst und Altertum* (bis 1832).

1822

Sichtung des lit. Nachlasses, Plan einer Ausg. letzter Hand.

1823

Eckermann bei G. – Werben um Ulrike von Levetzow in Karlsbad und Marienbad. »Marienbader« *Elegie.*

1824/31

Fertigstellung von *Faust II.*

1826

Arbeit an der *Novelle*. *Ausg. letzter Hand* (bis 1842).

1828

Herzog Karl August gestorben.

1829

Wilhelm Meisters Wanderjahre beendet und erschienen.

1830

G.s Sohn August gestorben.

1831

Dichtung und Wahrheit, 4. Teil beendet. *Faust II* beendet.

1832

22. März Goethes Tod.

Chronologie von Schillers Leben

10. 11. 1759

Johann Christoph Friedrich Schiller in Marbach/Neckar geboren. Vater: Johann Kaspar, Feldscher und Soldat, später Offizier, dann Intendant der herzoglichen Hofgärtnereien auf der Solitude. Mutter: Elisabeth Dorothea geb. Kodweiß.

1766

Übersiedlung nach Ludwigsburg, Residenz des Herzogs Karl Eugen. Theaterbesuche. Lateinschule. Wollte Pfarrer werden.

1772

Erste dram. Versuche; nicht erhalten.

1773

Eintritt in die Herzogliche Militär-Akademie (Karlsschule) und damit Verzicht auf Theologiestudium. Wählte Jurisprudenz, später Medizin. Lebhafte innere Auflehnung gegen den Geist der Schule. Freundschaftsbund mit gleichgesinnten Mitschülern. Lit. Einflüsse: Klopstock, Lessings *Emilia Galotti*, Sturm-und-Drang-Dramatiker.

1776/77

Erste Veröffentlichungen: Elegie *Der Abend*, Ode *Der Eroberer*. Studium Plutarchs und Rousseaus.

1777

Beginn der Arbeit an den *Räubern*; des Studiums wegen unterbrochen.

1779/80

Fertigstellung der *Räuber*.

1780

Abschluß der Akademie mit der Abhandlung *Versuch über den Zusammenhang der tierischen Natur des Menschen mit seiner geistigen*. Untergeordnete soziale Stellung als Regimentsmedikus; weitere Freiheitsbeschneidung.

1782

Anthologie auf das Jahr 1782. Herausgabe des *Württembergischen Repertoriums der Lit.* (1782–1783). 22. September Flucht aus Stuttgart wegen Beschränkung persönlicher und dichterischer Freiheit. Vergebliches Bemühen um Anstellung am Mannheimer Nationaltheater. Fertigstellung des in Stuttgart begonnenen *Fiesko*, Beginn der Arbeit an *Kabale und Liebe*.

1782/83

Aufenthalt in Bauerbach (bei Meiningen) bei Frau von Wolzogen. Freundschaft mit dem Bibliothekar Reinwald, Sch.s späterem Schwager. Fertigstellung von *Kabale und Liebe*. Arbeit an *Don Karlos*.

1783/84

Theaterdichter in Mannheim mit der Verpflichtung, jährlich drei Drr. zu liefern.

1784

Aufnahme in die Kurfürstlich Dt. Gesellschaft, das Zentrum des geistigen Lebens in der Pfalz; Antrittsrede: *Was kann eine gute stehende Schaubühne eigentlich wirken?* (späterer Titel: *Die Schaubühne als moralische Anstalt betrachtet*). Freundschaft mit der schwärmerischen und leidenschaftlichen Freifrau Charlotte von Kalb. Durch sie Bekanntschaft mit Herzog Karl August von Weimar; in dessen Gegenwart

Vorlesung des 1. Aktes von *Don Karlos* am Darmstädter Hof; Ernennung zum »Rat« in weimarischen Diensten.

1785

Im März erschien das erste Heft der *Rheinischen Thalia.* Im April Übersiedlung nach Leipzig und später nach Dresden. Beginn lebenslänglicher Freundschaft mit Christian Gottfried Körner; Hymnus *An die Freude.* Arbeit an *Don Karlos*: Geschichtsstudien, Beschäftigung mit sozialen und philosophischen Fragen.

1786

Der Leipziger Verleger Göschen übernimmt die *Rheinische Thalia* als *Thalia*; darin: *Philosophische Briefe* und *Der Verbrecher aus verlorener Ehre,* Erz.

1787

Bühnenbearbgg. des *Don Karlos* in Prosa und Jamben. Im Juli Reise nach Weimar in der vergeblichen Hoffnung auf Unterstützung durch den Herzog. Arbeit an dem R. *Der Geisterseher* (ersch. 1787–1789) und an *Abfall der Niederlande.* Mitarbeit an Wielands Zs. *Der Teutsche Merkur* (*Spiel des Schicksals,* Erz.) und der *Allgemeinen Lit.-Ztg.*

1787/92

Fast ausschließlich Geschichtsstudien und daraus erwachsende schriftstellerische Arbeiten.

1788

Mehrere Monate in Volkstädt bei Rudolstadt, Zusammensein mit Frau von Lengefeld und ihren beiden Töchtern. Beschäftigung mit der Antike, Übss. von Euripides' *Iphigenie in Aulis* (Druck 1789) und *Die Phönizierinnen* (Fragment, Druck 1789). Plan zu einem Dr. in »griech. Manier« *Die Malteser.* Gedicht: *Die Götter Griechenlands. Geschichte des Abfalls der vereinigten Niederlande,* 1. Teil, erschienen, blieb unvollendet; Geschichtsprofessur in Jena.

1789

Philosophisches Gedicht: *Die Künstler.* Übersiedlung nach Jena. Verlobung mit Charlotte von Lengefeld.

1790

Verheiratung mit Charlotte von Lengefeld.

1791

Schwere Erkrankung, Lungenleiden, von dem Sch. sich nie wieder ganz erholt hat. Aufgabe der Lehrtätigkeit. *Gesch. des Dreißigjährigen Krieges* beginnt in Göschens *Hist. Kalender für Damen* zu erscheinen. Rezension über Bürgers *Gedichte* (1778) in der *Allgemeinen Lit.-Ztg.* Idee zum *Wallenstein.* Finanzielle Unterstützung durch den Erbprinzen Friedrich Christian von Schleswig-Holstein-Sonderburg-Augustenburg und den Finanzminister Graf Ernst von Schimmelmann für drei Jahre. Dadurch Möglichkeit zu philosophischen Studien.

1792

Abschluß der *Gesch. des Dreißigjährigen Krieges.*

1792/96

Fast ausschließlich philosophische und ästhetische Studien und daraus erwachsende Abhandlungen.

1793

Über Anmut und Würde. Vom Erhabenen.

1793/94

Über die ästhetische Erziehung des Menschen. Reise nach Stuttgart. Bekanntschaft mit Hölderlin und dem Verleger Johann Friedrich Cotta.

1794

Freundschaft mit Wilhelm von Humboldt. Geistiges Bündnis mit Goethe (vgl. Chronologie von Goethes Leben).

1795/96

Gedankenlyrik: *Die Teilung der Erde, Pegasus im Joche, Die Ideale, Das Ideal und das Leben, Der Spaziergang.* Zur Literaturästhetik: *Über naive und sentimentalische Dg.*

1795/97

Herausgabe der *Horen,* Zs. »zum Unterricht und zur Bildung«.

1796/99

Arbeit am *Wallenstein.*

1796/1800

Herausgabe des *Musenalmanach* (Xenien-Almanach 1797, Balladen-Almanach 1798), in dem Sch. seine bedeutendsten Gedichte und Balladen veröffentlichte.

1799

Übersiedlung nach Weimar. Mitwirken Sch.s am Weimarer Hoftheater. Nach Bearbg. des *Egmont* (1796) bis 1805 die von Shakespeares *Macbeth*, Gozzis *Turandot*, der frz. Lspp. von Picard *Der Parasit* und *Der Neffe als Onkel*, Übs. von Racines Tr. *Phädra*, Bühnenbearbgg. von Lessings *Nathan*, Goethes *Iphigenie*. Gedicht: *Das Lied von der Glocke*.

1799/1800

Arbeit an *Maria Stuart* und *Warbeck*.

1800/01

Jungfrau von Orleans.

1801/02

Braut von Messina.

1802

Umzug ins eigene Haus (»Schillerhaus«). Erhebung in den erblichen Adelsstand. *Kassandra*, Ballade, dram. Monolog nach der Mode des Monodr. und des Deklamationsstückes.

1802/04

Arbeit an *Wilhelm Tell*.

1803

Das Siegesfest – Der Graf von Habsburg, Balladen.

1804

Plan und beginnende Arbeit an dem Tr. *Demetrius. Der Alpenjäger*, Ballade. Besuch in Berlin, vorübergehend Plan einer Übersiedlung. *Die Huldigung der Künste*, Festsp. zum Einzug des jungverheirateten Erbprinzenpaares, letzte vollendete Dg.

1805

9. Mai Schillers Tod.

1786   Friedrich von Schiller
(Biogr. S. 245–249):
Resignation und
An die Freude

Gedichte. In der *Thalia*.

Resignation (entst. 1782 im Zusammenhang mit den Laura-Oden). Der Dichter fordert vor dem Weltgericht Lohn für seine gläubige Haltung und wird auf das Diesseits verwiesen: die Weltgeschichte ist das Weltgericht.

An die Freude (entst. 1785); Hymne aus dem beglückenden Gefühl der Freundschaft mit dem Körnerschen Kreise. Liebe als Triebkraft der natürlichen wie der geistigen Welt. Durch die Liebe treten die Geschöpfe aus ihrer Vereinzelung heraus und kommen zum Bewußtsein des Ganzen, d. h. Gottes. Untergang des beschränkten Ich in einem Höheren, Allgemeineren. Zusammenhang mit Sch.s theosophischen Erörterungen in den *Philosophischen Briefen*; Anklänge an eine gleichnamige Ode von Johann Peter Uz.

Von Beethoven im Schlußsatz der 9. Symphonie vertont.

1786   Friedrich von Schiller
(Biogr. S. 245–249):
Verbrecher aus Infamie

»Eine wahre Geschichte«, anonym ersch. in *Thalia*.

Entst. wahrscheinlich 1785. Quelle: Die mündlichen Erzz. von Sch.s Lehrer an der Militärakademie, J. F. Abel, über den Räuber Friedrich Schwan.

Gesch. des Wirtssohnes Christian Wolf, der aus Geltungsdrang und Liebebedürfnis dem Schicksal auf unehrliche Weise abzugewinnen sucht, was es ihm versagte, und durch die Verständnislosigkeit der Umwelt sowie die Unmöglichkeit, sich nach verbüßter Strafe in die Gesellschaft einzugliedern, endgültig ins Verderben gerät: er wird Räuber und Mörder. Jedoch auf dem Tiefpunkt seiner Entwicklung erfaßt ihn die Reue; zunächst hofft er, lebend seine Vergangenheit sühnen zu können, als er aber erkennt, daß ihm die Wege dazu verschlossen sind, stellt er sich dem Richter.

»Wahre Gesch.«, unter dem Aspekt der Weltgesch. und ihres erzieherischen Wertes betrachtet. Fordert von Mitmenschen und Richtern größeres Verständnis für die Irrwege des menschlichen Herzens, deren Motive ergründet werden müßten, denn Handeln sei Ergebnis der »unveränderlichen Struktur der menschlichen Seele« und »der veränderlichen Bedingungen« der Umwelt.

Psychologisch vertiefte Kriminalerz., Fortführung der moralischen Erz. Analytische Technik: Einsatz mit der Hinrichtung.

Buchausg. in *Kleinere prosaische Schriften* T. 1 (1792) unter dem Titel *Der Verbrecher aus verlorener Ehre*.

1787   Friedrich von Schiller
(Biogr. S. 245–249):
Don Karlos, Infant von Spanien

Dr. 5, in Jamben. Buchausg. in Leipzig bei Göschen. Später mit dem Untertitel »Ein dram. Gedicht«.

Vorher veröffentlicht wurden mit Vorwort versehene Auftritte des 1. Akts, davon einige zum Schutz gegen Nachdrucke und Theaterdirektoren durch Inhaltsangaben ersetzte, in *Rheinische Thalia*, erstes (einziges) *Heft, Lenzmonat 1785* in Mannheim, 1.–3. Auftritt des 2. Akts in *Thalia*, 2. Heft, 4.–16. Auftritt im 3. Heft 1786, 1.–10. Auftritt des 3. Akts in 4. Heft 1787 bei Göschen in Leipzig.

Auff. 29. 8. in Hamburg durch Schröder, der Sch. bei dessen Bühnenbearbg. beriet, ihm schrieb: »Lassen Sie ja den Karlos in Jamben« und die Rolle des Königs kreierte.

Begeisterte Aufnahme durch das Publikum, aber bereits die ersten Kritiken erhoben Einwände gegen die Uneinheitlichkeit der Handlung und der Charaktere.

Auf den Don-Carlos-Stoff oder die romanhafte Biographie von César Vichard Abbé de Saint-Réal (1639–1692) wurde Sch. von Dalberg in Mannheim 1782 hingewiesen.

Der 1545 als schwächliches Kind geborene Don Carlos, dessen nur langsame körperlich-geistige Entwicklung, gesundheitliche Anfälligkeit und charakterliche Eigenart die von Philipp angewandte Erziehungsmethode – vielleicht mit nachteiliger Wirkung – bestimmt hatten, veranlaßte den König 1568 offenbar durch Fluchtpläne, ungenau überlieferte politische Absichten, verschwörungsähnliche Betätigung, ihn im Schloß zu Madrid gefangenzuhalten, wo er nach einem halben Jahr, möglicherweise infolge selbstmörderischen Verhaltens, starb. Auch die zu Sch.s Zeit noch unbekannten Quellen haben diese Ereignisse nicht wesentlich stärker erhellt. Unklar bleiben sowohl die Grenze zwischen einem degenerierten pathologischen und einem selbstbewußt freigesetzten Don Carlos als auch das Verhältnis des Infanten zu seiner Stiefmutter im Sinne eines eifersüchtigen Liebhabers. Der historische Posa spielte nur eine nebensächliche Rolle.

Seit Dezember 1782 Bitten Sch.s an Bibliothekar Reinwald in Meiningen, ihm das Werk des Abbé de Saint-Réal und weitere Quellen zu beschaffen. Übs. des *Portrait de Philippe II roi d'Espagne* von Mercier; veröffentlicht in *Thalia*, 2. Heft, 1786.

Während Sch.s mehrjähriger Arbeit an dem Dr. entscheidende Wandlungen.

Der sog. Bauerbacher Entwurf (1783) läßt bereits im »I. Schritt. Schürzung des Knotens« einen Karlos erschließen, dem Sch. »von Shakespeares Hamlet die Seele«, von Leisewitz' Julius »Blut und Nerven« und von sich den »Puls« gab, an dem ihn die Flucht aus der Tyrannei fesselte und den er als Sturm- und-Drang-Helden sowie Ankläger gegen die Unnatur gesellschaftlichen Zwanges mit der Hingabe an Leidenschaft und verbotene Liebe sah.

In Mannheim (1784) wurde die Liebesgeschichte zum Familiengemälde mit Generationsgegensatz, einer am Vorbild der Charlotte von Kalb erhöhten Eboli, durch Lektüre angeregter Einbindung des

Aufstands der Niederlande, Posa als ratendem Träger einer Freiheitsmission unter Umschrift der Prosa in Jamben.

Nach längerer Pause ab 1785 in Leipzig und Dresden vom Freundschaftsdr. zum politischen Ideendr. Gegensatz Posa, Reformer von Fürstengesinnung und Idealist mit Hoffnung auf glückliche Zukunft, fähig, die Utopie auch zu erzwingen, und König Philipp, der Herrscher mit konkreten Problemen, verurteilt zur Einsamkeit. Die bedeutsame Szene der beiden erst spätere Zutat; 4. und 5. Akt münden motivisch in die früher geplanten Bahnen ein.

Die nicht gradlinig geführte Handlung, das Intrigengeflecht und die den Ausgang beeinflussende Eboli-Nebenhandlung übertönt durch Verkündung von Toleranz (»Geben Sie Gedankenfreiheit!«), politischer Freiheit, Weltbürgertum.

Seit Ende 1786 stellte Sch. außer für Schröder Bühnenfassungen her, auch unter Rückverwandlung der Jamben in Prosa. Auff. der von Dalberg veränderten Jambenfassung 6. 4. 1788 in Mannheim. Am 22. 11. 1788 Erstauff. in Berlin.

Kürzungen bis 1805 ergaben 5370 im Gegensatz zu den ursprünglichen 7375 Versen, die schon in der ersten Buchausg. von 1787 auf 6282 zusammengestrichen waren.

Die geringe Wirkung des Dr. veranlaßte Sch.s *Briefe über Don Karlos* in Wielands *Teutschem Merkur.* 1.–4. im Juli und 5.–12. im Dezember 1788. Dialektische, von Selbsttäuschung nicht freie Selbstverteidigung, die im wesentlichen auf die lange Entstehungszeit gestützt wurde. Ein vierter Plan mit Posa als einzigem Helden vorgetragen.

1787   Goethes Schriften

Bdd. 1–4 bei Göschen, Leipzig. Enthalten: *Zueignung, Werther, Götz, Die Mitschuldigen, Iphigenie, Clavigo, Die Geschwister, Stella, Triumph der Empfindsamkeit, Vögel.*

Erste von G. selbst veranstaltete Slg. seiner Dgg.

Vorher bereits mehrere Raubdrucke; bekanntester der von Christian Friedrich Himburg (3 Bdd. 1775–1776, 2. Aufl. 1777, 3. Aufl. 1779).

Die weiteren vier Bdd. der *Schriften* bei Göschen erschienen 1788–1790.

1787   Johann Wolfgang von Goethe
(Biogr. S. 238–245):
Iphigenie auf Tauris

Schsp. 5, in Jamben.

1776 Plan.

14. 2. 1779 Beginn der Arbeit an einer 1. Fassung in feierlicher Prosa. Am 19. 3. in dem Bretterhäuschen auf dem Schwalbenstein bei Ilmenau der 4. Akt niedergeschrieben. Am 28. 3. war das gesamte Werk fertig und wurde am 6. 4. auf der Liebhaberbühne in Hauptmanns Haus gespielt. Iphigenie: Korona Schröter, Orest: Goethe, Pylades: Prinz Konstantin, Thoas: Knebel. Sog. 2. Fassung 1780:

Abschrift der 1. Fassung in Versen von ungleicher Länge. Die 3. Fassung 1781 im wesentlichen wieder Rückkehr zur Prosafassung. Ende Juli 1786 in Karlsbad Beginn der 4. Fassung, die in Italien vollendet wurde und im Dezember 1786 ihre letzte Form fand. Goethe: »Mein Verfahren dabei war ganz einfach; ich schrieb das Stück ruhig ab und ließ es Zeile vor Zeile, Periode vor Periode regelmäßig erklingen.« Die 4. Fassung Beispiel strenger Klassizität.

Das Werk knüpft an die alte Sage von Orest an, der den Gattenmord an der eigenen Mutter rächen muß und, von den Erinnyen verfolgt, ruhelos durch die Lande flieht. In Delphi findet er den Rat, das Bild »der Schwester« aus dem Lande der Skythen zu holen und sich so von seinem Fluch zu lösen. Erst G. führte die Doppeldeutigkeit ein, ob das Orakel die Schwester Apolls, Artemis, oder die Orests, Iphigenie, meinte.

Der mythische Stoff bereits von Äschylos, Sophokles, Euripides *(Elektra, Orest, Iphigenie in Aulis, Iphigenie unter den Tauren)*, Racine behandelt; 1739 wurde in Leipzig Johann Elias Schlegels *Orest und Pylades* durch die Neubersche Truppe aufgeführt.

Das Dr. des Euripides war ein Intrigenstück, das die Überlegenheit der Griechin über die Barbaren zeigte und dessen Lösung, die Heimholung Iphigenies aus Taurien durch Orest, durch Eingreifen der Dea ex machina Athene erfolgte. G. übertrug Euripides ins Modern-Humanitäre und verwob persönliche Erlebnisse in die Dg. Für G. war die Heilung des Orest (vgl. G.s »Heilung« durch Frau von Stein) »Achse des Stückes«. »Alle menschlichen Gebrechen sühnet reine Menschlichkeit« (G. 1827 als Widmung in ein Exemplar für den Orest-Darsteller Krüger). Die Entsühnung allein durch innere Läuterung und offenes Schuldbekenntnis. Die Hades-Vision, die Orest die Gegner im Leben, seine Ahnen Atreus und Thyest, Agamemnon und Klytämnestra Hand in Hand sehen läßt, bringt den Beginn seiner Heilung. Die Furien treten nicht äußerlich auf (Schiller: »Ohne Furien kein Orest«), in Orest selbst wütet das Schuldgefühl, das ihn bis in den Wahnsinn treibt. Iphigenie wurde unter G.s Hand zum Ideal der schönen Seele, verkündet das Gesetz höchster Humanität: durch Hoheit und Glauben hilft sie nicht nur die düsteren Geister in der Seele des Bruders zu überwinden, sie besiegt auch die Feindschaft des sich betrogen glaubenden Taurerkönigs Thoas. Die drohende Verstrickung in Schuld *(Parzenlied)* löst sich vor dem Willen zu Wahrheit und Vertrauen. Zwischen Barbarentum und Griechen kein Unterschied mehr; es gibt überall Menschen, denen »ein edles Herz den Busen erwärmt«. G. hat später das Dr. »ganz verteufelt human« genannt.

1789 Besprechung Schillers. Gegenüberstellung Goethe – Euripides. Jener hoch über dem griech. Dichter: »Was für ein glücklicher Gedanke, den einzig möglichen Platz, den Wahnsinn, zu benutzen, um die schönere Humanität unsrer neueren Sitten in

eine griech. Welt einzuschieben und so das Maximum der Kunst zu erreichen, ohne seinem Gegenstand die geringste Gewalt anzutun.«
Auff. 7. 1. 1800 in Wien, 15. 5. 1802 in Weimar. Bearbg. und Leitung Schiller, G. hielt sich von den Proben völlig fern. Im gleichen Jahr noch Auff. in Berlin.
Erneute Behandlung des Stoffkreises durch Gerhart Hauptmann 1941 ff.

1787   Friedrich Maximilian Klinger
(Biogr. S. 207/208):
Medea in Korinth

Tr. 5, rhythmische Prosa. In *Theater*, Bd. 3.
Das Bündnis der aus ungleichen Sphären stammenden Ehepartner Jason und Medea ist zum Scheitern verurteilt, ohne daß es eine eindeutige Schuld gäbe. Zwar hat Medea um ihrer Liebe willen auf ihre magische Kraft verzichtet, aber sie kann nur herrschend lieben und treibt Jason in Kreusas Arme. Seine Untreue wirft Medea auf ihr »furchtbar Selbst« zurück, sie wird wieder Barbarin und folgt dem Befehl ihrer Mutter Hekate, die eigenen Söhne zur Sühne für den von ihr ermordeten Bruder zu töten.
Zusammen mit *Medea auf dem Kaukasos* (1791) Höhepunkt von K.s späten Drr., in denen er sich vom Geniekult ab- und zum Geist der Aufklärung unter Annäherung an die Klassik zurückwandte.
Formale Tendenz zu Beherrschung, Maß, Vereinfachung. Klassizistisch. Sprache stilisiert; rhythmische Schwellung der Sätze, gelegentlich zu strophischen Abschnitten gebündelt. In den besten Partien Goethes Prosa-*Iphigenie* nahe.

In späteren Ausgg. überarbeitet.

1787/89   Friedrich von Schiller
(Biogr. S. 245–249):
Der Geisterseher

»Aus den Papieren des Grafen von O.«. R., Fragment. In *Thalia*.
Entst. seit 1786. Angeregt durch die Betrugsaffären des Abenteurers Cagliostro.

Intrigen einer geheimen jesuitischen Gesellschaft, deren Ziel es ist, einen protestantischen Prinzen zum Katholizismus zu bekehren und durch ein Verbrechen auf den Thron seines Stammlandes zu bringen, um die eigene Einflußsphäre zu vergrößern.
Großer Erfolg durch die zeittypischen Motive der Geisterseherei und der geheimen Gesellschaften; motivliche Verwandtschaft mit *Don Karlos*. Zeitkritische Absicht. Bereits Gesch.-Auffassung der hist. Drr.: Gesch. als Schauplatz des Kampfes zwischen der sittlichen Kraft des Menschen und seiner physischen Bedingtheit.

Buchausg. 1789 unter dem Titel *Der Geisterseher. Eine Gesch. aus den Memoiren des Grafen von O.* . . . . Mehrere Fortss. durch andere Autoren.

1788   Johann Wolfgang von Goethe
(Biogr. S. 238–245):
Egmont

Tr. 5, Prosa. Im 5. Bd. von G.s *Schriften* zus. mit den umgearbeiteten
Singspp. *Claudine von Villa Bella* und *Erwin und Elmire.*

Begonnen 1775 in Frankfurt; Einleitung und einige Hauptszenen. 1778 Unterredung
Alba–Ferdinand, Monolog Albas. 1781 der »fatale vierte Akt«. 1787 Wiederaufnahme und Vollendung in Italien.

Im Zentrum des Dr. steht die Verhaftung und Hinrichtung des ndld.
Grafen Egmont durch den span. Feldherrn Alba (1568). Völlige Umgestaltung des Historischen. Egmont als Jüngling gezeichnet, ein
Genius des Hellen, der Freude, der Güte, ein Mann der »Attrativa«.
Das formal noch nicht klassische Dr., in dem Prosa mit jambisch
rhythmisierten Partien wechselt, verkörpert G.s Lebensgefühl im
Übergang von Jugendtitanismus zu männlicher Bändigung. Egmont
teilt mit Götz die Vertrauensseligkeit. Als dunkle Schicksalsgewalt,
die den Menschen verblendet und schließlich ins Verderben stürzt,
waltet das »Dämonische«; Egmonts Dämon ist die Sorglosigkeit.
Umgeben von der Liebe des Volkes und seines Klärchen bleibt er
siegessicher trotz nahender Gefahr in Brüssel, schwankend zwischen
Spaniern und Niederländern, die Warnungen des kühleren Oranien
überhörend, bis ihn Alba – das unentrinnbare Schicksal – gefangen-
nimmt und zum Tode verurteilt.
Trotz des politischen Stoffes nur bedingt ein politisches Dr. Im Freiheitskampf der Niederländer tritt Egmont kaum aktiv hervor, Klärchen übernimmt die Führungsrolle. Die Freiheitsidee ist in der Verteidigung, nicht im Angriff. Egmont fällt als Anwalt des organischen
Naturgesetzes, das im Herkommen wurzelt (vgl. dagegen Schillers
Marquis Posa). Charakteristisch-humoristische Volksszenen, An-
schaulichkeit der Sprache.

1788 Rezension Schillers in der *Allgemeinen Lit.-Ztg.* Geht von der ursprünglichen Kon-
zeption als Freiheitsdr. gegen Tyrannei und Glaubensverfolgung aus. Weist auf die
Fülle der ungenützten dram. Motive hin, die nicht in einem organischen Komplex zu-
sammengreifen. Die Vision Klärchens – im Schlaf naht dem gefangenen Egmont die
Göttin der Freiheit, die die Züge der Geliebten trägt, und reicht ihm den Lorbeer –
ein »Salto mortale in die Opernwelt«.
Auff. 9. 1. 1789 in Mainz und 15. 5. 1789 in Frankfurt a. M. durch die Kochsche
Truppe; 31. 3. 1791 in Weimar durch Bellomo. März–April 1796 Schillers Bearbg. für
Gastspiel Ifflands (25. 4. 1796): das Politische herausgehoben, die Liebeshandlung als
Episode, gestrichen die Traumerscheinung, Klärchens Lieder, die Regentin, Macchia-
vell. Auftakt zu der hochklassischen Epoche des Weimarer Theaters.
Schsp.-Musik zu *Egmont* von Ludwig van Beethoven 1810.

1788/89   Friedrich von Schiller
           (Biogr. S. 245–249):
           Die Götter Griechenlandes und
           Die Künstler

Philosophische Gedichte.

Die Götter Griechenlandes, entst. 1788, erschienen im *Teutschen Merkur* März 1788. Der Dichter erstmalig von der Schönheit und Sinnenfreudigkeit der griech. Welt ergriffen; Annäherung an Goethe. Für den Untergang der antiken Götterwelt wird das Christentum verantwortlich gemacht; scharfe Stellungnahme gegen den christlichen Gottesbegriff, dessen Erhabenheit und Geistigkeit zu groß sei für die Sterblichen.

Gegen Sch. traten Friedrich Leopold Graf zu Stolberg u. a. als Verteidiger des Christentums auf. Neue Fassung *Die Götter Griechenlands* 1793, in der die den Zeitgenossen anstößigen Stellen unterdrückt wurden; erschienen im 1. Teil der *Gedichte* (1800).

Die Künstler, entst. 1788, erschienen im *Teutschen Merkur* März 1789. Einfluß von Wieland und Karl Philipp Moritz. Über die Aufgaben der Kunst als Entgegnung auf die Angriffe gegen *Die Götter Griechenlandes*. Die Kunst macht dem Menschen die in Schönheit gehüllte Wahrheit zugänglich. Nur durch die Kunst werden die Naturkräfte und -triebe gesittet, darum ist Kunst Anfang und Ende aller Kultur, »der Menschheit Würde« ist in die Hand der Künstler gelegt. Sch. fand das Gedicht später wegen seiner Abstraktheit und gedanklichen Überbelastung »durchaus unvollkommen«.

1789   Johann Wolfgang von Goethe
        (Biogr. S. 238–245):
        Vermischte Gedichte

Im 8. Bd. von G.s *Schriften* zus. mit *Jahrmarktsfest zu Plundersweilern, Pater Brey, Künstlers Erdenwallen, Künstlers Apotheose, Die Geheimnisse.* Erste authentische Slg. der z. T. an anderer Stelle schon einzeln veröffentlichten Gedichte.

Außer der des Sturm und Drang (vgl. 1774 und 1775) vor allem Lyrik der ersten zehn Weimarer Jahre. U. a.: *Seefahrt* (entst. 1776, Rechtfertigung von G.s Stellung und Leben in Weimar); *Einschränkung* (entst. 1776 mit dem Titel *Dem Schicksal*; Bekenntnis zu dem Schicksal, das ihn nach Weimar brachte); *Wanderers Nachtlied* (entst. 1776); *Harzreise im Winter* (entst. 1777 bei einer Fußreise auf den Brocken, Anspielung auf einen jungen Mann, den der Werther-Weltschmerz ergriffen hatte und den G. in Wernigerode besuchte); *An den Mond* (entst. 1777; in der Erstfassung noch leidenschaftliche Unmittelbarkeit der Sturm-und-Drang-Lyrik. Einklang von Stimmung des Liebenden mit der nächtlichen Flußlandschaft. Für den Druck geänderte, gedämpfte und verhüllende Fassung); *Gesang der Geister über den Wassern* (entst. 1779; angeregt durch den Anblick des

Wasserfalles bei Lauterbrunnen); *Wanderers Nachtlied* (in den Druk-ken: *Ein Gleiches*, entst. 1780 auf dem Kickelhahn im Thüringer Wald); *Meine Göttin* (entst. 1780; an die Phantasie); *Grenzen der Menschheit* (entst. 1781; von G. selbst durch die Anordnung des Ge-dichte dem Titanismus des *Prometheus* [entst. 1773] gegenüber-gestellt); 5 *Lida-Lieder* (entst. 1781; an Frau von Stein in feierlichem, dem antiken angenähertem Stil); *Ilmenau* (entst. 1783; an Herzog Karl August, Darstellung der überwundenen stürmischen ersten Weimarer Jahre, Pflichten des Regenten); *Das Göttliche* (entst.1783).–*Die Zueignung* (entst. 1784 als Einleitung zu dem Fragment gebliebe-nen Epos *Die Geheimnisse*, in Stanzen) den *Schriften* (1787), nicht, wie in späteren Ausgaben, nur den *Gedichten* vorangestellt.

Grundlagen dieser Gedichte neue Beschäftigung mit der Natur, Ver-hältnis zum Herzog und zu dem politisch-gesellschaftlichen Pflichten-kreis, Liebe zu Frau von Stein, an die sich nicht nur die an sie direkt gerichteten (meist erst bei Herausgabe von G.s Briefen an sie 1848 veröffentlichten) Gedichte wenden.

Nicht mehr gefühlsmäßiges Erfassen der Natur, der Welt, der Ge-liebten, sondern Gegenüberstehen, Schauen, Begreifen. Ratio und Auge die Organe für das Verständnis der Welt. Betrachtende Ruhe, liebende Hinneigung zum Nächsten, erzieherische Kraft der Liebe und Selbsterziehung. Die Welt als Ordnung gesehen, die zugleich Ausdruck einer überpersönlichen Gesetzlichkeit ist. Ausgleich ratio-naler und irrationaler Kräfte.

Ordnendes Prinzip auch im Formalen, Gleichmaß und Gleichge-wicht der Glieder. Geringere Freiheit in der Behandlung der Sprache. Statt Einmaligkeit Gültigkeit der Wörter. Die sehr freien Rhythmen treten zurück gegenüber stärkerer Anlehnung an griech. und lat. Versmaße: Bevorzugung elegischer Formen.

1790   Johann Wolfgang von Goethe
          (Biogr. S. 238–245):
          Torquato Tasso

Schsp. 5, in Jamben. Im 6. Bd. von G.s *Schriften* zus. mit *Lila*.

Am 30. 3. 1780 Tagebuchnotiz: »Gute Erfindung. Tasso.« Erste größere Stücke be-reits Oktober und November 1780. Frühjahr 1781 Weiterarbeit. Weimarische Nieder-schrift der ersten 2 Akte in Prosa nicht erhalten. Abschluß erst nach Rückkehr aus Italien 1788 und 1789.

Nach G.s Worten zu Karoline Herder Thema des Dr. die »Dis-proportion des Lebens mit dem Talent«, der Titelheld Tasso nach dem Ausspruch des frz. Kritikers Ampère, den G. akzeptierte, ein »gesteigerter Werther« (vgl. auch *Trilogie der Leidenschaft*, 1827). Das Werk um den ital. Dichter (1544–1595) lebt vom Spannungsverhält-nis des schöpferischen Menschen zur Wirklichkeit. G.s eigene Er-lebnisse in Weimar, die Tragik seiner Liebe, die ihn bedrängenden

Kabalen und Intrigen sind ebenso in das Werk hineingelegt, wie
Züge der Frau von Stein in die Gestalt der Leonore eingingen. »Ich
habe gleich am *Tasso* schreibend Dich angebetet.« Nach der Italien-
reise mit dem Weimarer Adel versöhnt, dagegen Entfremdung gegenüber Frau von Stein. G.s ursprüngliches Tasso-Bild verschob
sich damit, auch auf Grund neuer Quellenstudien, nach den pathologischen Zügen hin, die in dem krankhaft reizbaren Dichter der *Geru-
salemme Liberata* lagen und in seinen Konflikten mit dem Hof zu Fer-
rara zum Austrag kamen. Künstlerisch weltfremd und übermäßig in
seinem Gefühlsleben, zeigt sich G.s Tasso weder der feindlichen Her-
ausforderung durch seinen Komplementärtypus, den Politiker und
Weltmann Antonio, gewachsen, noch der liebevollen Teilnahme der
Prinzessin, der gegenüber er sich vergißt. Während dem jungen G.
noch die Naturgenialität des »Ur-Tasso« der ersten Akte nahelag, gewann für den späteren G. Antonio an persönlicher Teilnahme. Werthers Tragik endet, die Tassos dauert fort. Zusammenbrechend erkennt Tasso dies Schicksal.
Einheit von Zeit und Ort. Wenig Personen, formale Ausgewogenheit, gebändigte Sprache.

Auff. 16. 2. 1807 in Weimar in einer Bühnenbearbg. G.s, von der eine Abschrift
wiederentdeckt wurde (ersch. 1954): Kürzung um 727 Verse, Objektivierung des
Themas und Korrektur des Tasso-Bildes nach der positiven Seite hin.

1790   **Johann Wolfgang von Goethe**
      (Biogr. S. 238–245):
      Faust. Ein Fragment

Im 7. Bd. von G.s *Schriften* zus. mit *Jery und Bätely* und *Scherz, List
und Rache.*

G. von früher Jugend an ein gründlicher Kenner der ganzen Faust-
Überlieferung. Stofflich beeinflußte G. besonders das *Volksbuch* in
der Bearbg. des »Christlich Meynenden« von 1725, die in Jahrmarkts-
drucken verbreitet war. Unter den Dr.-Plänen der Straßburger Zeit
neben *Götz* auch *Faust*: »Die bedeutende Puppenspielfabel klang
und summte gar vieltönig in mir wieder.« Bezeichnende Verwendung des Knittelverses.

Vor dem *Fragment* von 1790 liegend der sog. *Urfaust*: Abschrift
eines G.schen *Faust*-Ms. von 1774 durch das Weimarische Hoffräu-
lein von Göchhausen, die Erich Schmidt zufällig fand und 1887 unter
dieser Bezeichnung herausgab. Der *Urfaust* enthält die offenbar in
Weimar zur Vorlesung gelangten Szenen: Fausts Monolog, Faust –
Wagner, Mephistopheles – Schüler, Auerbachs Keller, Gretchen-Tr.
bis zur Kerkerszene (ohne die Stimme »Gerettet«).

Bereits vor Erich Schmidt hatte Wilhelm Scherer ohne Kenntnis des *Urfaust* Lücken,
Risse und Unebenheiten im veröffentlichten *Faust* aufgespürt und einen verlorengegangenen *Prosafaust* angenommen.

1920 bestritt Gustav Roethe die scheinbare Einheit des *Urfaust* und setzte für die nach seiner »Fetzentheorie« einzeln entstandenen, oft winzig kleinen Teile verschiedene Schaffensabschnitte an. Nach ihm bilden den ältesten Pfeiler der Gretchendg. die beiden Prosaszenen »Trüber Tag, Feld« und »Kerker«.

Der *Urfaust* stellt weder eine älteste Arbeitsschicht dar noch war die Behandlung dessen, was er in den Mittelpunkt rückt, für G. ein Anfang; G. gedachte vielmehr stets, die überkommene Faustgesch. zu dramatisieren. 1939 entdeckte Ernst Beutler Gretchens hist. Urbild: die Kindesmörderin Susanna Margaretha Brandt, die nach einem Fluchtversuch verhaftet, in Frankfurt/M. zum Tode verurteilt und hingerichtet wurde. »Susanna Margaretha Brandtin wurde hier auf Dienstag, den 14. Jänner 1772 auf dem Platz an der Röhre ohnfern der Hauptwache mit dem Schwert hingerichtet«, hieß es in einer im Besitze des Herrn Rat befindlichen, alle Einzelheiten des Verhörs und der Hinrichtung festhaltenden Akte, die G. gekannt hat. Dieses Frankfurter Mädchen hat auf Jahre hin die Heroine und Teufelin Helena, weibliche Hauptgestalt der Faustüberlieferung, verdrängt. G.s nahe innere Beteiligung an den Geschehnissen des Januar 1772 ließ ihn den Magier Faust in einen Liebhaber mit seinen eigenen Zügen verwandeln: dichterische Lebensbeichte der Straßburger Zeit (Hermann Schneider).

Faust, ein Fragment enthält außer Auerbachs Keller – in Versen statt in Prosa – über die Szenen des sog. *Urfaust* hinaus: Die Hexenküche (entst. Februar 1788 in Rom), den Rechenschaftsmonolog Wald und Höhle; die Fassung enthält nicht die Faust-Mephisto-Szene Trüber Tag, Feld und die Kerkerszene.

Die Veröffentlichung des Fragments, in dem nicht einmal die Gretchen-Tr., das Sturm-und-Drang-Thema der Kindesmörderin in der persönlichen Sicht des treulosen Liebhabers, abgeschlossen ist, sondern nach der Domszene abbricht, ist ein Verzicht des Dichters, dem das Werk auch trotz der Fortschritte in Italien nicht gedeihen wollte.

Die Romantiker sprachen sich gegen Vollendung des Fragments aus, Schiller plädierte für Wiederaufnahme der Arbeit an dem Stoff.

1791   Friedrich Maximilian Klinger
   (Biogr. S. 207/208):
   Medea auf dem Kaukasos

Tr. 5, rhythmische Prosa. Druck zusammen mit *Medea in Korinth*.

Entst. 1790. Forts. und Gegenstück von *Medea in Korinth* (1787).

Unter ein Naturvolk versetzt, das sie als höheres Wesen verehrt, will Medea ohne Zauberkräfte Gutes tun, das Volk veredeln. Um einen Menschen zu retten, greift sie noch einmal zur Magie, verliert dadurch wissend ihre Zauberkraft und ist dem Volk und dem Priester ausgeliefert. Ihr Ahnherr, der Sonnengott, rettet sie.

Ethischer Titanismus, dem Schillers verwandt: moralische Kraft des Menschen, der sich dem Zwang der Notwendigkeit unterordnet. Einfluß der Kulturphilosophie Nicolas Antoine Boulangers, gegen Rousseau: Veredelung des Volkes mißlingt, der »edle Wilde« eine Utopie. Humanitätsideal: nicht Rückkehr zum Primitiven, sondern Entwicklung zu höherer geselliger Stufe.

1794 für die *Auswahl aus F. M. Klingers dramatischen Werken* umgearbeitet: Medea tötet sich selbst zur Sühne.

1791   Friedrich Maximilian Klinger
(Biogr. S. 207/208):
Fausts Leben, Taten und Höllenfahrt

R., anonym ersch.

Entst. 1791. Erster Bd. einer R.-Reihe, die 1798 (vielleicht schon 1790) auf zehn Einzelwerke geplant wurde.

Faust ist bei K. ein Renaissancemensch, Erfinder der Buchdruckerkunst, die er aber erst durchsetzen kann, als er das Bündnis mit dem Teufel geschlossen hat, das seinem Streben nach Macht und Sinnengenuß dienen soll. Die Europareise mit Leviathan, bei der auch gute Taten zum Bösen ausschlagen, endet mit Fausts Verneinung göttlicher und menschlicher Güte; daß er den »Faden der Leitung und Langmut des Ewigen« verliert, ist der Hölle Werk. Er hat nicht die Kraft, seinen negativen Erfahrungen einen Sinn entgegenzusetzen, übersieht Beweise einer edleren menschlichen Haltung sowie das Glück der Naturvölker. Er ist der Hölle verfallen.
Die Rr. der 90er Jahre setzen Selbstbesinnung und Selbstbekenntnis von K.s klassizistischen Ideen-Drr. der 80er Jahre fort. Stofflich verschiedene Werke, von denen jedes »ein für sich bestehendes Ganzes ausmachte, und sich am Ende doch alle zu einem Hauptzweck vereinigten« (K.). Verhältnis des einzelnen R. zum Ganzen auf dialektischem Prinzip aufgebaut, Abbild der Welt in Kontrasten, Parallelen und Gegenbildern. Ein Werk scheint oft das Ergebnis des vorigen aufzuheben. Meist Entwicklungs-Rr. in der Nachfolge Wielands. Helden suchen Lösung des Lebensrätsels, wollen das Unbedingte und scheitern meist an der Realität, an der Bedingtheit des Menschen. Kampf zwischen Freiheit und Notwendigkeit zielt auf Triumph der Sittlichkeit, der sich gegen alle Zweifel an einer fragwürdigen Welt und gegen das »Schweigen Gottes« in moralischem Handeln erweist. Verzicht auf absolute moralische Gesetze, Lösung auf Individuum relativiert. Durchgehend Auseinandersetzung mit Rousseaus Gesellschafts- und Kulturphilosophie, mehrfach auch mit Kant.

Die noch folgenden politisch-philosophischen Rrr.: *Gesch. Giafars des Barmeciden* (2 Teile, entst. 1791 und 1793, ersch. 1792 und 1794); *Gesch. Raphaels de Aquilas* (entst. 1792/93, ersch. 1793); *Reisen vor der Sündflut* (entst. 1794, ersch. 1795); *Faust der Mor-*

genländer (entst. 1795, ersch. 1797); *Gesch. eines Teutschen der neuesten Zeit* (entst. 1797, ersch. 1798); *Sahir Evas Erstgeborener im Paradies* (entst. 1797, ersch. 1798); *Der Weltmann und der Dichter* (entst. 1797/98, ersch. 1798, als einziger der Rr. nicht anonym). Das neunte Werk wurde nicht geschrieben, das zehnte *Das zu frühe Erwachen des Genius der Menschheit* (entst. 1798) konnte wegen der Zensur nur im Auszug 1803 zusammen mit dem 1. Bd. der Aphorismen *Betrachtungen und Gedanken über verschiedene Gegenstände der Welt und der Lit.* (1803 und 1805, Neufassung 1809) veröffentlicht werden und ist nur in diesem Fragment erhalten. Das neunte Werk hatte Entstehungsgeschichtlich-Biographisches zu dem R.-Plan enthalten sollen und wurde durch die *Betrachtungen* überflüssig.

1791   Johann Wolfgang von Goethe
        (Biogr. S. 238–245):
        Der Groß-Cophta

Lsp. 5, Prosa. Auff. 17. 12. in Weimar.

Ursprünglich, 1787, als Opera buffa geplant. Als Prosalsp. vor allem Juni–September 1791 entst.

Aus vernunftmäßiger Skepsis gegenüber dem angeblichen Wundertäter Giuseppe Balsamo alias »Graf Cagliostro« (1743–1795) erwachsen, insbesondere an dessen berühmten Halsbandprozeß, eine Mitursache der Frz. Revolution, anknüpfend.
Die Halsbandaffäre, in der sich mehrere für die Krisenzeit bezeichnende Schicksale treffen und zu einer Intrigenhandlung verbinden, als Symbol für eine morsche Gesellschaftsordnung. Raffung der Ereignisse, Zusammenziehung von Personen. Die Parkszene des Schlusses, in der der »Domherr« (d. i. Kardinal Rohan) dem als Königin verkleideten Medium des Groß-Cophta huldigt, zur Enthüllungs- und Bestrafungsszene erweitert. Vor allem gegen den Wunderglauben des sich aufgeklärt gebenden Zeitalters gerichtet.

Druck 1792.

1793   Johann Wolfgang von Goethe
        (Biogr. S. 238–245):
        Der Bürgergeneral

Lsp. 1, Prosa. Auff. 2. 5. in Weimar. Druck im gleichen Jahr.
Dem Weimarer Schauspieler Hans Beck in wenigen Tagen des April auf den Leib geschriebene Rolle des Barbiers Schnaps, eines bramarbasierenden Revolutionsdilettanten. Elemente von Posse und Tendenzstück auf dem Hintergrund der Frz. Revolution.

1793   Friedrich von Schiller
       (Biogr. S. 245–249):
       Über Anmut und Würde

Ästhetische Abhandlung in *Neue Thalia*. Buchausg. im gleichen Jahr.
Entst. Mai 1793.

Anmut ist Ausdruck der »schönen Seele« in der Erscheinung, während Würde der Ausdruck einer erhabenen Gesinnung ist, die durch Kampf erreicht wird. Höchster Grad der Anmut ist das Bezaubernde, der der Würde die Majestät. Anmut eignet mehr dem weiblichen Geschlecht, Würde mehr dem männlichen. »Eine schöne Seele nennt man es, wenn sich das sittliche Gefühl aller Empfindungen des Menschen endlich bis zu dem Grad versichert hat, daß es dem Affekt die Leitung des Willens ohne Scheu überlassen darf und nie Gefahr läuft, mit den Entscheidungen desselben in Widerspruch zu stehen.« Sch. überbrückte mit dieser Theorie Kants scharfe Trennung zwischen dem intelligiblen und dem empirischen Menschen.

1793   Friedrich von Schiller
       (Biogr. S. 245–249):
       Vom Erhabenen

Ästhetische Abhandlung »zur weiteren Ausführung einiger Kantischen Ideen«. In *Neue Thalia*.
Der erhabene Gegenstand läßt uns als Vernunftwesen unsere Freiheit von der Natur empfinden, alle Lust am Erhabenen gründet sich auf das Bewußtsein unserer Vernunftfreiheit. Das »Pathetischerhabene« ist Wesen der tragischen Kunst, die die leidende Natur und zugleich den moralischen Widerstand gegen das Leiden darstellt. Dies wird erreicht, indem die Beherrschung bzw. Bekämpfung des Affekts deutlich gemacht wird. Das ästhetische Urteil ist, im Unterschied zum moralischen, nicht an der Sittlichkeit an sich, sondern an der vorgestellten Möglichkeit des freien Willens zur Sittlichkeit interessiert.

Sch. nahm nur den 2. Teil des Aufsatzes unter dem Titel *Über das Pathetische* in *Kleinere prosaische Schriften* T. 3 (1801) auf.
Als Ersatz für eine vorgesehene, aber nicht geschriebene Forts. kann gelten *Über das Erhabene*. Entst. wahrscheinlich zwischen 1794 und 1796, Druck in *Kleinere prosaische Schriften* T. 3 (1801). Auch hier Ausgangspunkt die menschliche Willensfreiheit, die durch das Erhabene belegt ist. Im Zentrum Absetzung des Erhabenen gegen das Schöne. Bei der Empfindung des Schönen sind die sinnlichen Triebe in Harmonie mit dem Gesetz der Vernunft, das Erhabene dagegen verschafft uns einen Ausgang aus der sinnlichen Welt.

1793   Jean Paul
(Biogr. S. 237/238):
Die unsichtbare Loge

»Eine Biographie«, 2 Bdd. Erster größerer R. des Dichters; unter dem Pseud. Jean Paul, Vorrede jedoch unterzeichnet mit Jean Paul Friedrich Richter, als Ortsbezeichnung »auf dem Fichtelgebirg«. Beendet Febr. 1792.
Torso eines Erziehungs-R. des Helden Gustav, einer erd- und himmelumarmenden, typischen »hohen« Jean-Paul-Gestalt voll Empfindsamkeit, die für des Dichters erste Bücher kennzeichnend blieb. Typisch auch der Jean-Paul-Stil: eine lose, oft unwahrscheinliche Handlung, in die er selbst eingreift; direkte Anreden des Lesers, lange Naturbetrachtungen, scherzhafte Abschweifungen, merkwürdige Menschen und Erlebnisse, Seelenmalereien, Einfluß der empfindsamen und satirisch-humoristischen engl. Rr.
R. als »poetische Enzyklopädie«, die Philosophie, Religion, Recht und Historie umgreift.
Das Werk verdankte sein Erscheinen der grenzenlosen Bewunderung, die Karl Philipp Moritz dem ihm übersandten Ms. zollte und die es ihn dem Verleger übermitteln ließ.
Angehängt: *Das Leben des vergnügten Schulmeisterlein Maria Wuz in Auenthal.* »Eine Art Idylle«. Voll starken persönlichen Gehalts aus J. P.s Zeit als Elementarlehrer in Schwarzenbach (1790–1794) in der »satirischen Essigfabrik«. Schildert das fröhlich-bescheidene Dasein des Kantors bis zu seinem Tode.

1793   Friedrich Hölderlin
(Biogr. S. 237):
Hymnen und Elegien

Die *Hymnen* in Stäudlins *Poetische Blumenlese fürs Jahr 1793,* die *Elegien* in Schillers *Neue Thalia.*
Mit den *Hymnen* an die Menschheit, die Schönheit, die Freiheit, die Freundschaft, die Liebe, an den Genius der Jugend (entst. Tübingen 1791 bis Frühjahr 1792), außerdem mit der Elegie *Kanton Schweiz* (in Hexametern, entst. 1792) trat H. zum zweitenmal durch Stäudlin an die Öffentlichkeit. Unter dem Eindruck Kants, Rousseaus, der Frz. Revolution, Schiller nacheifernd Verkündung von »Idealen der Menschheit«, verzweifeltes Ringen um Größe und Würde des Lebens. Aufbauprinzip: fortgesetzter Parallelismus.
Die Elegien *Griechenland* und *Das Schicksal* (entst. 1793) unter den ersten der Schiller übersandten Gedichte. Trauer um das Versunkene, Aufschwung zu einem neuen geistigen Griechentum.

1793/97   Johann Gottfried Herder
(Biogr. S. 207):
Briefe zur Beförderung der Humanität

10 Slgg.

An Stelle eines geplanten, aber nicht zustande gekommenen 5. Teiles der *Ideen zur Philosophie der Gesch. der Menschheit* und mit deren Grundgedanken übereinstimmend. Anknüpfend an die in dem größeren Hauptwerk im 15. Buch zusammenfassenden Betrachtungen, daß Humanität Zweck der Menschennatur sei, verherrlicht H. den unsichtbaren Bund der Humanen aller Zeiten und Völker.

Enthält Teile aus einer H. vorschwebenden allgemeinen Gesch. der Weltlit., u. a. eine Betrachtung der zeitgenössischen dt. Lit. Erörterung der dt. Kultur in ideologischer Auseinandersetzung mit der frz.

1794   Johann Wolfgang von Goethe
(Biogr. S. 238–245):
Reineke Fuchs

Tierepos in Hexametern.

Grundlage der nddt. *Reinke de Vos* (1498), den G. im wesentlichen in Gottscheds nhd. Prosabearbg. (1752) las. Entst. 1793.

»Es war mir wirklich erheiternd, in den Hof- und Regentenspiegel zu blicken; denn wenn auch hier das Menschengeschlecht sich in seiner ungeheuchelten Tierheit ganz natürlich vorträgt, so geht es doch alles, wo nicht musterhaft, doch heiter zu, und nirgends fühlt sich der gute Humor gestört.« Von G. zugefügt die Rede des Fuchses, der vom höfischen Schmeichler zum Demagogen wird. »Doch das Schlimmste find ich den Dünkel des irrigen Wahnes.«

Nach G. eine »Verlegenheitsarbeit« des aufgeregten Revolutionsjahres.

1795   Johann Wolfgang von Goethe
(Biogr. S. 238–245):
Römische Elegien

20 Elegien (die ursprünglich 2., 16. und Teile der 3. und 4. erst aus dem Nachlaß veröffentlicht). In Schillers *Horen*.

Begonnen 1788 als »Erotica Romana«, beendet 1790 in Weimar.

Kostüm, Stimmung, Gefühls- und Anschauungsweise sind römisch, wenn auch viel Tatsächliches sich nicht auf die römische Geliebte Faustina, sondern auf Weimar und die ersten Jahre von G.s Zusammenleben mit Christiane Vulpius bezieht. Die Schönheit von Roms Tempeln, Palästen und Gärten im Einklang mit der sinnenhaften Schönheit der Geliebten ist das Thema: » . . . ohne die Liebe / wäre die Welt nicht die Welt, wäre denn Rom auch nicht Rom.«

Ganz diesseitig, heiter, farbig; stilisierter Realismus, der vor Gewagtem nicht zurückschreckt. Distichen.

Ein Teil der Leser und der Kritik erhob den Vorwurf der Unsittlichkeit. Schiller: »Poetisch, menschlich und naiv«, »nur eine konventionelle, aber nicht die wahre und natürliche Dezenz dadurch verletzt«. Eine der Anregungen für Sch.s Auseinandersetzung *Über naive und sentimentalische Dichtung.*

1795   Friedrich von Schiller
(Biogr. S. 245–249):
Über die ästhetische Erziehung des Menschen, in einer Reihe von Briefen

In den *Horen.*

Seit dem Frühjahr 1792 geplant, im Laufe 1793 und Anfang 1794 geschrieben: 10 Briefe, an den Herzog Friedrich Christian von Holstein-Augustenburg gerichtet. Ende 1794 erweiternde und in größeren Zusammenhang stellende Bearbg. (27 Briefe) der in den ursprünglichen Briefen niedergelegten philosophisch-prosaischen Reproduktion von Sch.s Gedicht *Die Künstler.*

Pädagogisches Zeitprogramm. Ideal einer Sittlichkeit, die Neigung und Pflicht verbindet. Hatte Kant gesagt, Pflicht und Neigung seien feindliche Gegensätze, das Geistige habe sich das Sinnliche zu unterwerfen, so sieht Sch. in der Kunst das Mittel, Geistiges und Sinnliches, Form- und Stofftrieb im sog. Spieltrieb zu versöhnen. »Es gibt keinen anderen Weg, den sinnlichen Menschen vernünftig zu machen, als daß man denselben zuvor ästhetisch macht.« »Der Mensch ist nur da ganz Mensch, wo er spielt.«

1795   Johann Wolfgang von Goethe
(Biogr. S. 238–245):
Unterhaltungen deutscher Ausgewanderten

In den *Horen.*

Für die *Horen* auf Bitten Schillers 1794 begonnen.

Nach dem Muster von Boccaccios Novv.-Slg. durch einen gemeinsamen Rahmen vereinigte teils übernommene und bearbeitete, teils eigene Erzz. – Die Ausgewanderten sind eine dt. am linken Rheinufer ansässige Familie, die der Einfall der Franzosen zur Flucht zwang.

Die »Unterhaltungen«, pädagogisch gesteuert von der Baronesse und dem Geistlichen, haben die Aufgabe, die in der Flüchtlingsgesellschaft auftauchenden Dissonanzen sowie den Mangel an Selbstzucht, Bildung und Gesellschaftsfähigkeit zu überwinden. Ausgangspunkt und Thema: durch Selbstüberwindung, Einordnung und Vernunft die menschlichen Leidenschaften im Gleichgewicht zu halten.

Die Reihenfolge der Erzz. erwächst aus den genau angepaßten Rahmen-Situationen. Wert der Erzz. in Relation zu ihrem Erzähler. Der erste Abend macht den Mangel an gesellschaftlicher Bildung und lit. Anspruch sichtbar. Auf zwei Gespenstergeschsch. (die erste behandelt ein angebliches Erlebnis der Schauspielerin Clairon, 1710 bis 1803) folgen zwei erotische Anekdoten (nach den Memoiren des Marschalls von Bassompierre, 1579–1646). Diesen lediglich das Spannungsinteresse befriedigenden Erzz., in denen jedoch das Thema der falsch verstandenen Freiheit und der Entsagung schon angeschlagen wird, treten am zweiten Abend als geplant gesteigerte Beispiele zunächst zwei moralische Erzz. gegenüber, die erste (entnommen den *Cent nouvelles nouvelles*, 1486), ursprünglich ein Schwank und von G. durch Verinnerlichung in eine Erz. mit pädagogischer Tendenz umgewandelt, die zweite eine von G. selbst erfundene Gesch. von dem Kaufmannssohn Ferdinand, einem zwiespältigen Charakter, der in einer Krise zu einem höheren Begriff von Freiheit geführt wird. *Das Märchen* schließlich schlingt nach G. Bilder, Ideen und Begriffe durcheinander, enthält also phantastische, symbolische und allegorische Elemente. Mit diesem Spiel einer Phantasie, die sich an sinnvollen Bildern erfreut, zu Deutungen einlädt, aber nicht durch sie zu erschöpfen ist, sollten die *Unterhaltungen* nach G. gleichsam ins Unendliche auslaufen. Am Schluß des *Märchens* zeichnet sich ein idealischer Zustand ab, der durch »das gegenseitige Hülfeleisten der Kräfte« und durch Selbstaufopferung zustande kommt und in dem Schönheit und Liebe vereint sind.

1795   Jean Paul
(Biogr. S. 237/238):
Hesperus oder 45 Hundsposttage

»Eine Lebensbeschreibung«, Erziehungs-R., 3 Bdd.

Arbeit daran seit 1792, 1. Teil Sommer 1793 fertig.

Gewidmet »dem höheren Menschen, der unser Leben, das nur in einem Spiegel geführt wird, kleiner findet als sich und den Tod«. Schauplatz das Leben in einem kleinen thüringischen Fürstentum. Statt der üblichen Kapitel Einteilung in sog. »Hundsposttage«, da der Dichter den R. vorgeblich auf einer Insel im Fürstentum Scheerau schreibt, wohin ihm ein Hund mit Namen Spitzius Hofmann von Zeit zu Zeit Berichte über die Ereignisse im Fürstentum Flachsenfingen zuträgt. Eine bizarre Handlung ist äußerer Rahmen für hohe Gefühle, eine Reihe herrlicher Menschen und philosophischer Ideen. Auf einem düsteren Hintergrund erlösen sich die Optimisten durch Liebe und Glauben an eine bessere Zukunft. Einzelne Züge, wie die Leichenrede, die der Held Viktor auf sich selber hält, zeugen von J. P.s Humor.

Das Werk enthält des Dichters ganzes persönliches Erleben, seine Liebesnöte, seine »Schwelgereien« vor und während der Niederschrift. In dem Arzt Viktor zeichnete er sich selber, seine Empfindsamkeit, aber auch ihre Überwindung durch Humor, Gemüt und Verstand. Einfluß von Sterne und Fielding. Auch Klothilde und Joachime sind wirklichen Personen, Amöne und Karoline Herold, nachgebildet.

Große Breitenwirkung: J. P. sofort der berühmteste Dichter seiner Zeit.

1795/96   Johann Wolfgang von Goethe
            (Biogr. S. 238–245):
            Wilhelm Meisters Lehrjahre

Entwicklungs- und Bildungs-R. – Einfluß von Wielands *Agathon*. *Wilhelm Meisters theatralische Sendung*, die als »Urmeister« angesehene erste fragmentarische Form des R., 1910 durch Gustav Billeter in einer Abschrift von G.s Freundin Bäbe (Barbara) Schultheß in Zürich aufgefunden. Entst. etwa seit März/April 1776. Titel anklingend an *Hans Sachsens poetische Sendung* (1776). Im Gegensatz zu den späteren *Lehrjahren* ein Theater-R. Teilweise autobiographische Züge. Nach Max Herrmann besteht Wilhelm Meisters theatralische Sendung darin, »der erste Dramaturg und Regisseur des dt. Theaters zu werden und diesem damit den wesentlichen Helfer zu geben, der zu seiner vollen Entwicklung noch fehlte«. Insbesondere sollte Meister dem Spielplan Richtung geben, ihm Shakespeare einfügen und Bühnenbearbgg. der großen Drr. schaffen, den Schauspieler geistig heben und richtig ausbilden. Ziel das dt. Nationaltheater. Serlo ist dem Hamburger Theaterleiter Friedrich Ludwig Schröder nachgebildet (Hamburg = H im »Urmeister«). Das 6. Buch enthält G.s Hamletstudien. 12 Bücher waren geplant. Das Ziel des Theater-R. von G., der 1788 die inzwischen liegengelassene Arbeit wieder aufgenommen hatte, bis Ende 1793 festgehalten.
Die Umarbeitung, im Grunde eine Neukonzeption, die die ersten 6 Bücher der *Sendung* in 4 Bücher der *Lehrjahre* umschrieb, schränkte das Theaterwesen ein, das nur noch eine der Bildungsstufen für Meister war. Die Charaktere wandelten sich, das Autobiographische wurde zurückgedrängt, Mignon bekam pathologische Züge. Das 7. Buch der *Sendung* ging teilweise ins 5. Buch der *Lehrjahre* ein. Die darin geschilderte *Hamlet*-Auff. wurde zum Wendepunkt im Bildungs-R.: Meister erkennt, daß das Theater nur eine Station, aber nicht sein Ziel war; andere Phasen müssen bis zur Vollendung durchlaufen werden. Die Führung seines Bildungsganges übernimmt die geheime Gesellschaft vom Turm, vor allem Nathalie übt veredelnden und bändigenden Einfluß aus. Das klassische Lebensideal wird gesehen in der auf Selbstbeschränkung gegründeten Ausbildung der

Individualität als Glied der Gemeinschaft. Die am Wendepunkt des R. als 6. Buch eingeschobenen *Bekenntnisse einer schönen Seele* gehen vielleicht zurück auf die Herrnhuterin Susanna von Klettenberg (1723–1774), die den jungen G. in Frankfurt 1768–1770 zur Mystik wies, oder sind nach von ihr hinterlassenen Schriften gestaltet. Anpassung an klassische Formprinzipien, für die das antike Versepos maßgebend war. Gegenüber der *Theatralischen Sendung* daher Distanzierung des Erzählers vom Leser, Einheitlichkeit des Stils, auch in der Sprechweise der Personen, größere Distanz von der Realität, Meidung des Charakteristischen zugunsten des Typischen, Dämpfung, Glättung, Ausgewogenheit der Sprache. Zerstörung der zeitlichen Folge, Zeitstau. Ordnung der Ereignisse nach ihrer inneren Bedeutung: Reihung symbolischer Augenblicke.

Durch die vielen romanhaften Züge, Gestalten, Motive – der Harfner, Mignon – starker Einfluß auf die Zeit, besonders auf die Romantiker. Als Künstler- und Entwicklungs-R. gattungbildend. Wirkung bis zu Mörikes *Maler Nolten*, Kellers *Der grüne Heinrich*, Stifters *Nachsommer*.

1795/96   Friedrich von Schiller
(Biogr. S. 245–249):
Gedankenlyrik

In den *Horen* erschienen 1795–1796: *Das Reich der Schatten* (späterer Titel: *Das Ideal und das Leben*; Gegenstück zur Ode *Theodizee* von Uz [1776] nach Leibniz, Anthropodizee, selbstbefreiende Erhebung zum Schönen); *Das verschleierte Bild zu Sais* (die Wahrheit kann nur verschleiert vom Menschen ertragen werden); *Elegie* (später: *Der Spaziergang*; dreistufige Kulturphilosophie im Zusammenhang mit der Schilderung eines Spazierganges durch den Garten von Hohenheim, Kultur nur in Harmonie mit der Natur möglich); *Die Teilung der Erde* (der Dichter als der ärmste, aber Gott nächste der Menschen). In Sch.s *Musenalmanach für das Jahr 1796* erschienen: die 1795 entstandenen Gedichte *Pegasus in der Dienstbarkeit* (später: *Pegasus im Joche*; das Genie des Dichters in der Fessel der Nützlichkeit); *Die Ideale* (Abschied von der Jugend, Aufgaben des reifen Mannesalters); *Würde der Frauen* (die Frau Hüterin der Sitte und Harmonie; einseitige Auffassung von August Wilhelm Schlegel parodiert). Umsetzung der Gedanken von Sch.s philosophisch-ästhetischen Schriften in eine bildhaftere metrische Sprache. Dennoch mehr gedanklich als anschaulich. An verschiedenen Motiven (Künstler, Frau, Hellenentum, Natur), an denen sich die Idee der Schönheit, der Harmonie, des Zusammenfalls von Gesetz und Freiheit veranschaulichen läßt, wird das Ideal der schönen Humanität verdeutlicht. Metren (vorzugsweise antik-klassische) und Gattungen (Satire, Elegie, Idylle) waren von der Aufklärungslyrik vorgebildet.

1795/96   Friedrich von Schiller
(Biogr. S. 245–249):
Über naive und sentimentalische Dichtung

In den *Horen*.

Entst. 1795.

Poetologische Abhandlung, anknüpfend an die Auseinandersetzung mit der Wesensart Goethes, besonders Interpretation und Rechtfertigung der *Römischen Elegien*. Die naive Dg., die besonders durch das klassische Altertum vertreten wird, fühlt sich noch im Zusammenhang mit der Natur, während die sentimentalische Dg. nach der in der Moderne verlorengegangenen Einheit mit der Natur strebt. Die naiven Dichter suchen in den »möglichst vollständigen Nachahmungen des Wirklichen«, die sentimentalischen »in der Darstellung des Ideals« ihr Verdienst. Goethe verkörpert den naiven, Sch. sieht sich selbst als sentimentalischen Typ.

Schon 1794 hatte Sch. in seinem Geburtstagsbrief an Goethe das Gegensatzpaar mit den Begriffen »intuitiv« und »spekulativ« umschrieben.

1796   Johann Wolfgang von Goethe
(Biogr. S. 238–245):
Venezianische Epigramme

In Schillers *Musenalmanach für das Jahr 1796*.
Frucht des 2. Aufenthaltes in Italien März–Mai 1790. Meist polemisch: gegen Italien selbst, Aberglauben, Priesterherrschaft, Frz. Revolution, Newtonsche Farbenlehre. Die Epigramme 83–102 zum Teil bereits in Weimar und Schlesien gedichtet und ursprünglich für die *Römischen Elegien* bestimmt gewesen; Beziehung auf Christiane.

1796   Jean Paul
(Biogr. S. 237/238):
Quintus Fixlein

R.
Das Leben des Lehrers Fixlein in Flaxenfingen. Als Gegengewicht gegen *Hesperus* konzipiert. Statt der idealistischen, himmelstürmenden Charaktere idyllische Selbstbescheidung in der Art des Wuz. Die Absicht des Dichters, »der ganzen Welt zu entdecken, daß man kleine sinnliche Freuden höher achten müsse als große und daß uns nicht große, sondern kleine Glückszufälle beglücken«. Idyllische Haltung nicht durchgängig gewahrt, Fixlein hat in seinen starken Gemütsschwankungen etwas von den »hohen« Charakteren J. P.s. Ineinandergreifen wirklicher und traumhafter Szenen.

1796/97   Jean Paul
           (Biogr. S. 237/238):
           **Blumen-, Frucht- und Dornenstücke oder Ehestand,
           Tod und Hochzeit des Armenadvokaten F. St. Sieben-
           käs im Reichsmarktflecken Kuhschnappel**

Humoristischer R.

Entst. 1795–1796.

Der Kampf des aufstrebenden, ideal gerichteten Geistes mit dem
Alltag. Wieder mit stark persönlichen Zügen ausgestattete kuriose
Geschichte von dem empfindsamen, träumerischen, genialischen Advokaten und Schriftsteller, der sich totmelden und scheinbar be-
graben läßt, um von seiner guten, aber hausbackenen Frau Lenette
loszukommen. Unter dem Namen seines ihm sehr ähnlichen Freundes Leibgeber heiratet er dann die geistreiche Engländerin Natalie.

1797   **Johann Wolfgang von Goethe**
        (Biogr. S. 238–245):
        Hermann und Dorothea

Epos in Hexametern. Neun Gesänge, mit dem Namen jeweils einer
Muse als Titel.

September 1796 begonnen, beendet März 1797. G. übernahm die Fabel aus Göckingks
Bericht über die Schicksale der 1731 aus dem Erzbistum Salzburg vertriebenen Luthe-
raner. Sie wurde zeitnah durch aktuelle Nachrichten über die durch die Frz. Revolution hervorgerufenen Erlebnisse von G.s früherer Verlobten Lili Schönemann, inzwischen verehelichter von Türckheim: Dorothea trägt vielleicht Züge von Lili. – Der
gleiche Stoff auch in dem Dr.-Fragment *Das Mädchen von Oberkirch* (1795).

G. über seine Absicht 1796 an Johann Heinrich Meyer: »das rein
Menschliche der Existenz einer kleinen deutschen Stadt . . . und zugleich die großen Bewegungen und Veränderungen des Welttheaters
aus einem kleinen Spiegel zurückzuwerfen . . .« Mit angeregt durch
Voß' *Luise*.
In die Ordnung besitzfreudiger kleinstädtischer Bürger brechen als
Folge der Frz. Revolution dt. Flüchtlinge und ihr Elend ein. Der be-
scheidene Jüngling Hermann, beeindruckt von der vorbeiziehenden
Dorothea, die ihren Schicksalsgenossen selbstlos und umsichtig bei-
steht, wünscht sie zur Frau, und seine Eltern willigen ein, nachdem
sie sich überzeugt haben, daß auch ihre eigenen Erwartungen durch
Dorothea erfüllt werden dürften.
Verherrlichung des bodenständigen dt. Bürgertums und seiner Ge-
meinschaftskultur. Charaktere und Sprache homerisch typisiert.
Handlung auf einen halben Tag konzentriert. Weiterführung einer
klassischen Gattung und Verwirklichung des klassischen Kunst-
ideals.

Schiller sah in dem Epos den Gipfel der Goetheschen und »unserer ganzen neueren Kunst«.
Mehrfach dramatisiert, zuletzt von Ludwig Berger, Auff. 30. 3. 1961 in Berlin-West, Renaissance-Theater.

1797   Johann Wolfgang von Goethe
(Biogr. S. 238–245) und
Friedrich von Schiller
(Biogr. S. 245–249):
Xenien

In Sch.s *Musenalmanach für das Jahr 1797.*
1796 entstandene satirische Distichen; Plan G.s als Reaktion auf das mangelnde Verständnis der Kritik gegenüber den Veröffentlichungen der *Horen* und des *Musenalmanachs.*

Als Xenien werden bei Martial Gast- oder Küchengeschenke bezeichnet, die man den Gästen reichte, die nicht an die häusliche Tafel gezogen wurden.

Satirisch-kritische Musterung der zeitgenössischen Lit. Scheidung von der überholten Aufklärungslit. und aller realistischen Alltagsdarstellung (Iffland), aber z. B. auch gegen die Brüder Schlegel.

Der Almanach enthielt außerdem von Sch. *Das Mädchen aus der Fremde, Die Klage der Ceres,* die Distichen der *Tabulae votivae;* von G. die idyllische Elegie *Alexis und Dora* (entst. 1796).

1797/99   Friedrich Hölderlin
(Biogr. S. 237):
Hyperion oder der Eremit in Griechenland

Zweibändiger R. in Briefform. Buch 1 und 2 erschienen 1797, Buch 3 und 4 1799.

Arbeit daran seit 1792 in Tübingen und Waltershausen. Bereits im Herbst 1794 in Schillers *Neuer Thalia* eine erste Fassung: *Fragment von Hyperion.*

Oft als Bildungs-R. in der Reihe *Hesperus, Wilhelm Meister* usw. angesehen, eher aber als ein Bekenntnisbuch zu bezeichnen. Thema: »Das Schwelgen im Ideal, das Scheitern des Ideals, die Trauer um das gescheiterte« (Rudolf Haym). Das Vorwort deutet auf einen Erziehungs-R., auf den Plan, eine »exzentrische Bahn« von unschuldiger Kindheit bis zur vollen erwachten Mannesreife zu beschreiben. Hyperion ist als ein »elegischer Charakter« bezeichnet.
Hintergrund des R. ist das moderne Griechenland, wo seit 1770 die Griechen im Bunde mit den Russen für ihre Befreiung von den Türken kämpften. Die seelische Entwicklung des Helden, eines jungen griech. Idealisten reinster Prägung, spiegelt H.s eigene Entwicklung: seine Trauer über die Armut und Starre der Gegenwart vor dem Abbild des alten Griechenland, seinen Wunsch, einen neuen goldenen Zustand heraufzuführen, in dem Gott, Natur und Mensch

wieder eins sind, seine seelische Erlösung durch die ideale Liebe zu
Diotima, die ihn – vergebens – lehrt, nicht zu schwärmen, sondern
sich ernst zu bilden, zu reifen, seine Sehnsucht nach der großen heroischen Tat, die in der Schaffung einer neuen Gemeinschaft auf der
Grundlage gläubiger Einheit mit der göttlichen Natur besteht. H.s
Held scheitert, als sein Freund Alabanda, ein nach Fichtes Philosophie gebildeter Tatmensch, ihn zu übereiltem Eingreifen in den
griech. Aufstand verführt, und als sich zeigt, daß seine Zeitgenossen
noch nicht reif sind für seine hohen Ideale. Verzweifelnd an den
Menschen, an der Liebe, ja an der Philosophie, sucht Hyperion,
nachdem ihn Alabanda vor dem selbstgewählten Tod bewahrte, sein
letztes Heil in resignierter Naturliebe. Haben ihn die dt. Menschen,
zu denen er sich begab, um die neue Zeit zu ihnen zu tragen, auch
enttäuscht, da dieses Volk »in seinem Fach bleibt und sich nicht viel
ums Wetter kümmert«, so erlöst ihn doch der dt. Frühling und die
dt. Natur. Die Natur ist die alleinige Geisteswirklichkeit. Dithyram-
bischer Preis des Todes, des »Zurückfließens in die Natur«: »o du
mit deinen Göttern, Natur! ich hab ihn ausgeträumt, von Menschen-
dingen den Traum, und sage: Nur du lebst . . .«

Vgl. Fortgestaltung des Problems in den *Empedokles-Fragmenten*.

Zwei Erzählebenen, eine rückgreifend berichtende und eine gegenwärtig analysierende, verschmelzen in den letzten beiden Briefen. Die
lyrischen Elemente gipfeln in *Hyperions Schicksalslied* (4. Buch).
Mit Diotima, deren Name auf die mantineische Seherin in Platos
Gastmahl zurückgeht, die Plato als Lehrmeisterin der Liebe für den
Philosophen Sokrates wählte, schuf H. ein Abbild seiner Seelen-
freundin Susette Gontard.

1797 ff.   Friedrich Hölderlin
(Biogr. S. 237):
Empedokles-Fragmente

Von H. selbst nicht veröffentlicht, 1799 Vorhandenes für das von
ihm geplante Journal vorgesehen.
1. Sog. Frankfurter Plan: »Ich habe den ganzen detaillierten Plan zu
einem Trauerspiele gemacht, dessen Stoff mich hinreißt« (H. an
seinen Halbbruder Anfang August 1797). Titel des Plans: *Empedokles. Ein Tr. in 5 Akten.*
2 a. Erste Fassung unter dem Titel *Der Tod des Empedokles.* Vermutlich im Winter 1798 auf 1799 in Homburg. Von allen vorliegenden
Fassungen am weitesten ausgeführt (zwei fast vollständige Akte).
2 b. Zweite Fassung, entst. 1799–1800; größere Teile von ihr ver-
schollen, erhalten drei Szenen des 1. Aktes, zwei Szenen vom Schluß
des 2. Aktes. Die Planskizze sieht fünf Akte vor.

3. Nach theoretischer Klärung von Stoff und Aufgabe in den Aufsätzen *Grund zum Empedokles* und *Das untergehende Vaterland* bilden die Entwürfe zu einem Dr. *Empedokles auf dem Ätna* (drei Szenen und Szenenentwurf) die letzte Phase in H.s Gestaltung des Stoffes.

Der antike Philosoph Empedokles von Agrigent (490–430 v. Chr.), zugleich Staatsmann, Arzt und Magier, stammte aus vornehmem Hause und soll dennoch bei der Beseitigung der aristokratischen Herrschaft in Agrigent mitgewirkt haben. Der Legende nach stürzte er sich in den Schlund des Ätna, um den Glauben an seine Göttlichkeit bei seinen Anhängern zu erhalten. Seine philosophische Lehre bezeichnet Haß und Liebe als die bewegenden kosmischen Kräfte, definiert die vier Elemente, preist die immer wieder hergestellte Harmonie des Weltalls und bekennt sich zur Seelenwanderung.

H.s Hauptquelle, die Darstellung durch Diogenes Laertius (3. Jh. n. Chr.), enthält bereits das Motiv der Schuld durch Selbstüberhebung, den Sturz in den Ätna als Tat aus Geltungsdrang, durch die Empedokles habe unsterblich werden wollen. Diesen Tod aus »Übermut«, mit dem Empedokles den Menschen sein dichterisches Wort entzog, übernahm bereits H.s Ode *Empedokles*, die eine Frühstufe der Stoffaneignung darstellt.

Für H. ist Empedokles der Dichter und Seher, in dem sich die Harmonie des All-Einen spiegelt, der an den Unvollkommenheiten des Einzeldaseins leidet und der schließlich sein Einzelleben für die Lösung der Dissonanzen opfert. Im Frankfurter Plan ist noch nichts von Hybris oder Schuld angedeutet. Da die Vereinigung mit dem All im Leben nicht möglich ist, faßt Empedokles den Entschluß, sich ihm im Tode zu vereinen.

Der Tod des Empedokles setzt als Tatbestand voraus, daß Empedokles seinem Volke eine geistigere Religion verkünden wollte, daß es ihm gelingt, seine Mitbürger kraft seiner geheimen Macht über die Natur, die er in den Dienst der Gläubigen zwingt, zu gewinnen, daß aber schließlich das Volk ihn anbetet und nicht seine Botschaft. Das Dr. zeigt zu Beginn den durch Hybris hervorgerufenen Verlust der Einigkeit mit der Natur und den Entschluß zum Tode. Es behandelt die Abwendung des Volkes von dem innerlich gebrochenen Philosophen durch einen schlauen Priester, die Verbannung des Empedokles und sein todbereites Zuschreiten auf den Ätna, um sich den Göttern zu opfern und so dem blinden Volke die Augen über seine Lehre zu öffnen. Als dieses ihn zurückholen will, verkündet er sein revolutionäres Vermächtnis: »Dies ist die Zeit der Könige nicht mehr ...«; mit »teilt das Gut« klingen Ideen der von Babeuf inspirierten Conspiration des Égaux an (Pierre Bertaux). Die 2. Fassung rückt das Problem der »Wortschuld« an zentrale Stelle: Empedokles hat sich, um dem Volk seine Lehre glaubhaft zu machen, einen Gott genannt; er wird deshalb verflucht und verbannt. Seine Schuld ist eine mit dem Dichteramt verbundene Schuld, sie stürzt ihn in Zweifel an seiner Aufgabe. In *Empedokles auf dem Ätna* wird der große Einzelne, der seinen eigenen Sühnetod sterben wollte, auch im Tode an das Ganze des Volkes gebunden. Der Dichter ist vom Herrn der

Zeit berufen und muß den Auftrag der Zeit erfüllen. Ein Wort-Ver-
mächtnis genügt nicht, es bedarf eines Opfertodes, damit nicht nur
er, sondern das Ganze verwandelt und entsühnt werde.

Die Dg. konzentrierte sich im Laufe der Umgestaltungen immer
mehr auf Empedokles' Gang zum Tode, der aus einem ich- bezogenen Tod zu einem Mittler-Tod wird. Der Frankfurter Plan sah einen
Akt für diesen Gang vor, die beiden Fassungen von *Der Tod des
Empedokles* vier Akte, *Empedokles auf dem Ätna* alle fünf Akte. Als besonderes Thema schält sich die Frage heraus, worin Reifwerden zum
Tode bestehe, was Reifsein zum Tode sei und zu bewirken vermöge.
Mit dem *Hyperion* verwandt in der Grundstimmung der Verzweiflung, der nur die Rückgabe des Lebens an die Natur übrigzubleiben
scheint. *Der Tod des Empedokles* nimmt die Problematik des Lebens
an dem Punkt dichterisch wieder auf, an dem H. sie am Schluß des
Hyperion offengelassen hatte.

Arbeitete der Frankfurter Plan offenbar noch mit lebhaft bewegtem
Szenenwechsel und mit psychologischer Begründung in der Art von
Shakespeare und Schiller, so verzichtet die erste Fassung auf die mehr
zufälligen Einzelheiten und zeigt eine antike strenge Fügung mit nur
wenigen Rollen. Rhythmisch bewegte Prosa, in Jamben übergehend.
Breite episch-lyrische Monologe des Empedokles. Für die dritte Fassung, *Empedokles auf dem Ätna*, war ein Chor in Aussicht genommen.

1798   Johann Wolfgang von Goethe
      (Biogr. S. 238–245) und
      Friedrich von Schiller
      (Biogr. S. 245–249):
      Balladen

In Sch.s *Musenalmanach für das Jahr 1798*, sog. Balladen-Almanach.
G.: »Nach dem tollen Wagestück mit den *Xenien* müssen wir uns
bloß großer und würdiger Kunstwerke befleißigen und unsere poetische Natur, zur Beschämung aller Gegner, in die Gestalten des
Edlen und Guten umwandeln.«

Der Almanach enthält von G.: *Der Schatzgräber* (entst. 1797; angeregt durch ein Bild; nicht durch Schatzgraben wird das Glück errungen: »Tages Arbeit, abends Gäste! Saure Wochen, frohe Feste!
Sei dein künftig Zauberwort.«); *Der Zauberlehrling* (entst. 1797; Ohnmacht des bloßen Nachahmers, Beziehung zu den lit. Fehden G.s
und Sch.s); *Vier Romanzen von der Müllerin* (entst. 1797; Dialoge zwischen dem verliebten Knaben, der Müllerin, dem Mühlbach, die,
zum Zyklus vereint, einen »kleinen R.« ergeben, Anknüpfung an
volkstümliche Überlieferung europäischer Länder [Pastourelle],
Weiterwirken auf die Romantik); *Die Braut von Korinth* (entst. 1797;
»Vampyrisches Gedicht«; Verletzung des Naturrechts des Menschen

kann nur durch Versöhnung mit der Natur gesühnt werden); *Der Gott und die Bajadere* (entst. 1797; indische Legende; Magdalenenmotiv; Adel der Liebe: »Unsterbliche heben verlorene Kinder mit feurigen Armen zum Himmel empor.«); *Die Legende vom Hufeisen* (entst. 1797; Knittelvers; Nachklang von *Hans Sachsens poetische Sendung*); die Elegie *Der neue Pausias und sein Blumenmädchen* (entst. 1797; G.s Liebe zu Christiane). Nach den frühen Balladen *Der untreue Knabe* (1774 in *Claudine von Villa Bella*), *Der König in Thule* (entst. 1774, aus dem *Faust*), *Der Fischer* (entst. 1778, Druck 1779), *Der Erlkönig* (1782 in *Die Fischerin*), die starken Zusammenhang mit der naturhaften und irrationalen Volksballade (*Ossian*, Percy, Herder) zeigen, hat die klassische Ballade G.s mehr epischen Charakter, ist klarer in Form und Gehalt, rückt von dem Zwielichtigen und Sprunghaften der Volksballade ab. Im Zentrum steht eine ethische Idee, die Gedankenwelt der Humanität.

Von Sch.: *Der Ring des Polykrates* (entst. 1797); *Der Taucher* (entst. 1797); *Die Kraniche des Ibykus* (entst. 1797; Idee der Schaubühne als einer moralischen Anstalt); *Der Gang nach dem Eisenhammer* (entst. 1797); *Der Handschuh* (entst. 1797). Sch.s Balladen sind im Vergleich zu denen G.s von dram. Grundstruktur. Der moralische Satz, um den sie gebaut sind, tritt aufdringlicher hervor. Sie stellen äußerste Entfernung von der Volksballade dar und wurden Vorbild für den größten Teil der Balladendg. des 19. Jh.

Im Almanach von 1799 erschienen die 1798 entstandenen: *Der Kampf mit dem Drachen*, *Die Bürgschaft*.

1798/99   Friedrich von Schiller
(Biogr. S. 245–249):
Wallenstein

Dram. Gedicht, bestehend aus: *Wallensteins Lager*, Vorsp. 1; *Die Piccolomini*, Schsp. 5; *Wallensteins Tod*, Tr. 5. Auff. von *Wallensteins Lager* 12. 10. 1798 zur Eröffnung des umgebauten Weimarer Theaters. Auff. von *Die Piccolomini* 30. 1. 1799 in Weimar. Auff. von *Wallensteins Tod* (als *Wallenstein*) 20. 4. 1799 ebd.

Sch. faßte bereits 1791 während der Arbeit an der *Gesch. des Dreißigjährigen Krieges* die Idee einer dram. Bearbg.: »Wallensteins Tod ein begeisterndes Sujet für eine historische Tragödie«. 1794 Ausführung einiger Szenen in Prosa. März 1796 Rückkehr zum Stoff, nach Schwanken zwischen einem Wallenstein- und einem Malteser-Dr. Frühjahr 1797 Entstehung des »Prologs« (= *Wallensteins Lager*), der den realistisch gesehenen ehrgeizigen Rechner Wallenstein als von seinen Verhältnissen abhängig zeigen soll. Sommer 1797 Arbeit am Hauptteil; November Übergang zum jambischen Fünffüßler. September 1798 Erweiterung des »Prologs«, Aufteilung in eine Trilogie; Sch. an Körner: »Ohne diese Operation wäre der *Wallenstein* ein Monstrum geworden an Breite und Ausdehnung. Jetzt sind es mit dem Prolog drei bedeutende Stücke, davon jedes gewissermaßen ein Ganzes, das letzte aber die eigentliche Tr.« Im Oktober entsteht das »Gedicht« (= *Prolog*). Fertigstellung des Ganzen 17. 3. 1799.

Bei der Uraufführung hatten *Die Piccolomini* und *Wallensteins Tod* eine von der heutigen abweichende Aufteilung des Stoffes. Nach dem Bericht des Schauspielers Eduard Genast waren die ersten vier Akte der *Piccolomini* in zwei zusammengedrängt, der fünfte bildete den dritten, der vierte begann mit dem astronomischen Turm, der fünfte mit den Worten Wallensteins: »Mir meldet er aus Linz . . .« Demnach waren zwei Akte von *Wallensteins Tod* zu den *Piccolomini* gezogen worden. *Wallensteins Tod* begann mit den Worten der Gräfin Terzky: »Ihr habt mir nichts zu sagen, Base?« Die drei Akte waren in fünf eingeteilt; der dritte endete mit einem Monolog Buttlers, der in der gedruckten Ausg. von *Wallenstein* fehlt.
Der historische Albrecht von Wallenstein wurde 1625 kaiserlicher Obergeneral über ein Söldnerheer. 1633 Spannung mit der katholisch-spanischen Partei am kaiserlichen Hof. Wallenstein führte geheime Verhandlungen mit Schweden, Sachsen und Franzosen. Kaiserliches Patent vom 18. 2. 1634 erklärte ihn für abgesetzt. Am 25. 2. 1634 in Eger ermordet auf Veranlassung des irischen Obersten Buttler. Sch. schloß sich seinen Quellen und den darin enthaltenen Dokumenten eng an.

Wallenstein, der Sch. zunächst als revolutionärer Kämpfer interessiert hatte, war allmählich nicht mehr der begeisternde Held. Das Charakterproblem rückte in den Mittelpunkt, Objektivität der Darstellung erstrebt (bis auf Thekla und Max). Während der Ausführung beeinflussendes Studium Shakespeares und der antiken Dramatiker. Analytische Technik: Lebenskurve Wallensteins fällt von Anfang an. Kernproblem die Willensfreiheit. Wallenstein betrügt sich selbst und schwankt unentschlossen. Höhepunkt der ursprünglich fünfaktigen Komposition die Szene Max – Wallenstein, das Aufeinandertreffen von Idealismus und Realismus: Wallenstein erkennt, was er hätte tun sollen.
Nach dem einführenden *Lager* bringen *Die Piccolomini* das Intrigenspiel um Wallensteins Sieg oder Ende. Es bilden sich die Parteien Wallenstein und die Schweden – Octavio Piccolomini und der Kaiser. Beide ringen um die Gunst des Lagers und um Octavios Sohn Max. Wallenstein, erst im *Tod* im Vordergrund stehend, erkennt vor dem Zwang, entweder mit dem Kaiser oder mit den Schweden zu brechen, daß das Leben kein Spiel mit der Phantasie oder dem Sternenglauben ist und daß es keine Halbheiten duldet. Er muß handeln und begibt sich nach Eger, indes der von Octavio gedungene Buttler schon seinen Tod vorbereitet. Max, den bis zu den Enthüllungen seines Vaters die Liebe zu Wallensteins Tochter Thekla und die Verehrung für Wallenstein an den umstellten Feldherrn band, findet nach dem Zusammenbruch seines Idealismus den Ausweg im Schlachtentod: »Vertrauen, Glaube, Hoffnung ist dahin, denn alles log mir, was ich hoch geachtet.«

Sch. nach der Auff. von *Wallensteins Tod*: »Es war darüber nur eine Stimme, und die nächsten acht Tage wurde von nichts anderem gesprochen.«
Druck des gesamten Werkes nach Änderung der für die Uraufführungen benutzten Aktverteilung 1800.

1799   Friedrich Hölderlin
(Biogr. S. 237):
Gedichte

In Schillers *Musenalmanach* erschienen *Sokrates und Alkibiades, An unsere großen Dichter* und in Neuffers *Taschenbuch für Frauenzimmer von Bildung* erschienen *Diotima, An ihren Genius, Lebenslauf, Ehemals und jetzt, Die Heimat* 1. Fassung, *Ihre Genesung, An die Deutschen, An die Parzen* u. a.

Entst. meist in Frankfurt 1796–1798.

Reife antikische Formen. Diotima-Glück und Diotima-Leid. Sehnsucht nach Ruhe. Verkündung der Schönheit, der sich die Weisheit beugt. Die Dichter als aufrüttelnde Gesetzgeber. Bogenstil, der Zeilen- und Strophengrenzen überwölbt. Gliederung durch »gegenrhythmisches« Prinzip. Dialektischer Aufbau.

August Wilhelm Schlegel in der Rezension des *Taschenbuchs*: »Den sonstigen Inhalt des Almanachs möchten wir fast auf die Beiträge von H. einschränken ... H.s wenige Beiträge sind voll Geist und Seele ...« (*Allgemeine Lit.-Ztg.* Nr. 71 vom 2. 3. 1799).

1800   Friedrich von Schiller
(Biogr. S. 245–249):
Das Lied von der Glocke

In Schillers *Almanach für das Jahr 1800*. Saeculardg.

Plan 1791 in Rudolstadt; Beginn 1799 nach der Lektüre von Goethes *Benvenuto Cellini* (darin Beschreibung einer Erzgießerei). Studium der technischen Vorgänge des Glockengusses. Beendet September 1799.

Preis des bürgerlichen Lebens, in dem Kultur und Natur sich harmonisch vereinen. Das Ganze gesprochen vom Glockengießermeister: 10 Meistersprüche, äußerlich durch metrische Übereinstimmung abgeschlossen; zwischen ihnen stehen neun Betrachtungen in wechselndem Versmaß. Die Meistersprüche begleiten das Werden der Glocke vom Beginn des Gießens bis zur Vollendung. Unter den neun Betrachtungen weisen die ersten beiden und die neunte auf den Sinn der Arbeit an der Glocke und auf deren Bedeutung hin, die dritte bis achte Betrachtung schildern im Anschluß an die Aufgaben der Glocke Szenen aus dem bürgerlichen häuslichen und öffentlichen Leben. Der letzte Meisterspruch weist der Glocke ihre vornehmste Aufgabe: »Friede sei ihr erst Geläute.«

Große Nachwirkung des Gedichts im ganzen 19. Jh. Goethe gab seinem dichterischen Nachruf auf Sch. den Titel *Epilog zu Schillers Glocke* (Stanzen; für die Trauerfeier im Lauchstädter Theater 1805 in kürzerer Fassung, erweiterte Fassung erst bei den Wiederholungsfeiern 1810 und 1815).

1800   Friedrich von Schiller
(Biogr. S. 245–249):
Maria Stuart

Tr. 5, in Jamben. Auff. 14. 6. in Weimar.

Nach Beendigung des *Wallenstein* im April 1799 unter Goethes Einfluß Studium der hist. Quellen. Arbeitsbeginn Juni 1799, Abschluß 9. 6. 1800.
Maria Stuart, geb. 1542, übernahm nach dem Tode ihres ersten Gemahls, Franz II. von Frankreich, die Regierung in Schottland und heiratete in dritter Ehe Bothwell, den Mörder ihres zweiten Mannes, Heinrich Darnley. Aufstand der protestantischen Schotten, Gefangennahme der Königin und Flucht nach England 1568. Hier bis 1587 gefangengehalten und am 8. 2. 1587 in Fotheringhay wegen Teilnahme an Verschwörungen gegen das Leben der engl. Königin Elisabeth hingerichtet.

Handlung des Dr. setzt nach der Verurteilung Marias ein. Analytische Technik des Euripides: Darstellung der gesamten Vorgeschichte in die Handlung einbezogen. Maria passive Heldin, ihr Leiden Gegenstand der Tr., in der es um Vollzug oder Vereitelung des Urteils geht. Sch. glaubt an Marias Schuld am Tode Darnleys, die historisch nicht sicher ist, nicht an eine Verschwörung gegen Elisabeth. Maria lernt, das ihr von Elisabeth zugefügte Unrecht moralisch als ein Recht zu empfinden: als Strafe für eine frühere Schuld. Vom realistischen Sinnenmenschen entwickelt sie sich zum Idealismus: »Gott würdigt mich, durch diesen unverdienten Tod die frühe schwere Blutschuld abzubüßen.« Maria ist für Sch. im Gegensatz zu Elisabeth die wahre Königin an innerer Haltung und äußerer Schönheit, durch die sie Elisabeths Eitelkeit kränkt. Elisabeths dram. Entwicklung führt abwärts von der Höhe der Macht zu allmählicher Erniedrigung und Vereinsamung. Die theatralisch wirksame Mittelszene des Zusammentreffens zwischen beiden Königinnen, in der sich Maria als die innerlich überlegene erweist, ist unhistorisch.

Buchausg. 1801.

1800/03   Jean Paul
(Biogr. S. 237/238):
Titan

R. 4 Bdd.

Seit 1792 geplant als »Kardinalroman«. Ansatz der Ausarbeitung wahrscheinlich 1794, 6. 12. 1802 letzter Bd. abgeschlossen. Als »Hauptplan«: »unglücklich durch Genie«, »vorstechender Zug« des Helden »Kraft« (Schmierheft 1794). Schwebte bereits bei Abfassung der *Unsichtbaren Loge* (1793) vor, Ähnlichkeit mit dieser und dem *Hesperus*: wieder Entwicklungsgang eines Helden von der ersten Kindheit bis zur Reife des Mannes.

Die äußerst verwickelte und unwahrscheinliche Handlung bei interessanten Charakteren führt in Albano das Übermaß einer genialischen Kraftnatur vor, die in die Bahnen und Schranken des Maßes verwiesen werden soll. Als echter Typ der Sturm-und-Drang-Zeit tritt Roquairol, ein »Abgebrannter des Lebens« auf; selbstsüchtig, blasiert, übersättigt, gibt er sich theatralisch auf der Bühne selbst den Tod. »*Titan* sollte heißen Anti-Titan. Jeder Himmelsstürmer findet seine Hölle; wie jeder Berg zuletzt seine Ebene aus seinem Tale macht. Das Buch ist der Streit der Kraft mit der Harmonie. Sogar Liane, Schoppe müssen durch Einkräftigkeit versinken; Albano streift daran und leidet wenigstens« (J. P. an Friedrich Jacobi 8. 9. 1803).

Das Ideal ist allseitige Ausbildung, gegen Goethes einseitig ästhetisch fundierte »Einkräftigkeit«. Gegensatz des Theaters im *Wilhelm Meister* und im *Titan*, wo es zur charakterlosen Selbstbespiegelung wird. Außerdem auch gegen die Überspannung des ästhetischen Gedankens in der Romantik gerichtet. Typisch für die Frauengestalten J. P.s, die alle sterben, weil sie zu gut und zu zart sind und an der Gefühlsüberhitzung des eigenen Wesens zugrunde gehen, ist Liane, deren Gegentyp Linda nach dem Vorbild der Charlotte von Kalb gezeichnet ist. Unerschöpfliche Fülle von Briefen, Gesprächen, geistreichen Einfällen, Bildern, Vergleichen. Berühmt der Sonnenaufgang auf den Inseln des Lago Maggiore im Anfang des R.

Wirkung des Buches nicht den Erwartungen des Dichters entsprechend; Enttäuschung, auch seiner Freunde, schon beim ersten Bd., erlahmendes Interesse bei den weiteren. Tieck: der *Titan* nur ein verdickter Cramer (C. war einer der flachsten und tränenseligsten Modeschriftsteller).

1801   Friedrich von Schiller
         (Biogr. S. 245–249):
         Die Jungfrau von Orleans

»Eine romantische Tragödie« 5, in Jamben. Auff. 11. 9. in Leipzig. Druck als *Taschenkalender auf das Jahr 1802*.

Entst. vom 1. 7. 1800 bis 16. 4. 1801.
Jeanne d'Arc, geb. 1412 in Domrémy, genannt Jungfrau von Orleans, weil sie in den Kämpfen Karls VII. gegen die Engländer dieser Stadt Entsatz brachte und Karls Krönung in Reims ermöglichte. 1430 bei Compiègne von den Burgundern gefangen und den Engländern ausgeliefert, wurde sie 1431 in Rouen von einem geistlichen Gerichtshof als Zauberin und Ketzerin verurteilt und verbrannt. Das Urteil wurde 1456 auf Befehl des Papstes widerrufen. Seligsprechung 1894, Heiligsprechung 1920.

Dram. Behandlung in Frankreich seit dem 16. Jh. nachweisbar. Voltaires *Pucelle d'Orléans*, komisches Heldenepos gegen den Wunderglauben, in dem die Jungfrau-Legende als Schwindel hingestellt und die Figur des Mädchens lächerlich gemacht wird (dt. 1763), forderte Sch.s Widerspruch heraus. In dem Gedicht *Voltaires Pucelle und die Jungfrau von Orleans* (1801, später *Das Mädchen von Orleans*) stellt er die eigene dichterische Verklärung der witzelnden aufklärerischen Be-

handlung gegenüber: »Es liebt die Welt, das Strahlende zu schwär-
zen und das Erhabne in den Staub zu ziehn.«

Der dem Werk beigegebene Untertitel »Romantische Tr.« bedeutet
den Gegensatz zum Klassischen und zum Historischen, das dichterisch gesteigert wird; Abwendung vom gesch. Wirklichen zum Dr.
als Legende (Benno von Wiese). Weder Prozeß noch Verbrennung
werden dargestellt. Die Wunderwelt der Legende wird ernst genommen. Das Wunderbare ist poetisches Gleichnis für die Darstellung des Übersinnlichen. Der tragische Konflikt Johannas liegt in
dem Zwiespalt zwischen ihrer Sendung und ihrer Person als Mensch
und Frau. Weil Johanna für Gottes Sache kämpft, muß ihre Sendung von allem frei sein, was ihre eigene Sache sein könnte: sie muß
rein sein, sie repräsentiert Sch.s Begriff des Erhabenen. Im Augenblick, wo sie ihren Feind Lionel liebt, zeigt sich, daß auch das Heilige der Welt verfallen ist. Ihre Kraft erlischt, »in strengem Dienst
muß sie geläutert werden«, bis sie ihrer übermenschlichen Sendung
sich selbst als Opfer bringt und auf dem Schlachtfeld in die Verklärung eingeht.

In Weimar ließ sich der Herzog Sch.s Ms. geben, da er Unschicklichkeiten im Zusammenhang mit der Auff. befürchtete, möglicherweise auch im Hinblick auf Theater-
klatsch im Falle einer Besetzung der Titelrolle mit seiner Geliebten, Karoline Jagemann. Erste Auff. in Weimar 23. 4. 1803.

1801/08   Friedrich Hölderlin
   (Biogr. S. 237):
   Spätlyrik

Elegien, Hymnen, verstreut gedruckt in Almanachen und Taschenbüchern.

Es erschienen u. a.: *Heidelberg* (entst. 1800), *Menons Klagen um Diotima*
(entst. 1800), *Rückkehr in die Heimat* (entst. 1800), *Der Archipelagus*
(entst. 1800), *Stuttgart* (entst. 1801, zunächst gedruckt unter dem Titel *Die Herbstfeier*), *Brot und Wein* (entst. 1801), *Der Rhein* (entst.
1801), *Patmos* (entst. 1802?), *Ganymed* (entst. 1803). Diese großen lyrischen Schöpfungen, zu denen noch zum Teil erst im 20. Jh. veröffentlichte kommen (*Wie wenn am Feiertage*, entst. 1800, gedruckt
1910; *Germanien*, entst. 1801, gedruckt 1895; *Friedensfeier*, entst.
1801/02, gedruckt 1954), sind »Herz, Kern und Gipfel des H.schen
Werkes« (Norbert von Hellingrath). Unerschöpflich an edlen Metaphern, ersehnen sie in antikischen elegischen und freien Rhythmen
Wiederkehr göttlicher Macht, neuen Göttertag über der Nacht der
Gegenwart, ein neues Griechenland, wiedergeboren von der »Jungfrau Germanien«. Sinnbeladen, orphisch, in heiliger Trunkenheit
und geistiger Umdunklung oft mehr andeutend als aussagend,
griech.-dt. durch harte Fügung der Wörter waren sie einzelnen Romantikern, August Wilhelm Schlegel, Bettina Brentano, Zeugnisse

ungewöhnlichen Dichtertums, dem 19. Jh. sonst fast unzugänglich, der Gegenwart eine einzigartige Sprachleistung, in der Dichtung, Theologie, Mythos und Philosophie verschmolzen sind.

Der Slg. von H.s *Gedichten* durch Ludwig Uhland und Gustav Schwab (1826) und den *Sämtlichen Werken* (1846, hgg. Christoph Theodor Schwab) folgte Klärung der Hs.- und Textverhältnisse und Erschließung seit Norbert von Hellingrath (1913 ff.).

1803   Friedrich von Schiller
      (Biogr. S. 245–249):
      Die Braut von Messina oder
      Die feindlichen Brüder

Tr. 5, mit Chören. Auff. 19. 3. in Weimar mit großem Erfolg. Druck im gleichen Jahr.

Arbeitsbeginn Mai 1801. Sch. damals noch zwischen den *Maltesern*, der *Braut von Messina* und dem *Warbeck* schwankend. Vollendung 1. 2. 1802.

Frei erfundene Fabel, mit lit. Assoziationen, z. B. Leisewitz' *Julius von Tarent* u. a. Stofflich den *Räubern* ähnlich, formal entgegengesetzt. »Neigung und Bedürfnis ziehen mich zu einem frei phantasierten, nicht historischen ... und zu einem bloß leidenschaftlichen und menschlichen Stoff, denn Soldaten, Helden und Herrscher habe ich vor jetzt herzlich satt« (an Goethe März 1799).

Bruderfeindschaft zwischen Don Manuel und Don Cesar, die sich einer Weissagung gemäß um ihrer Schwester willen gegenseitig umbringen sollen und diesem Schicksal auch trotz aller Vorsichtsmaßnahmen der Mutter, die vermittelnd zwischen ihnen steht, nicht entgehen. Die Handlung wird nach Art des Sophokleischen *Ödipus* analytisch entwickelt: »Alles ist schon da, es wird nur herausgewickelt.« Anknüpfung an die antike Schicksalsidee, das Geschick jedoch als Vererbung des Charakters gesehen und dabei der Schein der Willensfreiheit aufrechterhalten. »Der freie Tod nur bricht die Kette des Geschicks.« Mit der analytischen Technik des Sophokles ist die progressive Shakespeares vereinigt: das Verbrechen – der Brudermord – liegt nicht vor Beginn, sondern am Schluß der Handlung. Anverwandlung der Antike auch in der Form. Jambische Fünffüßler, die in gereimte Verse übergehen, Trimeter, die Chöre gereimte und ungereimte Oden- und Hymnenformen. Daneben Versmaße der Renaissance: Ottaverime und andere stanzenähnliche Formen. Weiterwirken von Renaissance- und Barocktradition auch in den Allegorismen. Wiedererweckung des antiken Chors, allerdings als Mitträger der Auseinandersetzung und in Zweiteilung: Manuels Chor mehr idealisierter Zuschauer, Cesars Chor mehr aktiv eingreifend, den Temperamenten der Brüder angepaßt.

Nach Eduard Genast wollte Sch. selbst die größeren Reden des Chors unisono sprechen lassen; man beschränkte sich aber in Weimar auf kleinere Perioden, um Undeutlichkeit zu vermeiden und den Rhythmus einzuhalten. Die Buchausg. enthält eine Abhandlung *Über den Gebrauch des Chors in der Tr.*: »Der Chor reinigt ... das tragische Gedicht, indem er die Reflexionen von der Handlung absondert und eben durch diese Absonderung sie selbst mit poetischer Kraft ausrüstet ... So wie der Chor in die Sprache Leben bringt, so bringt er Ruhe in die Handlung.«

1803   Johann Wolfgang von Goethe
(Biogr. S. 238–245):
Die natürliche Tochter

Tr. 5, in Jamben. Auff. 2. 4. in Weimar.
Erster Teil einer geplanten Trilogie über Verlauf und Ideen der Frz. Revolution. Handschriftliches Schema der Forts. erhalten.

Angeregt 1799 durch die Lektüre der Memoiren der illegitimen Prinzessin Stephanie Luise von Bourbon-Conti (1798); unmittelbar darauf Plan zum Dr.; 1. Akt Ende 1801, Weiterarbeit Frühjahr 1802 bis März 1803.

Eugenie, unehelich, zunächst im Verborgenen lebend, dann am Hof, gerät durch ihren Halbbruder, der gegen sie intrigiert, vor die Wahl, in der Ferne zu sterben oder durch Heirat mit einem einfachen Mann politisch unschädlich zu werden. Sie zieht dies dem Tod in der Verbannung vor, in der Hoffnung, auch so ihr Vaterland vor den Stürmen der Revolution retten zu helfen. Entwicklung eines weiblichen Charakters von »kindlicher Naivität« bis zum »Heroismus«.
Klassischer Dr.-Stil in fast abstrakter Reinheit, Stilisierung der Sprache im Anschluß an das Griech., strenge Gesetzmäßigkeit im Bau der Verse. Nur die Heldin Eugenie als Individuum dargestellt, alle anderen Personen ohne Namen, verkörperte Begriffe, typische Vertreter ihres Standes, »generisch« gesehen: König, Herzog, Graf, der Weltgeistliche. Zeit und Ort nicht bestimmt.

Druck im *Taschenbuch auf das Jahr 1804* (1804).

1804   Friedrich von Schiller
(Biogr. S. 245–249):
Wilhelm Tell

Schsp. 5, in Jamben. Auff. 17. 3. in Weimar. Buchausgabe Oktober des gleichen Jahres »Zum Neujahrsgeschenk auf 1805«.

Beginn der Arbeit Ende Januar 1802, Hauptarbeit von August 1803 bis 18. 2. 1804. Quellen: Ägidius Tschudi *Chronicon Helveticum* (1734–1736), das alte *Urner* und *Zürcher Volkssp.* (1511 und 1545). Übernahme vieler quellenmäßig belegter Züge aus der Tell-Sage. Die Tell-Sage mit dem uralten, auch in der Wielandsage (Eigils Schuß) auftretenden Apfelschuß-Motiv ist eine Wandersage, die sich bereits bei Saxo Grammaticus findet; im 14. Jh. Erfindung der Geßler-Gestalt im Zusammenhang mit den Freiheitskämpfen der Schweizer Kantone gegen die Vögte der Habsburger. Eingehende Landschaftsstudien, Benutzung eines Lexikons der Schweizer Sprache. Goethe plante 1797 epische Behandlung des Stoffes.

Sch.s Dr. vereinigt die Erneuerung des sagenhaften Tell-Stoffes und die Behandlung des gesch. Schweizer Freiheitskampfes mit der Rudenz-Bertha-Handlung, die die Wandlung eines habsburghörigen Schweizer Adligen zum Anhänger der Freiheitsbewegung zeigt. Die drei Elemente durch die Idee der Freiheit miteinander verschmolzen. Geht es bei dem Volk mehr um die physisch-persönliche Freiheit, so bei Tell selbst um die moralische Freiheit. Held des Dr. ist das ganze Volk, obgleich die einzelnen Gestalten individuelle Züge haben, besonders Tell, dessen Entwicklung vom abseits lebenden, selbstgenügsamen Jäger zum Tyrannenmörder und Retter seines Volkes dargestellt wird. Berühmte Kernszene der Rütlischwur: »Wir wollen sein ein einzig Volk von Brüdern.«

1804   Jean Paul
(Biogr. S. 237/238):
Vorschule der Ästhetik

Dg.-theoretische Abhandlung.

Geschrieben in Coburg Herbst 1803 bis Sommer 1804; Zeugnis des Bildungswandels während der Wanderjahre.

Weniger Ästhetik als Poetik, da nur von der Dichtkunst, in Form lose miteinander verknüpfter Einzelabhandlungen, gesprochen wird. Die Einzelabschnitte »Programme« genannt, mit dem 6. beginnt die eigentliche Poetik.

In den Bemerkungen über den R. eine Einteilung in ital., dt. und ndld. Schule. Zur ital. rechnete J. P. *Titan*, zur dt. *Siebenkäs* und *Flegeljahre*, zur ndld. *Wuz*, *Fixlein* und *Fibel*. Für die Erkenntnis von J. P. ebenfalls wichtig geworden seine Bemerkungen *Über das Lächerliche*, *Über die humoristische Dichtkunst*, *Über den Witz* u. a. Humor definiert als Darstellung der unauflösbaren Spannung zwischen idealistischem Wollen und der Verhaftung im Wirklichen. Der Humor decke die Kluft, der der Tragiker auf den Grund schaut, schonend zu. Humor ist das umgekehrte Erhabene. Jeder rechte Dichter »wird begrenzte Natur mit der Unendlichkeit der Idee umgeben und jene wie auf einer Himmelsfahrt in diese verschwinden lassen«. Der Schluß enthält ein begeistertes Bekenntnis zu Herder.

1804/05   Friedrich von Schiller
(Biogr. S. 245–249):
Demetrius

Tr.-Fragment.

10. 3. 1804 Beginn der Arbeit, an deren Vollendung den Dichter der Tod hinderte. Der Demetrius-Stoff ein dem *Warbeck* verwandter, vor dem ihm Sch. den Vorzug gab: Kronprätendenten-Tr. Der sog. falsche Demetrius gab sich 1605 für Demetrius V. (1583–1591), den von Boris Godunow ermordeten Sohn Iwans des Schrecklichen, aus.

Vollendet sind nur der 1. Akt und die ersten 3 Szenen des 2. Aktes. Demetrius, der durch einen Betrüger zum Glauben an die Rechtmäßigkeit seiner Ansprüche gebracht worden ist, gewinnt sich auf dem Reichstag zu Krakau das polnische Volk. Marfa, die Mutter des ermordeten Demetrius, die im Kloster lebt, ist bereit, an ihn zu glauben. Aus dem Abriß der weiteren Handlung geht hervor, daß Demetrius die Gabe des Herrschers verliert, als er von dem Betrug erfährt und seine Rolle nur noch spielt. Als ihn Marfa verleugnet, fällt er durch die Dolche der Verschwörer.

Buchausg. 1815.

1804/05   Jean Paul
(Biogr. S. 237/238):
Flegeljahre

R., »eine Biographie«.

Entst. von Sommer 1795 bis Ende Mai 1805, gleichzeitig mit *Titan* (»Wechselschreiberei«). J. P. plante eine Forts.

Bereits im ersten Anhang-Bd. zum *Titan* eine Skizze *Die Doppelgänger*, die Geschichte eines zusammengewachsenen Zwillingspaares: groteske Vorwegnahme der *Flegeljahre*, aus der sich schließlich die Geschichte der Zwillinge Walt und Vult herausentwickelte. Zunächst führte sich jedoch J. P. selbst als den Zwillingsbruder des Helden ein und wollte der Erz. den Titel *Geschichte meines Zwillingsbruders* geben. Erstrebt war Entwicklungsthema: Walt (Gottwald Harnisch) sollte durch wechselnde Schicksale zum Wirklichkeitssinn erzogen und zum Dichter hinaufgeläutert werden; die Handlung klingt ins Ungewisse aus. Beide Brüder vertreten die Poesie gegen das Philistertum, Walt als Schwärmer, der er auch am Ende des R. noch ist, Vult als Erkennender und Zyniker, ein der Wirklichkeit stärker Verhafteter. Als Selbstinterpretation des R. sollte *Hoppelpoppel oder das Herz* dienen, ein R., den die Brüder gemeinsam schreiben, aber nicht vollenden. Der Titel bezeichnet die Zusammengehörigkeit des Gegensätzlichen, die in den Brüdern Gestalt angenommen hat und letztlich der inneren Antinomie J. P.s entspricht.
Zur Bauform des R., die auf Kontrast zweier Stilebenen, der »italienischen« und der »niederländischen«, beruht und zur »Kontrastharmonie« strebt (Herman Meyer), gehören auch die Titel der Kapitel, die jeweils nach den Stücken eines Naturalienkabinetts benannt sind und deren Untertitel auf den Inhalt hinweisen.

Einfluß auf Eichendorffs *Leben eines Taugenichts*, Immermann, Freytag.

1807   Jean Paul
(Biogr. S. 237/238):
Levana, ein Erziehungsbuch

Für Eltern bestimmte Pädagogik, 2 Bdd.

Entst. Sommer 1805 bis Oktober 1806.
Bereits der 16. Sektor der *Unsichtbaren Loge* enthielt ein pädagogisches System in nuce. »Mitarbeiter« J. P.s drei Kinder (geb. 1802, 1803, 1804), deren Entwicklung er verfolgte und aufzeichnete. Stilistisches Vorbild Hippel *Über die Ehe* (1774). Levana war römische Schutzgöttin der Neugeborenen.

Der 1. Bd. behandelt vor allem die »Knospenzeit« des Kindes, der 2. Bd. die Blütezeit, dabei zunächst zwischen Mädchen und Knaben unterschieden, bei letzteren wieder zwischen sittlicher, geistiger und ästhetischer Bildung. Das Buch kämpft gegen verlogene Erziehungsziele. Hauptpunkte der Erziehung seien Liebe und Religion, Ziel der Erziehung »die Erhebung über den Zeitgeist«, da das Jh. »auf dem Krankenbette« liege. Bewährte Hausregeln, teilweise auch moderne Erziehungsgrundsätze: Hinneigung zu den Realien im Unterricht, Erziehung zur Wirklichkeit u. a.

1808   Johann Wolfgang von Goethe
(Biogr. S. 238–245):
Faust. Der Tragödie erster Teil

Im 8. Bd. der 1806–1808 erschienenen Werke in 12 Bdd.

Die Wiederaufnahme der Arbeit am *Faust-Fragment* (1790) ausschließlich Schillers Verdienst. Entscheidender Brief vom 29. 11. 1794 wünschte Einblicke in die noch ungedruckten Teile: »ich möchte die große und kühne Natur . . . soweit als möglich verfolgen.«

Sieben Jahre nach Veröffentlichung des *Fragments* entstand 1797 ein Schema für die G. vorschwebende weitere Gestaltung des Faust-Dr. und die *Zueignung* (»Ihr naht euch wieder, schwankende Gestalten«); es folgten *Vorspiel auf dem Theater, Prolog im Himmel* (1798), Schließung der »großen Lücke« der Studierzimmerszenen (1801): Vollendung des großen Monologs, Osterspaziergang, Vertrag mit dem Teufel. Dann blieb die Arbeit bis März 1806 liegen. Um 1800 auch bereits auf Fausts Tod (II. Teil) bezügliche Szenen: Helena, klassische Walpurgisnacht.

In der Stofftradition bis zu G. hin (vgl. 1587 *Historie von D. Johann Fausten*) war Faust bürgerlicher Herkunft, studierte zunächst Theologie, suchte dann aus unbezähmbarem Erkenntnis- und Erlebnishunger die Beziehung zur Geisterwelt und übte mit ihrer Hilfe die Heilkunde aus. Bereits das *Volksbuch* enthielt den Blutvertrag mit dem Teufel, durch den sich Faust gegen Preisgabe seiner Seligkeit die Dienstbarkeit des höllischen Geistes auf Lebenszeit sicherte, sowie die Szene in Auerbachs Keller zu Leipzig. Unersättliche Abenteuer-

lust treibt Faust von Ort zu Ort, zu Hochschulen wie zu Herzogs-
und Kaiserhöfen. Er zaubert die schöne Helena aus Gräcia hervor;
mit ihr lebt er zusammen, und von ihr hat er den Sohn Justus. Mutter und Sohn verschwinden, als der Teufel Fausts Leben nimmt. Zurück bleibt nur Famulus Wagner.

Das *Fragment* von 1790 stellte die aus wesentlich persönlichen Grün-
den zu einem Dr.-Torso angeschwollene Gretchen-»Episode« dar,
Fausts ihm von Mephisto dem Blutvertrag entsprechend zugeführtes
Liebeserlebnis und die Tr. der Kindsmörderin.

Die der Öffentlichkeit 1808 von G. vorgelegte Fassung der Tr., bei
der die Bezeichnung »Erster Teil« noch fehlte, spricht zwar in der
Zueignung (in Stanzen) des Dichters Abneigung gegen die von Schiller vorgeschlagene philosophische Durchdringung des Themas aus.
Aber der *Prolog im Himmel* machte Fausts nunmehr beispielhaftes
Schicksal zum Gegenstand eines metaphysischen Welthandels zwischen dem an die irrende, aber gute Menschheit glaubenden Gott-
Vater und Mephistopheles, der dramaturgisch gleichwertig gewordenen Verkörperung des Bösen, des Nihilismus und Skeptizismus.
Die mit Gretchens Ende abbrechende Fassung gibt keine Antwort
auf die im *Prolog* aufgeworfene sittliche Frage, sie ist wieder »Fragment«. Die Angelpunkte sind »Streben« und »Genuß« gemäß dem
Arbeitsplan um 1797, aber fester in den dram. Bau eingefügt. Der
neue Faust-Monolog vertiefte das Seelendr., indem er die Verzweiflung des von der Wissenschaft Ungesättigten bis zum Selbstmord-
entschluß führte und unmittelbar davor im Gedanken an das öster-
liche Auferstehungsgeheimnis lebensbejahend abfing. Der Osterspaziergang ist ein daseinszufriedenes, wirklichkeitsgesättigtes Gegenbild zu der Gelehrtenstube und dramaturgische Brücke zur Erscheinung des Teufels. Der Vertrag zwischen Faust und Mephisto
steht unter dem Gesichtspunkt, ob Fausts Vorwärtsdrängen je zum
Stillstand zu bringen sei durch Genuß, selbst des Schmerzes: »Kannst
du mich mit Genuß betrügen...« Lebensgenuß sind alle sich mit dem
Hinausschreiten aus der Gelehrtenstube vollziehenden Ereignisse
des ersten Teiles, Glied in dieser Kette ist das Gretchen-Erlebnis,
dumpfe Leidenschaft unter Ausschaltung zügelnder Vernunft. Die
Walpurgisnacht, überlegen humorvolle Darstellung höllischen Ge-
spensterwirrwarrs auf dem Brockengipfel, stellt symbolisch Fausts
Versinken in grobe Sinnlichkeit dar, nachdem das Gretchen-Erlebnis
sich ins Tragische wandte. Gleichzeitig wirkt die Walpurgisnacht,
höllischer Hofstaat des Satans, als Gegensatz zu dem *Prolog im Himmel*, dem von Erzengeln umgebenen HERRN.

Auff. 1819 und 1820 in Berlin, Schloß Monbijou, Fürst Radziwill. 19. 1. 1829 in
Braunschweig durch Klingemann erste öffentliche Auff.; 29. 8. 1829 in Weimar in
Klingemanns Bearbg., mit Aufteilung in 8 Akte.

1809   Johann Wolfgang von Goethe
(Biogr. S. 238–245):
Pandora

Festsp. Erster Teil. In *Taschenbuch für das Jahr 1810*, Wien und Triest.

Ursprünglicher Titelplan *Pandoras Wiederkunft*. Beginn der Arbeit November 1807, Abschluß des 1. Teiles Mai 1808, gleichzeitig entstand ein handschriftlich erhaltenes Schema des 2. Teiles, der nicht zur Ausführung kam. Nachdem G. sich mit Idee und Gestalten des Dr. schon vorher beschäftigt hatte, wurde äußerer Anlaß zur Niederschrift die Bitte um einen Beitrag für die Wiener Zs. *Prometheus*, in der 1808 etwa 400 Verse erschienen.
Frühe Kenntnis der Prometheus-Sage aus Hesiod und Ovid; Stationen der Beschäftigung damit: das dram. Fragment *Prometheus* (1773) und Plan eines *Befreiten Prometheus* (1795). 1806 Lektüre der von Hesiod abweichenden Fassung der Prometheus-Sage in Platos *Protagoras*.

Allegorische Gelegenheitsdg. höheren Stils nach der Art der Maskenzüge (Friedrich Gundolf). Die Brüder Prometheus und Epimetheus verkörpern die aktive und die kontemplative Lebenshaltung. Pandora, Verkörperung der Phantasie, kam vom Olymp und wurde von Prometheus verschmäht, von Epimetheus als Braut empfangen. Sie entzog sich ihm nach kurzem, wie der Zauberinhalt ihrer Büchse beim Öffnen verflog. Sehnsüchtig wartet er ihrer Wiederkehr. Die sparsame Handlung knüpft sich an die Liebe zwischen Prometheus' Sohn und Epimetheus' Tochter.
Lösung vom jambischen Fünffüßler, Nachbildung verschiedenster griech. Metren, Benutzung des Reims. Große Dichte der Sprache. Einbeziehung von Bühnenbild und Musik in die Handlung, Bildwirkung.

1809   Johann Wolfgang von Goethe
(Biogr. S. 238–245):
Die Wahlverwandtschaften

R.

1807 noch als Einlage in die *Wanderjahre* geplant. Mai 1808 schon weitgehend durchdacht, ohne daß etwas aufgeschrieben war. 30. 7. vorläufiger Abschluß der Ausarbeitung, Sommer 1809 Überarbeitung.

Der Begriff der Wahlverwandtschaften aus der Chemie – Fähigkeit eines neu auftretenden Elements, eine feste chemische Verbindung zu lösen und mit dem freigewordenen Element eine neue Verbindung einzugehen – auf die menschlichen Beziehungen zwischen vier Personen, dem Ehepaar Eduard und Charlotte, Ottilie, dem Hauptmann, übertragen. Der Zwang des Naturgesetzes stößt zusammen mit der Pflicht des Menschen, seine Übernatürlichkeit zu wahren. Er führt mit »trüber leidenschaftlicher Notwendigkeit« bis zum doppelten geistigen Ehebruch: das Kind Eduards und Charlottes hat Ottiliens Augen und die Züge des Hauptmanns. Den Widerstreit zwischen Neigung und Pflicht löst nur der sittliche Akt der Entsagung, zu dem Eduard und Ottilie sich nicht durchringen können. Ihrer leidenschaftlichen Hingerissenheit fällt Charlottes Kind zum Opfer. Ottiliens Ende, ein innerliches Verzehren, ist ein romantischer Liebestod, der dem Werk, besonders bei den Romantikern bahnbrechend, Verständnis sicherte.

Nach G. kein Zug an dem Werk, den er nicht erlebt habe, aber auch keiner so, wie er ihn erlebt habe. Das Äußere der Minna Herzlieb kehrt in der Gestalt der Ottilie wieder.

Hoher ethischer Rigorismus zu einer Zeit starker Eheskepsis: »Unauflöslich muß sie (die Ehe) sein, denn sie bringt so vieles Glück, daß alles einzelne Unglück dagegen gar nicht zu rechnen ist.« Dennoch erhoben einige Zeitgenossen den Vorwurf der Immoralität und stießen sich an ungewöhnlichen Szenen und Ausdrücken.

Die mit innerer Beteiligung geschriebene Dg., die »das schmerzliche Gefühl der Entbehrung« ausdrückte, ist durch ein Höchstmaß klassisch distanzierender Kunstmittel objektiviert. Zwei Bücher zu je 18 Kapiteln in genauer Entsprechung zur inneren Handlung. Hinter der Realitätsebene eine Symbolebene; Verweisungscharakter der fugenlos verknüpften und aufeinander bezogenen Motive.

1809   Jean Paul
(Biogr. S. 237/238):
D. Katzenbergers Badereise

R.

Entst. Sommer 1807 bis Frühjahr 1808.

Plan, den Charakter eines Zynikers zu gestalten, weit zurückreichend. Bedeutendster »Vorfahre« Dr. Sphex im *Titan*, dort bereits Verbindung von Zynismus und Medizin. Realistisch wie bereits *Des Feldpredigers Schmelzle Reise nach Flätz* (1809).
Exakte Darstellung eines sonderlichen Charakters.

Einfluß von Smolletts *Humphrey Klinkers Reisen* u. a.
Das Werk hat den Realismus des 19. Jh. mitbegründet.

1811/14   Johann Wolfgang von Goethe
(Biogr. S. 238–245):
Aus meinem Leben. Dichtung und Wahrheit

Bdd. 1–3 der Autobiographie.

Plan 1807, Beginn Oktober 1809, Ausführung Januar 1811. September 1811 Beendigung des 1., Oktober 1812 des 2., Januar 1814 des 3. Bd.
Schon 1813 Arbeit am 4. Bd., große Arbeitspausen, 1830/31 abgeschlossen. Mit Rücksicht auf die noch Lebenden, Lili Schönemann und Klinger, zurückgehalten. Veröffentlichung erst 1833.

G.s Leben bis zur Abreise nach Weimar (1775). Unter Benutzung eigener Aufzeichnungen, von Briefen, wissenschaftlichen Werken und Auskünften der Freunde; für das 1. Buch z. B. benutzte G. Aufzeichnungen Bettina von Arnims über Erzählungen der Mutter G.s von seiner Jugend. Weniger Methode des Historikers als des Künstlers: »den Menschen in seinen Zeitverhältnissen darzustellen und zu zeigen, inwiefern ihm das Ganze widerstrebt, inwiefern es ihn begünstigt, wie er sich eine Welt- und Menschenansicht daraus gebildet und wie er sie, wenn er Künstler, Dichter, Schriftsteller ist, wieder nach außen abgespiegelt«. Der objektive Sachverhalt gelegentlich verschoben und gewisse Erlebnisse, wie z. B. die Wetzlarer, bewußt undeutlich gelassen. Berühmt das 7. Buch mit dem Überblick über die Dg. der Zeit, oft als Ausgangspunkt der modernen dt. Lit.-Gesch. betrachtet. G. an Eckermann 1831: »Ich dächte, es steckten darin einige Symbole des Menschenlebens. Ich nannte das Buch Wahrheit und Dichtung, weil es sich durch höhere Tendenzen aus der Region einer niederen Realität erhebt.« Der Jugendfreund Fritz Jacobi: »wahrer wie die Wahrheit selbst«.

Der Plan für die Autobiographie führte ursprünglich bis 1809. An die Stelle der nicht zustande gekommenen Teile traten kleinere autobiographische Schriften:
1816–1817 *Aus meinem Leben. Zweiter Abteilung erster und zweiter Teil (Italienische Reise)*. 1822 *Aus meinem Leben. Zweiter Abteilung fünfter Teil (Die Campagne in Frankreich)*.
Weitere Ergänzungen bieten die Reiseschilderungen: *Briefe aus der Schweiz* (1796), *Fragmente eines Reisejournals* (1788–1789), *Die Schweizer Reise im Jahre 1797* (1833), *Kunstschätze am Rhein, Main und Neckar* (1816), *Der 2. römische Aufenthalt* (1829).
Die Darstellung seines späteren Lebens gab G. in schematischen Jahresberichten: *Tages- und Jahreshefte* (1830).

1815   Johann Wolfgang von Goethe
        (Biogr. S. 238–245):
        Sonette

Im 2. Bd. der zwanzigbändigen Ausg. von 1815 bis 1819. Die abschließenden Sonette Nr. XVI und XVII zurückgehalten, erst 1827 in der Ausg. letzter Hand.

Entst. Ende 1807 und Anfang 1808 bei einem Aufenthalt in Jena im Freundeskreis des Buchhändlers Frommann. Formal Anregung durch Lektüre Ariosts und Petrarcas und von Sonetten der Romantiker. In Wettstreit mit dem in Jena weilenden Zacharias Werner und Riemer auch G. von »Sonettenwut« ergriffen.

Die Sonette spiegeln G.s Liebe zu der jungen Minchen Herzlieb, einer Nichte Frommanns. Das Wachsen der Leidenschaft aus anfänglicher väterlicher Zuneigung, Kampf gegen Überraschung und Zwang der Liebe, die am »Advent von achtzehnhundertsieben« begann. Verhaltenheit, Entsagung. Der Widerstreit der Gefühle wird in der Sonettform zu graziöser Harmonie geläutert; Rechtfertigung

der Form: »Das Allerstarrste freudig aufzuschmelzen / muß Liebes-
feuer allgewaltig glühen.«
Gleichzeitig war G. Gegenstand der schwärmerischen Verehrung
Bettina Brentanos, die ihn im April und November 1807 besucht
hatte. Motive aus ihren Briefen »übersetzte« er unmittelbar in seine
Gedichte. Bettina wieder glaubte, daß die Sonette sich auf sie bezogen und daß sie sie inspiriert habe; sie ließ ihre eigenen überarbeiteten
Briefe und Paraphrasen um G.s Sonette als *Briefwechsel Goethes mit einem Kinde* (1835) erscheinen.

1815   Johann Wolfgang von Goethe
        (Biogr. S. 238–245):
        Des Epimenides Erwachen

Allegorisches Maskensp. Verzögerte Auff. 30. 3. in Berlin am Jahres-
tage des Einzugs in Paris. Buchausg. im gleichen Jahr.

Entst. Juni 1814 auf Bitten des Berliner Theaterleiters Iffland um ein Festsp. zur
Feier der Rückkehr Friedrich Wilhelms III. vom frz. Kriegsschauplatz.

Allegorische, oft schwerverständliche Darstellung von Unterdrük-
kung und Selbstbefreiung Deutschlands, Niederzwingung des Dä-
mons der Unterdrückung.

1816/17   Johann Wolfgang von Goethe
           (Biogr. S. 238–245):
           **Aus meinem Leben, Zweiter Abteilung erster und
           zweiter Teil**

Späterer Titel: *Italienische Reise.*
Von 1813 bis 1816 aus Briefen und Tagebüchern zusammengestelltes,
subjektives autobiographisches Denkmal über die Erlebnisse von
1786 bis 1788, den großen Umschwung in G.s Leben und Schaffen,
die Wendung zur Klassik.

1819   Johann Wolfgang von Goethe
        (Biogr. S. 238–245):
        West-östlicher Divan

Große lyrische Altersslg.

G.s erneute Hinwendung zu orientalischen Formen entscheidend beeinflußt durch
die 1812 erschienene Übs. von Hafis' (um 1320–1389) persischem *Divan* durch den
Wiener Orientalisten Joseph von Hammer-Purgstall (1774–1856), die G. im Früh-
sommer 1814 las. Am 21. 6. 1814 entstand vermutlich das früheste Gedicht von G.s
Divan: »Hans Adam war ein Erdenkloß . . .« Ethnographische und lit. Studien ver-
tieften die sachliche Kenntnis G.s, die in den *Noten und Abhandlungen zu besserem Verständnis des west-östlichen Divan* Niederschlag fand (entst. 1816). Auf der ersten Rhein-
Main-Reise Sommer bis Herbst 1814 wurde die erste größere Gedichtreihe geschaffen.

Fruchtbarstes Erlebnis und Höhepunkt dieses Tagebuches in Versen wurde G.s Liebe zu der schönen, jungen und geistreichen Marianne von Willemer geb. Jung (1784–1860) in der Gerbermühle bei Frankfurt/M. und in Heidelberg September 1815. »Noch einmal Frühlingshauch und Sommerbrand«. Marianne ist Suleika, G. Hatem. Sie ist selbst mit einigen von G. überarbeiteten Gedichten in der Slg. vertreten *(Hochbeglückt in deiner Liebe, Nimmer will ich dich verlieren, Was bedeutet die Bewegung).* Hinter dem Spiel mir orientalischen Namen und Requisiten höchste, kaum gebändigte Leidenschaft und schmerzliches Entsagen im Wechselgesang der Gedichte.

Den Zeitgenossen blieb die im Buch *Suleika* gestaltete Liebe zunächst unbekannt; erst 1849 vertraute Marianne von Willemer Hermann Grimm das Geheimnis an und eröffnete ihm ihren persönlichen Anteil an dem Werk.

Nicht nur die Liebe zu Marianne, die Wendung zum Osten überhaupt bedeutete für G. neue Jugend, Wiedergeburt: »Nord und West und Süd zersplittern, / Throne bersten, Reiche zittern, / Flüchte du, im reinen Osten / Patriarchenluft zu kosten, / unter Lieben, Trinken, Singen / soll dich Chisers Quell verjüngen«(Einleitungsgedicht). Die zwölf Bücher des *Divan* (= Versammlung) sind aufeinander abgestimmt, und in jedem Buch wieder die Lieder aufeinander *(Buch des Sängers, Buch Hafis, Buch der Liebe, Buch der Betrachtungen, Buch des Unmuts, Buch der Sprüche, Buch des Timur, Buch Suleika, Das Schenkenbuch, Buch der Parabeln, Buch des Parsen, Buch des Paradieses).* G. 1817: »Jedes einzelne Glied ist so durchdrungen von dem Sinn des Ganzen, ist so innig orientalisch, bezieht sich auf Sitten, Gebräuche, Religion und muß von einem vorhergehenden Gedicht erst exponiert sein, wenn es auf Einbildungskraft oder Gefühl wirken soll.« Neben dem *Buch Suleika* haben die übrigen Bücher mehr betrachtenden, gedanklichen, religiösen Gehalt. Formal und inhaltlich Abwendung vom Klassizismus, von der Philosophie seiner Jahre mit Schiller. Gläubigkeit des Ostens, mystische Gedankengänge, Weisheit der letzten Lebensepoche. »Nächst dem *Faust* das bedeutendste und zugleich persönlichste Werk des Dichters« (Ernst Beutler).

Erweiterte Fassung 1827.
Der *West-östliche Divan* eröffnete die Folge dt. Orientlyrik und Nachahmung orientalischer Formen bei Rückert, Platen, Daumer, Bodenstedt.

1820   Johann Wolfgang von Goethe
   (Biogr. S. 238–245):
   Urworte Orphisch

Fünf Stanzen, »uralte Wundersprüche über Menschenschicksale«. In: *Zur Morphologie*, 2. Heft. Zweiter Abdruck in *Kunst und Altertum*, mit eingehenden Erklärungen G.s.

Entst. 1817.

Angeregt durch das Studium der griech. orphischen Weisheitslehren
(z. B. Gottfried Hermanns Ausg. der *Orphica*, 1805), bezeichnete G.
die eigene Auffassung von den Mächten, die das Leben beherrschen,
mit den griech. Begriffen.
Der erste Spruch mit der Überschrift *Dämon* (in griech. und dt.
Sprache) besagt, »daß angeborene Kraft und Eigenheit mehr als alles
übrige des Menschen Schicksal bestimme..., deshalb spricht diese
Strophe die Unveränderlichkeit des Individuums mit wiederholter
Beteuerung aus«. *Tyche, das Zufällige*: der Mensch dem Zufall, dem
Tand und der Tändelei ausgesetzt, ein Stadium der Erwartung; »die
Lampe harrt der Flamme, die entzündet«. Diese Flamme ist *Eros,
Liebe*: »gar manches Herz verschwebt im allgemeinen, / doch wid-
met sich das edelste dem Einen.« *Ananke, Nötigung*: dunkle Schick-
salsgewalt, das Müssen hemmt den Willen des Menschen: »und aller
Wille / ist nur ein Wollen, weil wir eben sollten«. Aus solcher Be-
grenzung befreit *Elpis, Hoffnung*: »Ein Flügelschlag – und hinter uns
Äonen.«

1821   Johann Wolfgang von Goethe
        (Biogr. S. 238–245):
        Wilhelm Meisters Wanderjahre oder die Entsagenden

R. Erster Teil.
Begonnen Mai 1807, von 1807 bis 1810 Teile des ersten Buches, vor allem die Erzz.
Wiederaufnahme 1820. Nach Erscheinen des 1. Teiles erst 1825 Wiederaufnahme der
Arbeit, Umarbeitung und Erweiterung auf drei Bücher 1825–1829, diese 1829 in der
Ausgabe letzter Hand.

Eine »Odyssee der Bildung«, beschreibend Wilhelm Meisters Bildungsreise in Mignons Heimat. Die Bedingungen für diese Reise, die
Wilhelm verhindern, sich an einem Ort länger aufzuhalten, werden
von der Gesellschaft vom Turm, einem Orden der Entsagung, gestellt, so daß Wilhelm Meister eine passive Rolle spielt. In loser Verknüpfung mit dieser weiteren Erzählung der Lebensgesch. im An-
schlusse an die *Lehrjahre* steht die Beschreibung der »Pädagogischen
Provinz« (2. Buch), in der Wilhelm seinen Sohn Felix erziehen lassen
will und die nach der Lehre von den drei Ehrfurchten aufgebaut ist:
die Ehrfurcht vor dem, was über uns, neben uns und unter uns ist,
entsprechend der heidnischen, der philosophischen und der christlichen Religion, als letzte Ehrfurcht die Summe der drei anderen,
»die Ehrfurcht vor sich selbst«. Ebenso hineingearbeitet mehrere
schon vorher veröffentlichte Novv. (*Die neue Melusine, Der Mann von
50 Jahren* u. a.), Gedichte, Aphorismen, Briefe, Tagebuchblätter und
Fachabhandlungen.
Sammelbecken G.scher Altersanschauungen, deren Summe ent-
schlossen-tätige Diesseitigkeit und Gemeinsinn heißt, der allein dem
heraufkommenden Massen- und Industriezeitalter angemessen sei.

Das Individuum steht innerhalb dieser Gemeinschaft und ist zu ihrem Dienst bestimmt: Wilhelm wird Chirurg, Erkenntnis der kommenden sozialen Frage, Entwurf von Plänen zur Gründung von Arbeitergenossenschaften und Kolonien in Amerika.

Mit zum Teil klassischen Gedanken formal romantisch. »Wenn nicht aus einem Stück, so doch aus einem Sinne« (G.).

1827   **Johann Wolfgang von Goethe**
(Biogr. S. 238–245):
Trilogie der Leidenschaft

Drei Gedichte: *An Werther, Elegie, Aussöhnung.* In der Ausgabe letzter Hand.

Das zuerst entstandene Gedicht ist *Aussöhnung.* Dank an die polnische Klaviervirtuosin Szymanowska, deren Spiel G. in den Marienbader Konflikten nach seinen eigenen Worten sich selbst wiedergab. Eingetragen in ihr Stammbuch 18. 8. 1823.

Das Kern- und Hauptstück der Trilogie *Elegie* entst. nach der Trennung von der geliebten jungen Ulrike von Levetzow, die G.s Werbung abwies, auf der Heimfahrt von Karlsbad nach Eger Anfang September 1823, wurde in Jena vollendet, 17. 9. 1823 nach der Rückkehr in Weimar abgeschrieben. Auch in der *Elegie* selbst Dreiteilung, nach strenger Disposition geordneter künstlerischer Aufbau: Einleitungsstrophe, 20 Strophen Hauptteil, 2 Abschlußstrophen (Stanzen). »Produkt eines höchst leidenschaftlichen Zustandes« (G.). Steigerung des Bildes der Geliebten zum Gegenstand der Anbetung. Entsagung: »Mir ist das All, ich bin mir selbst verloren, / der ich noch erst den Göttern Liebling war.«

Zuletzt entst. *An Werther,* 1824 als Vorrede für eine Jubiläumsausg. des *Werther.* Unter dem Eindruck der Marienbader Erlebnisse und Dgg. Wiederbegegnung mit dem eigenen jüngeren Selbst in Werther: »Zum Bleiben ich, zum Scheiden du erkoren, / gingst du voran und hast nicht viel verloren.« Der alte G. sieht sich an den gleichen Abgrund gestellt wie der junge, scheint dem Scheitern Werthers verständnisvoll gegenüberzustehen: »Scheiden ist der Tod«. Mit der *Elegie* durch den Grundgedanken des Scheidens verbunden, das tödlich ist und über das nur Tassos Göttergabe hinweghelfen kann, als Dichter zu sagen, was er leide.

1828   **Johann Wolfgang von Goethe**
(Biogr. S. 238–245):
Novelle

In der Ausgabe letzter Hand.

Plan schon 1797 als »Jagdgedicht oder Tiger- und Löwengesch.«, die als Epos, dann als Ballade behandelt werden sollte: Bekämpfung bei einem Jahrmarktsbrand ausgebrochener Raubtiere durch einen fürstlichen Herrn. Als Nov. 1826 bis 1827 entstanden, als Einlage in die *Wanderjahre* geplant.

»Zu zeigen, wie das Unbändige, Unüberwindliche oft besser durch Liebe und Frömmigkeit als durch Gewalt bezwungen werde, war die Aufgabe dieser Nov.« (G. an Eckermann). Der Löwe, durch das Lied und Flötenspiel eines Knaben bezwungen, symbolisch für Honorio, der seine Liebe zur Fürstin bezwingt.

Mit besonderer Liebe und Sorgfalt bedachtes Alterswerk G.s, bei dessen Verständnis man sich auf »Miene, Wink und leise Hindeutung« verstehen müsse. »Wir wollen es Nov. nennen; denn was ist eine Nov. anders als eine sich ereignete, unerhörte Begebenheit« (G. an Eckermann 29. 1. 1827).

1832   Johann Wolfgang von Goethe
       (Biogr. S. 238–245):
       Faust, II. Teil

Tr. 5. Als Bd. 1 der Nachgelassenen Werke.

Szenen aus Helena-Akt und Klassischer Walpurgisnacht bereits um 1800 entstanden. 1806 G.: Das Ganze bereits »vorhanden, noch nicht alles geschrieben, aber gedichtet«. 16. 12. 1816 für den Stand der Arbeit aufschlußreiche Skizze, für *Dichtung und Wahrheit* geplant. 1825–1831 auf Eckermanns Betreiben immer mehr »Hauptgeschäft, Hauptzweck, Hauptwerk«. Starker Eindruck durch Byrons – das »Faustischen« – Tod in Griechenland. 1827 3. Akt als *Helena, klassisch-romantische Phantasmagorie. Zwischenspiel zu Faust* in *Kunst und Altertum* abgedruckt. Ostern 1828 im 12. Bd. der Werke letzter Hand die Szenengruppe in der kaiserlichen Pfalz bis zur Szene im Lustgarten erschienen. 22. 7. 1831 Abschluß. »Mein ferneres Leben kann ich nunmehr als ein reines Geschenk ansehen, und es ist jetzt im Grunde ganz einerlei, ob und was ich noch etwa tue« (G. zu Eckermann). Das Ms. versiegelte G. Fünf Tage vor seinem Tode schrieb G. an Wilhelm von Humboldt: »Es sind über sechzig Jahre, daß die Konzeption des *Faust* bei mir jugendlich, von vorne herein klar, die ganze Reihenfolge hin weniger ausführlich vorlag. Nun hab' ich die Absicht immer sachte neben mir hergehen lassen und nur die mir gerade interessantesten Stellen einzeln durchgearbeitet . . .«

Durch *Faust II* tritt die stofflich nahe Verbindung zwischen G.s Werk und der allgemeinen Faust-Tradition deutlich zutage (Kaiserhof, Helena). Besonders erscheint die innere Seelenachse des Werkes wieder, die durch die Gretchen-Tr. in *Faust I* verdeckt war. Des ungesättigt von Genuß zu Genuß taumelnden und irrenden Menschen Faust Bündnis mit dem Teufel, des Mephistopheles Kampf um Faust, den er auch dem HERRN des *Prologes* gegenüber zu gewinnen trachtet, ist fortgesetzt bis zu Fausts »Schöpfungsgenuß von innen«, der großartigen Kulturarbeit, und in seiner Vision eines glücklichen Volkes zu einem Ende geführt. »Im Vorgefühl von solchem hohen Glück / Genieß ich jetzt den höchsten Augenblick«. Faust stirbt. Die Wette der metaphysischen Mächte und der die Seligkeit aufs Spiel setzende irdische Pakt scheinen einlösbar. Um Fausts Unsterbliches geht das weitere Dr. Die Wette ist für Mephistopheles verloren. Faust mit »Genuß« zu betrügen, ist ihm nicht gelungen. Das »Verweilen« erhoffte Faust nicht als Stillstehen, das »ewige Unbefriedigtsein« hat er bejaht, in ihm sein höchstes Glück vorausgenossen. Faust ist der Höllenpein und dem ewigen Tode bereits entrissen. Jenseits alles Irdischen begnadigt ihn die »Liebe von oben«. »Wer immer strebend sich bemüht, den können wir erlösen.«

Durch fünf Schauplätze (Akte) der großen Welt geht der Weg Fausts: Aufenthalt am Kaiserhof und Beschwörung Helenas; Rückkehr in die Studierstube und Erlebnisse Fausts, Mephistos und des von Wagner geschaffenen Homunculus in der klassischen Walpurgisnacht; Wiedergewinnung Helenas, der Tod des gemeinsamen Sohnes Euphorion zieht die Mutter nach; auf dem Gewand Helenas fliegt Faust nach Dld. zurück und faßt beim Überfliegen der Meeresküste den Plan der Landgewinnung; der Kaiser belehnt ihn mit der Küste; Faust als Grundherr und Kolonisator, sein Tod, seine Verklärung.

Elemente selbständigerer Art, voll eigener Gedankenschwere, voll Tiefsinn und Symbolkraft, die sich nur langsam erschließen, bildungsgesättigte Teile, Naturwissenschaft und verdichtete Altersweisheit, lyrische Partien, zeitlose Gestalten und Sinnbilder sind der Handlung im engeren Sinne bisweilen fast wider ihre eigene formsprengende Kraft eingefügt (der Mummenschanz, die klassische Walpurgisnacht, die Gestalt des Homunculus, die symbolische Vereinigung von germ. MA. und klassischem Altertum in Euphorion, die Gestalten von Philemon und Baucis u. v. a.).

1836 *Paralipomena zu Faust*, hgg. Riemer und Eckermann.
Auff. 4. 4. 1854 in Hamburg; erste Auff. beider Teile 6. und 7. 5. 1876 in Weimar, Bearbg. Otto Devrient.

Weiterleben des Stoffes. Julius Graf von Soden: *Dr. Faust*, Schsp. (1797); Adalbert von Chamisso: Fragment eines Faustdr. (1803); Johann Friedrich Schink: *Johann Faust*, dram. Phantasie (1804); Louis Spohr: *Faust*, Oper (1814); August Klingemann: *Faust*, Tr. (1815); Karl Schöne: *Forts. zu G.s Faust* (1823); Julius von Voß: *Faust*, Tr. (1823); Christian Dietrich Grabbe: *Don Juan und Faust*, Tr. (1829); Karl von Holtei: *Dr. Johann Faust*, Volksmelodr. (1832); Nikolaus Lenau: *Faust*, ein Gedicht (1836); Hector Berlioz: *La Damnation de Faust*, Oper (1846); Heinrich Heine: *Der Doktor Faust*, ein Tanzpoem (1851); Charles Gounod: *Faust et Marguerite*, Oper (1859); Friedrich Theodor Vischer: *Faust, der Tr. dritter Teil* (1862); Arrigo Boito: *Mefistofele*, Oper (1868); Ferruccio Busoni: *Dr. Faust*, Opernfragment, von Philipp Jarnach beendet (1924); Thomas Mann: *Doktor Faustus*, R. (1947).

1798–1835   Romantik

Die lit. Romantik begann gegen Ende des 18. Jh. und wirkte bis
über das erste Drittel des 19. Jh.
Die dt. Romantik hatte Entsprechungen in Frankreich, England und
Italien, war aber besonders geartet und gab z. B. Frankreich durch
E. T. A. Hoffmann starke Anregungen.
Sie wird chronologisch eingeteilt in die ältere oder Frühromantik
und die jüngere, Hoch- oder Spätromantik. Die ältere Romantik war
mehr kritisch-wissenschaftlich und bildete eine geschlossene Geistes-
gemeinschaft mit Jena als Mittelpunkt, die jüngere Romantik um-
faßte eine größtenteils unverbundene Gruppe von Dichtern; sie war
weniger spekulativ, stärker irrationalistisch. *Heidelbg.*
Der Begriff Romantik, romantisch ist vielseitig und mehrdeutig.
Ausgangswort ist afrz. »romanz«, »romant«, »roman«: ein in der
Volkssprache – lingua romana – geschriebener höfischer Vers-R.
Im 17. und 18. Jh. »romantisch« ebenso wie das ältere »romanisch«
in der ablehnenden Bedeutung von im »Roman« vorkommend. Im
Laufe des 18. Jh. wurde die Bezeichnung sentimentalisiert und er-
hielt die Bedeutung von unwirklich, überspannt, schwärmerisch.
Daneben bezeichnete der Begriff eine bestimmte Landschaft und ein
Naturgefühl, das Wilde und Wildschöne, die malerische Regellosig-
keit, Ruinen. Schließlich, seit etwa 1770, ist romantisch = romanisch
der Gegensatz zu antik und umfaßt die nordisch-germ. und die süd-
lich-romanische Kultur des MA. Von Friedrich Schlegel wurde der
Begriff ausgedehnt auf die moderne Poesie. Novalis setzte das Romantische mit dem Poetischen gleich / »Romantisieren ist nichts als
eine qualitative Potenzierung ... indem ich dem Gemeinen einen
hohen Sinn, dem Gewöhnlichen ein geheimnisvolles Ansehen, dem
Bekannten die Würde des Unbekannten, dem Endlichen einen unendlichen Sinn gebe, so romantisiere ich es.«
Die Romantik ist als höhere Einheit von Sturm und Drang und Klassik, als Synthese irrationaler und rationaler Kräfte gedeutet worden.
Nach Hermann August Korff ist der Gegensatz besonders groß zwischen Romantik und Aufklärung, während Fritz Strich den zwischen
Romantik und Klassik betonte. Die Romantik erscheint geistesgesch.
als letzte Entwicklungsstufe des dt. Idealismus. Für Arthur Henkel
ist der Begriff »romantisch« Ausdruck einer eingesehenen Krisen-
situation und des Versuchs, aus dieser Krise zu einer neuen Kul-
tursynthese zu kommen; die Romantik sei »auch eine Krise der
modernen, auf Descartes fußenden Ich-Philosophie«. Die Einordnung wird dadurch erschwert, daß in der Romantik Bewußtsein
und Reflexion, aber auch die Abgründe des Seelischen, Traum,
Sehnsucht, Unbewußtes, Dämonisches für entscheidend gehalten
wurden.

Bereits die Romantiker selbst haben als für sie bezeichnend Kategorien wie die Unendlichkeit, das Elementarische, den Universalismus u. a. angewendet, zu denen wiederum Gegenkategorien möglich sind. Die Romantik war ein Sammelbecken des Entgegengesetzten. Nach Julius Petersen ist es unmöglich, ihren Geist auf eine reine Form des Seins zu bringen, weil damit sein Hauptcharakteristikum, das unendliche Werden, verwischt werde. Nach Nicolai Hartmann ist die Romantik »eine Lebensstimmung eigener Art. Und darin liegt die Unmöglichkeit, ihr Wesen begrifflich zu bestimmen«. Schließlich ist der Geistestyp des Romantikers eine stets wiederkehrende Gestalt des menschlichen Geistes. Ricarda Huch fand in Ludwig Tieck den Prototyp und als für ihn charakteristisch Reizbarkeit, Emotionalität, das ewig Jugendliche, die Unfertigkeit, die Unfähigkeit zur Gelassenheit, das Freundschaftsbedürfnis, das Übergewicht des Erlebens über die Wirklichkeit, die Steigerung der Reflexion, die sich in Aphorismen und Fragmenten ausdrückt.

In eine Zeit politischer Hochspannung gestellt, haben die Romantiker nicht nur ein philosophisch betrachtendes, sondern auch handelndes Verhältnis zu Staat und Volk gezeigt. »Die Frz. Revolution, Goethes *Meister* und Fichtes *Wissenschaftslehre* sind die größten Tendenzen dieses Zeitalters«, erklärte Friedrich Schlegel. Die Romantiker befürchteten die Entpoetisierung und Profanierung des Lebens, den Verlust einer Ganzheitskultur, eine Entfernung der Gebildeten und ihrer Lit. vom Volk und der Volkslit. Sie machten dafür die Aufklärung verantwortlich und verherrlichten die letzte universale Kultur vor der Aufklärung, das MA. Dieser romantische Geschichtsmythos war mit einem Zukunftsmythos verbunden: Die Zukunft werde zwar aus einer Wiederanknüpfung an die frühe Vergangenheit, aber nicht als Rückfall in deren naive Geborgenheit, sondern als planvoll entwickelter Neuanfang entstehen.

Der Kampf gegen Napoleon veranlaßte außer dem politischen Prosaschrifttum Arndts (1769–1860) *Geist der Zeit* (4 Bdd., 1806–1818), *Der Rhein, Deutschlands Strom, nicht Deutschlands Grenze* (1813), *Katechismus für den dt. Kriegs- und Wehrmann* (1813) und seinen patriotischen Gedichten *Lieder für Deutsche* (1813), *Kriegs- und Wehrlieder* (1815) Friedrich Ludwig Jahns (1778–1852) Schrift über *Deutsches Volkstum* (1810; der Begriff Volkstum ist wohl von Jahn geprägt); außerdem Joseph Görres' oft verbotenen *Rheinischen Merkur* (1814–1816), die politisch aggressiven Dgg. und Prosaschriften Heinrich von Kleists (*Katechismus der Deutschen*, 1809), seine *Berliner Abendblätter* (1810–1811) und schließlich die sog. Dg. der Freiheitskriege, deren Hauptvertreter neben Theodor Körner (1791–1813) Max von Schenkendorf (1783–1817) und der junge Rückert mit *Geharnischte Sonette* (1814) waren. Fichtes *Reden an die deutsche Nation* wurden 1807–1808 in Berlin gehalten. In ihnen forderte F. die gänzliche Erneuerung der Nation durch neue Erziehung. Der Wiederabdruck der Reden war von 1814 bis 1824 verboten.

Wo die dialektische Beziehung zwischen Vergangenheit und Zukunft zugunsten einer einseitigen Rückwärtsgewandtheit verlorenging und der Glaube an eine Erneuerung aus dem Geist der Vergangenheit aufgegeben wurde, wandelte sich die Beziehung zur Vorzeit in Flucht und Reaktion. Ein Kennzeichen der Spätromantik ist ihr Zug zur Unterordnung unter Ganzheiten wie Religion, Volk, Staat. Der Historismus und die Verehrung von Gegebenheiten und Überlieferungen begründete auch eine stark konservative Haltung, die zur Restaurationspolitik führte.

Von den Philosophen hatten Einfluß auf die romantische Dg.: Johann Gottlieb Fichte (1762–1814). F. ging von Kant aus, suchte in seiner *Wissenschaftslehre* (1794) zu einem wirklichen System zu kommen statt zu einer Kritik. Die *Wissenschaftslehre* rückte in den Mittelpunkt der Weltbetrachtung das Ich. Das Ich ist nicht nur das intelligible Ich, das die Dinge der Außenwelt erfaßt, sondern es fühlt sich auch als Schöpfer und Herr dieser Welt, die es sich durch die Macht seines Willens unterwirft. Das Ich ist der Außenwelt überlegen, das Subjekt dem Objekt: sog. subjektiver Idealismus. Um die Jh.-Wende zeigte F. in seiner Philosophie einen Zug ins Religiöse und Mystische. Er suchte Gott nicht mehr in der sittlichen Weltordnung, nicht mehr im sittlichen Handeln, sondern im absoluten Sein, im Gefühl, in der Liebe und der Seligkeit. Auch kam F. zu einer religiös gefärbten Gesch.-Philosophie, die in einem Vernunftstaat ihr Endziel sah.

Friedrich Wilhelm Schelling (1775–1854, seit 1793 in Jena neben den beiden Schlegel, Tieck, Novalis und Steffens Mitbegründer der romantischen Schule). Erstes Hauptwerk: *Ideen zu einer Philosophie der Natur* (1797). Natur und Geist bilden eine Einheit. Die Natur soll der sichtbare Geist, der Geist die unsichtbare Natur sein, die Natur ist eine fortschreitende Enthüllung des Geistes. Alles im Universum ist beseelt. Von dieser Naturphilosophie kam Sch. über Religionsphilosophie zur Ansicht, die Kunst sei die höchste Gestaltung alles Irdischen (*Über das Verhältnis der bildenden Künste zur Natur*, 1807). Auch Sch.s Gesch.-Philosophie ist religiös gefärbt: die Gesch. ist Offenbarung des Absoluten. Krönung der Philosophie ist die Philosophie der Kunst. Mystische Tendenzen zeigte Sch. u. a. in *Die Gottheiten von Samothrake* (1815).

Von Schelling angeregt waren dessen Schüler Gotthilf Heinrich Schubert (1780–1860) mit dem einflußreichen Werk *Ansichten von der Nachtseite der Naturwissenschaft* (1808) sowie der Berliner Philosoph Karl Wilhelm Ferdinand Solger (1780–1819; *Erwin oder vier Gespräche über das Schöne und die Kunst*, 1815; *Vorlesungen über Ästhetik*, postum 1828), dessen mystisch orientierte Ästhetik Kunst als Offenbarung und zugleich Selbstvernichtung der Idee (bzw. Gottes) in der Erscheinung definierte. Solgers Begriff der tragischen Ironie, die aus der Erkenntnis solcher Selbstvernichtung hervorgehe, ist Friedrich Schlegels romantischer Ironie verwandt, und seine Ästhetik hat auf die Hegels weitergewirkt.

Für die Romantiker sind Wissen und Glauben, Philosophie und Religion nicht voneinander getrennt. Für die Frühromantik war Religion, Nährboden aller wahren Kunst, die Mythologie der Kern aller Poesie. Die Versöhnung des Christentums mit dem Idealismus vollzog Friedrich Schleiermacher (1768–1834). Hauptschriften: *Reden über die Religion an die Gebildeten unter ihren Verächtern* (1799) und *Monologen* (1800). Religion sei das Gefühl des Zusammenhangs des einzelnen mit dem Ewigen und Unendlichen, eine Forderung des Gemütes, Sinn für das Übersinnliche, das Unendliche, »Anschauung des Universums«. Religion gehe also weder in Metaphysik, noch in Moral, noch in Historie auf. Religion bedeute schlechthinnige Abhängigkeit vom Unendlichen.

Als zentrale Erfahrung der Romantik hat man das Todeserlebnis herausgestellt, aus dem zwei Wege führen: zur Vernichtung und zur Rettung im christlichen Dogma. Der späte Johann Heinrich Voß hatte erklärt, daß die Romantik zur religiösen Reaktion oder zum Katholizismus führen müsse (*Wie ward Fritz Stolberg ein Unfreier?* 1819; der mit Voß befreundete Stolberg hatte 1800 konvertiert). Der starke Zug der Romantiker zum Katholizismus brachte bekannte Konversionen: Friedrich und Dorothea Schlegel (1808), Zacharias Werner (1811 in Rom Priester geworden) und Rückkehr zur Kirchentreue: Brentano (1817). Novalis feierte in *Die Christenheit oder Europa* (1799) die vorreformatorische Glaubenseinheit. Eichendorff machte im Alter für den Zusammenbruch der Romantik protestantischen Hochmut verantwortlich (*Zur Gesch. der neueren romantischen Poesie*, 1846).

Fichte und Novalis setzten auch die Linie der dt. Mystik fort, deren Wiederauftreten für die Romantik bezeichnend ist. Bei Jakob Böhme steht nach Friedrich Schlegel das Christentum mit Physik und Poesie in Berührung.

Romantische Geisteshaltung suchte »der Bildungsstrahlen All in eins zu fassen«. Die Künste – Dg., Malerei, Musik – rückten bis zur Verschmelzung aneinander. Ihre Betrachtung ist im Grunde nur im Zusammenhang möglich.

Die romantische Dg. gab entscheidende Anregung für die anderen Künste. Auch die Malerei suchte das Dunkle und Umwölkte, statt der geschlossenen Form die verschwimmenden Konturen; sie übernahm MA.-, Märchen- und Landschaftsmotive der Dg. (Philipp Otto Runge, Caspar David Friedrich, Moritz von Schwind, Die Nazarener). Die romantische Musik komponierte romantische Lyrik (Franz Schubert, Robert Schumann, Felix Mendelssohn).

Selbst Kunst und Wissenschaft flossen ineinander.

Die Germanistik erwuchs aus dem gleichen Gedanken des nationalen Volksgeistes, der auch die Poetik formte (Brüder Grimm). Die historische Schule der Rechtswissenschaft und der Geschichte folgte dem Grundsatz Savignys, daß das Recht unbewußt aus dem natürlichen Volksboden entstehe und sich nicht erfinden lasse.

Nach romantischer Auffassung sollte das ganze Leben »poetisiert« werden. »Die romantische Poesie ist eine progressive Universalpoesie. Ihre Bestimmung ist nicht bloß, alle getrennten Gattungen der Poesie wieder zu vereinigen und die Poesie mit der Philosophie und Rhetorik in Berührung zu setzen. Sie will und soll auch Poesie und Prosa, Genialität und Kritik, Kunstpoesie und Naturpoesie vermischen, bald verschmelzen.« Die Universalpoesie »allein ist unendlich, wie sie allein frei ist, und erkennt als erstes Gesetz an, daß die Willkür des Dichters kein Gesetz über sich leide« (116. *Athenäum*-Fragment). Die erstrebte Annullierung der Aufklärung (vgl. A. W. Schlegel: *Über Lit., Kunst und Geist des Zeitalters*, 1803), die Rückverwandlung des Wissens ins Unbewußte und die künstliche Herstellung eines »mythischen Zustandes« sollten die Kluft zwischen der Volkspoesie und der verfeinerten modernen Dg. schließen und auf artistischem Wege zu einer Repoetisierung des Lebens führen.

Die Klassik wurde überboten durch die Vereinigung von Geist und Natur, Endlichkeit und Unendlichkeit, das Vergangene und Gegenwärtige mit dichterischen Kräften durchdrungen. Zweck der Kunst war Stimmung und Erlebnis. Dabei sollten sich die einzelnen Sinnesgebiete miteinander vermischen und die Künste ineinander übergehen. Bezeichnende Forderung: »Synästhesie«, das Farbenhören, das Musiksehen. »Zu jeder schönen Darstellung mit Farben gibt es gewiß ein verbrüdertes Tonstück, das mit dem Gemälde gemeinschaftlich nur eine Seele hat« (Tieck). Vgl. Eichendorff: ». . . und zogen / ihn in der buhlenden Wogen / farbig klingenden Schlund.« Erhabenste Fähigkeit ist die Phantasie, das freie Schöpfertum, dieses wiederum ist wichtiger als das Geschaffene. Dichterische Lebensform ist wichtiger als die Form des dichterischen Werkes. Daher viele unvollendete Werke, Improvisationen, Schätzung des Aphorismus und das Fehlen strenger Konzeption. Wichtiger als die Vollkommenheit einer Leistung ist die Sehnsucht und das Streben nach der Vollkommenheit.

Die der romantischen Dg.-Theorie innewohnende Dialektik von Traum und Bewußtheit (Arthur Henkel) hängt zusammen mit Fichtes Philosophie der Subjektivität, der Verkündigung der absoluten Freiheit des Geistes. Der romantische Dichter besitzt die Freiheit, sich über alles, auch über die eigene Kunst, Tugend oder Genialität, zu erheben und die Sinnenwelt für seine Zwecke willkürlich einsetzen zu können. So ist die »romantische Ironie« zu begreifen als Gewähr für die Autonomie dichterischer Weltsicht gegenüber der Wirklichkeit. Der Künstler spürt den Widerstreit von Endlichem und Unendlichem während des schöpferischen Vorgangs, und das Bewußtsein seiner spielerischen Freiheit erhebt ihn darüber. Die subjektive, romantische Ironie, die auch noch Heine als Kunstmittel anwandte, erreichte durch den Gegensatz von Tatsache und subjektiver

Auffassung besonders komische Wirkung. Der romantische Dichter darf und muß die Illusion, die sein Werk erzeugt hat, auch wieder aufheben.

Neben dem Hochgefühl des Dichters und dem Glauben an die Kraft der Poesie gibt es bei fast allen Romantikern, in zunehmendem Maße bei den Spätromantikern, das schon auf das Biedermeier hindeutende Bewußtsein von der Gefahr einer nur ästhetischen Kultur, von dem Frevel am Leben, den eine ästhetische Existenz bedeuten kann, von der Verlockung zum Abgrund und zum Tode, die in der Schönheit liegt (Wackenroder, Brentano, Eichendorff).

Die Romantik huldigte der Theorie von der dichtenden Volksseele. Besonders rein glaubte man die Volksdg. in unverbildeteren Zeiten, vor allem im MA., aufzuspüren. Das Märchen wurde wiederentdeckt und erneuert, Volkslied, Volksbuch und Sage wurden gepflegt.

Der romantische Sprachstil suchte die Illusion zu steigern durch Wortwahl, Wortform, Satzbau und Rhythmus; durch archaischen chronikalischen Stil wurde die Illusion einer vergangenen Zeit oder eines entfernten Milieus geschaffen, durch Zerreißung des logischen Zusammenhangs der Eindruck des Phantasievollen erreicht.

Durch zahlreiche Übss. hat die Romantik fremdsprachige Poesie erschlossen. Sie vereinte geistiges Interesse für den Gehalt einer Dg. mit Formsinn und Blick auf die Weltlit. Die Formen der Spanier, Italiener, Portugiesen, Provenzalen, Engländer und Franzosen sowie der Antike wurden nachgeahmt.

Wichtigste Übs.-Leistung war der dt. Shakespeare. Von August Wilhelm Schlegel mit 17 Drr. 1797–1810 begonnen, von Ludwig Tieck zus. mit seiner Tochter Dorothea und Wolf Graf Baudissin beendet (1825–1840).

Schlegel übersetzte außerdem Calderons Drr. (1. Bd. 1803) und *Blumensträuße ital., span. und portug. Poesie* (1804), Tieck Cervantes' *Don Quijote* (1799–1801) sowie alte engl. Drr., Schleiermacher Plato, Johann Diederich Gries (1775–1842) Boiardo, Ariost, Tasso, Calderon, Wilhelm Grimm nordische Vorlagen (*Edda* u. a.).

In der Nachfolge der Romantik erschlossen Rückert und Georg Friedrich Daumer (1800–1875) chinesische, indische, arabische, persische Poesie.

Bei der Betrachtung der lit. Gattungen ist im Auge zu behalten, daß die Romantik bewußt eine Grenzverwischung vollzogen hat.

Als neue Kunstform wurde von Friedrich Schlegel, Novalis u. a. die von Lessing vorgebildete des Fragments gepflegt.

Hauptgattung, universelle, »progressive« Form war für die Frühromantik der Roman. Für Novalis war Romantik noch = R.-Kunst, Romantiker = R.-Dichter. Ähnlich Friedrich Schlegel: »Ein R. ist ein romantisches Buch ... nach meiner Ansicht und nach meinem Sprachgebrauch ist eben das romantisch, was uns einen sentimentalen Stoff in einer phantastischen Form darstellt« *(Brief über den R.).* Als aller Vorbild galt *Wilhelm Meisters Lehrjahre.* Die romantische Sicht dieses Werkes gab Friedrich Schlegel *(Über Goethes Meister,*

1798), als er die Ideen und den musikalischen Stil nachwies. Daneben wirkten Heinses *Ardinghello* und die Rr. Jean Pauls als Vorbild. Alle in der Frühromantik entstandenen Rr. blieben Torsi. Kennzeichnend für sie wurde das »Romantisch-Sentimentale« und das Subjektive, die enge Beziehung zum Dichter, insofern als die R. nach Friedrich Schlegel »ein Kompendium, eine Enzyklopädie des ganzen geistigen Lebens eines genialischen Individuums« war. Ihnen eingefügt wurden Gespräche, Märchen, Episoden, Lieder, Briefe, Reflexionen. Zwischen den einzelnen Rr. bestehen große Unterschiede. Novalis' *Heinrich von Ofterdingen* ist symbolische Gestaltung einer Weltanschauung, Ideendg.; Tiecks *William Lovell*, noch Brief-R., ist skeptische Auseinandersetzung mit Sturm-und-Drang-Idealen, sein *Sternbald*, Wackenroders *Berglinger*, Friedrich Schlegels *Lucinde*, Dorothea Schlegels *Florentin*, Brentanos *Godwi* sind ästhetische Bildungsgänge romantischer Charaktere. Die spätromantischen Rr. von Arnim und Eichendorff kamen aus christlich-dt. Lebensbewußtsein und leiteten mit ihrer Überwindung jeder wirklichkeitsfremden und gegenwartsfeindlichen Haltung, mit der Einfügung ihrer Menschen in die reale Welt, in die nächste Dg.-Epoche über.

Die Novelle hat Vorformen in den »Charakteren« und moralischen Erzz. des 18. Jh. Etwa gleichzeitig mit Goethes *Unterhaltungen deutscher Ausgewanderten* (1795) erschienen die ersten romantischen Erzz. In Tiecks *Der blonde Eckbert* (1796) und in weitere durch Märchen sowie Sagen angeregte phantastische Geschichten sind persönliche Erlebnisse des Grausigen, der Lockungen dunkler Mächte, der Sehnsucht nach Auflösung in Natur eingegangen. Neue Wege gingen mit ihrer scheinbaren Formlosigkeit, der Zufälligkeit der Geständnisse die *Nachtwachen* einerseits und andererseits Brentano mit der *Chronika*, in der er die beherrschte Form Kleists anwandte. Kleists Novv. suchten allein den Menschen zu fassen, Reflexionen über das Leben wurden vermieden, ein Charakter, eine Seele offenbarte sich in einer ungewöhnlichen Handlung. Der Dichter trat zurück. Diesem Ziel der Erz. diente oft schon die Anekdote. Auf dem Wege zum Realismus, zum sog. poetischen Realismus, befanden sich auch die späten Schöpfungen romantischer Novellistik (Brentano: *Kasperl und Annerl*, Arnim: *Der tolle Invalide*, Tieck, Eichendorff). Wirklichkeit als Zerrbild brachten Hoffmanns Satiren und Grotesken.

Als Phantasiestücke (das Wort bei E. T. A. Hoffmann) sind frei mit den Gegebenheiten des Lebens schaltende Erzz. anzusehen, die ganz aus der Einbildungskraft leben und in denen der kausale Zusammenhang des Weltgefüges aufgehoben ist. Sie nähern sich dem Märchen (Arnim: *Isabella*, Eichendorff: *Taugenichts*, Hoffmann: *Kreisleriana* u. a.).

Das Märchen war die Form der jüngeren Romantiker. Aus ihm sprach ein neuer Glaube an die Natürlichkeit des Wunderbaren. Geschieden werden kann zwischen dem Volksmärchen mit geschlossener Form, der Märchen-Arabeske mit geöffneter Form (Brentano) und dem Wirklichkeitsmärchen (Hoffmann).

In der romantischen Lyrik steht Novalis mit seiner Erneuerung der Nacht-Philosophie gesondert. Die mit Herder begonnene Wiederbelebung der Lyrik aus dem Geist des Volksliedes wurde im Anfang des 19. Jh. endgültig wirksam. Von Erlebnisbereichen waren die Freude am katholischen Kult, die Mystik der Seelenentwicklung, persönliches, gefühltes Christentum, Eindringen in die dt. Vergangenheit, Anteil an dem politischen Geschick und dämonischer, bis ins Grelle gehender Haß gegen die Fremdherrschaft wirksam. Neben scheinbar grenzenloser Formbegabung und Melodienfülle stehen die schlichten und zarten Töne. Diese Lyrik wurde so volkstümlich, wie es die Volkslieder einmal gewesen waren; daher sind Uhland und Eichendorff als einzige der romantischen Lyriker ganz auf die Nachwelt gekommen. Die ersten sozialen Themen tauchen bei Chamisso auf, der mit seinem Humor und dem realistischen Blick für das Berliner Leben, für die Kinder und ihr Kleinleben in die nächste Dichtergeneration hinüberwies.

Das Drama ist nicht die stärkste Leistung der Romantiker. Soweit in ihm der Gott der Liebe, die gütige Vorsehung, wirksam ist, wurde es zum Erlösungs-Dr. oder – nach Paul Kluckhohn – »Gnaden-Dr.«. Bei Werner näherte es sich sogar dem barocken Typus des Märtyrer-Dr. Die entscheidende Tat für das dt. Theater war die Einbürgerung Shakespeares, während die der span. Dramatiker geringere Spuren hinterließ.

Die Brüder Schlegel standen noch unter antikischem Einfluß (August Wilhelm Schlegel *Ion*, 1802; Friedrich Schlegel *Alarcos*, 1802). Tieck, durch frühes Shakespeare-Studium geführt, mischte in *Ritter Blaubart*, dem *Gestiefelten Kater* u. a. bewußt Komik und Tragik und steuerte die lit. festgefahrenen Formen wieder in das Theatralische hinüber. Verschmelzung von Epik, Lyrik, Dramatik, religiöser Dg., nur noch für die »Bühne der Phantasie«, war sein *Leben und Tod der heiligen Genoveva*, noch stärker mit Allegorien durchsetzt sein *Kaiser Oktavian*. Ebenfalls nicht dramaturgisch, sondern musikalisch komponierte Brentano unter der Wirkung Calderons die *Gründung Prags*. Auch Achim von Arnims *Halle und Jerusalem* war das zerfließende Gebilde eines Erzählers. Nationale Zielsetzung an historischen Stoffen kennzeichnen Fouqués *Held des Nordens* und Joseph von Eichendorffs *Der letzte Held von Marienburg* (1830).

Der eigentliche Dramatiker unter den Romantikern, abgesehen von Kleist, war, schon vom Wesen her, Zacharias Werner, der unter Schillers direktem und Calderons indirektem Einfluß stand. Seine Dg. ruht auf religiöser Grundlage und arbeitete mit dem Eingreifen übernatürlicher Mächte. In seinem späteren Werk näherte er sich in

Technik und Gesinnung dem Dr. des Barock. Sein *24. Februar* ist nur mit Einschränkung als Schicksalsdr. zu bezeichnen, da es im Grunde sein zentrales Thema von der Ichsucht, die überwunden werden muß, aufnimmt (Paul Kluckhohn). Das Thema des lastenden Fluches ist von den Späteren übernommen worden.

Mit *Familie Schroffenstein* und *Käthchen von Heilbronn* und Einzelzügen der übrigen Drr. steht Kleist dem romantischen Dr. nahe. In seinen Hauptwerken geht es immer um die einzelne Persönlichkeit, um den letzten Halt ihrer Existenz in ihrem eigenen Gefühl. Die Tragik erwächst aus Verwirrung oder Trübung und Mangel an Vertrauen.

Reine Lspp. brachten erst die letzten Phasen der Romantik hervor. Im Gegensatz zum rührenden Lsp. und zur Typenkom. suchte sie das »lustige Lsp.« mit Nichternstnehmen der Wirklichkeit, Zerstörung der Illusion, Hervortreten des Dichters. Die theoretische Anknüpfung geschah durch die Schlegel bei Aristophanes, durch Tieck bei Shakespeare, der an die Stelle Molières gesetzt wurde. Die wesentlichen Leistungen waren Brentanos *Ponce de Leon* und Eichendorffs *Freier*. Kleists *Zerbrochener Krug* stand der Romantik fern: er begründete den künftigen realistischen Stil.

Romantische Dg., vor allem aber die romantischen Theorien und Zss. erwuchsen aus der Zusammenarbeit von Freundespaaren und ganzen Gruppen.

Zur älteren Romantik, in Jena und Berlin, gehörten: die Brüder Schlegel und ihre Frauen, Tieck, Wackenroder, Novalis, Schelling, Schleiermacher, Steffens. Lit. Organ war das *Athenäum* in Berlin, hgg. Brüder Schlegel (1798–1800). Friedrich Schlegel gab außerdem die Zs. *Europa* (1803–1805) heraus, die fast ausschließlich Beiträge der Brüder und Dorotheas brachte. Ebenso bestritt Tieck im wesentlichen den Inhalt seiner Zs. *Poetisches Journal* (1800).

Die Mitglieder der jüngeren Romantik sammelten sich seit 1805 in Heidelberg: Arnim, Brentano, Eichendorff, Görres. 1806 hielt Görres dort die erste germanistische Vorlesung an einer dt. Universität. Zs. der Heidelberger Romantiker war die *Zeitung für Einsiedler* (1808), hgg. Arnim, Mitarbeiter waren die Brüder Schlegel, Tieck, Fouqué, die Brüder Grimm, Uhland, Kerner, Philipp Otto Runge; in Buchform hgg. von Arnim unter dem Titel *Trösteinsamkeit* (1808).

Um 1810 wurde Berlin wichtigster Sammelpunkt der Spätromantik.

Nationale Ziele verfolgte die Christlich-dt. Tischgesellschaft; zu ihr gehörten: Arnim, Brentano, Eichendorff, Kleist, Fouqué, Chamisso. Ihr nahe standen die *Berliner Abendblätter* (1810–1811), hgg. Kleist; politische Tageszeitung mit patriotischer Tendenz. Mitwirkung von Adam Müller, Arnim, Brentano, Wilhelm Grimm, Fouqué. Ihr Verleger Eduard Julius Hitzig war Mittelpunkt des Nordsternbundes.

Die Zs. *Phöbus* (1808) in Dresden, hgg. Kleist und Adam Müller, brachte hauptsächlich Vorabdrucke aus Werken Kleists.

An der Zs. *Dt. Museum* (1812–1813), hgg. Friedrich Schlegel, arbeiteten von den Romantikern August Wilhelm Schlegel, Adam Müller, Fouqué und Görres mit.

Auch an den frühen Jahrgängen des *Morgenblatts für gebildete Stände* (1807–1865) in Stuttgart, hgg. Cotta und Wilhelm Hauff, sind Romantiker beteiligt: Schwab, Schelling, die Brüder Schlegel, Kleist, Müllner.

Als einen Ausläufer romantischer Lit. kann man die sog. Schwäbische Schule (etwa 1810–1850) bezeichnen, zu der im wesentlichen Ludwig Uhland, Justinus Kerner, Gustav Schwab (1792–1850) gehörten und mit der auch Wilhelm Hauff und Eduard Mörike in Beziehung standen.

Wichtigste Autoren der Romantik:

Arnim, Achim von, geb. 1781 in Berlin. Stud. der Naturwissenschaften 1798–1799 in Halle, 1800–1801 in Göttingen. Freundschaft mit Brentano. Hielt sich nach Reisen in die Schweiz, nach Frankreich und England in Berlin und Heidelberg (1805) auf. 1806 ging A. nach Göttingen, 1807 nach Königsberg, 1808 wieder nach Heidelberg und Ende desselben Jahres nach Berlin, wo er Bettina, Brentanos Schwester, heiratete. Nach dem Feldzug 1813–1814, den er als Hauptmann mitmachte, wohnte er auf seinem märkischen Gute Wiepersdorf. Gest. 1831 ebd.

Brentano, Clemens, geb. 1778 in Ehrenbreitstein. Enkel von Sophie von Laroche, Sohn der Maximiliane Brentano, geb. Laroche. Zunächst Kaufmann, seit 1797 Stud. in Halle und Jena, Verkehr mit Wieland, Savigny, Schlegel, Goethe, Herder. Ging 1801 nach Göttingen, wo er mit Arnim Freundschaft schloß, dann nach Marburg, wo er 1803 Sophie Mereau geb. Schubert heiratete. Siedelte 1804 nach Heidelberg über. Von 1809 bis 1818 meist in Berlin, vorübergehend aber z. B. auch in Wien. 1817 Rückkehr zur Kirchentreue. Von 1819 bis 1824 bei der stigmatisierten Nonne Anna Katharina Emmerich zu Dülmen, nach deren Tod unstet in Bonn, Winkel, Wiesbaden, Frankfurt, Koblenz, Straßburg, 1825 wieder in Koblenz, 1832 Regensburg, 1833 in München. Gest. 1842 in Aschaffenburg.

Eichendorff, Joseph Freiherr von, geb. 1788 auf Schloß Lubowitz in Oberschlesien, besuchte seit 1801 das Gymnasium zu Breslau, stud. phil. und jur. 1805–1806 in Halle, 1807–1808 in Heidelberg. Bekanntschaft mit Novalis, Görres, Arnim und Brentano. Besuchte Paris und Wien, wo er mit Friedrich und Dorothea Schlegel verkehrte, nahm 1813 und 1815 an den Befreiungskriegen teil. Von 1816 bis 1844 Beamter in Breslau, Berlin, Königsberg (seit 1824), wo er den Wiederaufbau der Marienburg betrieb, dann wieder in Berlin. Zog 1855 zu seiner Tochter nach Neiße. Gest. 1857 in Neiße.

Hoffmann, Ernst Theodor Amadeus, geb. 1776 in Königsberg, 1792–1795 stud. jur. ebd. 1798 Kammergerichtsreferendar in Berlin, 1800–1806 Assessor, später Regierungsrat in Posen, Plotzk, Warschau, wo er infolge der territorialen Veränderungen sein Amt verlor. Nahm 1808 eine Stelle als Theatermusikdirektor in Bamberg an, desgl. 1813 bei der Truppe Joseph Secondas in Leipzig und Dresden. Erst nach den Kriegen 1816 Wiedereinstellung als preußischer Kammergerichtsrat; vorzüglicher Jurist. Gest. 1822 in Berlin.

Kleist, Heinrich von, geb. 1777 in Frankfurt/Oder. 1792–1799 Offizierslaufbahn, seit Ostern 1799 Stud. der Philosophie, Physik, Mathematik, Kameralia in Frankfurt/Oder. Verlobung mit Wilhelmine Zenge (Auflösung 1802). Lektüre Kants; Aufgabe des Studiums. Im Spätsommer 1800 in Würzburg. Übersiedlung nach Berlin. 1801 Reise nach Paris; 1802 in Bern Verkehr mit Zschokke, Heinrich Geßner und Ludwig Wieland. Winter 1802/03 in Weimar und Oßmannstedt (Goethe, Schiller, Wieland), Frühjahr 1803 in Leipzig und Dresden. Sommer 1803 erneute Reise (mit Pfuel) in die Schweiz und über Mailand, Genf, Lyon wieder nach Paris; hier verbrannte K. seine Mss. Plante, in frz. Diensten am Kriege gegen England teilzunehmen; wurde von Boulogne nach Dld. zurücktransportiert und brach Ende 1803 in Mainz völlig zusammen. Leidlich genesen, kam K. 1804 nach Potsdam zurück und erhielt im Winter 1804/05 eine Anstellung an der Königsberger Domänenkammer. Anfang 1807 verließ er nach Aufgabe seines Amtes (1806) Königsberg, wurde in Berlin von den Franzosen gefangengenommen und nach Frankreich gebracht. Nach seiner Entlassung im Juli 1807 reiste er über Berlin nach Dresden, wo er mit Adam Müller, Tieck, Körner u. a. verkehrte. Im Mai 1809 brach er nach dem österreichischen Kriegsschauplatz auf, kam jedoch zu spät. Ende 1809 nach Herumirren in Böhmen wieder in Frankfurt und Berlin. Unter dem Druck persönlicher Erfahrungen und aus politischer Verzweiflung Freitod zus. mit Henriette Vogel 1811 am Wannsee.

Novalis, eigentlich **Friedrich von Hardenberg,** geb. 1772 in Oberwiederstedt im Mansfeldischen. 1790 stud. phil. in Jena (Schiller, Fichte, die Schlegels), seit 1792 stud. jur. in Leipzig. Verlobte sich 1795 in Tennstedt, wo er an der Kreishauptmannschaft arbeitete, mit der dreizehnjährigen Sophie von Kühn, deren Tod (1797) ihn schwer erschütterte. Seit Ende 1797 Stud. der Bergwissenschaften in Freiberg bei dem Geologen Werner. 1798 Verlobung mit Julie von Charpentier, Freundschaft mit Ludwig Tieck, 1799 Assessor an der Salinenverwaltung in Weißenfels. Gest. 1801 in Weißenfels.

Schlegel, August Wilhelm, geb. 1767 in Hannover als Sohn des Bremer Beiträgers Johann Adolf Schlegel und Neffe von Johann Elias Schlegel. 1786–1791 Stud. in Göttingen, zuerst Theologie, dann klassische Sprachen und Lit. Durch Bürger zum Dichten und Übersetzen angeregt. 1792–1794 Hauslehrer in Amsterdam, 1795 nach Jena, dort 1796 Habilitation. Mitarbeit an Schillers *Horen* und *Musenalmanach* sowie an der *Allg. Lit.-Ztg.* Heirat mit Karoline geb. Michaelis verw. Böhmer, die nach ihrer Scheidung 1803 Schelling heiratete. 1798 ao. Prof. Hielt 1801–1804 in Berlin Vorlesungen über Lit. und Kunst, die er später in Wien verändert und erweitert wiederholte. Begleitete 1804–1813 Frau von Staël auf Reisen in die Schweiz, nach Rom und Skandinavien und besuchte sie 1815 bis 1817 in

Paris. 1818 Prof. der Kunst- und Lit.-Gesch. in Bonn. Gest. 1845 in Bonn.

Schlegel, Friedrich, geb. 1772 in Hannover, jüngerer Bruder von August Wilhelm Schlegel. Lehrzeit als Kaufmann abgebrochen, Stud. der Rechte in Göttingen und Leipzig, seit 1793 der Altertumskunde. Vorübergehend in Dresden und Jena. 1797 nach Berlin; Freundschaft mit Schleiermacher und Dorothea Veit, der Tochter Moses Mendelssohns, die er 1804 heiratete. 1799 nach Jena, 1801 Habilitation ebd. 1801 zu orientalischen Studien nach Paris, 1804 nach Köln. 1808 Übertritt zum Katholizismus und Übersiedlung nach Wien; 1815 bis 1818 österreichischer Legationsrat beim Bundestag in Frankfurt. Sch. widmete sich hauptsächlich orientalischen Studien und hielt Vorlesungen über Gesch., Lit., Philosophie. Gest. 1829 in Dresden.

Tieck, Ludwig, geb. 1773 in Berlin, 1782–1792 im Friedrichswerderschen Gymnasium; Freundschaft mit Wackenroder. 1792–1794 Stud. der Philologie und Lit. in Halle, Göttingen und Erlangen. 1794–1799 hauptsächlich in Berlin. 1799–1800 in Jena, Verkehr mit den Schlegels, Novalis, Fichte, Brentano, auch Goethe und Schiller. 1801–1802 wohnhaft in Dresden, 1802–1819 in Ziebingen/Neumark. Nach Reisen nach Italien (1804–1806), England und Frankreich (1817) ließ T. sich 1819 endgültig in Dresden nieder, wo er 1825 Dramaturg des Hoftheaters wurde und seine berühmten Leseabende hielt. 1841 von Friedrich Wilhelm IV. nach Berlin berufen. Gest. 1853 in Berlin.

1795/96   Ludwig Tieck
(Biogr. S. 307):
Geschichte des Herrn William Lovell

Brief-R., 3 Bdd.; später 2 Bdd.

Entst. seit 1793. Nach T.s eigener Äußerung beeinflußt durch Restif de la Bretonnes (1734–1806) *Le Paysan perverti* (1776); dies seine Quelle in bezug auf Motive, Komposition, Streben nach greller Lebendigkeit (Rudolf Haym), Milieu und Form aber nach Richardson: Lovell abhängig von Lovelace in *Clarissa*.

In vielem Selbstdarstellung; spiegelt die moralisch-seelische Zerrissenheit T.s im Übergang zum Mannesalter. Lovell ist ein hochsinnig veranlagter, aber übersättigter Jüngling, der durch eine epikureische Philosophie allmählich zum Wüstling, Tugendschänder, Mörder, Falschspieler und Räuber herabsinkt. Langeweile am Leben als Keim seelischer Veröderung, vor der auch Genuß und Selbstherrlichkeit im Geistigen nicht retten. Wiederaufnahme von Sturm-und-Drang-Problematik, verwandt mit Heinses *Ardinghello* und der ähnlich enthüllenden medizinischen Psychologie. Genialität gegen Mittelmäßigkeit, aber ohne eigentliche Entscheidung.

»Das ganze Buch ist ein Kampf der Prosa und der Poesie, wo die Prosa mit Füßen getreten wird und die Poesie über sich selbst den Hals bricht« (Friedrich Schlegel).

1797   Ludwig Tieck
         (Biogr. S. 307):
         Volksmärchen

3 Teile. Unter dem Pseud. Peter Leberecht.
Die Slg. enthält neben Neugestaltungen überkommener Stoffe auch Selbsterfundenes. Wiedererweckung der Volksbücher, teilweise unter Veränderung von Stil und Stoff: *Die Geschichte von den vier Heymonskindern, Die wundersame Liebesgeschichte der schönen Magelone und des Grafen Peter aus der Provence, Denkwürdige Chronik der Schildbürger* (darin ausgelassene Verspottung der Aufklärung, Einfluß von Wielands *Abderiten*).
An Märchendrr. sind enthalten: *Ritter Blaubart*, ein »Ammenmärchen« in 4 Akten, Tr. nach Perrault mit satirischen Elementen, *Der gestiefelte Kater*, nach einem Märchenmotiv von Perrault. In dem letzten ist nach Gozzischer Methode das Märchen der Rahmen einer ironisch-satirischen Lit.Kom.: Aufhebung der Grenze zwischen Bühne und Zuschauerraum, Auftreten des Dichters, Souffleurs, Maschinisten, des Publikums; viele geistvoll-witzige Anspielungen, insbesondere auf Iffland und seinen Anhänger Böttiger. Erstrebte Vereinigung von Epik und Dr.
Einzeldruck des *Gestiefelten Kater* mit der Angabe »Aus dem Italienischen« 1797; erweiterte Fassung in *Phantasus*, Bd. 2. Das Werk war ursprünglich von dem Verleger Nicolai zurückgewiesen worden, der auch die Lit.-Kom. *Die verkehrte Welt* (1799) zurückwies.

Schließlich enthält die Slg. das Schicksalsdr. *Karl von Berneck* und das frei erfundene Märchen *Der blonde Eckbert* (entst. 1796), das erste Meisterwerk T.scher Stimmungsmalerei. Stoff: schuldbeladene Ehe eines Geschwisterpaares und sein Untergang. Romantisches Motiv der »Waldeinsamkeit«.
Wendung T.s zur Poesie und Romantik unter Absage an die literatenhafte Frühzeit im Dienste Nicolais.
Auff. des Märchendr. *Ritter Blaubart* 3. 5. 1835 in Düsseldorf durch Karl Immermann, des *Gestiefelten Katers* 20. 4. 1844 in Berlin, Kgl. Schsp.-Haus auf Wunsch Friedrich Wilhelms IV.

1797   **Wilhelm Heinrich Wackenroder**
(in Wahrheit   (1773–1798, Berlin, Göttingen):
Herbst 1796)   **Herzensergießungen eines kunstliebenden**
               Klosterbruders

Anonym, hgg. Ludwig Tieck. Von Tieck Überarbeitung des Textes und einige selbständige Zusätze wie die Vorrede und vor allem *Brief eines jungen dt. Malers in Rom an seinen Freund in Nürnberg* mit Schilderung der Bekehrung zum katholischen Glauben durch die Macht der Liebe und der Musik. Tieck hat in der 2. Aufl. (1814) seine Zusätze wieder gestrichen.

Titel des Werkes vielleicht durch den Komponisten Johann Friedrich Reichardt, der aus dem Werk schon vorher in seiner neuen Zs. *Deutschland* als Sonderabdruck *Ehrengedächtnis unseres ehrwürdigen Ahnherrn Albrecht Dürers* veröffentlicht hatte.

Einziges zu Lebzeiten W.s erschienenes Werk. Ergebnis innerer Erlebnisse während seiner Reise nach Süddld. 1793. Tieck schrieb in der 2. Aufl., daß W. »ohne alle Absicht darauf im Schreiben verfiel, seine Worte einem von der Welt abgeschiedenen Geistlichen in den Mund zu legen, denn er dachte bei diesen Ergießungen anfangs nicht daran, sie durch den Druck auch anderen als seinen vertrautesten Freunden mitzuteilen«. Der Klosterbruder ist kein ma. Mönch, sondern ein Geistlicher der Zeit, der sich in frühere Zeiten zurückversetzt.

Dieses erste Zeugnis des romantischen Lebensgefühls predigt in 14 kleinen Aufsätzen in der Art des ital. Künstlerbiographen Vasari die Verehrung der alten Meister, die Andacht zur Kunst und eine Reformation der Kultur. Die Musik, die »Kunst der Künste«, bringe uns »echte Heiterkeit der Seele«. Ihr Erlebnis sei kultisch, wie die Kunst überhaupt ein Abglanz höherer, himmlischer Harmonie. Kunstgenuß ein Vorgang frommer Hingabe. Künstlerische Schöpfung fordere Ehrfurcht und Andacht. Eintreten für ma. und adt. Kunst (Nürnberg und Dürer); in den Anschauungen über bildende Kunst und der Antike-Auffassung noch von Winckelmann geprägt: Ideal des Maßes, der Klarheit und Einfalt. Vorwegnahme des Programms der Malerschule Philipp Otto Runges und der Nazarener, die sich ausdrücklich auf W. beriefen. Spezifisch romantisch dagegen W.s Musikauffassung in der abschließenden Nov. *Das merkwürdige musikalische Leben des Tonkünstlers Joseph Berglinger*, einer nur wenig verschleierten inneren Autobiographie W.s, an der die Problematik einer auf subjektiver Innerlichkeit gegründeten Existenz zu erkennen ist.

Einfluß von Herders Kunst- und Kulturphilosophie. Maßgebend für Tiecks Wendung zum Romantischen.

1798   Ludwig Tieck
        (Biogr. S. 307):
        Franz Sternbalds Wanderungen

R., Fragment, »eine altdeutsche Geschichte«.

Geht zurück auf einen gemeinsamen Plan Wackenroders und T.s zu einem Künstler-R., schon angedeutet in T.s *Brief eines jungen dt. Malers in Rom an seinen Freund in Nürnberg* in Wackenroders *Herzensergießungen*. Ausführung blieb nach Wackenroders Tod (1798) bei T. allein.

Unter dem Einfluß von *Wilhelm Meister* aus der beabsichtigten reinen Malergesch. ein allgemeiner Bildungs-R. aus der Zeit und Umwelt

Dürers, dem »Heldenzeitalter der Kunst«. Kunst bleibt jedoch im Gegensatz zu *Wilhelm Meister* Zentralthema. Wendung eines jungen Malers vom Schüler Dürers zum Anhänger der sinnenfreudigen venezianischen Malerei in Rom. T. plante Rückkehr Sternbalds nach Nürnberg und zur adt. Kunst, Ende auf dem Grabe Dürers. Schwärmerische Verehrung der »frommen«, »einfältigen« Kunst des christlichen MA.

Sternbald Typ des romantischen Künstlers, Stärke mehr im Wollen als im Vollbringen. Sternbalds Gegentyp Florestan, Verkörperung des romantischen Wandertriebs, der Romantiker als Vagabund. Reich an lyrischem Stimmungsgehalt, Bekenntnissen, Gesprächen, Liedern, Naturschilderungen. Lose aneinandergereihte Szenen. Ablehnendes Urteil Goethes: »Es ist unglaublich, wie leer das artige Gefäß ist.«

»Sternbaldisieren« wurde charakteristisch für die christlich-dt. Malerschule der sog. Nazarener in Rom. Grundlegung für eine romantische Malerei, die als »geradezu von T. inspiriert betrachtet werden kann« und auch einer »romantischen Malerei der Dg.«, von Seelenlandschaften, die »im Geist der romantischen Dichter malerische Formen annahmen« (Hermann August Korff).

1799   Phantasien über die Kunst für Freunde der Kunst

Von Ludwig Tieck herausgegebene nachgelassene neue Folge von Aufzeichnungen Wackenroders im Stile der *Herzensergießungen*, hauptsächlich der Musik gewidmet. Tonkunst als »frevelhafte Unschuld«, als »furchtbare, orakelmäßig zweideutige Dunkelheit«, als Gottheit und Gefahr zugleich.

Außerdem zwölf dem Rahmen angepaßte, aber rationaler gehaltene Abhandlungen T.s. Am Schluß ein allegorisches Traumgedicht, poetisches Denkmal auf den Freundschaftsbund mit dem Toten. »Er schien in weit entfernte schöne Auen / Mit hoher Trunkenheit hineinzuschauen.«

1799   Novalis
         (Biogr. S. 306):
         Die Christenheit oder Europa

Religiös-politischer Aufsatz.

Für das *Athenäum* geschrieben, infolge Goethes Einspruch nicht erschienen. Verstümmelt veröffentlicht 1826.

Preis des in Religion geeinten christlichen MA. und der Verwirklichung seiner Ideale, deren Verfall sich in der Aufklärung vollendete. Prophezeiung eines neuen, durch Christentum geeinten Europa. Verkündung einer zweiten Reformation, die die zwei getrennten Kulturen versöhnen solle. »Es waren schöne, glänzende Zeiten, wo Europa ein christliches Land war, wo eine Christenheit diesen menschlich gestalteten Weltteil bewohnte; ein großes gemeinschaftliches Interesse verband die entlegensten Provinzen dieses weiten geistlichen Reiches.« Wie auch bei Schleiermacher religiöse Deutung der Gegenwart, Weckung des Sinnes für das Übernatürliche und Übersinnliche. Dialektische Geschichtssicht: die naive Geschlossenheit der ma. Kultur sei durch die Aufklärung und das Seiner-selbst-Bewußtwerden des modernen Menschen zerstört worden. Aus der Anknüpfung an das MA. soll die Synthese einer neuen bewußten Einheit der Kultur hervorgehen.

1799   Friedrich Schlegel
(Biogr. S. 307):
Lucinde

R.

Inspiriert durch Sch.s seit 1797 bestehendes Verhältnis zu Dorothea Veit geb. Mendelssohn.

Im Grunde weniger R. als Buch über eine romantische Ehe. Äußere Vorgänge treten zurück. Bekenntnisse über Sch.s »Lehrjahre der Männlichkeit« und Erlösung in der Liebe zu einer ebenbürtigen Frau. Preis und Deutung des Liebes- und Eheglücks. Das Verhältnis Julius-Lucinde ist zwar, genau wie damals noch das Verhältnis Sch. – Dorothea, nicht im bürgerlichen Sinne eine Ehe, der Held selbst jedoch betrachtet es als wahre Ehe, weil es auf der vollkommenen Gemeinschaft zweier Menschen beruhe. Insofern keine Empfehlung der freien Liebe, sondern romantische Auffassung der Ehe. Vorstellung von der Halbheit des Menschen, der der Vervollkommnung durch den Partner bedarf: Androgynen-Problem. Menschliche Gleichrangigkeit von Mann und Frau. Antik-heidnische Grundhaltung: gegen falsche Scham. Betonung des Sinnenglücks.
Formal unsystematische Gedankenvariationen mit geistvollen Paradoxien. Exaltierter Stil, gelegentlich durch romantische Ironie aufgehoben. »In ihr *(Lucinde)* hat er (Sch.) sich weniger durch seinen Libertinismus kompromittiert . . . sondern durch die erwiesene dichterische Impotenz« (Richard Benz).

Friedrich Schleiermacher verteidigte das Aufsehen und Ablehnung erregende Werk in *Vertraute Briefe über Friedrich Schlegels Lucinde* (1800). Nicht in die Gesamtausgabe von Schleiermachers Werken aufgenommen und daher von Karl Gutzkow mit einem bissigen Vorwort neu herausgegeben (1835).

1800   Ludwig Tieck
     (Biogr. S. 307):
     Leben und Tod der heiligen Genoveva

Tr. in Versen. In Bd. 2 von *Romantische Dgg.*

Angeregt 1797 in Hamburg durch Lektüre des Ms. von Maler Müllers Schsp. *Golo und Genovefa* (1781), 1798 Kenntnis des Volksbuches. Begonnen 1799.

Dramatisierung des Volksbuches unter engem Anschluß an den epischen Ablauf. Genoveva wird von dem abgewiesenen Golo nach der Rückkehr ihres Mannes aus dem Heiligen Land des Ehebruchs bezichtigt und verurteilt, bis sich durch ein Wunder ihre Reinheit erweist. T. legte den Akzent auf die fromme Demut der Frau. Außerachtlassung realer Bühnenforderungen: 28 Schauplätze, 61 Szenen. Verbindung von Shakespeare-Stil mit Lyrismen des spanischen Theaters. Blankvers wechselnd mit Stanzen, Sonetten, Terzinen.

Auff. Juni 1807 in Salzburg. Verbesserte Fassung 1820.

1800   Novalis
     (Biogr. S. 306):
     Hymnen an die Nacht

Im *Athenäum*, 3. Bd., 2. Stück.

Nach Karl von Hardenberg soll eine (verlorene) Urfassung schon im Herbst 1797 vorgelegen haben. 1799 überarbeitete Fassung (Hs. in Zürich). Die *Athenäum*-Fassung, die am 31. 3. 1800 für den Druck abgeschlossen war, stellt mehr als eine Bearbeitung der Hs. von 1799 dar. 1801 auch in den *Schriften*, hgg. Friedrich Schlegel und Ludwig Tieck.

Sechs sich steigernde Hymnen, z. T. in rhythmischer Prosa. Erwachsen aus der tiefen Erschütterung über den Tod Sophie von Kühns (19. 3. 1797), seiner jungen Braut, »ewig Priesterin der Herzen«, der N. nachzusterben beschloß. Von dem ursprünglichen Zentrum (Sophie) wechselte die Hs.-Fassung zu einem neuen (Christus) über. Den Bruch glich die *Athenäum*-Fassung aus; sie stellt eine gesteigerte geistige Durchdringung des Stoffes, eine stärkere Loslösung vom Privaten dar.

Die vier ersten Gesänge enthalten: Vereinsamung, Todessehnsucht, Wunsch nach jenseitiger Vermählung, Seligkeit beim Gedanken an die mystische Unio mit der Geliebten. Entgegensetzung der Urprinzipien Licht und Nacht. Das erste und ewige Reich ist das der heiligen unaussprechlichen Nacht, der Mutter der Welt, des wahren Seins. Daneben zwei subjektive Symbole: Wachen und Schlafen, Leben und Tod. Der Tod als Wollust, als Geliebter. Erleuchtung eines Menschen aus tiefster Erschütterung, Beginn eines neuen Lebens. Die 5. und 6. Hymne identifizieren N.' persönliche Religion

der Nacht mit der christlichen Religion. Christus bewirkte Wende der Menschheitsgesch., Christus als Überwinder des Todes, als Verkünder einer den Menschen freundlichen Erlösung vom Licht. »Im Tode ward das ewige Leben kund.«
Pietistischer Einfluß; unter dem Eindruck von Zinzendorf, Lavater und Böhme.

1801   Clemens Brentano
(Biogr. S. 305):
Godwi oder Das steinerne Bild der Mutter

»Ein verwilderter Roman von Maria«. 2 Teile. Der 2. Bd. trägt die Jahreszahl 1802.

Entst. in Jena 1798–1799. Gedruckt durch Vermittlung Wielands.

Frühromantischer Bildungs-R. um einen, der will »fühlen und fühlen machen, daß man da sei durch Genuß, den man nimmt und mit sich wiedergibt«. Abhängig außer von *Sternbalds Wanderungen* und *Lucinde* von *Wilhelm Meister*, von *William Lovell* und von Heinse und Jean Paul. Teilt mit dem Trivial-R. der Zeit die Vorliebe für geheimnisvolle verwandtschaftliche Beziehungen.
1. Teil Brief-R. mit verschiedenen Schreibern, 2. Teil in Kapitel eingeteilt. In die Hauptgesch. zwei selbständige Erzz. eingelegt und künstlich mit ihr verbunden. Nebeneinander von Empfindsamkeit und Komik, »die Ironie des Aus-dem-Stücke-Fallens«, mit mutwilliger Zerstörung der Illusion. Darstellung von B.s Innenleben vor allem in Godwi, Römer, Maria, von Reflexionen, Stimmungsüberschwang und Stimmungswechsel. Verteidigung eines subjektivistischen Individualismus, der »Eigentümlichkeit« gegen Ehe, Staat, Erziehung, dafür Auflösung ins All oder die Natur.
Musikalisch, lyrisch. Eingestreute Gedichte: *Die lustigen Musikanten, Ein Fischer saß im Kahne, Zu Bacharach am Rheine* u. a.

1801   Dorothea Veit, spätere Schlegel
(1767–1839, aus Berlin):
Florentin

1. Bd. eines R.

Anonym, von Friedrich Schlegel publiziert. Geschrieben von Herbst 1799 bis Sommer 1800 aus äußerem Anlaß; D. V. wollte Schlegel helfen, Brot zu schaffen.

Anlehnung besonders an *Wilhelm Meister*, seine Handlungsmotive, seinen Stil und Aufbau: fortlaufende Gesch., aber unterbrochen durch die Erz. des Helden von seiner Jugend, durch Briefe, Gespräche und Gedichte. Wie bei Goethe auch Reiseleben des Helden usw. Sein Charakter, das unruhig Schweifende, die Sehnsucht, die (dilettierende) Liebe zu Musik und Malerei auch von Sternbald und

Florestan. Hindurchgehen durch viele Liebesabenteuer, Selbstironie, unersättlicher Freundschaftsdrang wie bei auch erlebten Vorbildern (Friedrich Schlegel u. a.). Fragen der Liebe, Ehe, Freundschaft im wesentlichen aus dem Standpunkt Friedrich Schlegels und Schleiermachers.

Der geplante 2. Band nicht erschienen.

1802 Novalis
(Biogr. S. 306):
Heinrich von Ofterdingen

Poetisch-phantastischer Entwicklungs-R. in 2 Teilen. Postum in: *Schriften*, hgg. Friedrich Schlegel und Ludwig Tieck, Bd. 1.

Stoffindung in Artern 1799. 1. Teil entst. Mitte Dezember 1799 und Anf. April 1800. Paralipomena zum 2. Teil entst. Ende Juli und Oktober 1800, von Tieck umrißhaft wiedergegeben. Einige äußere Tatsachen entnahm N. dem mhd. Gedicht vom *Sängerkrieg auf der Wartburg* sowie Johannes Rothes *Thüringischer Chronik* und *Leben der heiligen Elisabeth*. Ideen über den romantischen R., die als Anti-Kritik gegen Friedrich Schlegels maßstabsetzende positive Kritik über *Wilhelm Meister* konzipiert waren, gingen in den R. ein.

Heranreifen des – historisch nicht erwiesenen – ma. Minnesängers und Helden des Sängerstreits auf der Wartburg zum Dichter. Die blaue Blume, die Heinrich, der Sohn eines Eisenacher Bürgers, im Traum erblickt und zu suchen auszieht, da sie ihm ein holdes Antlitz und alle Seligkeit verheißt, wurde zum Symbol der romantischen Dg. Auf der Reise zu seinem Großvater in Augsburg bekommt er Einblick in das religiös-kriegerische Rittertum, das Innere der Erde, die Welt der Gesch. Im Hause seines Großvaters lernt er schließlich das Wesen der Poesie durch Klingsohr und das der Liebe durch dessen Tochter Mathilde kennen. Der 1. Teil, »Die Erwartung«, schließt mit dem allegorischen *Märchen*, das Klingsohr erzählt und mit dem er in dunklen Umrissen die Idee des R.-Ausgangs andeutet. Die innere und die zukünftige Handlung werden außerdem in mehreren Träumen umschrieben.
Die Bruchstücke, Planskizzen und Gedichte des 2. Teils, »Die Erfüllung«, der mit der Verzweiflung Heinrichs über Mathildes Tod und dem Beginn einer weiteren Wanderung einsetzt, lassen erkennen, daß die auf eine »Apotheose der Poesie« zielende Handlung die Grenzen der Wirklichkeit immer mehr zu verlassen und eine Unendlichkeit von Zeit und Raum sowie eine Synthese von Vergangenheit und Zukunft darzubieten versuchen sollte. »Die Welt wird Traum, der Traum wird Welt. Und was man glaubt, es sei geschehn, kann man von weitem erst kommen sehn.«
Einfluß von Jakob Böhme, der für die Naturmystik und Allegorie des R. von größter Bedeutung wurde. Heinrich gelangt von der

dunklen Ahnung einer übersinnlich-göttlichen Welt zu ihrer unmittelbaren Erfahrung in der Natur und in der Liebe, dann zum lebendigen Bewußtsein dauernder Einheit mit dem Göttlichen: mystische unio als dauerndes unmittelbares Innesein des Göttlichen; die »Erlösung« geschieht im poetischen Schaffensakt, der Dichter ist wahrer Erlöser, in ihm vereinen sich Mystiker und Magier. Neben diesem Erlösungsziel treten Handlungselemente wie die Krönung Heinrichs im Sängerkrieg, die Auffindung der blauen Blume und die Wiedervereinigung mit Mathilde zurück.

Melodiöse, romantisierte Sprache. Simplizität des Stils, nebenordnend, Hauptsätze. Eingebaute Gedichte, Lieder, Märchen, Sagen.

1802   Novalis
       (Biogr. S. 306):
       Geistliche Lieder

Die ersten sieben im *Musenalmanach für das Jahr 1802*, hgg. August Wilhelm Schlegel und Ludwig Tieck. Um weitere acht vermehrt in *Schriften*, hgg. Friedrich Schlegel und Ludwig Tieck, Bd. 2.

Entst. 1799.

Nach N. für ein christliches Gesangbuch bestimmt gewesen. Zeugnisse eines fromm resignierenden Glaubens; mystischer Einschlag.

1802   Novalis
       (Biogr. S. 306):
       Die Lehrlinge zu Sais

Fragment. In *Schriften*, hgg. Friedrich Schlegel und Ludwig Tieck, Bd. 2.

Im Zusammenhang mit N.' Freiberger Bergbaustudium (seit Ende 1797) bei dem Geologen Werner.

Unter Leitung eines weisen Meisters mühen sich im Tempel zu Sais die Lehrlinge, die Wahrheit über das Wesen der Natur zu finden. Hauptsächlicher Inhalt des Fragments die verwirrende Vielgestalt der Naturdeutungen. Die Entschleierung des Bildes, der Wahrheit, offenbar Thema der Dg. Diese Naturentschleierung mutmaßlich nicht rational, sondern mystisch auf einem geheimnisvollen Weg mit vielen Stationen.

Die geplante größere Dg., zu der das Fragment nur Exposition ist, aus den wenigen erhaltenen unzusammenhängenden Notizen nicht rekonstruierbar.

In dem Fragment das themenverwandte Märchen *Hyacinth und Rosenblütchen*.

1802   **Novalis**
        (Biogr. S. 306):
        Fragmente

In *Schriften*, hgg. Friedrich Schlegel und Ludwig Tieck, Bd. 2.

Durch Friedrich Schlegel ergänzte, neue Slg. von Aphorismen im Anschluß an die bereits 1798 im *Athenäum* unter dem Titel *Blütenstaub* veröffentlichten. Der 3. Bd. der *Schriften*, hgg. erst 1846 von Ludwig Tieck und Eduard Bülow, enthielt neben Gedichten und Briefen weitere Fragmente.

»Anfänge interessanter Gedankenfolge, Texte zum Denken« (N. an Just Ende 1798). N. hatte »den Plan zu einem eigenen enzyklopädischen Werk entworfen, in welchem Erfahrungen und Ideen aus den verschiedenen Wissenschaften sich gegenseitig erklären, unterstützen und beleben sollten« (Tieck).
Die Fragmente sind von N. und den späteren Herausgebern N.'
»Studienheften« für die Enzyklopädie oder dem »Buch« entnommen.
Der Zusammenhang oft geflissentlich zerrissen, daher hinsichtlich der Abgrenzung gegen nur Übernommenes (von Kant, Fichte, Hemsterhuys, Schelling, Ritter, Werner u. a.) schwer. Weisen nach verschiedenen geistigen Gebieten. »Runde Igelform« (Friedrich Schlegel). Im wesentlichen über N. selbst, Philosophie (Kant, Fichte), magische Philosophie, Physikalisches, Chemisches, Mathematisches, über den Menschen, Recht, Staat, Geschichte, Religion, Kunst, Poesie.

1803   **Heinrich von Kleist**
        (Biogr. S. 306):
        Die Familie Schroffenstein

Tr. 5, in Jamben.

Anonym. Entwurf wahrscheinlich Paris 1801. Ursprünglicher Titel: *Die Familie Ghonorez*, dann *Die Familie Thierrez*. Die 2. Fassung 1802, noch in Spanien spielend, in Prosa, wurde inhaltlich in der letzten Fassung im wesentlichen beibehalten, nur wurde auf Veranlassung des Freundes Ludwig Wieland zum Hintergrund das romantische Schwaben. Ludwig Wieland besorgte auch gemeinsam mit Heinrich Geßner – ohne K.s Mitwirkung – die Buchausg.

K.s Erstlingsdr. Tief pessimistische Tr., der Mensch ohnmächtiges Opfer unbegreiflicher Verhängnisse, dargestellt im Zwist zweier Familien, dem die einander liebenden Kinder Ottokar und Agnes zum Opfer fallen.
Einfluß von Shakespeares *Romeo und Julia*, Reminiszenzen an *Wallenstein*, Nähe zur Schicksalstr.; die starke Betonung des Rechts, des Gefühls schon auf den späteren Kleist hinweisend.

Kleist las das von ihm selbst später verworfene Werk 1802 in Bern vor, nach Zschokke gab es im 5. Akt stürmisches Gelächter.
Auff. 9. 1. 1804 in Graz, Nationaltheater.

1803   Johann Peter Hebel
(1760–1826, Basel, Wiesenthal, Karlsruhe, Schwetzingen):
Alemannische Gedichte

53 Gedichte in der Sprache des Wiese-Tals, abgetönt durch Basler Klangfarben.

1802 in Karlsruhe geschrieben aus der Erinnerung an idyllische Erlebnisse als Präzeptoratsvikar um den Feldberg.

»Sein Talent neigt sich gegen zwei entgegengesetzte Seiten. An der einen beobachtet er mit frischem, frohem Blick die Gegenstände der Natur, die in einem festen Dasein, Wachstum und Bewegung ihr Leben aussprechen und die wir gewöhnlich leblos zu nennen pflegen... An der anderen Seite neigt er sich zum Sittlich-Didaktischen und Allegorischen... Hebel verbauert auf die naivste, anmutigste Weise durchaus das Universum« (Goethe).

1803   Zacharias Werner
(1768–1823, Königsberg, Berlin, Rom, Wien):
Die Söhne des Tals

Dr. in 2 Teilen, 1. Teil *Die Templer auf Cypern*, ein »Ordensgemälde« 6, 2. Teil *Die Kreuzesbrüder*, Dr. 6.
Behandelt den Untergang des Templerordens, der 1291 nach Cypern verlegt und 1312 aufgelöst wurde auf Betreiben Philipps IV. von Frankreich, der die letzten Ritter hinrichten und die Ordensgüter einziehen ließ.
Phantastisches, theatralisch wirksames Dr. mit opernhaften Effekten.
Auff. des 1. Teiles 10. 3. 1807 in Berlin.

1804   Nachtwachen von Bonaventura

Als 7. Lieferung des 3. Jahrgangs der Slg. *Journal von neuen dt. Original-Rr. in 8 Lieferungen jährlich*, die 1802–1805 in Penig/Sachsen erschienen.

Nur Jean Paul wurde auf das Buch aufmerksam und vermutete Schelling als Verf. Später wurden unter Widerspruch genannt E. T. A. Hoffmann, Karoline Schelling, Gottlob Wetzel, Brentano. Nunmehr Ernst A. F. Klingemann als Autor identifiziert.

Mystisch-phantastischer R. Fingierte Niederschriften eines Nachtwächters, seine Erlebnisse als Nachtwächter in 16 Nächten zugleich mit einem rückschauenden Lebensbericht enthaltend: Weg eines Dichters von der Schusterwerkstatt zum Tollhaus, zum Puppentheater, zum Nachtwächteramt. Gegenüber den Erlebnissen im Tollhaus erscheinen die der 16 Nächte erst als das wahre Tollhaus. Sie eröffnen ihm nur Nachtseiten des Lebens: Untreue, Betrug, Verbrechen. Schließlich erfährt er auf dem Friedhof seine eigene obskure Herkunft: Die Mutter des am Kreuzweg entdeckten Findelkindes Kreuz-

gang war eine Zigeunerin, und seine Entstehung fiel in den Augenblick, in dem sein Vater, ein Alchimist, den Teufel beschwor, der die Patenstelle übernahm. Der Leichnam seines eben erst erkannten Vaters zerfällt bei der Berührung in Nichts, das Echo im Gebeinhaus gibt als letztes Wort des R. das »Nichts« zurück.
Skeptisch-pessimistische, nihilistische Seite der Romantik. Tradition der »Nachtstücke«. Satirisch gegen Novalis' *Hymnen an die Nacht*, Nacht als Schauder aufgefaßt. Aber auch am Tage ist die Welt undurchschaubar, die – namenlosen – Menschen tragen Masken, sind Marionetten. Demaskierung, Desillusion, Ironisierung ist Anliegen des Nachtwächters, der allein »wacht«, d. h. die Maskierung verschmäht und das Nichts hinter allem erkennt. Das Leben ist nur eine Rolle, die eine Leere verhüllt. Sein und Schein, Normale und Wahnsinnige sind nicht unterscheidbar. Der Mensch ist nur ein Name, Schein; Verlust des Ich-Gefühls. Nihilismus eines Moralisten, der weniger Gesellschafts- als Menschheitssatire schreibt. Er, den die Welt für toll hält, erkennt die Tollheit der Welt. »Ambivalenz von Engagement und verächtlich freier Kühle« (Richard Brinkmann).
Zahlreiche Zitate, Entlehnungen, Motivübernahmen, Anspielungen auf genannte und ungenannte Personen aus Leben und Dg. Der Schluß mit der Aufklärung der Herkunft des Helden parodistisch gegen romantische Rr. wie *Heinrich von Ofterdingen*, *Godwi* u. a.

1804   Clemens Brentano
          (Biogr. S. 305):
          Ponce de Leon

Lsp. 5, Prosa.

Geschrieben Sommer 1801 für das Preisausschreiben der Weimarer Kunstfreunde zur Erlangung eines dt. Intrigenlsp. (*Propyläen*, Bd. 3, 1800); wie alle eingesandten Werke abgelehnt.
Als Quelle Mme d'Aulnoy *Dom Gabriel Ponce de Léon* von Gustav Roethe nachgewiesen; Fülle von Intrigen enthaltend, durch die zwei Freunde zwei Mädchen erringen und deren Tante zu hintergehen suchen.

B. übernahm nur einen Teil der in seiner Quelle vorhandenen Intrigen, bestrebt, »das Komische und Edlere hauptsächlich in dem Mutwillen unabhängiger fröhlicher Menschen zu vereinigen«. Verkleidungen, Verwechslungen, Mißverständnisse. Das Leben als Spiel, dafür Maskenfest im 1. Akt hinzugeschaffen.
Einfluß der commedia dell'arte und Shakespeares. Hauptkomik durch Sprache. Kein reines Intrigenstück, da die Hauptgestalten Ponce und Valeria auch Charakterentwicklung durchmachen.

1814 Bearbg. als: *Valeria oder Vaterlist*. Auff. 18. 2. 1814 in Wien, ohne Wiederholung.

1804   Ludwig Tieck
    (Biogr. S. 307):
    Kaiser Octavianus

Lsp. in 2 Teilen. 1. Teil ohne Akteinteilung, 2. Teil in 5 Akten.

Entst. 1801/02.

Dramatisierung des alten Volksbuches, das T. 1800 in Hamburg kennengelernt hatte, einer »der grellsten und buntesten Kompositionen des MA.«. Mischung der dram. mit lyrischen und epischen Elementen, der Versarten (Blankvers, Knittel, span. Romanzenvers), der Stände, Nationen und Religionen, dt.-mittelalterlichen und orientalischen Kolorits.
Versuch T.s, seine »Ansicht der romantischen Poesie allegorisch, lyrisch und dramatisch niederzulegen«. Besonders im 1. Teil verselbständigt sich mehrmals das erzählerische Element. Berühmt wurde *Der Aufzug der Romanze* des *Vorspiels*, eine Theorie der romantischen Poesie in allegorischem Gewande: »Mondbeglänzte Zaubernacht, / Die den Sinn gefangenhält, / Wundervolle Märchenwelt, / Steig auf in der alten Pracht!«

T. selbst stellte das Werk an die Spitze seiner Schriften. Goethe tadelte die »Diffusion«.

1806   Zacharias Werner
    (1768–1823, Königsberg, Berlin, Rom, Wien):
    Das Kreuz an der Ostsee

1. Teil *Die Brautnacht*, Dr. 3, in Versen.
Verherrlichung des Kampfes des Dt. Ordens, der Bekehrung der heidnischen Preußen.

Ein geplanter 2. Teil sollte – nach E. T. A. Hoffmann in den *Serapionsbrüdern* – ein mythologisches Dr. werden.

1806   Zacharias Werner
    (1768–1823, Königsberg, Berlin, Rom, Wien):
    Martin Luther oder Die Weihe der Kraft

Tr. 5, in Versen. Auff. 11. 6. in Berlin durch Iffland, großer Theatererfolg. Wirkung über ganz Dld.
Behandelt Luthers und Katharina v. Boras Schicksal zwischen 1520 und 1522.
Historisches Dr. im Stil Schillers. Personenreich. Aufwendiger Szenenwechsel.

Druck 1807.
Nach W.s Übertritt zum Katholizismus (1811) durch *Die Weihe der Unkraft* (1814) widerrufen.

1806	**Achim von Arnim**
(eigent-	(Biogr. S. 305) und
lich 1805)	**Clemens Brentano**
und	(Biogr. S. 305):
1808	**Des Knaben Wunderhorn – Alte deutsche Lieder**

Plan 1804, 1. Bd. entst. 1805 in Heidelberg, 2. und 3. Bd. 1807 in Kassel.

Erste umfassende Slg. von dt. lyrischer Volksdg. der letzten drei
Jhh. Einfluß von Herder, *Ossian*, Percys Slg., Bürger. Jedoch natio-
nal-pädagogische Betonung des adt. Wesens und der alten dt. Kul-
tureinheit. Hauptmasse aus alten Drucken, Almanachen, Büchern.
Neben echten Volksliedern viele alte und neue Gedichte in volkstümlich schlichtem Ton. Wortlaut und Gestalt der Gedichte meist
verändert, um- und weitergedichtet, zusammengesetzt.

Im Anhang des 1. Bd. Arnims Aufsatz *Von Volksliedern*: »Was da
lebt und wird und worin das Leben haftet, das ist weder von heute
noch von gestern, es war und wird sein, verlieren kann es sich nie,
denn es ist...«

Ziel der Slg. war Verjüngung der Volkskultur und der Poesie, Überbrückung der Kluft zwischen Gebildeten und Volk. Das Volkslied
als das Naive und Echte aufgefaßt, das der durch die Aufklärung
sich selbst entfremdeten Dg. eine neue Richtung weisen sollte.

Goethe, dem die Slg. gewidmet ist, in der *Jenaischen Allgemeinen Lit.-Ztg.* (1806): das
Wunderhorn habe seinen Platz »von Rechts wegen in jedem Hause, wo frische Menschen wohnen«. – Einfluß auf die Kunstlyrik (Brentano und v. Arnim selbst, Eichendorff, Uhland, Heine, Mörike), die Musik (Schubert, Schumann, Brahms, Wolf), die
Wissenschaft (Uhland u. a.).

1807   Joseph Görres
(1776–1848, Koblenz, Heidelberg, Straßburg, Schweiz,
München):
Die Teutschen Volksbücher

»Nähere Würdigung der schönen Historien-, Wetter- und Arznei-
büchlein, welche teils innerer Wert, teils Zufall Jahrhunderte hin-
durch bis auf unsere Zeit erhalten hat.«

Ursprünglich nur als Aufsatz geplant. Material wesentlich aus Brentanos mit großem
Eifer zusammengetragener Bibliothek.

Hauptteil enthält sehr lebendige Charakteristiken von 42 Volks-
büchern, dichterische Nacherzählungen und motiv- und mythen-
gesch. Erörterungen.

Die Einleitung gibt die romantische Auffassung von Volksdg. und
Volk, der Schlußteil ein weit ausgreifendes Bild der ma. Kultur.

Angeregt u. a. von Herder. Von der Forschung in Einzelheiten inzwischen widerlegt.

1807   Heinrich von Kleist
(Biogr. S. 306):
Amphitryon

»Ein Lustspiel nach Molière« 3, in Jamben. Erstes mit K.s Namen
erschienenes Werk, hgg. Adam Müller.

Der Stoff – Jupiter besucht Alkmene in Gestalt ihres Gatten Amphitryon und zeugt
mit ihr den Sohn Herakles – war von Plautus, Jean de Rotrou, Camões, Dryden und
Molière bearbeitet worden. K. wurde zur Bearbg. von Molières profan-frivoler Ge-
sellschaftskom. (1668) durch den im Entstehen begriffenen *Amphitruon* (1804) von
Johann Daniel Falk angeregt, mit dem er 1803 in Dresden zusammentraf.

Bei K. tritt in den Mittelpunkt der Handlung nicht das galante Abenteuer eines Gottes, sondern die Entwirrung des betrogenen Gefühls
in Alkmene. K. machte aus dem antiken Mythos die Geschichte von
der unerschütterlichen Festigkeit und der Verläßlichkeit des echten
Gefühls. Alkmene, Urbild weiblicher Treue, die auch im Gott nur
den Gatten liebte, gibt, vor die Wahl gestellt, selbst des Gottes Liebe
hin, um ihrem Mann zu gehören. Eine dram. »Kritik des reinen Gefühls«. Und Jupiter, der einzige, der »die Goldwaage des Gefühls« in
Alkmene so betrügen konnte, ist selbst betrogen: alles, was er zu
besitzen schien, war nicht ihm zugedacht, dem Schöpfer bleibt nur
das Entzücken an der Vollkommenheit seines Geschöpfes. Die Die-
nerszenen, die schon Molière hatte, von K. genial gesteigert zu einer
kontrapunktischen Nebenhandlung zwischen Merkur, Sosias und
dessen Frau Charis.

Goethe tadelte die »Verwirrung des Gefühls« und die Verquickung des Christlich-
Mystischen mit dem Antiken und Komischen.
Auff. 1898 vom Verein f. hist.-moderne Festspiele Berlin, dann 8. 4. 1899 in Berlin,
Neues Theater.
Spätere Bearbgg. des Stoffes: Giraudoux (*Amphitryon 38*, 1929), Georg Kaiser (*Zwei-
mal Amphitryon*, 1948), Peter Hacks (*Amphitryon*, 1968).

1807   Heinrich von Kleist
(Biogr. S. 306):
**Jeronimo und Josephe. Eine Szene aus dem Erdbeben
zu Chili vom Jahre 1647**

Erz. In *Morgenblatt für gebildete Stände*.
Gesch. der verbotenen Liebe zweier junger Menschen, die durch die
Naturkatastrophe nur scheinbar vor dem Tode bewahrt werden und
dann um so sicherer der entfesselten Gewalt des menschlichen Fanatismus erliegen. Versöhnlich die Rettung ihres Kindes durch einen
edelmütigen Freund.

Buchausg. unter dem Titel *Das Erdbeben in Chili* in *Erzählungen* Bd. 1, 1810.

1808   Heinrich von Kleist
          (Biogr. S. 306):
          Penthesilea

Tr. in Jamben. Ein Teil im 1. H. der von K. und Adam Müller hgg.
Zs. *Phöbus* in Dresden als »Organisches Fragment«, das Ganze im
Spätsommer.

Erste Arbeit an der Tr. in Königsberg 1806, Forts. in frz. Gefangenschaft in Châlons
1807, beendet in Dresden. Quelle: Hederichs *Gründliches Lexicon Mythologicum.*

Nach antiker Sage wurde vor Troja die Amazonenkönigin Penthesilea von Achill, nach anderer Version Achill von Penthesilea er-
schlagen. Bei K. verlangt das Gesetz des Amazonenstaates, daß sich
die Kriegerinnen den Gatten mit dem Schwert erkämpfen, um ihn
dann nach der Hochzeit wieder zu beseitigen. Penthesilea liebt Achill
und demütigt ihren Kriegerstolz so sehr, daß sie wünscht, die Ihri-
gen möchten geschlagen werden. Achill, ein romantischer Held, von
dem gleichen Wunsche nach Unterwerfung beseelt, will sich im
Scheinkampf ihr gefangen geben und schickt ihr eine Herausforde-
rung. Sie glaubt sich verhöhnt und im Heiligsten verletzt und tötet
den Wehrlosen im Kampf. Sühnend tötet sie sich danach selbst durch
bloßen Willensakt.
Das psychologische Hauptthema des Werkes ist die Verwirrung des
Gefühls in Penthesilea und Achill. Konflikt zwischen dem Gesetz
des Volkes und dem individuellen Zug des Herzens. Bloßlegung des
Tragischen und Schrecklichen ohne Verschleierung durch den
Schein des Schönen (Gerhard Fricke). »Mein innerstes Wesen liegt
darin, ...der ganze Schmerz zugleich und Glanz meiner Seele« (K.).
Ohne Rücksicht auf die bestehende Form des Theaters. 24 Szenen
ohne Akteinteilung. Verdeckte Handlung, zahlreiche Berichte.

Ablehnendes Schreiben Goethes wegen der theaterwidrigen Form.
Auff. 25. 4. 1876 in Berlin, Kgl. Schsp.-Haus. Opernbearbg. von Othmar Schoeck
(1927).

1808   Heinrich von Kleist
          (Biogr. S. 306):
          Die Marquise von O ...

Erz. In der Zs. *Phöbus*, 2. Heft.

Entst. 1806/07. Anregung wahrscheinlich durch das Motiv der rätselhaften Empfängnis in Cervantes' Nov. *Macht des Blutes*.

Gefühlsverwirrung der Marquise, die während einer Ohnmacht ver-
gewaltigt wurde, durch den Widerstreit zwischen der idealisierenden
Liebe zu ihrem Erretter und dem Verdacht, der Erretter könne zugleich der Vergewaltiger sein. Selbst als der Retter sich zu seiner Tat
und als Kindesvater bekennt, wehrt sie sich gegen die Zerstörung

des Bildes, das sie sich von dem ritterlichen Offizier gemacht hat, und weist ihn ab. Spät siegt das ursprüngliche Gefühl über die Enttäuschung. Der Zusammenbruch des Glaubens an menschliche Güte wird nur mit Mühe durch eine Verzeihung »um der gebrechlichen Einrichtung der Welt willen« verhindert.

Einsatz mit dem Zeitungsinserat, mit dem die von den Eltern verstoßene Marquise nach dem Vater ihres Kindes sucht. Analytische Enthüllung der Vorgeschichte.

Buchausg. in *Erzählungen* Bd. 1, 1810.
Dramatisierung von Ferdinand Bruckner 1933.

1808   Heinrich von Kleist
(Biogr. S. 306):
Der zerbrochene Krug

Lsp. 1, in Versen. Am 2. 3. in Weimar, auf drei Akte aufgeteilt, mit zwei Pausen nach einer im Repertoire stehenden einaktigen Oper *Der Gefangene* im Stil der Weimarer Bühne aufgeführt; ausgepfiffen. Teile des Werks im gleichen Jahre in der Zs. *Phöbus*, 3. Heft.

Ein Kupferstich nach Debucourts Gemälde La Cruche cassée gab 1802 in Bern den Anlaß zu einem poetischen Wettkampf zwischen Ludwig Wieland, Heinrich Geßner, Zschokke und K., aus dem K.s Entwurf zu einem Lsp. hervorging. 3 Szenen 1803 diktiert, das Ganze 1806 in Königsberg vollendet.

K.s Kom. verwendet analytische Technik, um in dem Streit, den der in Evchens Zimmer nachts von einem Manne zerbrochene Krug veranlaßt, den Dorfrichter Adam selbst während der Gerichtsverhandlung als Täter zu entlarven. Bäurisches Milieu, derb-komischer, kraftvoller Realismus.

Druck 1811, erste erfolgreiche Auff. 28. 9. 1820 in Hamburg.

1808   Heinrich von Kleist
(Biogr. S. 306):
Robert Guiskard, Herzog der Normänner

Tr. in Jamben, Fragment. In der Zs. *Phöbus*, 4.–5. Heft.

Begonnen wahrscheinlich 1801 in Paris, unter großer Anspannung der Kräfte wieder angefangen in der Schweiz 1802, dort wahrscheinlich als unzulänglich vernichtet; Wiederaufnahme der Arbeit in Weimar und auf Wielands Gut Oßmannstedt Ende 1802 – Anfang 1803, im Frühjahr 1803 in Leipzig und Dresden; K. verbrannte dann das bisher Entstandene im Herbst 1803 in Paris.
Hauptquelle Aufsatz eines Majors von Funk *Robert Guiskard, Herzog von Apulien und Calabrien* (1797 in Schillers *Horen*).

Tr. vom Ende des unbesiegten sizilianischen Normannenherzogs, der vor Byzanz der Pest unterlag. Die erhaltenen 10 Auftritte des 1. Aktes zeigen, wie Guiskard, die eigene Krankheit verleugnend, dem Verrat in der Familie und dem Wunsch des Heeres nach Rückkehr in die Heimat entgegentritt. Geplant als Charaktertr. mit stilisiertem Chor, der das Volk vertreten sollte; dieser zum Teil einheitliche Sprechrolle, zum Teil zerlegt in Einzelstimmen.

Berühmte Vorlesung K.s vor Wieland in Oßmannstedt 1803. Wieland: Die Geister von Äschylos, Sophokles und Shakespeare hätten sich zu dieser Dg. vereint.

Buchausg. in *Hinterlassene Schriften*, hgg. Ludwig Tieck, 1821; Auff. 6. 4. 1901 in Berlin, Berliner Theater.

1808   Heinrich von Kleist
(Biogr. S. 306):
Das Käthchen von Heilbronn oder Die Feuerprobe

Hist. Ritter-Schsp. 5. Die beiden ersten Akte in der Zs. *Phöbus*, 4.–5. und 9.–10. Heft.

Entst. 1808. Gedacht als Märchendr., auf Anraten Tiecks realistischer gewendet. Quellen: Bürgers *Graf Walter*, Nachdg. der engl. Volksballade *Child Waters* in der Slg. von Percy, sowie Goethes *Götz von Berlichingen*. Einfluß von Schuberts *Nachtseite der Naturwissenschaft*.

Die Gestalt des Käthchen ist nach K. die »Kehrseite der Penthesilea, ebenso mächtig durch Hingebung als jene durch Handlung«. Käthchen, das sicher im Gefühl ruhende, in Treue und Hingebung dem Grafen Wetter vom Strahl nachfolgende Bürgermädchen, ist durch Traumbilder und geheimnisvollen Zwang an den Geliebten gebunden und erringt sich schließlich seine Liebe. Berühmte Szene: das Liebesgespräch unter dem Holunderstrauch.

Romantische Züge: Somnambulismus, die idealisierte Ritterzeit, die Feme, die Feuerprobe der Liebe, Käthchens kaiserliche Herkunft. Die Nähe zu Märchen- und Zauberstück besonders an den nixenhaften Zügen von Käthchens Nebenbuhlerin Kunigunde spürbar, deren Charakter und Funktion nach dem Muster der Adelheid in Goethes *Götz* gestaltet ist.

Prosa und Blankvers wechselnd. Lange Monologe.

Auff. 17. 3. 1810 in Wien, Theater an der Wien. Buchausg. Oktober 1810.

Auf den Bühnen lange in Bearbgg., vor allem der Franz von Holbeins, originalgetreu erst wieder durch die Meininger 1876. Musik von Hans Pfitzner (1895).

1808/10   Friedrich de la Motte Fouqué
(1777–1843, Brandenburg, Nennhausen bei Rathenow):
Der Held des Nordens

Dr.-Trilogie: *Sigurd der Schlangentöter*; *Sigurds Rache*; *Aslauga*.
Behandlung der Nibelungensage nach der *Edda*. Im Zusammenhang mit F.s Plan einer Wiederbelebung der Heldensage in Drr. und Rr. Abwechselnd Jamben und kurze alliterierende Verszeilen.

Einfluß noch auf Richard Wagners seit 1848 entstandenen *Ring des Nibelungen*.

1810   Achim von Arnim
(Biogr. S. 305):
Armut, Reichtum, Schuld und Buße der Gräfin Dolores

R. 2 Bdd. »Eine wahre Gesch. zur lehrreichen Unterhaltung armer Fräulein«.

Frühere »Erzählung« Dezember 1809 bis Februar 1810 zu einem Gegenwarts-R. erweitert; Einfügung von Novv., Drr. und Liedern, Nebengestalten, Episoden, Zeitsatiren. Besonders durch Goethes *Wahlverwandtschaften* beeinflußt.

Ursprünglich nur das Verhältnis des Grafen Karl zu den beiden Schwestern Dolores und Klelia, dann Karls und Dolores' Liebes- und Eheproblem in vier Etappen darstellend. Formung zweier Menschen aus dem Geiste des neuen Lebensbewußtseins. Versuch psychologischer Deutung des Seelenlebens einer eigenartigen Frauengestalt und Analyse der Rückwirkungen auf den Ehepartner. Die Ehe als soziale Erscheinung und christliches Sakrament. Betonung des ethischen Gedankens, Stellungnahme zu allen damaligen Lebensfragen, sozial-reformatorische Tendenzen bei Karl. Zeitgenössischer Hintergrund Süddld. und Sizilien.
Wechsel von Darstellung und Dialog, von Wirklichkeit und romantischen Elementen.

1810   Zacharias Werner
(1768–1823, Königsberg, Berlin, Rom, Wien):
Der vierundzwanzigste Februar

Schicksalstr. 1, in Versen. Auff. 24. 2. in Weimar.

Entst. 1809 in Weimar.

Theatralisch effektvolle Darstellung schicksalbestimmter Ereignisse in einem einsamen Alpenwirtshaus. Übertreibung der aus Schillers *Braut von Messina* sprechenden Schicksalsidee. Das Schicksal – Fortwirken des väterlichen Fluches – Werkzeug einer platt vergeltenden Gerechtigkeit; Unheilstag und Unheilsrequisiten entscheidend. Auch Einfluß Calderons.

Druck 1815.
Zu den sog. Schicksalsdrr. gehören auch Adolf Müllners *Die Schuld* (1813), *Der 29. Februar* (1812); Ernst von Houwalds *Die Heimkehr* (1821, in spanischen 4hebigen trochäischen Reimpaaren); Grillparzers *Die Ahnfrau* (1817, in Trochäen). Parodien der Schicksalstr.: Platens *Verhängnisvolle Gabel* (1826), Castellis *Schicksalsstrumpf* (1818).

1810/11   Heinrich von Kleist
(Biogr. S. 306):
Erzählungen

2 Bdd.
Der 1. Bd. (1810) enthält außer den schon früher veröffentlichten *Das Erdbeben in Chili* (1807) und *Die Marquise von O...* (1808):

Michael Kohlhaas

Begonnen 1804 in Königsberg, Veröffentlichung des Anfangs in der Zs. *Phöbus* November 1808. Stoff aus Christian Schöttgen/Christoph Kreysig: *Diplomatische und curieuse Nachlese der Historie von Obersachsen* (Teil 3, 1731).

Gesch. eines Roßhändlers aus dem 16. Jh., der aus verletztem Rechtsgefühl zum Räuber und Mörder wird. Steigerung des Konflikts zwischen Staat und Individuum durch Motivauswahl und Motivverstärkung. Wendepunkt das Gespräch mit Luther, der dem reinen Rechtsdenken die Idee der Liebe und Versöhnung entgegenstellt. Der Rechtsucher erhält nur sein Recht: die Rappen werden erstattet, ihn selbst ereilt das Gericht, dem er sich beugt, nicht ohne noch im Tode Rache an dem sächsischen Kurfürsten zu nehmen. Das an dessen Gestalt anknüpfende Wahrsagemotiv stellt innerhalb des realistischen Chronikstils ein bizarres, fabulöses Motiv dar, das die Wucht der Erz. im letzten Teil schwächt.
Mehrfach dramatisiert.
Der 2. Bd. (1811) enthält:

Die Verlobung in San Domingo

Im März/April des gleichen Jahres bereits ersch. in der Zs. *Der Freimüthige*.

Noch einmal das bei K. prävalente Motiv der Gefühlsverwirrung, bei dem hier, wie in *Penthesilea*, der Zweifel siegt. Gustav von Ried tötet die Mestizin Toni, die ihn aus Lebensgefahr befreit, weil der Schein des Betrugs gegen sie ist; als er gleich darauf seinen Irrtum erkennt, richtet er die Waffe gegen sich selbst.

Das Bettelweib von Locarno

Im Oktober 1810 bereits in den *Berliner Abendblättern*.

Spukgeschichte: Ein infolge eines brüsken Befehls des Schloßherrn zu Tode gestürztes Bettelweib lebt als Spukerscheinung fort und zieht den Tod des Schloßherrn nach sich.

Der Findling

Entst. Sommer 1811.

Ein Makler nimmt einen Jungen an Kindes Statt an, der Pesterkrankung und Tod des eigenen Sohnes veranlaßt hat. Diese Tat wird schlecht belohnt. Nicolo erweist sich als gefühlskalter Vampir, dem nicht zufällig das echte Kind des Hauses hat weichen müssen: er versucht die Frau des Hauses, die sich von seiner Ähnlichkeit mit ihrem Jugendgeliebten hat blenden lassen, zu vergewaltigen und wird schuld an ihrem Tode; er drängt den Adoptivvater von seinem Besitz. Nun erst schlägt der seines Eigentums Beraubte zurück und verfolgt den »Findling« bis über das Grab hinaus.

Die heilige Cäcilie oder die Gewalt der Musik

Erweiterte Fassung der bereits November 1810 in den *Berliner Abendblättern* erschienenen. Entst. 1810 als Patengeschenk für Adam Müllers Tochter Cäcilie.

Legendäre Erz. von vier Brüdern, die in der Zeit der Bilderstürmerei Dom und Nonnenkloster in Aachen zerstören wollen, aber durch Anhören einer wunderbar aufgeführten Messe von ihrem Vorhaben abgebracht werden und danach sinnverrückt als Insassen einer Irrenanstalt ihr Leben mit religiöser Andacht verbringen. Nach Jahren erfährt die nachforschende Mutter, daß die heilige Cäcilie selbst an Stelle einer erkrankten Nonne die Musik geleitet habe.

Der Zweikampf

Entst. Sommer 1811. Vorstufe dazu *Die Gesch. eines merkwürdigen Zweikampfs* in den *Berliner Abendblättern*, Februar 1811. Quelle: Froissarts *Chronique de France*.

Im 14. Jh. spielende Gesch. von der Überführung eines Mörders und der Errettung einer zu Unrecht angeklagten Frau und ihres ritterlichen Verteidigers. Der Glaube an einen gerechten Ausgang, an dem Littegarde von Auerstein und Friedrich von Trotha sogar noch festhalten, als der auch von ihnen als Gottesurteil anerkannte Zweikampf zu ihren Ungunsten entschieden zu sein scheint, erweist sich schließlich als gerechtfertigt. »Bewahre deine Sinne vor Verzweiflung! türme das Gefühl, das in deiner Brust lebt, wie einen Felsen empor: halte dich daran und wanke nicht!«
Hauptthema der Novv. ist die Auseinandersetzung zwischen dem Recht des einzelnen und dem der Gesamtheit, Verwirrung und Reinigung des Gefühls. Realismus, aber nicht korrekte Zustandsschilderung in modernem Sinn. Konzentration der Handlung und der Sprache, die mit geballten, verschränkten Sätzen arbeitet; Bevorzugung indirekter Rede. Zurücktreten des Erzählers, auch kein Bezug auf den Leser. Verzicht auf rein äußerliche Spannung, indem K. Resultat und Pointe der Erz. oft bereits am Anfang vorwegnimmt.

Erzz. kleinsten Formats stellen K.s in den *Berliner Abendblättern* veröffentlichte Anekdoten dar.

1811   Achim von Arnim
     (Biogr. S. 305):
     Halle und Jerusalem, Studentenspiel und
     Pilgerabenteuer

Dr. in 2 Teilen.
Der 1. Teil ist ein im Anschluß an Gryphius' *Cardenio und Celinde*, dessen Neuausg. A. 1805 und 1808 geplant hatte, 1809 entstandenes eigenes Werk (in 3 Aufzügen). Handlung von Bologna nach Halle verlegt, mit viel Zeitkolorit aus A.s eigener Universitätszeit, aber voller hemmender Episoden. Neu die Einfügung Ahasvers unter völliger Umgestaltung der Sage. Shakespearisch.

Der 2. Teil Originalschöpfung A.s. Cardenio, Celinde und Ahasver auf der Bußfahrt nach Jerusalem. Durch Symbole z. T. schon in Überschriften als Stationen auf dem Wege zur Erlösung durch das Kreuz gekennzeichnet. Dazu tragische Stoffe der Gotik (Legende von Gregorius auf dem Stein u. a.). Auch hist. Gestalten aus A.s Zeit eingebaut. Die große Schlußszene am Heiligen Grabe vereint die Vertreter verschiedener Konfessionen. »Ausweitung des Romantischen ins zeitlose Weltbild« (Richard Benz). Die lose Aneinanderreihung von Bildern calderonisch, an Tiecks *Octavianus* erinnernd.

1811   Johann Peter Hebel
(1760–1826, Basel, Wiesenthal, Karlsruhe, Schwetzingen):
Schatzkästlein des rheinischen Hausfreundes

Geschichtenslg. aus dem von H. 1808–1815 hgg. Bauernkalender *Der rheinländische Hausfreund*.
Volkstümliche Geschichten voll schlichter Frömmigkeit, leisem Humor und unaufdringlicher moralischer Lehre. Technik des Gleichnisses. Berühmt geworden: *Kannitverstan*.

1811   Friedrich de la Motte Fouqué
(1777–1843, Brandenburg, Nennhausen bei Rathenow):
Undine

Prosa-Märchen. Im »Frühlings-Heft« der von F. hgg. Zs. *Die Jahreszeiten*.

Als Hauptquelle nannte F. des Paracelsus *Liber de nymphis, sylphis* ... (Mitte 16. Jh.); für die Handlung verwandte er die ma. Geschlechtersage vom Ritter von Stauffenberg.

F. entdeckte die Dämonie des Wassers. Die Nixe Undine verlangt nach Beseelung durch Vereinigung mit einem Menschen. Den Ritter Huldbrand aber treibt es aus der Ehe mit Undine wieder fort zu einem menschlichen Weibe; seine Untreue wird nach dem Gesetz der Elementargeister mit dem Tode bestraft.
Natur und Geist sind nach romantischer Philosophie ursprünglich eins. Die Gestalten mehr gedankliche Personifikationen als erlebte Naturgewalten.

Begeisterte Aufnahme. Wirkung bis zu Heine und Walter Scott. Fülle von Übss. F. schrieb selbst das Libretto für E. T. A. Hoffmanns Oper, die 1812 in Bamberg von diesem begonnen und 1816 in Berlin im Kgl. Schsp.-Haus mit Dekorationen von Schinkel aufgeführt wurde. Beim Brand 1817 wurden die Noten der Stimmen, nicht jedoch die Partitur, vernichtet.
Albert Lortzing: *Undine*, romantische Zauberoper (1845); Jean Giraudoux: *Ondine* (1939).

1812   **Achim von Arnim**
(Biogr. S. 305):
**Isabella von Ägypten, Kaiser Karls des Fünften
erste Jugendliebe**

Nov. aus dem 16. Jh.

Entst. 1811. Durch einen leichten Rahmen locker mit drei anderen Erzz. verbunden:
*Melück Maria Blainville, die Hausprophetin aus Arabien; Die drei liebreichen Schwestern und
der glückliche Färber; Angelika, die Genueserin und Cosmus, der Seilspringer.*

Behandelt Begegnung des Zigeunermädchens mit dem Prinzen und
späteren Kaiser Karl. Die mit möglichst echten Einzelzügen versehene Historie ist in das Rätselhafte getaucht, aufgelöst ins Mär-
chenhaft-Phantastische. Zauberkräfte, für die A. verschiedene Motive
aus der Volkssage verwertete (die Bärenhäutersage, die Golemsage,
die Alraunensage u. a.), werden aufgeboten, um die ungleiche Verbindung zwischen der vorbehaltlos liebenden Isabella und dem
staatsmännisch abwägenden, stolzen Karl zustande zu bringen. Als
Isabella Karls Wesen erkennt, erwächst ihr aus dem Leid die Kraft
zum Verzicht, sie wendet sich der Aufgabe, der sie untreu zu werden
drohte, zu und führt ihr Volk in die Heimat zurück; ihr und Karls
Sohn Lrak wird ihr Reich erben. Schließt mit der Apotheose des Zigeunermädchens als ferner ägyptischer Herrscherin.
Romantisch-willkürlichstes Werk A.s. Einfluß von Fichtes Idealismus.

1812/15   **Jakob Grimm**
(1785–1863) und
Wilhelm Grimm
(1786–1859, beide Hanau, Kassel, Göttingen, Berlin):
Kinder- und Hausmärchen

Bd. 1, 86 Märchen, Bd. 2, 70 Märchen; die Anhänge wurden, stark
erweitert, in der 2. Aufl. als 3. Bd. (1822) zusammengefaßt.

Seit 1806 aufgezeichnet. Vieles auf Grund von mündlichen Erzz. Die erste, 1810
Brentano überlassene Hs. nach 100 Jahren wieder aufgefunden und herausgegeben.

Maßgebende Slg. von dt. Volksmärchen. »Wir haben uns bemüht,
diese Märchen so rein wie möglich aufzufassen... Kein Umstand ist
hinzugedichtet oder verschönert und abgeändert worden« (Vorrede). Streben nach Wiedergabe des kunstlosen Tons der volkstümlichen Märchenerzähler. Ausmerzung ungebräuchlicher Worte und
Wendungen und von Fremdwörtern. Psychologische Vertiefung.

Bis 1857 erschienen 7 von Wilhelm G. in ihrem Bestand jeweils veränderte, stilistisch
und inhaltlich überarbeitete Aufl. Daneben seit 1825 sog. Kleine Ausg.
Nachfolge: Ludwig Bechstein: *Thüringische Volksmärchen* (1823); Karl Müllenhoff:
Schleswig-Holsteinische Volksmärchen (1845); Karl Bartsch: *Mecklenburgische Volksmärchen* (1879).

1812/16   Ludwig Tieck
        (Biogr. S. 307):
        Phantasus

Dreibändige »Slg. von Märchen, Erzz., Schspp. und Novv.«, von denen ein Teil schon früher erschienen war.

Bd. 1: *Der blonde Eckbert* (1797 in *Volksmärchen*); *Der getreue Eckart und der Tannenhäuser* (1799 in *Romantische Dgg.* Bd. 1); *Der Runenberg* (1804 in *Taschenbuch für Kunst und Laune*); *Liebeszauber* (entst. 1811); *Die schöne Magelone* (1797 in *Volksmärchen*); *Die Elfen* (entst. 1811); *Der Pokal* (entst. 1811); *Leben und Tod des kleinen Rotkäppchens* (1800 in *Romantische Dgg.*); Bd. 2: *Ritter Blaubart* (Umarbg. der Fassung von 1797); *Der gestiefelte Kater* (Umarbg. der Fassung von 1797); *Die verkehrte Welt* (Lit.-Kom., Gegenstück zum *Gestiefelten Kater*; entst. 1798, angeregt durch Christian Weises *Verkehrte Welt* [1683]; Druck 1799 in *Bambocciaden*); *Leben und Taten des kleinen Thomas genannt Däumchen* (entst. 1811). Bd. 3: *Fortunat* (zweiteiliges Dr. nach dem spätmittelalterlichen Volksbuch, entst. 1815–1816).

Übergang von der Romantik zur Realistik, weniger Märchen als Märchennovv. Die verschiedenen Stücke der 3 Bdd. durch eine Rahmenerz. zusammengehalten: gebildete junge Männer und Frauen kommen zu Leseabenden zusammen. Rahmenerz. von Lehrgesprächen überwuchert, in denen T. »die Summe seiner Ansichten von dem, was die Welt jetzt in der Gesellschaft berührt« niederlegte (Wilhelm Grimm); alle Gespräche dienen dazu, über Instinkte ins klare zu kommen, Unwillkürliches ins Bewußtsein zu heben (Ricarda Huch). Die Erzz. und Drr. werden von einzelnen Personen der Rahmenhandlung erzählt bzw. vorgelesen. Die erste der vorgetragenen Dgg. ist das allegorische Gedicht *Phantasus*.

Kompositionsform vorbildlich für Hoffmann *(Serapionsbrüder)* und Hauff.

Auff. des Tr. *Leben und Tod des kleinen Rotkäppchens* 1873 in Karlsruhe.

1814/15   E. T. A. Hoffmann
        (Biogr. S. 305):
        Phantasiestücke in Callots Manier

4 Bdd. – Beginn von H.s eigentlicher schriftstellerischer Tätigkeit.

Jacques Callot (1592–1638), aus Lothringen, schuf phantastisch-humoristische Stiche; »seine Zeichnungen sind… Reflexe aller der phantastischen wunderlichen Erscheinungen, die der Zauber seiner überregen Phantasie hervorrief«(H. in der Einleitung).

Bd. 1 (1814) enthält *Ritter Gluck* (entst. 1807–1808 vor allem in Bamberg); *Kreisleriana*, darin *Johannes Kreislers, des Kapellmeisters, musikalische Leiden* (gedruckt bereits 1810), *Gedanken über den hohen Wert der Musik* (entst. Juni 1812), *Beethovens Instrumentalmusik* (entst. 1810) u. a. Kunst und Leben untrennbar miteinander verbunden. Wer sich der Kunst nur gelegentlich und zur Zerstreuung zuwendet, vergeht sich an ihrem Geist. Leiden des echten Künstlers an der Alltagswelt. Vertreter dieser H.schen Anschauung ist Kreisler; Einfluß der Gestalt des Musikers Joseph Berglinger aus Wackenroders *Herzensergießungen*, zugleich Selbstbildnis H.s.

Bd. 2 (1814) enthält *Nachricht von den neuesten Schicksalen des Hundes Berganza* (entst. 1812–1813), in Gesprächsform anknüpfend an Cervantes' Dialog *Gespräch der beiden Hunde Scipio und Berganza*. Inhalt H.s Erlebnisse in der Familie Mark. Autobiographisch wertvoll. In der Tiermaske wird menschliches Treiben ironisch dargestellt. Begeistertes Lob für Tieck, Novalis, Fouqué. Außerdem: *Der Magnetiseur* (entst. Sommer 1813), H.s erste größere Erz.; H. kam dem Stoff durch Lektüre medizinischer Schriften nahe.

Bd. 3 (1814) enthält *Der goldene Topf*; in die Bamberger Zeit zurückreichend, aber erst in Dresden 1813 geschrieben. Eins der Meisterwerke H.s. Der linkisch-ungeschickte Student Anselmus, der aber in seinem Innern eine reiche poetische Welt trägt, hat die Eigenschaften des wahren Dichters: er versetzt die Gestalten seiner Phantasie in das ihn umgebende Leben. Glänzende Verschlingung von realistischen und märchenhaften Partien. Charakterisierende Erfassung der Philisterwelt und Verklärung des poetischen Reiches.

Bd. 4 (1815) enthält u. a. *Geschichte vom verlornen Spiegelbilde* (entst. 1814), Gegenstück zu Chamissos *Peter Schlemihl*, und weitere *Kreisleriana*.

1819 2. Aufl. in 2 Bdn. und leicht veränderter Form.
Anregung für Robert Schumanns *Kreisleriana* (1838).

1814   Adelbert von Chamisso
        (1781–1838, aus Schloß Boncourt/Champagne, Berlin):
        Peter Schlemihls wundersame Geschichte

Nov., hgg. Fouqué.

Entst. Spätsommer 1813. Plan und Motive mehrere Jahre alt. Erster Anstoß eigenes Erlebnis. Lit. Quellen: ein R. Lafontaines, Grimmelshausen, Tieck u. a. Das Wort »Schlemihl«, der Gaunersprache zugehörig, = Gottlieb; Bezeichnung für einen ungeschickten oder unglücklichen Menschen, dem nichts gelingt.

Schlemihl hat dem Bösen seinen Schatten verkauft, die Menschen wenden sich wegen dieses Mangels von ihm ab. Das vom Satan versprochene Glück findet Schlemihl nicht in dem erstrebten Golde, sondern in der Natur, in die er vor den Menschen entflieht.

Zweifellos starkes Selbstporträt; eindeutige Kommentierung schwierig. Satire auf die Überschätzung des Geldes? Klage über den Spott, als Ch. den Schatten der Gesellschaft von sich abgeworfen hatte? Zwiespalt des dt.-frz. Dichters während der napoleonischen Kriege? Der Stil spiegelt Ch.s mühevolles Hineinwachsen in die dt. Prosa.

Die Erz. hatte weltweite Wirkung.

1815   Joseph Freiherr von Eichendorff
(Biogr. S. 305):
Ahnung und Gegenwart

R., hgg. Fouqué.

E.s erstes Prosawerk. Vollendet Ende 1811; gefördert von Friedrich und Dorothea Schlegel, Einfluß von *Wilhelm Meister*, Dorothea Schlegels *Florentin*, Brentanos *Godwi*, Arnims *Gräfin Dolores*.

Bunte und kritische Schilderung der zeitgenössischen Gesellschaft. Der Held Friedrich, »ein Kämpfer Gottes an der Grenze zweier Welten«, findet nur in der Abkehr von der Gegenwart Ruhe, seine Sehnsucht – »Ahnung« – ist christliche Erlösung, er tritt in ein Kloster ein, um sich in Anbetung dem Unendlichen hinzugeben. Sein Freund Graf Leontin verläßt Europa und erlebt Unendlichkeit in den Weiten Amerikas. Gegensatz von Sein und Denken, von Zeitstimmung und besserem Wollen, von Mensch und Welt; die Wirklichkeit voller Rätsel, die auf etwas Höheres verweisen. Widerhall der Lage vor den Befreiungskriegen; »ein getreues Bild der gewitterschwülen Zeit der Erwartung, Sehnsucht und Verwirrung« (Fouqué im Vorwort).

Personenreich, Mangel an Umriß. Offene Form: eine lange Reihe von Momentbildern, die nur durch das »Wandern« der Hauptgestalten und das Stimmungselement verbunden sind, scheint auf und verschwindet; Zeit und Raum sind entgrenzt, und die Reihe wird zu keinem echten Abschluß gebracht, obgleich der verlorene Bruder Friedrichs am Ende wiedergefunden ist. Farbe und Melodik als gemeinsame Grundkomponente; lyrisch. Enthält über 50 Gedichte, darunter: *In einem kühlen Grunde*; *O Täler weit, o Höhen*.

1815   Ludwig Uhland
(1787–1862, Tübingen):
Gedichte

Erste Slg. Einzelne Gedichte schon vorher in Taschenbüchern und Almanachen veröffentlicht.

Thematisch abhängig von der romantischen Lyrik, jedoch nur von deren volksliedhaften Elementen, keine Erlebnisdg. »Für eine Poesie für sich, vom Volke abgewendet, eine Poesie, die nur die individuellen Empfindungen ausspricht, habe ich nie Sinn gehabt.« Das Volksliedhafte bei U. klar, allgemeinverständlich, nicht romantisch zwielichtig. U. a. *Die Kapelle*; *Schäfers Sonntagslied*; *Der gute Kamerad*; *Der Wirtin Töchterlein*; *Ein Schifflein ziehet leise*.

Uhlands Balladen mehr Erzählungen in Versen mit moralischer Sentenz; Einfluß Schillers, jedoch schlichter. Ma. und nordische Stoffe im Zusammenhang mit U.s germanistischen Studien. *Graf Eberhard der Rauschebart, Der blinde König, Jung-Roland, Bertrand de Born, Taillefer* u. a.

1815   Clemens Brentano
      (Biogr. S. 305):
      Die Gründung Prags

»Historisch-romantisches Dr.« 5, in Versen.

Zunächst als Oper geplant. Erster Prosa-Entwurf in Jamben, danach (1812) in gereimte Jamben umgeformt. 9000 Verse. Hauptquelle: *Chronik des Hajek von Libotschan*, aber auch Erlebnis der »unvergleichlichen Stadt Prag«.

Libussa-Stoff. »Der ganze Inhalt... ist die Entstehung eines Staates, der Kampf und Untergang einzelner Leidenschaften gegen die Ordnung und das Gesetz des Ganzen« (B.).
Von epischem Grundcharakter, unter dem Einfluß Calderons und Zacharias Werners. Musikalisch gebaut. Durchtränkt mit slawischer Mythologie und slawischen Bräuchen. Gegenüberstellung von dunklen, dämonischen Kräften der Erde und den hellen des Himmels. Problem der Geschlechter und des Frauenstaats.

Einfluß auf Franz Grillparzers 1822 begonnene *Libussa*.

1815/16   E. T. A. Hoffmann
      (Biogr. S. 305):
      Die Elixiere des Teufels. Nachgelassene Papiere des
      Bruders Medardus, eines Kapuziners

R. 2 Bdd.

Entst. vom 4. März 1814 ab. Bd. 1 bereits am 22. April 1814 fertig. Bd. 2 in der 2. Hälfte 1815 geschrieben. Anregung in Bamberg bei Besichtigung eines Kapuzinerklosters (vgl. auch die Klosterszenen des *Kater Murr*) und durch Matthew Gregory Lewis' (1775–1818) R. *Ambrosio or the Monk* (1796), Thema, Gestalten, Motive daraus verarbeitet.

Gesch. eines Mönches, der durch seinen Stolz, sein heißes Blut und seine unbändige Leidenschaft zum Bruch des Gelübdes und zum Verbrechen verleitet wird. Bei H. ist die Zentralgestalt, Medardus, das letzte Glied eines unseligen Geschlechtes, dessen wilde Triebe er geerbt hat. Indem H. sein Leben erzählt, rollt er zugleich die Vorgesch. der Handlung auf: der Stammvater ist wegen seiner schweren Frevel von Gott verdammt worden, bis zum Tode seines letzten Nachkommen ruhelos zu wandeln.
Vorstellungen der Schicksalstr. – vielleicht unbewußt – verwendet. Nachtseiten der Natur, das Anomale: beängstigende Verwertung des Motivs vom Doppelgänger (nach Fouqué *Der Zauberring*, 1813?), des doppelten Bewußtseins, des Wahnsinns auf Grund eingehender Unterrichtung durch psychiatrische Lit. der Zeit und durch Be-

kannte; Markus, Leiter der Irrenanstalt St. Getreu bei Bamberg, wird in dem R. selbst erwähnt. Geistiger Urgrund: H.s quälende Vorstellung des Doppelgängers und Angst vor Wahnsinn. »Warum denke ich schlafend oder wachend so oft an den Wahnsinn? – Ich meine, geistige Ausleerungen könnten wie ein Aderlaß wirken« (Tagebuch 1810). Medardus ein ins Maßlose gesteigertes Selbstporträt.

Nach Hebbel wird, »wenn es noch keine Gattung gibt, der Darstellungen dieser Art angehören, das Buch eine eigene Gattung bilden« (Tagebuch 9. 1. 1842).

1817   E. T. A. Hoffmann
        (Biogr. S. 305):
        Nachtstücke

Slg. von 8 Erzz. in 2 Bdd.

Bd. 1 entst. 1814–1816, Bd. 2 1816 und 1817.

»Nachtstück« ein wahrscheinlich von Jean Paul entlehnter Lieblingsausdruck. Thema sind dunkle unheimliche Regungen, die sich aus dem Innern heraus zu verderbenbringender Wirkung steigern: Haß, dämonische Mächte, anomale Seelenvorgänge, Wahnsinn, Schauer der Geisterwelt. Vermischung von wirklicher und idealer Welt.

Formeinflüsse von Kleist.

1817   Clemens Brentano
        (Biogr. S. 305):
        **Die Geschichte vom braven Kasperl und
        dem schönen Annerl**

Nov. In *Gaben der Milde*, hgg. Friedrich Wilhelm Gubitz, 2. Bdchen.

Entst. wahrscheinlich Sommer 1815 bis Januar 1817.

Selbstmord eines Soldaten aus gekränktem Ehrgefühl und Kindesmord seiner von einem Adligen verführten Braut. Annerls Ende auf dem Schafott läutert den in einen Liebeskonflikt verstrickten Herzog, dessen Gnadenakt zu spät kommt. Kunstvolle Verschlingung zweier Lebenskreise. Das blutige Dorfschicksal gemildert durch volkstümlich rührenden, stimmungsgesättigten realistischen Berichtstil: die Vorgeschichte bis zum dramatischen Höhepunkt ist Kasperls Großmutter in den Mund gelegt.

1817   Achim von Arnim
        (Biogr. S. 305):
        Die Kronenwächter

R., nur 1. Bd. eines nach Mitteilung Bettina v. A.s auf 4 Bdd. berechneten Werkes, das »Geschichte, Sitten und Gebräuche von ganz Dld.« umfassen sollte.

Erste Erwähnung 1812, 1. Bd. 1816 vollendet. Noch 1820 hat A. an dem Werk gearbeitet. Von Bd. 2 liegt nur der Anfang vor, sonst nur Notizen, Einzelentwürfe usw. Auswahl daraus 1854 als *Die Kronenwächter, zweiter Teil*, hgg. Bettina v. A.

Historisch-patriotischer R., sehnsuchtsvoller Rückblick ins 16. Jh. Eingehendes Studium vieler nachgewiesener Quellen, vor allem des *Chronicon Waiblingense* (1660–1670).
Die Kronenwächter, ein geheimnisvoller Bund, der auf einer Zauberburg mitten im Bodensee sitzt und dort die Kaiserkrone bewacht. Er sucht die Abkömmlinge der Hohenstaufen zu fördern, aber weder Berthold (im 1. Teil) noch Anton (im 2. Teil) sind der großen Aufgabe gewachsen. Die Krone wird bewahrt, bis »ein von Gott Begnadeter alle Deutschen zu einem großen friedlichen gemeinsamen Leben vereinigen wird«. Mit dem historischen, vor allem Waiblinger und Augsburger Detail ist Romantisches phantasievoll verbunden. Das Historische hier jedoch mehr als die Umrahmung der frühromantischen Erzz.; Geschichte und Dg. als eins gesehen.

1818   Clemens Brentano
     (Biogr. S. 305):
     Aus der Chronika eines fahrenden Schülers

Fragment. In dem Sammelbd. *Die Sängerfahrt*, hgg. Friedrich Förster.

Ursprünglich (1802) als *Der arme Heinrich*, 1804 mit neuem Titel. Hauptsächlich entst. während B.s kurzer Ehe mit Sophie Mereau geb. Schubert 1803–1806, deren Züge durch die Dg. gehen. Auch B.s religiöse Einkehr im Hintergrund. Hs. der Urform 1923 in einem elsässischen Kloster wieder aufgefunden.

Von der Notwendigkeit des Duldens und dem neuen Glück, das der Selbstüberwindung als Lohn folgt. Durch die Chronikform alle lauten Töne und Gefühle gedämpft. Die veröffentlichte Form bereits von B. ausführlicher, geistlicher gestaltet.

Wiederholte Vertonung der Lieder; Einwirkung auf Mörike, Storm, Keller.

1818   Achim von Arnim
     (Biogr. S. 305):
     Der tolle Invalide auf dem Fort Ratonneau

Nov. In *Gaben der Milde*, hgg. Friedrich Wilhelm Gubitz, 4. Bdchen.

Quelle: südfrz. Lokalsage, 1772 gedruckt und A. vielleicht auf seiner Reise Winter 1802/03 begegnet, 1809 veröffentlicht in der Zs. *Der Freimüthige*.

Von A. unter formalem Einfluß Kleists frei nachgestaltet. Gesch. von dem tollen Soldaten, der ein paar Tage lang Marseille in Schrecken setzte. Der Wahnsinn des Invaliden rührt zwar von einer Kopfverletzung her, aber die tiefere Ursache ist die Furcht vor der Bedrohung der Ehe: die Mutter der Frau hat ihre Tochter verflucht, als sie einem Landesfeind in die Ehe folgte. Nun wagt es die Frau unter

Lebensgefahr, zu ihrem Mann in das von ihm im Wahn verteidigte Fort zu gehen; durch die Erregung öffnet sich seine Kopfwunde und gibt den eitrigen Knochensplitter frei, der den Wahnsinn verursachte. Die Verwicklung der Anekdote umgedeutet zu einer geistig-sittlichen Auseinandersetzung.

Strenger Aufbau; Verwendung leitmotivischer Bilder.

1819   **Joseph Freiherr von Eichendorff**
        (Biogr. S. 305):
        Das Marmorbild

Nov. – In Fouqués *Frauentaschenbuch für das Jahr 1819.*

1817 in Breslau vollendet.

Quelle: die Gesch. vom »seltzahmen Lucenser-Gespenst« in Eberhard Werner Happels *Größeste Denkwürdigkeiten der Welt* (1687). Das Motiv der sich belebenden Venusfigur wahrscheinlich aus Kenntnis von Brentanos *Romanzen vom Rosenkranz.*

Lorelei-Motiv, von E. auch öfter lyrisch behandelt. Eine sich unheimlich belebende marmorne Frauengestalt, die in berückender Schönheit den jungen Florio verlocken will, der aber den Dämon in seinem Innern überwindet. Auseinandersetzung von heidnischer Sinnlichkeit und christlicher Haltung.

1819/21   **E. T. A. Hoffmann**
        (Biogr. S. 305):
        Die Serapionsbrüder

4 Bdd., enthaltend vorher in Journalen und Taschenbüchern veröffentlichte Dgg. aus den Jahren 1813–1821.

Der Dichter und der Komponist. Im Mittelpunkt des »Gesprächs« steht die Oper. Es besteht ein inniger, unauflöslicher Zusammenhang zwischen Text und Musik; Hauptgattungen sind die romantische und die komische Oper.

Rat Krespel, Charakterstudie. Urbild Goethes Jugendfreund Bernhard Krespel (1747–1813; vgl. *Dichtung und Wahrheit,* Buch 6). Krespel war eine um ihrer Sonderbarkeiten willen anziehende Persönlichkeit, eine Mischung von Bizarrem, Groteskem.

Nußknacker und Mausekönig, Märchen. Das poetische Element in der Seele eines Kindes verschmilzt Poesie und Wirklichkeit.

Doge und Dogaresse, hist. Nov. um Marino Falieri (1274–1355, Doge von Venedig).

Meister Martin der Küfner und seine Gesellen. Um Nürnberger Handwerkertum und Meistergesang.

Das Fräulein von Scuderi. René Cardillac, der ein Doppelleben führende Goldschmied, wird von seinem Dämon getrieben, die Träger seiner Schmuckstücke zu ermorden.

Die Bergwerke zu Falun. Nach Schuberts Bericht in den *Ansichten von der Nachtseite der Naturwissenschaft.* Erstveröffentlichung, entst. Dezember 1818. Anregung für Hugo von Hofmannsthals Dr. *Das Bergwerk zu Falun* (1906).

Gesamtthema der Slg. ist Wachsen und Werden des künstlerischen Menschen, die bedrohlichen Lebensmächte in Anlage, Leben und Schicksal. Einkleidungsidee zurückgehend auf die Serapionsbrüderschaft: Hitzig (Ottmar), Hoffmann (Theodor), Contessa (Sylvester), Koreff (Vincenz). Die Beurteilung der einzelnen Werke steht unter dem »serapiontischen« Gesichtspunkt, ob der Dichter die geschilderten Gestalten auch wirklich geschaut habe: künstlerischer Grundgedanke H.s.

1820/22   E. T. A. Hoffmann
(Biogr. S. 305):
Lebensansichten des Katers Murr nebst fragmentarischer Biographie des Kapellmeisters Johannes Kreisler in zufälligen Makulaturblättern

Teil 1 entst. 1818, Teil 2 1821; Teil 3 geplant, aber nicht geschrieben.

Barocke Verschlingung zweier scheinbar nur äußerlich verbundener Handlungen im Stile Jean Pauls: Selbstbiographie des Katers Murr und die fragmentarische Lebensbeschreibung Kreislers auf Grund von Makulaturblättern, die der Memoiren schreibende Kater als Unterlage verwendet hat.
Die »Lebensansichten« eine Parodie des Bildungs-R., Murr ein eitler, heuchlerischer, bildungsprotziger Philister in Tiermaske. Satire auf Wertvorstellungen von Aufklärung und Empfindsamkeit, auf die zeitgenössische Bildungswelt. Kontrast zwischen den vitalen Interessen des Katers und der Bildungsfassade der Gesellschaft, der er sich unterordnet.
Kreisler dagegen ist der Künstler, der den Gegensatz zwischen Ideal und Leben unausgesetzt auf das bitterste empfindet, dauernd in Widerspruch mit der Welt gerät und schmerzlich um innere Harmonie ringt.
Durch seine Unschuld ist er der Gesellschaft am Hof des Fürsten zu Sieghartsweiler zwar überlegen, kann sich ihr aber nicht anpassen. Die Ansichten des Hofes entsprechen denen Murrs. Unvereinbarkeit beider Lebensformen.
Verwertung von H.s Erfahrungen in der Familie Mark in Bamberg. Die Kreislergeschichte blieb Fragment.

Nachfolge: Scheffels Kater Hidigeigei im *Trompeter von Säckingen* (1854) und Gottfried Kellers *Spiegel das Kätzchen* (1856).

1821   Wilhelm Müller
(Auslfg. (1794–1827, Dessau):
1820)   **Die schöne Müllerin**

In *Siebenundsiebzig Gedichte aus den hinterlassenen Papieren eines reisenden Waldhornisten*, Bd. 1.
»Monodram«.

Entst. aus einem geselligen Liederspiel, das 1816 in einem Berliner Privathause aufgeführt wurde (Druck 1818) und in dem Angehörige verschiedener ländlicher Berufe
um die Müllerin warben. M. nahm seinen Part heraus und ergänzte ihn zu einem
Zyklus.

Zyklus im Volkston gehaltener romantischer Lieder mit den Themen
Liebe, Natur, Wanderschaft. Handlungsmäßig zusammengehalten
durch die Liebe des Müllerburschen zur Müllerstochter, deren Untreue den Selbstmord des Betrogenen im Mühlbach veranlaßt. Bis
auf die letzten zwei Lieder Monologe des Müllerburschen. Einfluß
von Goethes vier *Romanzen von der Müllerin*. Romantische Metaphern
von Mondnächten, Sprache der Blumen, Plaudern des Mühlbachs,
Rauschen der Linde; Farbsymbolik; Leitmotivtechnik. M. »Muster-
schüler« der Romantik (Richard M. Meyer).
Der Ernst des Zyklus unterkühlt und zugleich unterstrichen durch
einen ironisch getönten Prolog und Epilog. Der Zyklus wurde volkstümlich durch Schuberts Vertonung (1824; unter anderem *Das Wandern ist des Müllers Lust*; *Ich schnitt es gern in alle Rinden ein*).

1821   Heinrich von Kleist
(Biogr. S. 306):
Die Hermannsschlacht

Dr. 5, in Jamben. In *Hinterlassene Schriften*, hgg. Ludwig Tieck.

Entst. in der 2. Hälfte 1808. Am 1. 1. 1809 an Collin in Wien geschickt; Auff. in Wien
abgelehnt.

Tendenzdr. Konterfei der zeitgenössischen Lage und politischen
Haltung, zugleich Vorzeichnung des von K. erhofften Befreiungs-
werks. Die Schlacht im Teutoburger Wald (9 n. Chr.) als Symbol
nationaler Selbstbesinnung (Abkehr vom Partikularismus) und Not-
wehr. Der Cheruskerfürst Hermann verzichtet angesichts der Zwie-
tracht und Unfähigkeit der anderen germ. Fürsten auf gemeinsames
Vorgehen und ergreift selbständig die Initiative. Durch Täuschung
der Römer und durch das diplomatisch kluge Bündnis mit dem
Suevenfürsten Marbod wird die Befreiung Germaniens errungen.
Dichterische Aufforderung an Preußen und Österreich, in ähnlicher
Gemeinsamkeit Napoleon zu bekämpfen.
Zur dram. Verdichtung des Stoffes zog K. auseinanderliegende Er-
eignisse zusammen: die Spannung zwischen Armin, Marbod und

einer cheruskischen Gegenpartei, der Armin schließlich zum Opfer fiel, liegt hist. erheblich später; auch Thusnelda war erst später an Armins Seite.
Der ausbleibende Erfolg des Dr. traf K. schwer: ».... wie sehr mir die Aufführung dieses Stückes, das einzig und allein auf diesen Augenblick berechnet war, am Herzen liegt« (K. an Collin, 20. 4. 1809).

Auff. 29. 8. 1839 in Pyrmont durch das Detmolder Hoftheater.

1821   Heinrich von Kleist
(Biogr. S. 306):
Prinz Friedrich von Homburg

Schsp. 5, in Jamben. In *Hinterlassene Schriften*, hgg. Ludwig Tieck. Auff. 3. 10. in Wien, Burgtheater; erfolgreichere Auff. 6. 12. in Dresden durch Ludwig Tieck.

Entst. 1809–1811. K. hatte das Werk der Prinzessin Wilhelm von Preußen überreichen lassen, aus deren Besitz Tieck das Ms. sicherstellte und herausgab.
Quelle: Erz. der Homburg-Episode in Friedrichs II. *Mémoires pour servir à l'histoire de la Maison de Brandebourg.* Der hist. Homburg wurde von K. in einen Jüngling verwandelt, frei erfunden die kurfürstliche Nichte Natalie, die von ihm geliebt wird, unhistorisch auch die bei Friedrich II. überlieferte Froben-Episode in der Schlacht bei Fehrbellin (1675).

Der Prinz von Homburg hat, zum drittenmal junger Ruhmsucht und dem Herzen folgend, in der Schlacht bei Fehrbellin durch eigenmächtiges Handeln die Vernichtung der Schweden verhindert, das Urteil des Kriegsgerichts lautet auf Tod. Von Schauern der Todesfurcht geschüttelt, fleht er die Kurfürstin und die geliebte Natalie an, sich für ihn zu verwenden. Der Kurfürst legt die Entscheidung über die Rechtmäßigkeit des Urteils in des Prinzen eigene Hand, und dieser ringt sich zur Anerkennung des Schuldspruchs durch: »Ich will das heilige Gesetz des Kriegs ... durch einen freien Tod verherrlichen«. So ist dem Kurfürsten die Möglichkeit der Begnadigung gegeben.
Politisch-hist. Schsp. mit romantischen Zügen. Von K.scher Eigenart besonders die gewagte Todesfurchtszene, das somnambule romantische Beiwerk (Einfluß Schuberts), die tragische Gefühlsverwirrung.
Umstritten ist die letzte Deutung des Dr., vor allem hinsichtlich des Kurfürsten: gibt er (und damit der Staat) nach, indem er die höhere Sittlichkeit und das innere Gebot anerkennt, versöhnt sich durch ihn das Gesetz mit dem freien Heldenmut, den »lieblichen Gefühlen«, oder erreicht er den Triumph des Gesetzes über den willkürlichen Eigenwillen? Das Dr. wurde auch als Kom. aufgefaßt. Nach Hebbel »wird durch die bloßen Schauer des Todes, durch seinen herein-

dunkelnden Schatten erreicht, was in allen übrigen Tragödien ...
nur durch den Tod selbst erreicht wird: die sittliche Läuterung und
Verklärung des Helden«.

1821/24   Wilhelm Müller
            (1794–1827, Dessau):
            Lieder der Griechen

Programmatische Gedichte, ersch. in der Art von Flugblättern in
fünf Einzelheften.

Umsetzung von persönlichen Erfahrungen als Teilnehmer an den Befreiungskriegen
1813/14, nachdem unmittelbar entstandene blutrünstige Freiheitslieder in dem Sammelbd. *Bundesblüten* (1816) ohne Erfolg geblieben waren.

Zeugnis der idealistischen Anteilnahme am Freiheitskampf der
Griechen gegen die Türken, z. B. *Alexander Ypsilanti.* Vorwiegend
Rollengedichte.

Viel nachgeahmt. Die Lieder trugen M. den Namen »Griechen-Müller« ein.

1822   E. T. A. Hoffmann
          (Biogr. S. 305):
          Meister Floh

»Ein Märchen in sieben Abenteuern zweier Freunde«.

Plan Sommer 1821. Entst. Herbst 1821 bis Frühjahr 1822.

Entwicklung des Helden Peregrinus Tyß von einer versponnenen
Kindheit über die Einkehr in die Welt des Wunderbaren, in der er
vom Träumer zum wachen Manne reift, zur Rückkehr in die – nun
verklärte – Wirklichkeit. Meister Floh ist die personifizierte gesunde
Vernunft, die Peregrinus auf den rechten Weg leitet, bis er, durch
die Liebe erlöst, auch seiner nicht mehr bedarf.
Groteske Komik, bewußte Phantastik. Zahlreiche mit der Haupthandlung nur lose verknüpfte Episoden, z. B. die Gesch. von dem
Hofrat Knarrpanti, eine Satire auf den Leiter der Demagogenunter-
suchungen, Kamptz, die beschlagnahmt wurde und H. ein gericht-
liches Verfahren eintrug. Sie ist erst seit 1908 dem Märchen wieder
eingefügt.

1824   Wilhelm Müller
(Auslfg. (1794–1827, Dessau):
1823)   **Die Winterreise**

Gedichtzyklus. In *Siebenundsiebzig Gedichte aus den hinterlassenen Papieren eines reisenden Waldhornisten*, Bd. 2.
Ähnlich wie in der *Schönen Müllerin* Wandern als Grundmotiv, hier
jedoch ohne freundlich retardierendes Moment. Handlungslinie von

Beginn an in Todesnähe; Leiden an der Welt: »Fremd bin ich ein-
gezogen, fremd zieh ich wieder aus.« Wandern ohne Richtung und
Ziel, das lyrische Ich schattenhaft.

Komposition des Gesamtzyklus durch Schubert. Das Lied *Der Lindenbaum* wurde in
der simplifizierenden Komposition Friedrich Silchers, die dem Lied seinen dämonischen Charakter nahm, volkstümlich.

1826   Ludwig Tieck
        (Biogr. S. 307):
        Der Aufruhr in den Cevennen

Erste hist. Nov. T.s, Fragment; von den »vier Abschnitten« wurden
nur zwei ausgeführt.

1820 begonnen, das Interesse an dem Stoff geht bis 1806 zurück. Wiederaufnahme eines R.-Planes, den T. gefaßt hatte, um seine Haltung gegenüber den Konfessionen
darzustellen. Verschiedene hist. Quellen.

Der Held, ein fanatischer Katholik und Verfolger der Calvinisten,
dann blindwütiger Anhänger der Gegenpartei, wird durch einen
ehrwürdigen Geistlichen von seinem doppelten Irrtum geheilt und
zur Versöhnung geführt. Ohne Bekenntnis zu einer der beiden Parteien; Ablehnung jeder Art von religiösem Fanatismus.
Überwiegen von Gesprächen grundsätzlichen und didaktischen Charakters.

1826   Joseph Freiherr von Eichendorff
        (Biogr. S. 305):
        Aus dem Leben eines Taugenichts

Entst. in E.s Sommerwohnung bei Danzig.

Idyllische, typisch romantische Nov. vom ziellosen Wandern eines
Knaben, der des Vaters Mühle verläßt, um Gottes Wunder zu
schauen, bei einer Gräfin Gärtner wird, auf geheimnisvolle Weise
nach Italien kommt und endlich eine arme Waise heimführt.
Auch das eigentliche Gerüst der Handlung in Gefühl zerfließend,
Grundstimmung die Wanderlust. Einheit von Natur und Mensch,
Preis der Empfindung. Das lyrische Thema mit vielen Gedichten
durchsetzt, z. B. *Wer in die Fremde will wandern; Schweigt der Menschen
laute Lust; Wem Gott will rechte Gunst erweisen; Wohin ich geh und
schaue.*

Eins der am meisten gelesenen Werke der Romantik.

1826   Justinus Kerner
     (1786–1862, Tübingen, Weinsberg):
     Gedichte

Volkstümlich schlichte Gedichte auf dem Hintergrund christlicher
Frömmigkeit. Melancholischer Grundzug, der sich später zu einer
Neigung zum Spiritismus entwickelte; häufiges Thema der Tod. Ent-
hält *Dort unten in der Mühle*; *Preisend mit viel schönen Reden*; *Preis der
Tanne*; *Wohlauf, noch getrunken den funkelnden Wein*; *Mir träumt, ich flög
gar bange* (in *Des Knaben Wunderhorn* aufgenommen) u. a.

1831   Adelbert von Chamisso
     (1781–1838, aus Schloß Boncourt/Champagne, Berlin):
     Gedichte

Volkstümliche Lyrik ohne stark individuelle Züge, Neigung zum
Sentimentalen. *Der Frauen Lieb und Leben* (Zyklus, von Schumann
vertont); *Die alte Waschfrau*; *Schloß Boncourt*. Episches in Versform:
Salas y Gomez; *Die Sonne bringt es an den Tag*.

Einfluß Ludwig Uhlands.

1833   Joseph Freiherr von Eichendorff
     (Biogr. S. 305):
     Die Freier

Lsp. 3, Prosa und Verse.

Entst. 1832 in Berlin. Thematisch verwandt mit Johann Friedrich Jüngers *Maske für
Maske* (nach Marivaux, 1794) und Brentanos *Ponce de Leon* (1804).

Harmloses, an Shakespeare geschultes Verkleidungs- und Verwech-
selungslsp. von dem unbändigen jungen Grafen und der selbstherr-
lichen schönen Gräfin, die nicht zueinander wollen und dann doch
zueinander finden. Stimmungsgehalt von süddt. Landschaft, fahrenden Sängern, Schlössern, Wäldern, Serenaden und Waldhornklän-
gen.

Auff. 2. 12. 1849 in Graudenz, erst 1908 für das Theater wiederentdeckt durch das
Lortzing-Theater in Münster.

1834   Joseph Freiherr von Eichendorff
     (Biogr. S. 305):
     Dichter und ihre Gesellen

Erz.

Entst. 1833.

Darstellung »der verschiedenen Richtungen des Dichterlebens« (E.).
Vier paarweise zueinander gehörige Personen erleben den Zusam-
menstoß von Idealität und Realität. Der Dichterwelt gegenüber steht

die Philisterwelt. Victor, der eigentliche Held, gelangt über die Dg.
hinaus zum Dienst an der Religion und schließt mit geistlichen Versen: *Du schöne Welt, nimm dich in acht.*

1834   Rahel, ein Buch des Andenkens für ihre Freunde

Aus dem Nachlaß Rahel Levins (1771–1833, Berlin) hgg. von dem seit 1814 mit ihr verheirateten Karl August Varnhagen van Ense (1785–1858).
Briefe und Aufzeichnungen, aus denen R.s Einfluß auf die ganze zeitgenössische Schriftstellergeneration erhellt. Zu ihren Vertrauten gehörten Schleiermacher, Fichte, Fouqué, Chamisso, die Brüder Schlegel, Wilhelm von Humboldt, später auch Heinrich Heine. Ihre »Adoration« Goethes ließ sie für diesen nachhaltig eintreten.

1835   Bettina (Elisabeth) Brentano
(1785–1859, aus Frankfurt/M., seit 1811 Arnims Frau):
Goethes Briefwechsel mit einem Kinde

Bettina hatte sich in Frankfurt/Main eng an Goethes Mutter angeschlossen, die ihr Geschichten aus der Jugend ihres Sohnes erzählen mußte (vgl. *Dichtung und Wahrheit*). Mit Goethe selbst stand sie im Briefwechsel. Dieser war in seinen Briefen freundlich zurückhaltend, bisweilen (besonders 1811) kühl ihr gegenüber.
Am Anfang des Buches stehen Briefe von und an Goethes Mutter. Die Goethe-Briefe im Hauptteil stützen sich auf den echten Briefwechsel, mischen aber Wahrheit und Dg., da B. v. A. bei Abfassung des Buches die Originale nicht vorlagen (vgl. Goethe, *Sonette*, 1815). Daran schließen sich an ein »Tagebuch« und Anrufungen Goethes nebst Klagen über seinen Tod.
Interessanter Reflex Goethescher Kunst auf ein Frauengemüt; gemischt aus Schwärmerei, echtem Gefühl und feinem Naturverständnis.

1836   Ludwig Tieck
(Biogr. S. 307):
Der junge Tischlermeister

Nov. »in sieben Abschnitten«.

Schon 1795 konzipiert, 1811 in Angriff genommen, Teildruck 1819. Als Bildungs-R. unmittelbar nach Erscheinen des *Wilhelm Meister* geplant, Parallelwerk zu *Sternbalds Wanderungen.*

Versuch an einem modernen, wirklichkeitsnahen Stoff. Darstellung des Bürgertums vor seinem Verfall in Zweckbürgertum. Jedoch verläßt der Tischlermeister den bürgerlichen Alltag und die Ehe und zieht mit adligen Freunden in die Welt. Der Handwerker ist im

Grunde ein hochgebildeter, ästhetisch veranlagter Dilettant, der erst nach Liebeshändeln und Reiseabenteuern zu Frau und Arbeit zurückkehrt. Die Schilderung seiner Beteiligung an Liebhaberauff. enthält – parallel zu *Wilhelm Meister* – T.s Ansichten über Shakespeare und Shakespeare-Bühne.

Problem der Stellung des Künstlers in der Gesellschaft und der Verbürgerlichung des Künstlers.

1837   Joseph Freiherr von Eichendorff
          (Biogr. S. 305):
          Gedichte

Erste Slg. von E.s Gedichten, die schon vorher vereinzelt und innerhalb seiner erzählenden Werke erschienen waren.

Nach E. ist das Geheimnis der Gedichte »Sichselbstbeschränken und das künstlerische Ebenmaß«. Romantisch sind der Gefühlsüberschwang, das Unbegrenzte der Vorstellungen, die stete Sehnsucht, Vorliebe für Übergangsstimmungen, Abend und Nacht, ma. Staffage: alte Burgen und Schlösser, Einsiedler, Ritter. Themen: Wandern, Natur, Liebe, Religion. Beseelung der Natur, die im Grunde immer die der Wälder und Täler der schlesischen Heimat ist, ohne daß spezifische Farbgebung eine Lokalisierbarkeit im realistischen Sinne nahelegt. Immer wiederkehrende Worte, Vorstellungen, Bilder – Täler, Höhen, Wald – sind allgemein gefaßt und wirken als »Zauberworte«, die verschiedenste Assoziationen möglich machen. Die Gegenstandswelt erscheint entgrenzt, löst sich in Farben, Töne, Poesie auf: »Schläft ein Lied in allen Dingen . . . Und die Welt hebt an zu singen, Triffst du nur das Zauberwort.« Eine Fülle bewegter Bilder baut eine Sehnsuchts- und Wunschwelt auf, die in mehrere Bedeutungsschichten hineinreicht und in der sich Weltliches und Geistliches berühren. In sich ruhende schlichte Frömmigkeit löst alle Zerrissenheit, Ekstatik, Dämonie, die in romantischer Lyrik aufklingt und deren Gefährlichkeit auch E. bekannt ist: »Du sollst mich doch nicht fangen, duftschwere Zaubernacht.«

Schlicht, sangbar, die Linie Claudius, Goethe, *Wunderhorn* fortsetzend, meist selbständig; manches zum Volkslied geworden. Enthält *Dämmrung will die Flügel spreiten*; *Es war, als hätt' der Himmel*; *O Täler weit, o Höhen*; *Wer hat dich, du schöner Wald*; ferner die von Schumann vertonten Gedichte *In einem kühlen Grunde*; *Wem Gott will rechte Gunst erweisen*; *Es war, als hätt' der Himmel*, sowie die von Hugo Wolf komponierten Gedichte *Über Wipfel und Saaten*; *Wer in die Fremde will wandern* u. a.

1838   Clemens Brentano
        (Biogr. S. 305):
        Gockel, Hinkel, Gackeleja

Märchen.

Quelle: Giovanni Battista Basile: *Petra* (= Pietra) *de lo Gallo*, in *Pentamerone* (1634 bis 1636); Gesch. vom alten Aniello, der in einem Hahnenkampf den Stein der Weisen findet.

Erste Fassung 1811; Überarbeitung Mitte der 30er Jahre, die ursprüngliche Schlichtheit von »Krämerei in Seltenheiten und scharfsinniger Ungelehrsamkeit« (Jakob Grimm) überwuchert.

Der Rauhgraf Gockel von Hanau, seine Frau Hinkel und sein Töchterchen Gackeleja leben verarmt auf dem verfallenen Stammschloß nahe Gelnhausen. Wie der Tierfreund Gockel mit Hilfe treuer Tiere den Ring Salomons gewinnt, durch die Spielsucht Gackelejas verliert und durch die Dankbarkeit der Tiere erneut zurückerhält, ist der Inhalt des Tier- und Waldmärchens.

Späterer Titel: *Gockel, Hinkel und Gackeleia.* – Die erste Fassung erschien, durch den Herausgeber überarbeitet, in *Märchen* (hgg. Guido Görres 1846), nach der wiedergefundenen Hs. als *Gockel und Hinkel* (hgg. Karl Viëtor 1923). Als weitere Dg. *Das Tagebuch der Ahnfrau* (= der des Grafen Gockel) lose angehängt.

1839   Ludwig Tieck
        (Biogr. S. 307):
        Des Lebens Überfluß

Nov. – In der Zs. *Urania.*

Entst. 1837.

Die realistische Idylle »macht auf innig ergötzliche Weise anschaulich, daß der reine Mensch dem Schicksal gegenüber immer seine Selbständigkeit zu behaupten vermag, wenn er Kraft und Mut genug besitzt, mit der ihm aufgebürdeten Last zu spielen, sie als ein nur zufällig ihm nahegerücktes Objektives zu betrachten« (Hebbel, Tagebuch). Charakteristisch für T.s 1820 einsetzende neue realistische Schaffensperiode unter dem Einfluß Karl Wilhelm Ferdinand Solgers (Würde und Schönheit der Lebenswirklichkeit) und Friedrich Raumers (gesch. Objektivität). Zugang zur Welt des Bürgertums. Beherrschende Stimmung: freiwillige Resignation.

Von T. 1829 formulierte Theorie der Nov. definierte, »daß sie einen großen oder kleinen Vorfall ins hellste Licht stelle, der, so leicht er sich ereignen kann, doch wunderbar, vielleicht einzig ist«.

1840 **Ludwig Tieck**
(Biogr. S. 307):
Vittoria Accorombona

Hist. R. »in fünf Büchern«.

Das merkwürdige Schicksal der einem Morde zum Opfer gefallenen Dichterin erregte T.s Interesse erstmalig 1792 bei der Lektüre der Tr. *The white Devil, or Vittoria Corombona* von John Webster (1612). Entst. 1836–1840.

Die Heldin ist das freigeistige Weib der Jungdeutschen, das in seiner Liebe über alles hinwegsieht, selbst darüber, daß der Geliebte seine erste Frau umgebracht hat. Vittoria hat ihren ersten Mann, den schwachen, sittenlosen Peretti, nur geheiratet, um ihre Familie vor dem Untergang zu bewahren, und fühlt bei der Begegnung mit dem Herzog Paolo Orsini Bracciano zum erstenmal wirkliche Liebe, deren Gesch. Inhalt des R. ist. Der gefährliche Weg einer außergewöhnlichen Frau in einer wilden Zeit.

Das Werk steht bereits unter der Einwirkung der Emanzipations-Rr., obwohl die Handlung noch mit schauerlich-romantischen Elementen durchsetzt ist. Frührealistische Charakteristika in der psychologischen Darstellung und in der eindringlichen, nuancenreichen Zeichnung des hist. Hintergrundes. »Ein Gemälde der Zeit, des Verfalls der ital. Staaten, sollte das Seelengemälde als Schattenseite erhellen und in das wahre Licht erheben« (T.).

Regelmäßiger Aufbau, kontinuierliche Erz. Kontrast von heiterem Beginn und düsterem Schluß. Planvoll verteiltes Gewebe von Motiven, Personen, Ereignissen.

Emil Schering vermutete, bei dem R. handele es sich um die Bearbg. eines nachgelassenen Werkes Kleists.

1840 **Bettina** (Elisabeth) **Brentano**
(1785–1859, aus Frankfurt/M., seit 1811 Arnims Frau):
Die Günderode – Ein Briefwechsel

Caroline von Günderode (geb. 1780 in Karlsruhe), Stiftsdame, Verfn. romantischer Dgg., faßte 1798 in Frankfurt/M. eine tiefe Neigung zu dem Heidelberger Prof. Georg Friedrich Creuzer (1771–1858), der sich um ihretwillen scheiden lassen wollte, sich dann aber zurückzog. C. v. G. erdolchte sich daraufhin am 26. 8. 1806 zu Winkel/Rhein.

Der vor Herausgabe stark überarbeitete schwärmerische Briefwechsel, der auch Dgg. der Günderode enthält, hat keinen Bezug zu deren Liebesgesch., sondern dient einer Selbstdarstellung der Herausgeberin, während die Günderode die Rolle der maßvollen, um Bettinas Bildung bemühten reiferen Freundin einnimmt.

1841   Joseph Freiherr von Eichendorff
(Biogr. S. 305):
Kleinere Novellen

Die Slg. enthält außer *Aus dem Leben eines Taugenichts* (vgl. 1826) und *Das Marmorbild* (vgl. 1819) neu:
Schloß Dürande. Düstere Erz. aus der Frz. Revolution; Einfluß Kleists, Problem ähnlich *Michael Kohlhaas.*
Die Entführung. Schauplatz Paris, in Psychologie und Komposition schwach.
Die Glücksritter. Studentengesch. aus der Zeit des Dreißigjährigen Krieges, E.s eigene Wanderfahrten eingearbeitet.

1846   Clemens Brentano
(Biogr. S. 305):
Märchen

Zweibändige Slg., postum hgg. und überarbeitet von Guido Görres.

Feste Märchenpläne seit 1805. Teils durch Bearbg. ital. Kindermärchen für dt. Kinder, teils (1811) durch selbst erfundene dt. Rhein-Märchen. Interesse daran trat seit 1817/18 zurück. Als Buch zu B.s Lebzeiten nur *Gockel, Hinkel, Gackeleja* erschienen. Teile eines Rhein-Märchens und des *Myrthenfräulein* durch Johann Friedrich Böhmer in der Frankfurter Zs. *Iris* gegen B.s Willen veröffentlicht.

Die Gruppe der bearbeiteten Märchen frei nach Giovanni Battista Basiles *Pentamerone* (1634–1636). Verkindlichung, Reinigung der neapolitanischen derb sinnlichen, prallen Vorlagen.
Der Gruppe der Originalmärchen lag laut Brief von 1816 als Gesamtplan und Rahmen die Liebe zum Rhein zugrunde. Mit Gedichten durchsetzt.
B.s Auffassung des Märchens in scharfem Gegensatz zu den Brüdern Grimm. Die z. T. lit. Quellen entnommenen Stoffe phantasievoll kombiniert, weitergebildet, satirisch-witzig bearbeitet. Zu individuellen Kunstmärchen umgestaltet.

1852/55   Clemens Brentano
(Biogr. S. 305):
Gesammelte Schriften

9 Bdd., hgg. Christian Brentano.
Bd. 1 (geistliche Lieder) und Bd. 2 (weltliche Lieder) stellen die erste vollständige Slg. von B.s Lyrik dar. Früheste Gedichte entst. 1795, zunächst unter Einfluß von Tieck, dann von Goethe und dem Volkslied. Starker Eindruck des Todes von B.s Schwester Sophie und der Freundschaft zu Arnim, mit dem 1803 gemeinsam »Lieder der Liederbrüder« geplant wurden. Einzelne Beiträge in *Trösteinsamkeit.* Ein zweiter Veröffentlichungsplan betraf nach den Napoleonischen Krie-

gen patriotische Spiele und Lieder. B.s religiöse Krisis fand ebenfalls
ihren Niederschlag. Wenig gedruckt, vieles eilig in Briefe geworfen.
Gedicht als Brief. Persönliche Zwiesprache mit sich selbst. Mit star-
kem Gefühl und Musik gesättigt, von B. meist selber zur Laute gesungen.

Erstmalig (in Bd. 3): *Romanzen vom Rosenkranz.*

Unvollendet gebliebenes Versepos. Erste kurze Spuren 1803, besonders fruchtbare
Arbeitszeit 1805–1811. Danach liegengelassen; von dem späteren B. (1825) verwor-
fen. Quelle: Ghirardaccis *Istoria di Bologna* (1596).

Die ins Mystisch-Kosmische geweitete Familiengesch. eines Bolo-
gneser Geschlechts des Trecento. Mit tiefem persönlichem Fühlen
durchsetzt. »Ein apokryphisch-religiöses Gedicht, in welchem sich
eine unendliche Erbschuld, die durch mehrere Geschlechter geht
und noch bei Jesu Leben entspringt, durch die Erfindung des katholischen Rosenkranzes löst« (B. an Runge).
Auf die spanische Romanzenform war B. wohl durch August Wilhelm Schlegel hingewiesen worden.

Von derselben Autorin

4. Auflage 1976	1. Auflage 1976
XVI, 785 Seiten	XVI, 807 Seiten
Leinen (KTA 300)	Leinen (KTA 301)

Die beiden Bände bilden nun ein Standardwerk, das die in Einzeluntersuchungen verstreuten Ergebnisse des Forschungszweiges der Stoff- und Motivgeschichte zusammenfaßt und viele bisherige Lücken schließt. Während es bei den stoffgeschichtlichen Längsschnitten um die dichterischen Verwirklichungen vorgeprägter Plots geht (Faust, Antigone, Blaubart und 295 andere), handelt es sich bei den motivgeschichtlichen um die variantenreiche Entfaltung von poetischen Keimzellen, wie z. B. dem Freundschaftsbeweis, der verleumdeten Gattin, Inzest, dem Teufelsbündner, etc.
Eine Vielzahl von Querverweisen verzahnen die beiden Bände eng miteinander und erleichtern deren wissenschaftliche Benutzung.

KRÖNERS TASCHENAUSGABE 300 und 301